AVENUE
DES MYSTÈRES

JOHN IRVING

AVENUE
DES MYSTÈRES

roman

TRADUIT DE L'ANGLAIS (ÉTATS-UNIS)
PAR JOSÉE KAMOUN ET OLIVIER GRENOT

ÉDITIONS DU SEUIL
25, bd Romain-Rolland, Paris XIVe

CE LIVRE EST ÉDITÉ PAR ANNE FREYER-MAUTHNER

Titre original : *Avenue of Mysteries*
Éditeur original : Simon & Schuster, New York
© original : 2015, Garp Enterprises, Ltd
ISBN original : 978-1-4516-6416-4

ISBN 978-2-02-129978-6
ISBN 978-2-02-129980-9 (e-pub)

© Éditions du Seuil, mai 2016, pour la traduction française

www.seuil.com

Pour Martin Bell et Mary Ellen Mark.
L'ouvrage entamé ensemble,
Achevons-le ensemble.

Et puis pour Minnie Domingo et
Rick Dancel, et leur fille,
Nicole Dancel,
Qui m'ont fait voir les Philippines.

Et enfin pour mon fils Everett,
Qui fut mon interprète au Mexique,
Ainsi que pour Katrina Juarez,
Notre guide à Oaxaca.
– dos abrazos muy fuertes.

Les voyages s'achèvent par la rencontre des amants.

SHAKESPEARE, *La Nuit des rois*

1
Les Enfants perdus

Juan Diego éprouvait parfois le besoin de préciser : « Je suis mexicain – je suis né au Mexique et j'y ai grandi. » Ces derniers temps, il s'était mis à dire : « Je suis américain, je vis aux États-Unis depuis quarante ans. » Et, quand il voulait désamorcer la question identitaire, il déclarait volontiers : « Je suis un homme du Midwest, de l'Iowa pour être précis. »

Il ne se définissait jamais comme « Mexicano-Américain », non seulement parce que cette étiquette lui déplaisait, mais surtout parce qu'il pensait qu'on s'acharnait à chercher un fondement commun de l'expérience mexicano-américaine, fondement que, pour sa part, il ne se souciait guère d'approfondir.

Ce qu'il disait, lui, c'est qu'il avait vécu deux vies, deux vies distinctes et indépendantes : une première vie mexicaine, pendant son enfance et sa prime adolescence, et puis, après son départ du Mexique – il n'y était jamais retourné –, une seconde, américaine celle-là, dans le Midwest.

Il affirmait ainsi que dans son esprit, c'est-à-dire dans sa mémoire, et aussi dans ses rêves, il vivait et revivait ses deux vies « en parallèle ».

Une de ses amies chères, son médecin en l'occurrence, lui disait pour le taquiner qu'il était tantôt un gosse du Mexique, tantôt un adulte de l'Iowa. Juan Diego, pourtant discutailleur à l'occasion, ne la contredisait pas sur ce point.

Avant que les bêtabloquants ne perturbent ses rêves, il lui avait confié être souvent réveillé en sursaut par le plus « anodin » de ses cauchemars récurrents. Celui auquel il pensait était le souvenir de la matinée formatrice qui avait fait de lui un infirme. À vrai dire, seul le début du cauchemar, ou du souvenir, était « anodin » et trouvait sa source dans un événement survenu au Mexique, du côté de la décharge publique de Oaxaca, l'année de ses quatorze ans.

À Oaxaca, il faisait partie de ceux qu'on appelait *los niños de la basura*, les gosses de la décharge. Il habitait une bicoque à Guerrero, où une colonie de familles travaillait sur ce tas d'ordures, *el basurero*. Soit une dizaine en 1970, où la ville de Oaxaca comptait environ cent mille habitants, dont la plupart ignoraient que le tri et la récupération des déchets incombaient aux enfants, chargés de mettre à part le verre, l'aluminium et le cuivre.

Ceux qui savaient à quoi s'employaient ces gosses les surnommaient *los pepenadores*, les charognards. Âgé de quatorze ans, Juan Diego était un gosse de la décharge, charognard de son état – mais lecteur, aussi. Le bruit s'était répandu qu'un niño de la basura avait appris à lire tout seul. En règle générale, ces enfants-là ne lisaient guère, et il est rare que les jeunes lecteurs de toutes origines et de tous horizons soient autodidactes. Ce qui faisait qu'on en parlait, et que les jésuites, toujours enclins à valoriser l'instruction, avaient eu vent de ce gamin de Guerrero.

Les deux vieux prêtres de l'église de la Compagnie de Jésus surnommaient Juan Diego « le lecteur-de-la-décharge ».

« Il faudrait qu'on lui apporte deux ou trois bons livres à nous, au lecteur-de-la-décharge, Dieu sait ce qu'il trouve, là-dedans ! » avait déclaré le Père Alfonso ou le Père Octavio, et, comme chaque fois qu'ils disaient qu'« on » devrait faire ceci ou cela, Frère Pepe avait compris que la besogne lui incombait. Or il était lui-même un lecteur vorace.

Frère Pepe avait une voiture et, originaire de Mexico, il se repérait assez bien dans Oaxaca. Il enseignait à l'école des jésuites, depuis longtemps prospère car, pour ce qui est de diriger des écoles, les jésuites s'y entendent. L'orphelinat, en revanche, était d'une fondation plus récente puisqu'il résultait de la transformation du couvent dans les années 1960.

Frère Pepe avait mis tout son cœur dans cette école comme dans l'orphelinat, qui portait le nom triste comme un jour sans pain de « Hogar de los Niños Perdidos », et, avec le temps, les âmes sensibles rebutées par ce « Foyer des Enfants perdus » auraient sans doute reconnu avec un bel ensemble qu'à l'orphelinat aussi les jésuites faisaient un sacré boulot. Du reste, les gens avaient pris l'habitude de raccourcir le nom et d'appeler l'établissement «Les Enfants perdus». L'une des religieuses qui s'occupaient des orphelins grommelait à l'envi qu'ils n'étaient que des *perdidos*, mais l'épithète ne s'appliquait qu'à un ou deux garnements des plus intenables.

Heureusement ce ne fut pas elle qui apporta les livres au jeune lecteur du basurero, ni elle qui les choisit, car alors l'histoire de Juan Diego aurait pris fin avant même de commencer. Frère Pepe, lui, plaçait la lecture sur un piédestal. Il s'était fait jésuite parce que les jésuites lui avaient inspiré le goût du livre et l'amour de Jésus – pas forcément dans cet ordre. Mieux valait ne pas lui demander si c'était Jésus ou le livre qui l'avait sauvé, ni dans quelles proportions.

À quarante-cinq ans, tout en rondeurs, il disait de lui-même : «À défaut d'être un corps céleste, je suis déjà joufflu comme un chérubin.»

Il était la bonté faite homme et semblait l'incarnation de la supplique de sainte Thérèse d'Ávila : «Des dévotions ineptes et des saints à face de carême, délivre-nous, Seigneur.» Comment s'étonner de l'adoration que lui vouaient les enfants ?

Mais ce jour-là, c'était la première fois que Frère Pepe se rendait au basurero de Oaxaca. À cette époque, dans les déchetteries, on brûlait ce qui voulait bien brûler, des foyers flambaient dans tous les coins, et les livres étaient fort utiles pour les allumer. Lorsque Pepe sortit de sa Coccinelle, la puanteur des ordures et la chaleur des brasiers lui parurent correspondre assez bien à l'idée qu'il se faisait de l'enfer, à ceci près qu'il n'aurait pas imaginé des enfants s'y affairant.

Il y avait quelques très bons livres sur la banquette arrière de la petite Volkswagen ; il les considérait comme la meilleure protection contre le mal. Car la foi en Jésus elle-même n'avait pas le caractère tangible d'une pile de bons bouquins.

– Je cherche le lecteur, dit-il aux travailleurs, adultes et enfants.

Les pepenadores lui lancèrent un coup d'œil qui trahissait leur mépris pour la lecture. Puis une femme à peu près de l'âge de Pepe s'exprima ; sans doute avait-elle enfanté un charognard, voire plusieurs. Elle lui apprit qu'il trouverait Juan Diego à Guerrero, dans la bicoque du Jefe.

Frère Pepe fut désorienté ; il crut avoir mal compris. El Jefe était le patron de la décharge.

– Le lecteur serait-il son fils ? demanda-t-il à la femme.

Quelques gamins s'esclaffèrent, puis tournèrent les talons. L'idée ne fit pas rire les adultes, et la femme se borna à répondre :

– Non, mais c'est tout comme.

Elle désignait la direction de Guerrero, où les bicoques avaient été montées de bric et de broc, avec des matériaux récupérés sur la décharge, faisant de la colonie un quartier de détritus, niché à flanc de colline en contrebas. Quant à la bicoque du chef en question, elle se trouvait à la lisière de la décharge.

Des colonnes de fumée noire s'élevaient au-dessus du basurero, piliers de noirceur qui atteignaient le ciel. Des vautours décrivaient des cercles, tout là-haut, tandis que d'autres charognards sévissaient en bas. En effet, partout des chiens rôdaient autour des brasiers infernaux, cédant la place de mauvais gré aux éboueurs et à leurs bennes – et à eux seuls ou presque. Les chiens constituaient des compagnons équivoques pour les enfants ; les uns comme les autres fouillaient concurremment l'ordure – mais pas pour y trouver la même chose. Ainsi les chiens errants pour la plupart se fichaient bien du verre, de l'aluminium ou du cuivre.

Pepe ne resta pas assez longtemps sur les lieux pour apercevoir les chiens à l'agonie et ce qu'il advenait d'eux : les humains brûlaient leurs cadavres, quand les vautours ne les prenaient pas de vitesse.

Pepe en croisa d'autres au pied de la colline, à Guerrero. Des chiens adoptés par les familles qui travaillaient sur place, et habitaient la colonie. Ceux-là lui parurent mieux nourris, et plus attachés à défendre leur territoire que ceux de la décharge. Ils ressemblaient davantage aux chiens ordinaires ; plus nerveux, plus agressifs que les premiers, qui se faufilaient un peu partout en mode furtif ou soumis, sans pour autant renoncer à occuper le terrain en douce.

Il valait mieux éviter de se faire mordre par un chien du basurero ou de Guerrero d'ailleurs, vu qu'ils venaient tous de la décharge au départ. Ça, Pepe en était convaincu.

C'était lui qui emmenait les enfants malades de l'orphelinat chez le Dr Vargas, à l'Hôpital de la Croix-Rouge, calle Armenta y López. Vargas traitait les orphelins avant tout le monde, et les gosses de la décharge en priorité ; à ses yeux, les deux dangers majeurs qui guettaient les petits charognards étaient les chiens et les aiguilles : on trouvait beaucoup de seringues usagées dans les ordures. Un niño de la basura avait vite fait de se piquer.

– Ils sont fichus de ramasser une hépatite B ou C, et je ne vous parle pas de toutes les infections bactériennes possibles et imaginables, avait commenté le médecin.

– Sans compter que certains chiens du basurero ou de Guerrero pourraient être enragés, je suppose, avait ajouté Pepe.

– Quand les gosses se font mordre, il faut les vacciner tout de suite. Mais ils ont une peur bleue des aiguilles. Ils ont peur des aiguilles usagées, ce qui est très bien, mais du coup ils ont la trouille des piqûres ; alors, quand ils se font mordre, ils craignent plus le vaccin que la rage, et ça, c'est moins bien.

Pepe tenait Vargas pour un brave homme, quoique homme de science et athée. Il était bien placé pour savoir que, sur les questions spirituelles, le médecin pouvait devenir fatigant.

C'est aux dangers de la rage que pensait le jésuite lorsqu'il sortit de sa Coccinelle pour s'approcher de la baraque du Jefe ; il serrait fort sa brassée de livres, et tous ces chiens hostiles qui aboyaient à qui mieux mieux ne lui disaient rien qui vaille.

– ¡ Holà ! cria-t-il à travers la porte moustiquaire. J'apporte des livres à Juan Diego, le lecteur, des bons livres !

Mais un grognement féroce lui répondit et il fit un pas en arrière.

La femme qui travaillait sur le basurero lui avait donné une indication sur le patron de la décharge, El Jefe en personne. Elle l'avait appelé par son nom, en précisant : « Rivera, vous le reconnaîtrez facilement à son chien. C'est celui qui a la plus sale gueule. »

Sauf que Frère Pepe ne voyait pas le chien qui grognait si férocement derrière la porte. Il recula encore, et celle-ci s'ouvrit brusquement sans toutefois laisser paraître le patron de la décharge. La petite créature ombrageuse qui s'y encadra n'était pas Juan Diego, mais une sauvageonne aux yeux sombres, Lupe, sa sœur âgée de treize ans. Elle parlait une langue incompréhensible ; ce qui sortait de sa bouche ne ressemblait pas à de l'espagnol, même de loin. Juan Diego était le seul à la comprendre, lui tenant lieu d'interprète. Or le sabir de Lupe n'était pas son plus grand mystère : la fillette lisait dans les pensées. Elle savait ce qu'autrui avait en tête, il lui arrivait même d'en savoir davantage sur son compte.

– Y a un gars avec une pile de livres ! cria-t-elle vers l'intérieur de la baraque, déclenchant une cacophonie d'aboiements chez un chien aussi patibulaire qu'invisible. C'est un jésuite, un instituteur. Une des bonnes âmes des Enfants perdus.

Elle marqua un temps pour lire dans la pensée pour l'instant confuse de Frère Pepe, qui n'avait rien compris à ce qu'elle venait de dire.

– Il me prend pour une demeurée. Il a peur que l'orphelinat m'accepte pas, que les jésuites me croient irrécupérable.

– Ce n'est pas une demeurée ! s'écria le garçon depuis l'intérieur de la baraque. Elle comprend tout !

– Tu es la sœur de celui que je cherche, non ? demanda Pepe à la fillette avec un sourire.

Elle acquiesça et, le voyant transpirer sous son fardeau, elle lança :

– Il est sympa, ce jésuite. Juste un peu trop gros.

Elle s'effaça pour le laisser entrer. Il pénétra avec précaution, cherchant du regard le chien féroce qu'il n'aperçut nulle part.

Quant au garçon, le lecteur-de-la-décharge, il était à peine visible. Les étagères qui l'entouraient étaient mieux construites que ce qu'il aurait imaginé, de même que la bicoque dans son ensemble. Sûrement l'œuvre du Jefe, pensa Pepe, car le jeune lecteur ne pouvait guère être l'artisan de tout cet agencement. C'était un garçon à la physionomie rêveuse, comme tant de jeunes lecteurs sérieux. Il ressemblait beaucoup à sa sœur, et l'un comme l'autre rappelaient quelqu'un à Pepe, sans qu'il puisse trouver qui.

– On ressemble tous les deux à notre mère, expliqua Lupe, qui avait lu dans ses pensées.

Juan Diego, couché sur un canapé déglingué avec un livre sur sa poitrine, ne traduisit pas ce que sa sœur télépathe venait de dire, préférant laisser le jésuite dans les ténèbres de l'ignorance sur ce chapitre.

– Qu'est-ce que tu lis ? lui demanda Pepe.

– De l'histoire locale. De l'histoire religieuse, comme on dit.

– C'est barbant, décréta Lupe.

– Elle dit que c'est barbant, oui, un peu, sans doute, admit son frère.

– Parce qu'elle lit, elle aussi ?

Un pan de contreplaqué soutenu par deux cageots à oranges constituait une table de fortune parfaite, au chevet du canapé. Pepe y déposa sa lourde pile de bouquins.

– Je lui fais la lecture, je lui lis tout, expliqua Juan Diego à l'instituteur.

Il brandit le livre qu'il avait entamé:

– Ça raconte que vous êtes arrivés en troisième position, vous les jésuites. Les augustins et les dominicains vous ont précédés à Oaxaca. C'est peut-être pour ça que les gens n'ont pas une grande considération pour vous, ici.

– Et puis, la Vierge Marie fait de l'ombre à Notre Dame de Guadalupe; Guadalupe s'est fait détrôner par Marie et Notre Dame de la Solitude, reprit Lupe dans son sabir incompréhensible. La Virgen de la Soledad, c'est une figure, ici, avec son histoire d'âne débile! Et elle a supplanté Guadalupe. Moi, je suis une fille de Guadalupe! revendiqua-t-elle en se désignant du doigt.

On aurait dit qu'elle était en colère.

Frère Pepe se tourna vers Juan Diego qui, manifestement las de ces guerres de Madones, n'en traduisit pas moins le discours de sa sœur.

– Je le connais, ce livre! s'écria Pepe.

– Ça ne m'étonne pas, il vient de chez vous, lui expliqua le gamin en lui tendant l'ouvrage.

Le vieux bouquin dégageait un puissant relent d'ordures, et certaines de ses pages étaient noircies sur les bords. C'était un volume érudit, une étude sur la religion catholique, le genre d'ouvrage que personne ne lit. Il provenait de la bibliothèque de l'ancien couvent. Lorsque celui-ci avait été transformé en orphelinat, quantité de vieux bouquins illisibles avaient été envoyés à la décharge, pour faire de la place aux enfants et aux livres de classe.

Il était clair que le Père Alfonso ou le Père Octavio avaient décidé quels seraient ceux à vouer aux flammes du basurero et ceux à garder pour leurs mérites. Celui qui racontait que les jésuites étaient arrivés en troisième position à Oaxaca avait peu de chances de trouver grâce à leurs yeux. Il risquait fort d'avoir été écrit par un augustin ou un dominicain, ce qui aurait suffi à lui valoir l'enfer du basurero. Tant il est vrai que si les jésuites accordent priorité à l'instruction, la notion de compétitivité ne leur est pas étrangère non plus.

– Je t'apporte des livres d'un abord plus facile. Des romans, des récits, des histoires, quoi, dit l'instituteur sur un ton engageant.

– Moi, les histoires, j'en pense pas tellement de bien, dit Lupe d'un air soupçonneux, du haut de ses treize ans. Les contes, c'est pas toujours ce qu'on dit.

– Commence pas, lui répondit Juan Diego, tu étais trop jeune pour cette histoire de chien, c'est tout.

– Quelle histoire de chien ? s'enquit Frère Pepe.

– C'est la question à ne pas poser, lui dit le garçon.

Trop tard ! Lupe farfouillait dans les rayonnages. Il y avait des livres partout, sauvés du bûcher.

– C'est ce Russe, là, disait la petite, le regard fervent.

– Comment ça, « russe » ? Vous ne lisez quand même pas le russe ? demanda Pepe à Juan Diego.

– Non, non. Elle parle de l'auteur. L'auteur est russe.

– Comment tu fais pour la comprendre ? Par moments, je ne suis même pas sûr qu'elle parle espagnol.

– Bien sûr que si, c'est de l'espagnol ! s'écria la fillette.

Elle venait de mettre la main sur le livre qui lui inspirait des doutes sur la fiction. Elle le tendit à Frère Pepe.

– Elle parle une langue un peu différente, mais pas tant que ça. Je la comprends, précisa Juan Diego.

– Ah, ce Russe-là… dit Frère Pepe.

Il s'agissait d'un recueil de Tchekhov, *La Dame au petit chien, et autres nouvelles*.

– Ça parle pas de chien, protesta Lupe. Ça parle de gens qui couchent ensemble sans être mariés.

Juan Diego traduisit, puis commenta :

– Tout ce qui l'intéresse, c'est les chiens. Je lui ai bien dit qu'elle était trop jeune pour lire ça.

Comme Pepe ne se rappelait plus très bien l'intrigue de *La Dame au petit chien*, il avait évidemment tout oublié du chien lui-même. Il se rappelait seulement que la nouvelle racontait une liaison coupable.

– Je ne suis pas sûr que ce soit un livre pour votre âge, ni à l'un ni à l'autre, dit-il avec un rire gêné.

Il s'aperçut alors qu'il s'agissait d'une traduction anglaise publiée à New York par un éditeur américain dans les années 1940.

– Mais c'est écrit en anglais ! Tu comprends l'anglais ? demanda-t-il à la sauvageonne. Et toi, tu lis l'anglais, aussi ? ajouta-t-il en s'adressant au lecteur-de-la-décharge.

Tous deux haussèrent les épaules. J'ai déjà vu ce haussement d'épaules quelque part, songea le jésuite.

– On tient ça de notre mère, lui répondit Lupe, réponse qu'il ne comprit pas.

– Quoi, notre mère ? lança Juan Diego à sa sœur.

– Il voulait savoir de qui on tenait notre façon de hausser les épaules.

– L'anglais aussi, tu l'as appris tout seul ? demanda lentement Pepe au garçon.

Tout à coup, la petite lui fichait la frousse, il n'aurait pas su dire pourquoi.

– L'anglais, c'est différent de l'espagnol mais pas trop, je le comprends, déclara l'adolescent comme s'il parlait encore du langage de sa sœur.

Pepe s'était mis à penser en accéléré. Il avait là deux enfants hors du commun. Le garçon lisait tout ce qui lui tombait entre les mains, rien ne semblait résister à son intelligence. Quant à la petite, c'était une autre histoire. Lui apprendre à parler normalement serait une gageure. Pourtant, n'étaient-ils pas à tous égards le genre d'élèves doués que l'école des jésuites recherchait ? Cette femme qui travaillait sur le basurero avait dit que Rivera n'était pas le père du jeune lecteur, mais «tout comme». Qui était son père, alors, et où vivait-il ? En outre, rien n'indiquait la présence d'une mère, dans le capharnaüm de cette bicoque. Parce que si la menuiserie était bien faite, tout le reste partait à vau-l'eau.

– Dis-lui qu'on n'est pas des enfants perdus, puisqu'il nous a trouvés ! enjoignit tout à coup Lupe à son petit prodige de frère. Dis-lui qu'on a rien à faire dans un orphelinat. Moi, j'ai pas besoin de parler normalement. Tu me comprends parfaitement. Dis-lui qu'on a une mère. D'ailleurs, il doit la connaître. Dis-lui que Rivera est un vrai père pour nous. Dis-lui qu'il vaut mieux que n'importe quel père, El Jefe.

– Pas si vite, Lupe ! Comment veux-tu que je lui dise quoi que ce soit si tu parles aussi vite.

Ce n'était pas rien, de traduire tout ça à Pepe, à commencer par le fait qu'il connaissait sûrement la mère des gosses de la décharge – elle officiait la nuit calle Zaragoza, mais elle travaillait aussi pour les jésuites, comme femme de service principale.

Qu'elle travaille la nuit calle Zaragoza laissait à penser qu'elle se prostituait, et Frère Pepe la connaissait en effet. Cette Esperanza était la meilleure femme de service des jésuites, et c'était bien d'elle que les enfants tenaient leurs yeux noirs et leur haussement d'épaules désinvolte. Quant à l'origine des dons de l'adolescent pour la lecture, elle était beaucoup moins claire.

Détail révélateur, le gamin n'avait pas présenté Rivera, alias El Jefe, comme son père « ou tout comme ». Il avait déclaré qu'il n'était « sans doute pas » son père, mais sans en exclure la possibilité. Il y avait du peut-être dans l'air, voilà ce qui ressortait de son propos. Quant à ce qu'il soit celui de Lupe, c'était exclu. L'adolescente avait le sentiment d'avoir des tas de pères, trop pour les nommer. Cependant son frère passa sur cette impossibilité biologique sans s'appesantir. Il précisa simplement que Rivera et leur mère n'étaient plus « ensemble » quand Esperanza était tombée enceinte de Lupe.

Dans son récit circonstancié et bien maîtrisé, il expliqua que le patron de la décharge était un « vrai » père pour eux, un père en mieux, qui leur avait donné un foyer. Il fit écho à Lupe : ni lui ni elle n'avaient rien à faire dans un orphelinat.

– On n'est pas des enfants perdus aujourd'hui et on n'en sera pas demain. On a un foyer ici, à Guerrero, on a du boulot sur le basurero.

Au fait, s'interrogea Pepe, pourquoi ces enfants ne travaillaient-ils pas avec les autres, comme pepenadores ? Pourquoi n'étaient-ils pas en train de fouiller les ordures ? Étaient-ils traités mieux ou plus mal que les autres gamins de la décharge qui vivaient à Guerrero ?

– Mieux et plus mal, répondit sans hésiter Juan Diego.

Frère Pepe se rappela le dédain de la lecture exprimé par les autres enfants. Dieu sait ce que les petits charognards pensaient de la sauvageonne incompréhensible qui lui faisait froid dans le dos !

– Rivera ne nous laisse jamais quitter la baraque sans lui, expliqua Lupe.

Cette fois, Juan Diego ne se contenta pas de traduire, il développa : Rivera les protégeait efficacement. C'était un « vrai » père et plus qu'un père pour eux, parce qu'il subvenait à leurs besoins et veillait sur eux.

– En plus, il nous bat jamais, coupa Lupe, ce que Juan Diego traduisit fidèlement aussi.

– Je vois, dit Frère Pepe.

Mais il ne faisait qu'entrevoir la situation des deux gamins. Certes, elle était meilleure que celle de bien des enfants qui se livraient au tri des détritus. Et elle était pire, aussi, car ces charognards ainsi que leurs familles étaient jaloux d'eux. Et puis, tout en jouissant de la protection du Jefe, ils n'étaient pas vraiment ses enfants. Quant à leur mère qui travaillait de nuit calle Zaragoza, c'était une prostituée qui n'habitait même pas Guerrero.

Il y a de la hiérarchie partout, songea tristement Pepe.

– C'est quoi, la hiérarchie ? demanda Lupe à son frère. (Pepe commençait à se douter qu'elle lisait dans ses pensées.)

– La hiérarchie, c'est que les autres gosses de la basura se croient supérieurs à nous.

– Tout à fait, ponctua Pepe, un peu mal à l'aise.

S'il était venu faire la connaissance du gamin de la décharge, le fameux lecteur de Guerrero, pour lui apporter des livres en bon instituteur, il découvrait que c'était lui, le maître, qui avait beaucoup à apprendre.

C'est alors que le chien invisible, mais audible en permanence par ses protestations, se montra. La bestiole aux allures de belette qui sortit de sous le canapé où elle était tapie ressemblait davantage à un rongeur qu'à un chien.

– Il s'appelle Blanc Sale, c'est un chien, pas un rat ! lui lança Lupe, indignée.

Juan Diego assortit sa traduction du commentaire suivant :

– Blanc Sale, c'est un sale petit lâche, et un ingrat !

– Je l'ai arraché à la mort ! s'écria Lupe.

Tout en se coulant dans les bras tendus de la fillette, le chien efflanqué et bossu découvrait ses babines et ses crocs.

– On devrait l'appeler Revient de loin, pas Blanc Sale, dit Juan Diego en riant. Quand elle l'a trouvé, il avait la tête prise dans un carton de lait.

– C'est un chiot, il mourait de faim, protesta Lupe.

– Il est resté sur sa faim, spécula Juan Diego.

– Arrête, dit sa sœur.

Le chiot frémissait dans ses bras.

Pepe essayait de réprimer ses pensées, mais c'était plus difficile qu'il ne l'aurait cru. Il aurait mieux fait de partir, même de façon abrupte, que de laisser l'enfant extralucide lire en lui comme dans un livre ouvert. Il ne tenait pas à ce que cette innocente sache ce qu'il en était.

Il démarra sa Coccinelle et quitta Guerrero sans avoir repéré la moindre trace de Rivera ni de son chien à la sale gueule. Les fumerolles du basurero entouraient de toutes parts le jésuite au grand cœur, à l'image des idées noires qui l'assaillaient.

Le Père Octavio et le Père Alfonso considéraient la prostituée Esperanza, la mère des enfants, comme une femme «déchue». Pour les deux vieux prêtres, on ne pouvait pas tomber plus bas que cette malheureuse. Il n'existait pas d'être humain aussi «perdu». Les jésuites l'employaient donc comme femme de ménage en prétendant pieusement vouloir la «sauver».

Mais ces enfants de la décharge, ne fallait-il pas les sauver, eux aussi? Ne faisaient-ils pas partie des «âmes en perdition»? La chute ne les guettait-elle pas tôt ou tard, une chute plus vertigineuse encore?

Lorsque l'enfant de Guerrero devenu adulte se plaignait à son médecin des effets secondaires des bêtabloquants, il aurait fallu qu'il ait Frère Pepe auprès de lui, pour témoigner de ses souvenirs d'enfance et de ses rêves les plus terribles. Même les cauchemars du lecteur-de-la-décharge valaient de rester dans les annales, aux yeux du jésuite.

Dans sa prime adolescence, le rêve le plus récurrent de Juan Diego n'était pas un cauchemar. Il rêvait souvent de vol, si on peut le qualifier ainsi. Il s'agissait d'une locomotion aérienne singulière et inconfortable, qui n'offrait guère de ressemblance avec l'action de voler dans les airs. Le rêve était toujours le même. Dans la foule, des gens levaient les yeux; ils le voyaient marcher sur le ciel. D'en bas, au niveau du sol, on aurait dit qu'il marchait précautionneusement à l'envers.

Il n'y avait rien de spontané dans cette traversée du ciel; il ne volait pas librement, tel un oiseau; il n'avait pas non plus la puissance d'un avion propulsé en droite ligne. Pourtant, dans ce rêve récurrent, Juan Diego savait quelle était sa place. De son poste d'observation inversé, il voyait les visages de la foule anxieuse tournés vers lui.

Quand il décrivait son rêve à son étrange sœur, il ajoutait: «Il vient toujours un moment dans la vie où il faut lâcher les mains, les deux mains.» Naturellement, ce discours ne voulait rien dire pour les oreilles d'une fillette de treize ans, quand bien même celle-ci aurait été normale. Lupe fit une réponse inintelligible, y compris pour Juan Diego.

Un jour qu'il lui demandait ce qu'elle pensait de son rêve de marche à l'envers sur le ciel, elle lui offrit une réponse énigmatique à sa sauce, mais dont il comprit tout de même chaque mot.

– C'est un rêve d'avenir.

– L'avenir de qui ?

– Pas le tien, j'espère, répondit sa sœur, plus énigmatique encore.

– Mais je l'adore, ce rêve !

– C'est un rêve de mort, conclut Lupe sans vouloir s'étendre davantage.

Mais aujourd'hui il avait pris de l'âge, et depuis qu'il absorbait des bêtabloquants ce rêve de marche sur le ciel était perdu pour lui, et il n'arrivait pas non plus à revivre le cauchemar de ce matin lointain où il était devenu infirme, à Guerrero.

Il s'en était plaint à son médecin : « Tes bêtabloquants, ils me bloquent aussi la mémoire, ils me volent mon enfance, ils me volent mes rêves ! » Son docteur mettait cette outrance sur le compte des bouffées d'adrénaline qui lui manquaient désormais. Parce que les bêtabloquants, ça lui joue un drôle de tour, à l'adrénaline.

Son médecin, une femme pragmatique nommée Rosemary Stein, était une amie très proche depuis une vingtaine d'années. Elle avait l'habitude de ses exagérations hystériques.

Elle savait très bien pourquoi elle avait prescrit des bêtabloquants à son ami : pour lui éviter la crise cardiaque. Non seulement il avait 17 de tension, mais sa mère et l'un de ses pères hypothétiques étaient sans doute morts d'un arrêt du cœur prématurément. Juan Diego ne manquait pas d'adrénaline, cette hormone de l'urgence, qu'on sécrète dans les instants de stress devant une catastrophe, quand on est pris d'anxiété face à une exigence de performance – ou bien pendant une crise cardiaque. L'adrénaline fait refluer le sang des boyaux et des viscères et l'envoie dans les muscles du sujet pour lui permettre de courir.

Les bêtabloquants ne préviennent pas la crise cardiaque, avait expliqué le Dr Stein, mais ils bloquent les récepteurs d'adrénaline et ainsi, ils protègent le cœur des effets dévastateurs de celle qu'on produit lors d'une crise.

– Et ils sont où, ces foutus récepteurs d'adrénaline ? avait demandé Juan Diego à son « Dr Rosemary ».

– Dans les poumons, les vaisseaux sanguins, le cœur, partout ou presque, lui avait-elle répondu. C'est l'adrénaline qui fait battre ton cœur plus vite : tu respires plus fort, tes poils se dressent sur tes bras, tes pupilles se dilatent, tes vaisseaux se contractent, c'est pas bon, ça, en cas de crise cardiaque.

– Et qu'est-ce qui est bon, en cas de crise cardiaque ?

Les fouilleurs de décharge sont tenaces, et même têtus dans leur genre.

– Un cœur tranquille et détendu, un cœur qui bat lentement, et pas de plus en plus vite. Quand on est sous bêtabloquants, on a un pouls lent ; il n'accélère pas, quelles que soient les circonstances.

Faire baisser la tension n'est pas sans conséquences. Quand on est sous bêtabloquants, il faut éviter l'alcool, qui la fait remonter ; mais Juan Diego buvait peu. Bon, d'accord, il buvait de la bière, mais rien d'autre, et encore pas beaucoup. D'autre part, comme les bêtabloquants freinent la circulation du sang dans les extrémités, on a froid aux mains et aux pieds. Mais c'était un effet secondaire dont il ne se plaignait pas : il en avait plaisanté avec Rosemary, la sensation de froid, c'était un luxe, pour qui avait grandi à Oaxaca.

Certains patients se plaignent d'une léthargie, d'une résistance amoindrie à l'effort physique, mais à son âge – cinquante-quatre ans – qu'est-ce que ça pouvait lui faire ? Infirme depuis ses quatorze ans, il boitait ; quarante ans de claudication, ça devait lui suffire comme exercice. Il n'en voulait pas davantage.

Il aurait tout de même bien aimé se sentir plus vivant, pas aussi «diminué» : c'était le terme qui lui venait quand il parlait à Rosemary de son manque d'appétit sexuel. Il ne disait pas qu'il était impuissant, même à elle. L'adjectif «diminué» résumait tout son discours sur la question.

– Je ne savais pas que tu avais des rapports sexuels.

Le Dr Stein savait pertinemment qu'il n'en avait pas.

– Chère Dr Rosemary, si j'en avais, je crois que je me sentirais diminué.

Elle lui avait prescrit du Viagra, six comprimés par mois dosés à 100 mg, et lui avait conseillé d'en prendre «pour voir».

– N'attends pas de rencontrer quelqu'un.

Il n'avait pas attendu, il n'avait rencontré personne, mais il avait «vu». Et le Dr Stein lui avait renouvelé son ordonnance tous les mois.

– Peut-être qu'un demi-comprimé suffirait, lui suggéra Juan Diego après coup.

Il stockait les pilules. Il ne s'était plaint d'aucun effet secondaire. Le Viagra lui permettait l'érection, il lui permettait l'orgasme, alors avoir le nez un peu bouché, il s'en fichait pas mal.

Autre effet secondaire des bêtabloquants, l'insomnie. Mais il n'y avait là rien de neuf ou de dérangeant pour lui. Être couché dans le noir en compagnie de ses démons, c'était presque rassurant. La plupart d'entre eux lui faisaient escorte depuis l'enfance. Il les connaissait si bien qu'ils lui étaient aussi familiers que des amis.

Une dose excessive de bêtabloquants peut provoquer des vertiges, voire des évanouissements, mais cette éventualité ne le tracassait pas davantage.

– Un infirme sait tomber. Il a l'habitude.

En revanche, plus encore que ses érections à éclipses, ses rêves décousus le perturbaient. Il n'y trouvait plus de chronologie plausible, pas plus que dans ses souvenirs. Il détestait ces bêtabloquants qui l'avaient coupé de son enfance ; il faut croire que celle-ci lui importait plus qu'à la plupart des gens. Son enfance, les personnages qu'il y avait rencontrés, ceux qui avaient changé sa vie, ou qui avaient été les témoins de ses expériences à cette époque cruciale, voilà ce qui lui tenait lieu de religion.

Pour proche de lui qu'elle était, le Dr Rosemary Stein ne savait pas tout de Juan Diego. De son enfance, justement, elle ne savait pas grand-chose. Lorsqu'il lui parlait avec une véhémence inhabituelle des effets des bêtabloquants, elle n'en comprenait pas les causes.

– Crois-moi, Rosemary, si j'avais été pratiquant au départ – tu sais que ce n'est pas le cas – et que les bêtabloquants m'avaient fait perdre la foi, je ne viendrais pas m'en plaindre. Au contraire, je te demanderais d'en prescrire à tout le monde.

Encore des déclarations outrancières sur le mode hystérique, pensait le Dr Stein. Après tout, cet homme s'était brûlé les mains pour arracher des livres aux flammes – y compris des livres sur la religion catholique. Mais de sa vie sur la décharge, elle ne connaissait que des bribes. Elle en savait plus long sur sa vie d'adulte. L'enfant de Guerrero lui demeurait largement inconnu.

2

La Vierge Monstre

Au lendemain de Noël 2010, New York avait été balayée par une tempête de neige. Le jour suivant, les rues de Manhattan, laissées en l'état, étaient jonchées de voitures et de taxis abandonnés. Un bus avait brûlé sur Madison Avenue, au niveau de la 62e Rue Est ; ses pneus arrière avaient pris feu en patinant et déclenché l'incendie. La carcasse calcinée avait craché ses cendres sur la neige alentour.

Pour les clients des hôtels en bordure de Central Park Sud, la blancheur immaculée du parc où s'aventuraient de rares familles avec enfants jouant dans la poudreuse allait de pair avec l'absence de toute circulation automobile sur les larges avenues et les petites rues avoisinantes. En ce matin de blancheur éclatante, Columbus Circle, silencieux et désert, avait quelque chose d'irréel. Au croisement habituellement très fréquenté de la Septième Avenue et de la 59e Rue Ouest, pas un seul taxi ne roulait. Les seuls véhicules en vue étaient échoués dans la neige qui les ensevelissait à moitié.

Le paysage lunaire qui était celui de Manhattan en ce lundi matin avait amené le concierge de l'hôtel où résidait Juan Diego à solliciter une assistance particulière pour lui : ce n'était pas le moment pour un handicapé de héler un taxi pour monter dedans. Il avait fait appel à une compagnie de limousines – pas parmi les meilleures – pour conduire Juan Diego dans le Queens malgré les informations contradictoires qui circulaient sur l'aéroport Kennedy. À la télévision on annonçait qu'il était fermé, et pourtant le vol Cathay Pacific pour Hong Kong, celui que Juan Diego comptait prendre, était censé décoller à l'heure. Malgré son scepticisme – il était convaincu que le vol serait retardé sinon annulé –, le concierge avait cédé aux instances de son client

27

infirme. Juan Diego se souciait en effet d'être à temps à l'aéroport, même si aucun vol ne décollait dans l'immédiat.

Ce n'était pas tant Hong Kong qui l'intéressait ; il se serait même passé de ce détour ; mais deux de ses collègues l'avaient persuadé qu'il serait dommage d'aller jusqu'aux Philippines sans y faire escale. Qu'y avait-il donc à *voir*, là-bas ? Sans bien saisir le système des miles ni comment on les calculait, il avait du moins compris que son vol sur Cathay Pacific ne lui coûterait pas un dollar, et ses amis l'avaient convaincu que la première classe de cette compagnie constituait « une de ces expériences qui valent le détour ».

Il se disait que s'ils s'investissaient tellement dans son voyage, c'était parce qu'il quittait l'université. Comment expliquer autrement qu'ils aient tant tenu à l'aider ? Il y avait cependant d'autres raisons. Quoique encore « jeune » pour prendre sa retraite, il n'en était pas moins handicapé ; en outre, ses proches et ses collègues savaient qu'il suivait un traitement pour le cœur.

« Je ne prends pas ma retraite d'écrivain ! » leur avait-il assuré. Il était d'ailleurs venu passer Noël à New York à l'invitation de son éditeur. Non, il ne quittait « que » l'université, même si, des années durant, écriture et enseignement n'avaient fait qu'un, constituant toute sa vie d'adulte. Et puis l'un de ses étudiants s'était impliqué dans son voyage jusqu'à faire une OPA dessus. Cet ancien élève, Clark French, avait en effet pris en main au point de la faire sienne la « mission » à Manille que Juan Diego envisageait depuis des années. Il s'en était chargé avec l'assurance, peut-être excessive, qu'il manifestait dans son écriture, pensait Juan Diego.

Pourtant, ne voulant pas blesser Clark, il n'avait opposé aucune résistance à cette ingérence pavée de bonnes intentions. De plus, voyager lui coûtait beaucoup d'efforts, et il s'était laissé dire que les Philippines n'étaient pas de tout repos, qu'il y avait même des coins dangereux. Cette planification minutieuse à l'excès aurait du bon.

C'est ainsi qu'en un clin d'œil, un véritable voyage organisé avait pris forme. Sa mission à Manille s'était ramifiée en excursions annexes et aventures plus ou moins dilatoires au point qu'il redoutait d'avoir compromis son propos initial, mais Clark French n'aurait pas manqué de justifier son propre zèle par l'admiration : le voyage rêvé de si longue date était dicté par une noble cause.

Dans sa prime adolescence à Oaxaca, Juan Diego avait en effet rencontré un objecteur de conscience américain, un pacifiste ayant fui son pays pendant la guerre du Vietnam pour échapper à la conscription. Le père de ce jeune homme comptait parmi les milliers de soldats américains tués aux Philippines lors de la Seconde Guerre mondiale, même s'il n'était pas mort pendant la marche de Bataan, ni dans l'ardeur de la bataille pour reprendre l'île de Corregidor.

Le jeune Américain fuyant la conscription refusait de mourir au Vietnam. Il voulait visiter le Cimetière américain de Manille et le Mémorial pour rendre hommage à son père. Or il n'avait pas survécu à son exil au Mexique et il était mort à Oaxaca, si bien que Juan Diego avait fait le serment d'accomplir le voyage à sa place.

Pourtant, il n'avait jamais su le nom du jeune pacifiste qui s'était lié d'amitié avec lui et sa petite sœur, soi-disant retardée mentale. Lupe et lui l'appelaient El Gringo Bueno, « le brave gringo », et l'avaient rencontré avant que Juan Diego ne devienne infirme. D'emblée, il leur avait paru trop sympathique pour mal finir, alors que Rivera le traitait de hippie mescalisé. Car telle était l'opinion du Jefe sur les hippies américains qu'on voyait arriver dans leur ville à cette époque-là : il considérait ceux qu'il appelait les mangeurs de champignons comme de parfaits abrutis prétendant chercher quelque chose de profond, mais que lui jugeait aussi grotesque que de croire que « tout est dans tout ». Les enfants savaient toutefois qu'il était pour sa part attaché au culte marial.

Quant aux hippies mescalisés, il les tenait pour plus malins, mais suicidaires. Selon lui, ils avaient tendance à fréquenter les prostituées. Leur brave gringo se tuait à petit feu sur la calle Zaragoza. Les enfants espéraient qu'il se trompait car ils n'auraient pas voulu que leur ami si cher se laisse détruire par sa libido ou par le breuvage enivrant tiré du jus d'agave fermenté.

– Ça revient au même, avait sombrement commenté Rivera. Croyez-moi, ça n'a rien d'exaltant, tout ça, au bout du compte. Entre les femmes de mauvaise vie et l'abus du mescal, pour finir, tout ce qui reste, c'est un petit ver au fond.

Juan Diego savait qu'il parlait du ver au fond de la bouteille de mescal, mais selon Lupe il se référait à son sexe, quand il sortait de chez les prostituées.

– Toi tu te figures que les hommes ne pensent qu'à leur sexe, avait lancé Juan Diego à sa sœur.

– Parce qu'ils ne pensent qu'à ça, avait répondu la petite médium.

En somme, telle était la limite de l'adoration qu'elle vouait au gringo. Le malheureux Américain avait franchi une ligne imaginaire, celle du sexe peut-être, encore que Lupe ne l'aurait jamais formulé de cette façon.

Un soir que son frère lui faisait la lecture, Rivera se trouvait avec eux à la bicoque et il écoutait, lui aussi. Sans doute était-il en train de fabriquer une nouvelle étagère, à moins que le barbecue n'ait nécessité réparation. Peut-être était-il seulement passé voir si Blanc Sale, alias Revient de loin, était mort.

Ce soir-là, Juan Diego lisait un autre spécimen de grimoire universitaire abscons voué au bûcher par le Père Octavio ou le Père Alfonso.

Cette œuvre obscure avait été écrite par un jésuite et elle portait sur un sujet historico-littéraire ; c'était une analyse de la lecture que faisait D.H. Lawrence de Thomas Hardy. Dans la mesure où le lecteur-de-la-décharge n'avait jamais rien lu de D.H. Lawrence ni de Thomas Hardy d'ailleurs, ce compte rendu savant aurait eu de quoi lui demeurer hermétique, même en espagnol. Mais ce livre-là était écrit en anglais, langue dont il voulait pratiquer la lecture davantage, alors même que son auditoire, réduit à Lupe et El Jefe et pas franchement sous le charme, l'aurait à tout prendre mieux compris en espagnol.

Pour tout arranger, plusieurs pages du livre avaient brûlé, et il dégageait en outre une infecte odeur d'ordures. Blanc Sale cherchait tout le temps à le renifler.

Revient de loin ne plaisait pas davantage au patron de la décharge qu'à Juan Diego. «Celui-là, tu aurais dû le laisser dans son carton de lait», disait-il à Lupe, qui prenait toujours la défense du chiot avec indignation.

C'est alors que Juan Diego leur lut un passage abracadabrant sur les liens qui unissaient tous les êtres.

– Attends, attends, arrête-toi ! avait coupé Rivera. C'est de qui, cette idée ?

– C'est peut-être de celui qui s'appelle Hardy, répondit Lupe, à moins que ce soit du dénommé Lawrence, ce serait bien de lui.

Après que Juan Diego eut traduit, El Jefe ajouta son grain de sel :

– À moins que ce soit de celui qui a écrit le bouquin.

Lupe acquiesça. Ce bouquin était barbant et opaque à la fois, pinaillant sur des questions défiant tout traitement concret.

– C'est quoi, ces liens qui unissent tous les êtres, d'abord ? demanda Rivera. Quels êtres ? On croirait que ça sort de la bouche d'un hippie qui aurait mangé trop de champignons !

Cette exclamation fit rire Lupe, qui riait rarement. Bientôt, elle et Rivera s'esclaffaient de concert, ce qui était encore plus rare. Juan Diego se rappellerait toujours le bonheur qu'il avait éprouvé à les entendre.

Or voilà que tant d'années plus tard – quarante, rien que ça ! – il s'embarquait pour ce voyage aux Philippines en mémoire de feu le brave gringo sans nom. Pourtant, pas un seul de ses amis ne lui avait demandé comment il comptait rendre hommage au père tombé au champ d'honneur et n'ayant pas plus de nom que son fils. C'est qu'ils savaient tous que Juan Diego était romancier. Peut-être entreprenait-il ce voyage à titre strictement symbolique.

Au début de sa carrière, il avait beaucoup bougé, et le déphasage lié aux pérégrinations comptait parmi ses thèmes de prédilection, particulièrement au fil de ce roman situé en Inde dans le monde du cirque, celui qui avait un titre pachydermique. Il se souvenait avec attendrissement que personne n'avait pu le dissuader de son choix. *Une histoire déclenchée par la Vierge Marie* – vous parlez d'un titre à rallonge, pour une histoire elle-même incroyablement longue et rocambolesque. C'est peut-être l'intrigue la plus complexe que j'aie écrite, se disait Juan Diego tandis que la limousine parcourait les rues désertes d'un Manhattan enclavé par la neige, et s'avançait résolument vers FDR Drive. C'était un monospace et le chauffeur n'avait que mépris pour les autres voitures et les autres conducteurs : les voitures, car mal équipées et sans pneus adaptés ; les conducteurs, car incapables de conduire dans la neige.

– Où tu te crois, connard, en Floride ? hurla-t-il par sa fenêtre à un malheureux automobiliste qui avait dérapé sur le côté et bloquait une rue étroite.

Lorsqu'ils s'engagèrent sur FDR Drive, un taxi était passé par-dessus la glissière de sécurité et s'était enfoncé jusqu'à mi-corps dans la neige du sentier des joggeurs, qui longeait l'East River. Faute de pelle, le chauffeur tentait de dégager les roues arrière en se servant de son essuie-glace.

– D'où tu viens, pauv' con, du Mexique ? lui gueula le chauffeur de la limousine.

– Moi, en tout cas, j'en viens, dit Juan Diego.

– Je parle pas de vous, monsieur. Vous allez y arriver à temps, à JFK, mais une fois là-bas, vous serez pas plus avancé. Je sais pas si vous avez remarqué, mais on voit rien voler.

De fait, Juan Diego n'avait rien remarqué. Lui, tout ce qu'il voulait, c'était se trouver à l'aéroport, prêt au départ, quand son vol décollerait. Le retard, si retard il y avait, il s'en fichait. Mais il n'était pas question de manquer ce voyage. «Derrière chaque voyage, il y a une raison», se surprit-il à penser, avant de se souvenir qu'il s'agissait d'une phrase qu'il avait déjà écrite et affirmée avec beaucoup d'insistance dans la fameuse *Histoire déclenchée par la Vierge Marie*. Et me voilà reparti aujourd'hui, se dit-il. Il y a toujours une raison.

«Le passé l'entourait comme des visages dans une foule. Parmi eux, il y en avait un qu'il connaissait, mais lequel ?» L'espace d'un instant, dans ce linceul de neige, intimidé par ce chauffeur mal embouché, il avait également oublié être l'auteur de ce passage. La faute aux bêtabloquants.

À en juger par ses propos, le chauffeur était grande gueule et haineux, mais ces deux caractéristiques ne l'empêchaient pas de se diriger avec aisance dans Jamaica, le quartier du Queens où une large avenue rappelait à l'ex-lecteur-de-la-décharge le Periférico de Oaxaca, artère séparée en deux par les voies ferrées. C'était là qu'El Jefe emmenait les enfants au ravitaillement. On trouvait tous les fruits et légumes les moins chers, presque pourris, sur ce marché de La Central – sauf en 1968, où, occupé par l'armée pendant les émeutes étudiantes, il avait dû s'installer sur le Zócalo, au centre-ville.

Juan Diego et Lupe avaient alors respectivement douze et onze ans et découvraient le quartier autour du Zócalo quand ils venaient faire leurs commissions. Les émeutes avaient été de courte durée ; le marché allait retrouver sa place sur La Central et le Periférico, avec la passerelle mélancolique qui enjambait les rails. Mais le Zócalo était resté dans leurs cœurs, c'était leur quartier préféré. Ils y passaient tout le temps qu'ils pouvaient, pour fuir la décharge.

Pourquoi un gamin et une gamine de Guerrero ne s'intéresseraient-ils pas au cœur battant des choses ? Pourquoi ne seraient-ils pas curieux de voir les touristes ? La décharge ne figurait pas sur les cartes que ceux-ci consultaient. En avait-on jamais vu un seul sur le basurero ? Le moindre relent d'ordures, le moindre picotement des yeux sous l'effet des foyers brûlant en permanence donnait envie de repartir au Zócalo ; il suffisait de regarder les chiens de la décharge, ou de subir leur regard, pour vouloir retourner en ville.

Comment s'étonner que lorsque l'armée avait investi les lieux et que les enfants de la décharge s'étaient mis à traîner sur le Zócalo, Lupe ait contracté l'obsession maniaque autant qu'ambivalente des Saintes Vierges de Oaxaca ? Le fait que son frère soit le seul à comprendre son babil la coupait de tout échange digne de ce nom avec les adultes. À cette époque, Juan Diego n'avait que douze ans. Et les Vierges étaient des Vierges sacrées, des faiseuses de miracles qui suscitaient la ferveur de bien d'autres âmes que celle d'une gamine de onze ans.

Ne fallait-il pas s'attendre à ce que Lupe soit d'emblée attirée par ces Vierges, elle qui lisait dans les pensées, et ne se connaissait aucun alter ego dans la vraie vie ? Mais, d'un autre côté, n'était-il pas naturel que des gamins de la décharge demeurent sceptiques devant les miracles ? Ces Vierges concurrentes, quel bien faisaient-elles ici et maintenant ?

Quels miracles avaient-elles accomplis ces derniers temps ? N'était-il pas logique que Lupe voie d'un œil archi-critique leurs mérites tant vantés et si peu manifestés ?

Il y avait une boutique de Saintes Vierges à Oaxaca ; les enfants la découvrirent lors d'une de leurs premières sorties dans le secteur du Zócalo. On était au Mexique, le pays avait été envahi par les conquistadors. Autant dire que l'Église catholique faisait commerce des Saintes Vierges de longue date. Oaxaca avait jadis joué un rôle central dans les civilisations mixtèque et zapotèque. Les Madones des conquistadores étaient vendues à la population indigène depuis des siècles. Ça avait commencé avec les augustins, suivis des dominicains, après lesquels étaient venus les jésuites – tous cherchant à fourguer la Vierge de leur chapelle.

À présent, leur fonds de commerce marial était en train de se diversifier. Lupe l'avait remarqué dans les nombreuses églises de Oaxaca, mais jamais de manière aussi frappante que dans le magasin de piété situé sur la calle Independencia, où la rivalité des Madones s'affichait dans un étalage tapageur de figurines plus grossières les unes que les autres. Certaines étaient grandeur nature, d'autres plus grandes encore. Sainte Marie Mère de Dieu y était représentée bien sûr, mais aussi, pour n'en citer que deux autres, Notre Dame de Guadalupe et naturellement Nuestra Señora de la Soledad. Cette dernière concentrait le mépris de Lupe qui la traitait de « figure locale » : elle s'en moquait copieusement à cause de la légende du bourrin, quadrupède au-dessus de tout soupçon à titre personnel.

La boutique vendait aussi des Christs en croix de toutes dimensions. Pourvu qu'on en ait la force, on pouvait y faire l'emplette d'un Christ géant, toutes plaies ouvertes, et le rapporter chez soi. Néanmoins, l'activité principale du magasin, ouvert en 1954, était d'approvisionner les fêtes de voisinage, dites Las Posadas, pendant la période de Noël.

À vrai dire, les enfants de la décharge étaient bien les seuls à appeler ce magasin la boutique des Saintes Vierges. Il était connu de tous comme la boutique des Posadas, et s'appelait de son vrai nom La Niña de las Posadas. La *Niña* en question pouvait emprunter la forme de toute Vierge commercialisée, et il ne faisait pas de doute que sa présence à la fête aurait un effet plus joyeux que celui d'un Christ en croix.

Lupe avait beau prendre les Vierges au sérieux, la boutique la mettait en joie. Son frère et elle y allaient pour rire un bon coup. Ces Madones à vendre étaient à peine moins réalistes que toutes les prostituées de la calle Zaragoza ; on aurait dit des poupées gonflables. Quant aux Christs saignants, ils étaient tout simplement grand-guignolesques.

Une hiérarchie, pour reprendre le terme de Frère Pepe, s'était glissée parmi toutes les Vierges des églises de Oaxaca, et c'était ce qui chagrinait Lupe. En somme, l'Église catholique investissait dans l'entreprise, et ça, ça ne la faisait pas rire.

Simple exemple, la légende du bourricot qui était à l'origine de son antipathie pour Notre Dame de la Solitude. Sa basilique était grandiose, verrue hypertrophiée entre les calles Morelos et Independencia. La première fois que les enfants l'avaient visitée, ils n'avaient pas pu atteindre l'autel, obstrué par un contingent de pèlerins braillards, gens de la campagne, fermiers ou saisonniers, qui non contents de hurler leurs prières remontaient à genoux la longueur de la nef jusqu'à la radieuse statue de Notre Dame de la Solitude dans leur piété ostentatoire. Ils rebutaient Lupe, ainsi que le côté provincial de cette Vierge de la Solitude, considérée comme la sainte patronne de Oaxaca.

Si Frère Pepe avait été là, il aurait sans doute mis les enfants en garde contre leurs propres préjugés hiérarchiques. Il fallait bien que les gosses de la décharge se trouvent supérieurs à quelqu'un ; alors, ils se croyaient supérieurs aux gens de la campagne. Quand ils observaient ces pèlerins habillés comme des épouvantails qui hurlaient leurs dévotions en se traînant sur les genoux, le doute ne leur était pas permis : ils se sentaient très au-dessus de ces rustres.

Le vêtement de cette Notre Dame – longue robe noire évasée, incrustée d'or – n'inspirait aucune vénération à Lupe.

– On dirait la Méchante Reine des contes de fées, déclarait-elle.

– Tu veux dire qu'elle fait riche ? demandait Juan Diego.

– Elle est pas de chez nous.

Elle voulait dire « pas d'ici ». Elle voulait dire qu'elle faisait Espagnole, Européenne. Blanche, en un mot.

Cette Vierge de la Solitude était une Visage Pâle, une tête d'épingle avec une robe du soir. Et, comble de vexation pour Lupe, elle reléguait au second plan Notre Dame de Guadalupe, la Virgen Morena, réduite à occuper la chapelle latérale gauche de la basilique et ramenée à un simple portrait même pas éclairé. Elle était pourtant fille du pays, celle-là, indienne – « de chez nous », aurait dit la fillette.

Frère Pepe aurait été stupéfait de découvrir tous les livres que Juan Diego avait lus sur la décharge, et avec quelle attention Lupe en avait suivi la lecture. Le Père Alfonso et le Père Octavio croyaient avoir purgé leur bibliothèque de presque tous les ouvrages profanes ou séditieux, mais le jeune lecteur en avait arraché plus d'un aux flammes des bûchers d'ordures.

Or ces œuvres qui retraçaient l'endoctrinement de la population indigène par l'Église catholique n'étaient pas tombées dans l'oreille de sourds. Les jésuites avaient joué un rôle stratégique dans les conquêtes espagnoles, et le frère et la sœur avaient beaucoup appris sur ces guerriers de la Foi. Et si Juan Diego avait récupéré les volumes dans l'intention d'apprendre à lire, Lupe en avait d'emblée écouté la lecture avec une concentration avide.

Dans la basilique se trouvait une salle dallée de marbre, avec des icônes qui racontaient la légende de l'âne. On y voyait prier des paysans, rejoints par un bourricot solitaire et sans maître, portant sur son dos une longue caisse qui évoquait un cercueil.

– Fallait quand même être idiot pour pas aller regarder ce qu'il y avait dans cette caisse, commentait Lupe. Eh ben, ils ont pas regardé. Faut croire que leurs sombreros leur avaient asphyxié les méninges !

La fin du bourricot prêtait, et prête encore, à controverse. Mais qu'il se soit couché pour mourir de sa belle mort ou qu'il soit tombé raide inopinément, une chose est sûre, la basilique fut édifiée sur les lieux où il avait rendu l'âme. Ce fut seulement alors que les paysans eurent l'idée d'ouvrir la fameuse caisse. Ils y trouvèrent une statue de la Vierge de la Solitude. Détail troublant : une effigie, minuscule, de Jésus, vêtue d'une simple serviette, était couchée sur les genoux de ladite Vierge.

– Qu'est-ce qu'il fiche là, ce Jésus en miniature ? s'interrogeait Lupe.

La disproportion des deux statues était inquiétante. Et il ne s'agissait pas d'un Enfant Jésus. Ce Jésus-là avait de la barbe au menton, mais il était bizarrement petit.

Selon Lupe, l'âne avait été « maltraité ». Cette affaire de Vierge de la Solitude avec son Jésus nanifié et presque nu « sentait l'arnaque ». Quant à ces paysans trop bêtes pour regarder le contenu de la caisse tout de suite, mieux valait n'en rien dire.

Telle fut la conclusion des gamins de la décharge : cette sainte patronne de Oaxaca, cette Vierge dont on faisait tant d'histoires, n'était qu'un canular, une escroquerie, une « Vierge idolâtre ». D'ailleurs, la proximité géographique entre la basilique et la boutique de bondieuseries se passait de commentaire.

Lupe en avait écouté, des lectures de livres pour adultes, bien ou mal écrits. Si elle parlait un sabir incompréhensible pour tout autre que son frère, elle avait absorbé un vocabulaire vaste et érudit, bien au-dessus de son âge et de son expérience.

Hostile à la Vierge de la Solitude et à sa basilique, elle estimait en revanche que l'église dominicaine d'Alcalá était une « magnifique extravagance ». Elle qui déplorait la robe brodée d'or de Soledad, adorait le plafond doré à la feuille de Santo Domingo. Ce baroque espagnol, pourtant si européen, ne lui inspirait aucune réserve. Et puis elle aimait l'autel incrusté d'or de la Vierge de Guadalupe, qui n'était pas éclipsé par celui de Sainte Marie Mère de Dieu.

Car la petite, qui se considérait comme la fille de Guadalupe, prenait ombrage de voir sa sainte éclipsée par la Vierge Monstre. Elle ne voulait pas seulement dire que cette Marie-là était la figure dominante de l'écurie des Madones ; elle la croyait arrogante.

Et c'était son grief majeur contre le Templo de la Compañía de Jesús, au carrefour des calles Magón et Trujano. Il faut dire que cet édifice avait fait de la Vierge son attraction principale. Sitôt entré, on remarquait le bénitier, empli d'eau bénite – el agua de San Ignacio de Loyola –, ainsi qu'un portrait du redoutable saint, levant les yeux vers le ciel pour qu'il lui inspire la voie à suivre, comme il est souvent représenté.

Une fois dépassé le bénitier, on trouvait dans un renfoncement engageant un autel modeste mais gracieux dédié à Guadalupe. On avait accordé une attention particulière à la célèbre phrase de la Vierge à la peau sombre, qui s'inscrivait en grosses lettres visibles depuis les sièges et les prie-Dieu : *¿ No estoy aquí, que soy tu madre ?* « Ne suis-je pas là, moi qui suis ta mère ? » Tels étaient les mots que se répétait sans fin Lupe quand elle voulait prier.

Mais, direz-vous, il y avait là une allégeance contre nature de sa part – à une mère et à une Vierge, substitut de sa vraie mère, prostituée et femme de ménage chez les jésuites, si peu mère pour ses enfants, souvent absente, vivant « à l'écart » d'eux, et qui l'avait laissée sans père, sinon le substitut que constituait le patron de la décharge, ou la multitude des pères que l'enfant s'était imaginés.

Or Lupe adorait de tout son cœur Notre Dame de Guadalupe, tout en doutant terriblement d'elle, car elle soupçonnait fort que la Brune avait reconnu la suprématie de la Vierge Marie, qu'elle s'était faite complice de sa prise de pouvoir.

Juan Diego avait beau passer en revue les lectures qu'il lui avait faites, il ne voyait pas où elle était allée chercher cette idée. À sa connaissance, cette ambivalence à l'égard de la Vierge à la peau mate n'appartenait qu'à la jeune télépathe. Aucun livre arraché au bûcher ne l'avait égarée sur ce sentier tourmenté.

Et malgré l'élégance du sanctuaire dédié à Guadalupe, car l'église des jésuites ne la dédaignait en aucune façon, c'était bien Sainte Marie Mère de Dieu qui occupait le centre de la scène. Elle se dressait, impressionnante, colossale, son autel était vertigineux, sa statue écrasante.

Un Christ en quasi-réduction, déjà crucifié, saignait à ses pieds, des pieds démesurés, solidement plantés sur leur socle.

– Mais qu'est-ce qu'ils ont à rétrécir Jésus ? s'étonnait Lupe.

– Au moins, celui-là, il est habillé, répondait Juan Diego.

Les pieds de la Vierge reposaient sur un piédestal à trois degrés, singulière pièce montée où se pressaient des visages d'anges, parmi les nuées.

– Qu'est-ce qu'il faut comprendre ? s'interrogeait Lupe. Que la Vierge Marie piétine les anges ? Elle en serait bien capable.

De part et d'autre de la géante, deux statues sensiblement plus petites et noircies par les ans représentaient des inconnus ou presque : ses parents.

– Parce qu'elle avait des parents, celle-là ? Comment on saurait quelle tête ils avaient ? Et puis qu'est-ce qu'on s'en fiche !

Sans conteste, cette statue monumentale méritait le nom de «Vierge Monstre». La mère des deux gosses se plaignait d'avoir un mal de chien à l'épousseter. L'échelle était trop haute ; on devait la caler solidement contre la statue elle-même. Esperanza priait sans relâche Notre Dame. La meilleure femme de ménage des jésuites, qui arrondissait ses fins de mois calle Zaragoza, était une inconditionnelle de la Vierge.

De vastes bouquets de fleurs, sept en tout, entouraient l'autel, mais ils paraissaient minuscules par rapport à la figure gigantesque. Non contente de dominer la situation, elle semblait menacer son monde. Même Esperanza, qui l'adorait, la trouvait «trop grande». «C'est pour ça que je dis qu'elle est arrogante», répétait Lupe.

– ¿ No estoy aquí, que soy tu madre ? se surprit à répéter Juan Diego sur la banquette arrière de la limousine qui, à travers un paysage de neige, approchait du terminal de la Cathay Pacific à JFK.

Il avait prononcé à haute voix, en espagnol et en anglais, cette modeste affirmation de Notre Dame de Guadalupe, plus modeste que le regard d'aigle de la géante abusive.

– Ne suis-je pas là, moi qui suis ta mère ? se répétait-il.

En entendant les marmonnements bilingues de son passager, le chauffeur vindicatif lui jeta un coup d'œil dans le rétroviseur.

Lupe n'était pas auprès de son frère, hélas, elle aurait lu dans les pensées du chauffeur ; elle lui aurait révélé ce qui traversait l'esprit de cet homme venimeux.

Toi, t'es un métèque qui a fait son chemin, pensait-il de son passager mexicano-américain.

– On y est presque, à votre terminal, *mon gars*, dit le conducteur.

La façon dont il avait articulé *monsieur* tout à l'heure n'était guère plus aimable. Mais Juan Diego pensait à Lupe, il se souvenait de leur enfance à Oaxaca. Sans sa sœur télépathe à ses côtés, il ne risquait pas de connaître les pensées de cet individu raciste.

Et son esprit avait tendance à vagabonder, à être *ailleurs…*

3

Mère et fille

L'infirme n'avait pas prévu qu'il serait bloqué à l'aéroport pendant vingt-sept heures. La Cathay Pacific l'avait dirigé vers les salons que British Airways réservait aux passagers de première classe, plus confortables que ceux de la classe économique, où les traiteurs s'étaient trouvés à court de repas, et où, au fil des heures, la propreté des toilettes laissait à désirer. Mais le vol Cathay Pacific à destination de Hong Kong, affiché pour 9 h 15 le 27 décembre, n'avait pas décollé avant le lendemain midi. Or Juan Diego avait enregistré le sac où étaient rangés ses bêtabloquants ; le vol durant seize heures, il lui faudrait donc s'en passer pendant près de deux jours. Mais quand on a grandi sur une décharge, il en faut plus pour s'affoler.

Il avait bien pensé à appeler Rosemary pour lui demander s'il y avait un risque, mais il n'en avait rien fait. Il s'était souvenu de ce qu'elle lui avait dit : à supposer qu'il doive interrompre son traitement pour une raison quelconque, il devrait le faire *progressivement*. Et, contre toute logique, il en avait déduit qu'il ne risquait rien à arrêter puis à reprendre ensuite.

Il savait qu'il ne dormirait pas beaucoup pendant les vingt-sept heures qu'il passerait au salon de British Airways ; il avait hâte de récupérer pendant le vol. S'il n'avait pas téléphoné au Dr Stein, c'était parce qu'il avait envie d'une petite pause de bêtabloquants. Avec un peu de chance, il ferait un de ses rêves d'autrefois ; des souvenirs d'enfance, si importants pour lui, lui reviendraient, de préférence dans l'ordre chronologique. Car c'était un romancier à l'ancienne, un peu pointilleux sur la chronologie.

British Airways avait fait de son mieux pour lui assurer tout le confort possible, compte tenu de son handicap. Les autres passagers

41

en rade avaient remarqué sa claudication et le vilain soulier sur mesure qui emboîtait son pied abîmé. Ils s'étaient montrés compréhensifs. Alors qu'il n'y avait pas assez de sièges pour tout le monde, on ne lui avait pas reproché d'en accaparer deux qu'il avait rapprochés pour se ménager une sorte de canapé et surélever ce pied pathétique.

Oui, cette claudication le vieillissait, il paraissait dix ans de plus que son âge. Et ce n'était pas tout : une résignation quasi palpable lui donnait un regard lointain, comme si la grande aventure de sa vie s'était située dans son enfance et au début de son adolescence. Il faut dire qu'il avait enterré tous ceux qu'il aimait – de quoi vieillir avant l'âge.

Il avait conservé ses cheveux noirs. Il fallait le regarder de très près pour repérer des fils gris çà et là. Il ne les perdait pas et il les portait longs, ce qui lui donnait une physionomie composite d'adolescent rebelle et de vieux hippie qui refuserait toute concession vestimentaire.

Ses yeux sombres étaient presque aussi noirs que sa chevelure. Il était encore bel homme, resté mince, et pourtant il « faisait vieux ». Les femmes, les jeunes surtout, lui offraient volontiers une aide dont il n'avait pas vraiment besoin.

Une aura tragique l'entourait. Ses gestes étaient lents ; il paraissait souvent perdu dans ses pensées, en proie à son imagination, tel un homme dont l'avenir est écrit d'avance, et qui a décidé de s'y opposer.

Il ne se croyait pas célèbre au point d'être reconnu par la plupart de ses lecteurs, et moins encore par les gens indifférents à son œuvre. Seuls ses inconditionnels le repéraient – des femmes essentiellement –, des femmes mûres et aussi nombre d'étudiantes qui comptaient parmi ses ferventes lectrices.

À son avis, ce n'était pas le sujet de ses livres qui leur plaisait ; il disait toujours que les femmes raffolaient des romans, et pas les hommes. Il n'avait pas de théorie sur la question ; c'était un fait, il l'observait, voilà tout.

Du reste, il n'avait rien d'un théoricien, la spéculation n'était pas son fort. On citait volontiers sa réponse à un journaliste qui, lors d'une interview, l'avait invité à spéculer sur un sujet rebattu : « Moi je ne spécule pas, je me contente d'observer, de décrire. »

Le journaliste, un jeune homme tenace, avait insisté. Ce corps de métier se plaît aux spéculations, et demande toujours aux écrivains si le roman est mort, ou moribond. N'oublions pas que Juan Diego avait arraché aux flammes de la décharge infernale les premiers livres qu'il avait lus et qu'il s'était brûlé les mains pour les sauver. Il était bien la dernière personne à qui poser la question.

« Vous en connaissez, des femmes ? avait-il demandé au jeune homme, je vous parle de femmes qui lisent. (Il haussait le ton.) Adressez-vous donc aux femmes, demandez-leur ce qu'elles lisent ! (Là, il gueulait carrément.) Le jour où les femmes cesseront de lire, alors, oui, ce sera la mort du roman ! »

Les auteurs qui ont un public comptent davantage de lecteurs qu'ils ne le croient. Juan Diego était plus célèbre qu'il ne se le figurait.

Cette fois, ce furent une mère et sa fille qui le découvrirent, comme seules savaient le faire ses lectrices les plus passionnées.

– Même déguisé, je vous aurais reconnu n'importe où, lui dit la mère, quelque peu offensive.

À l'entendre, on aurait pu croire qu'il avait tenté de lui échapper. Ce regard pénétrant lui rappelait quelque chose. Bien sûr ! C'était la statue monumentale et écrasante qui toisait ses fidèles avec une expression pareille, sans que Juan Diego puisse décider si elle était compatissante ou impitoyable. Il ne se serait pas prononcé non plus sur cette mère élégante.

Quant à la fille, qui comptait aussi parmi ses admiratrices, elle lui parut plutôt plus facile à situer.

– Je vous aurais reconnu dans le noir, il aurait suffi que vous me parliez, sans même prononcer une phrase, lui confia-t-elle avec un peu trop de ferveur. C'est votre voix, poursuivit-elle en frémissant comme si elle n'arrivait pas à terminer sa phrase.

Elle était jeune et faisait de l'effet – une beauté rustique : la cheville et le poignet épais, la hanche puissante, la poitrine basse. Elle avait la peau plus mate que sa mère, les traits plus saillants, moins délicats, et puis surtout elle s'exprimait de façon plus directe, plus abrupte.

Juan Diego songeait que sa petite sœur l'aurait déclarée « plus comme nous », voulant dire « plus indigène ».

À son grand désarroi, voilà qu'il se mettait à imaginer les figurines racoleuses que la boutique de bondieuseries aurait fabriquées de cette mère et de sa fille. On y aurait exagéré la mise « décontractée » de la fille – sans qu'il puisse dire si ses vêtements étaient négligés, ou si elle les portait avec désinvolture.

On aurait donné à son mannequin grandeur nature une posture d'invite, un peu putassière, comme s'il était impossible de contenir ses hanches rondes. À moins que ces détails n'aient relevé de son fantasme…

Mais la boutique de bondieuseries, que les gosses de la décharge appelaient parfois «La Nana», n'aurait jamais pu réaliser un mannequin à la hauteur de la mère de ce duo. D'une beauté classique, elle avait un air «bien né», un raffinement évident.

Elle dégageait une aura de luxe et de supériorité, une sorte de distinction naturelle. Si cette mère, temporairement bloquée dans les salons de la première classe à JFK, avait été la Vierge Marie, personne n'aurait eu l'idée de l'expédier dans la crèche; on lui aurait fait de la place à l'auberge. La boutique de la calle Independencia n'aurait jamais pu la reproduire, elle était à l'abri du stéréotype; aucune poupée gonflable à son effigie. La mère était plutôt un spécimen unique, pas de la même espèce qu'eux. Chez les fournisseurs de cotillons, pas de place pour elle, invendable. D'ailleurs, on n'aurait pas songé à la ramener chez soi, du moins pas pour distraire ses invités adultes ni pour amuser les enfants. En fait, on aurait voulu la garder pour soi tout seul.

Allez savoir comment, sans qu'il se soit ouvert des sentiments que lui inspiraient les deux femmes, elles semblaient tout connaître de lui. Car, malgré leurs différences apparentes, mère et fille faisaient équipe. Elles s'étaient promptement ingérées dans ce qu'elles percevaient comme la précarité absolue de sa situation, voire de son existence même. Juan Diego était fatigué, ce qu'il mettait sur le compte des bêtabloquants, de sorte qu'il ne s'était guère débattu. En bref, il avait laissé les deux femmes le prendre en charge. Il faut dire que sa capitulation s'était produite au bout de vingt-quatre heures d'attente dans les salons de première classe.

Animés des meilleures intentions, les collègues et amis de Juan Diego lui avaient programmé une escale de deux jours à Hong Kong, deux jours qui se réduiraient désormais à un seul puisqu'il prendrait une correspondance de bonne heure pour Manille.

– Où descendez-vous, à Hong Kong? lui demanda la mère, qui s'appelait Miriam.

Elle ne s'embarrassa pas de circonlocutions ; avec son regard pénétrant, elle allait droit au but.

– Où aviez-vous *prévu* de descendre ? rectifia la fille, qui s'appelait Dorothy.

Elle ne tenait guère de sa mère, avait remarqué Juan Diego. Elle avait le même côté direct, mais elle était loin d'être aussi belle.

Qu'y avait-il chez Juan Diego pour que les gens les plus volontaires se figurent autorisés à gérer ses affaires ? Clark French, son ancien élève, s'était ainsi immiscé dans son voyage aux Philippines, et voilà que ces deux femmes, inconnues de surcroît, étaient en train de prendre en main ses dispositions à Hong Kong.

Elles avaient dû déceler chez lui le voyageur novice lorsqu'il avait consulté son itinéraire pour savoir le nom de son hôtel. Le temps qu'il cherche ses lunettes dans la poche de sa veste, la mère s'était emparée du planning.

– Oh mon Dieu ! Il n'est pas question que vous vous installiez à l'Intercontinental Grand Stanford, c'est à une heure de l'aéroport ! s'exclama-t-elle.

– À Kowloon, renchérit la fille.

– Il y a un hôtel très bien à l'aéroport, c'est là qu'il faut descendre, conclut Miriam.

– On y a nos habitudes, soupira Dorothy.

Juan Diego objecta qu'il lui faudrait annuler une réservation pour en faire une autre, mais il n'alla pas jusqu'au bout de sa phrase.

– C'est comme si c'était fait, annonça la fille dont les doigts s'envolèrent sur le clavier.

Juan Diego s'émerveillait toujours de voir les jeunes générations se servir de leurs portables en permanence sans jamais les brancher. Ils n'avaient donc pas besoin de les recharger ? Et quand ils n'étaient pas collés à leurs ordinateurs, ils envoyaient des textos en rafale, et leurs cellulaires semblaient avoir une batterie inusable.

– Je me suis dit que je partais trop loin pour emporter mon ordinateur, expliqua-t-il à la mère, qui lui jeta un regard de pitié. Je l'ai laissé chez moi, ajouta-t-il d'un air penaud à l'intention de la fille scotchée à son écran, où les images se succédaient sans trêve.

– J'annule votre chambre avec vue sur le port, dit celle-ci. Vos deux nuits à l'Intercontinental – fini. Et je vous prends une suite au Regal

45

Airport Hotel. Il est moins vulgaire que son nom le laisse supposer, malgré les décorations de Noël et autres niaiseries de circonstance.

– Une seule nuit, Dorothy, lui rappela sa mère.

– J'ai bien compris. Il y a un truc bizarre, dans cet hôtel, c'est la façon d'allumer et d'éteindre, dit-elle à Juan Diego.

– On lui montrera, Dorothy. J'ai tout lu de vous, jusqu'à la dernière syllabe, poursuivit Miriam en posant la main sur son poignet.

– Moi j'ai *presque* tout lu, dit Dorothy.

– Il t'en manque deux, fit observer sa mère.

– Deux, tu parles ! Ça s'appelle presque tout, non ?

Juan Diego ne put que répondre : « Mais oui, presque. » Il n'aurait pas su dire si ces deux femmes flirtaient avec lui, si c'était plutôt la fille ou la mère, ou bien ni l'une ni l'autre. Cette ignorance montrait bien qu'il avait vieilli prématurément, mais, pour être honnête, il était hors circuit depuis des lustres. Cela faisait longtemps qu'il n'était pas sorti avec une femme, et d'ailleurs il n'avait jamais multiplié les conquêtes, ce dont avaient dû se douter ces deux voyageuses perspicaces.

Est-ce que les femmes le voyaient dès l'abord comme un homme blessé ? Leur faisait-il l'effet d'avoir perdu l'amour de sa vie ? Qu'est-ce qui pouvait leur donner à penser qu'il était inconsolable ?

– J'adore les scènes érotiques, dans vos romans, lui dit Dorothy, j'aime bien comment vous les présentez.

– Et moi encore plus, dit Miriam en jetant à sa fille un regard averti. J'ai assez de recul pour m'y connaître en relations sexuelles calamiteuses.

– Maman, je t'en prie, ne va pas nous faire un dessin.

Miriam ne portait pas d'alliance, Juan Diego l'avait remarqué. C'était une grande femme ultra-mince, tendue, un air d'impatience dans son tailleur-pantalon gris perle et son t-shirt argenté. Ses cheveux blond clair ne devaient pas tout à la nature, et son visage avait sans doute subi quelques retouches, après un divorce peut-être, ou un peu plus tard, après un veuvage. Juan Diego ne savait pas ces choses de première main, il n'avait pas connu de femmes comme Miriam, à l'exception de ses lectrices et de ses propres personnages.

Dorothy, qui lui avait avoué l'avoir découvert parce qu'il était au programme de la fac, lui semblait avoir encore l'âge d'être étudiante, ou à peine plus.

Les deux femmes n'étaient pas en route pour Manille, du moins pas encore, lui avaient-elles dit, mais il ne se rappelait plus où elles allaient après Hong Kong, si tant est qu'elles le lui avaient précisé. Miriam ne lui avait pas indiqué son nom de famille, mais elle avait un accent européen, étranger aux oreilles de Juan Diego. Non qu'il fût expert en matière d'accents.

Quant à Dorothy, elle ne serait jamais aussi belle que sa mère, mais elle avait une grâce boudeuse et négligée, et une silhouette pulpeuse qui pourrait faire son effet encore quelques années. Ce fruit sera blet de bonne heure, pensait Juan Diego, conscient qu'il était déjà en train d'écrire sur ces deux maîtresses femmes.

Quoi qu'il en fût de leur identité et de leur destination, c'étaient des habituées de la première classe sur la Cathay Pacific. Lorsque le vol 841 pour Hong Kong embarqua enfin, elles ne laissèrent pas l'hôtesse au visage de poupée lui expliquer comment mettre son espèce de grenouillère, ni manipuler les commandes de son cocon capsulaire. Miriam lui expliqua tambour battant comment enfiler le pyjama de bambin, et Dorothy, en véritable magicienne de la technologie, lui fit voir le fonctionnement de la couchette la plus confortable qu'il ait connue en vol. C'est tout juste si les deux femmes ne le bordèrent pas.

Je crois qu'elles me draguent toutes les deux, songeait-il, gagné par le sommeil. La fille, c'était sûr. Elle lui rappelait immanquablement les étudiantes qu'il avait connues au fil des années. La plupart du temps, ce flirt n'était qu'un leurre. Chez les jeunes femmes de cet âge, il pensait à quelques auteures garçonnières et solitaires de sa connaissance, certaines ne lui semblaient maîtriser que deux comportements sociaux. La drague et le mépris.

Il sombrait dans le sommeil quand il se souvint qu'il faisait une pause imprévue dans la prise de ses bêtabloquants ; il était déjà en train de rêver lorsqu'une idée légèrement perturbante le traversa : Je ne sais pas vraiment ce qui se passe quand on arrête les bêtabloquants pour les reprendre ensuite.

Mais le rêve, ou le souvenir, prit le pas sur son inquiétude, et il le laissa venir à lui.

4

Le rétroviseur cassé

Il y avait un gecko. Les premières lueurs le faisaient fuir, accroché au grillage de la porte moustiquaire. En un clin d'œil, dans la demi-seconde qu'il fallait à l'enfant pour atteindre celle-ci, le gecko s'était volatilisé. C'était souvent sur sa disparition éclair que commençait le rêve de Juan Diego, comme elle avait souvent donné le coup d'envoi de ses matins à Guerrero.

Rivera avait construit la bicoque pour lui, mais il en avait réaménagé l'intérieur à l'intention des enfants. Quoiqu'il ne fût sans doute pas le père de Juan Diego, et en tout cas pas celui de Lupe, il avait passé un contrat avec leur mère. Malgré ses quatorze ans, Juan Diego voyait bien qu'il n'en restait plus grand-chose. Esperanza la mal nommée ne faisait pas naître beaucoup d'espoir dans le cœur de ses enfants, et elle n'encourageait jamais Rivera – ou alors Juan Diego ne s'en était pas rendu compte. Il se peut qu'il ait été trop jeune pour le remarquer ; quant à Lupe, avec ses treize ans, ce n'était pas un témoin fiable des rapports entre sa mère et le patron de la décharge.

Fiable, Rivera était bien le seul à l'être, s'agissant de veiller sur les deux gamins, dans la mesure du possible du moins. Il leur avait procuré l'unique toit qu'ils aient eu sur leur tête, et les avait mis à l'abri d'autres situations, aussi.

Quand il repartait chez lui, le soir – chez lui ou Dieu sait où –, il laissait à Juan Diego son pick-up et son chien. Le véhicule leur faisait un second refuge en cas de besoin, avec cet avantage que, contrairement à la bicoque, il fermait à clé. Quant au chien de Rivera, personne n'aurait osé l'approcher sinon Juan Diego et Lupe. Moitié pit-bull, moitié chien de chasse, ce mâle aux allures faméliques était prédisposé au combat, et à suivre une trace à l'odeur.

– Diablo est agressif, expliquait Rivera, parce que c'est dans son patrimoine biologique.

– Tu veux dire son patrimoine génétique, avait rectifié Juan Diego.

Comment apprécier ce degré de sophistication dans l'acquisition du vocabulaire chez un gosse de la décharge ? Malgré l'attention flatteuse dont il faisait l'objet de la part de Frère Pepe et de la mission jésuite à Oaxaca, Juan Diego n'était jamais allé à l'école. Or il avait appris à lire tout seul, et il parlait fort bien. Il parlait même anglais, langue qu'il pratiquait à l'occasion avec des touristes américains.

À cette époque-là, les ressortissants américains présents à Oaxaca n'étaient guère que des babas cool vaguement artisans et des camés ordinaires. Puis, à mesure que la guerre du Vietnam traînait en longueur, après 68, lorsqu'on avait élu Nixon sur la promesse qu'il y mettrait fin, on vit arriver les «âmes perdues», ou «jeunes hommes qui se cherchaient», comme les appelait Frère Pepe, lesquels, souvent, tentaient d'échapper à la conscription.

Les drogués, Juan Diego et Lupe avaient peu de chances de communiquer avec eux. Ils étaient trop occupés à repousser les frontières de leur conscience par les hallucinogènes pour perdre leur temps à parler avec des enfants. Les hippies mescalisés aimaient causer avec eux, au contraire, du moins quand ils n'étaient pas ivres. Il s'en trouvait qui aimaient bien lire de temps en temps, même si le mescal affectait leurs méninges tout comme leur mémoire. Ceux qui fuyaient la conscription lisaient volontiers, et laissaient à Juan Diego leurs livres de poche. Il s'agissait essentiellement de romans américains, bien sûr, et à les lire, Juan Diego s'imaginait vivre là-bas.

Quelques secondes après que le gecko de l'aube s'était volatilisé, et que la porte moustiquaire de la bicoque s'était refermée derrière Juan Diego, un corbeau prit son vol depuis le capot du pick-up de Rivera. Tous les chiens de Guerrero se mirent à aboyer. L'enfant regarda le corbeau voler tandis que Diablo, se dressant dans la benne du pick-up, poussait un hurlement si terrible qu'il fit taire les chiens du voisinage. Ce hurlement, c'était la part du chien de chasse dans son pedigree ; l'autre, son ascendance pit-bull, lui avait valu de perdre la paupière de l'œil gauche, perpétuellement ouvert et injecté de sang. La cicatrice rosâtre lui donnait une expression terrible.

Quant à savoir dans quelles circonstances on avait arraché un triangle de peau dentelé à l'une de ses longues oreilles avec une précision quasi chirurgicale, les paris étaient ouverts.

– C'est toi qui lui as fait ça, Lupe, lui avait dit un jour Rivera pour la taquiner. Il te laisserait lui faire n'importe quoi ; tu pourrais la lui manger, son oreille.

La petite avait formé un triangle parfait avec ses deux index et ses pouces. Il avait fallu que Juan Diego traduise, comme toujours, pour que Rivera la comprenne.

– Aucun animal, aucun humain ne peut faire ça avec ses crocs, avait-elle asséné sans réplique.

Les niños de la basura ne savaient jamais quand ni d'où Rivera arrivait, le matin, ni comment il était descendu depuis la décharge jusqu'à Guerrero. Le plus souvent, on le trouvait endormi dans la cabine de son pick-up. Alors, la porte moustiquaire qui claquait comme un coup de feu ou les aboiements des chiens le réveillaient – sinon c'étaient les hurlements à la mort de Diablo, une demi-seconde plus tard. Ou bien encore, un peu plus tôt, ce gecko invisible de tous ou presque.

– Buenos días, Jefe, lui disait Juan Diego.

– C'est un bon jour pour tout faire comme il faut, amigo, répondait souvent Rivera. Et il ajoutait : Où est notre petit génie de princesse ?

– Je suis là où je suis toujours, lui lançait Lupe.

La porte moustiquaire claquait derrière elle – seconde détonation, qui portait jusque dans les brasiers infernaux du basurero. Nouvel envol de corbeaux. Concert d'aboiements discordants entre les chiens de la décharge et ceux de Guerrero. Nouveau hurlement menaçant qui faisait taire tous les autres, et Diablo posait sa truffe humide sur le genou de Juan Diego, au-dessous de son short en lambeaux.

Les foyers flambaient depuis longtemps, avec leurs monceaux d'ordures vertigineux, et leurs immondices déjà fouillées. Il faut croire que Rivera allumait ces feux au point du jour ; puis il rentrait faire un somme dans la cabine de son pick-up.

Le basurero n'était qu'une terre brûlée. Qu'on soit sur place ou à Guerrero, les colonnes de fumée s'élevaient à perte de vue dans le ciel. Sitôt que Juan Diego franchissait la porte moustiquaire, il larmoyait ; et jusque dans son sommeil Diablo avait toujours une larme au coin de l'œil, cet œil gauche écarquillé et cependant aveugle.

Ce matin-là, Rivera avait déniché un nouveau pistolet à eau dans les ordures. Il l'avait balancé dans la benne du pick-up, où Diablo lui avait donné quelques coups de langue avant de s'en désintéresser.

– J'en ai trouvé encore un pour toi ! avait crié Rivera à Lupe.

Elle était en train de manger et s'était mis de la confiture sur le menton et sur une joue, que le chien avait léchés. Elle lui avait cédé le reste de sa tartine.

Deux vautours étaient courbés sur un chien mort, au milieu de la route ; deux autres planaient dans les airs et s'apprêtaient à descendre en vrille. Sur le basurero, on trouvait au moins un cadavre de chien tous les matins ; les carcasses ne restaient pas longtemps intactes. Si les vautours ne les repéraient pas, ou tardaient à les évacuer, il y avait toujours quelqu'un pour les brûler, toujours un feu allumé.

À Guerrero, les chiens morts ne subissaient pas le même sort ; en général, ils avaient un propriétaire. On ne brûlait pas le chien d'autrui, et d'ailleurs, on n'allumait pas des feux n'importe où, de peur qu'un incendie ne ravage la petite communauté. À Guerrero, un chien mort n'encombrait pas longtemps le paysage. S'il avait un maître, celui-ci le faisait disparaître, sinon les charognards s'en chargeaient.

– Je le connaissais pas, ce chien, et toi ? demanda Lupe à Diablo, tout en examinant le pistolet rapporté par El Jefe.

Elle parlait de celui dont s'occupaient les deux vautours, sur la route ; mais si Diablo le connaissait, il n'en laissa rien paraître.

Aujourd'hui, c'était jour de cuivre. Rivera en avait toute une cargaison dans la benne du pick-up. Une usine le récupérait, près de l'aéroport, et non loin de là, une autre prenait l'aluminium.

– Bon, au moins, on n'est pas jour de verre, j'aime pas les jours de verre, disait Lupe en s'adressant à Diablo, ou bien à elle-même.

Quand Diablo était dans les parages, Blanc Sale ne mouftait pas. Il gémit même pas, ce froussard, pensa Juan Diego.

– Il est pas froussard, c'est qu'un chiot ! cria Lupe à son frère.

En son for intérieur cette fois, elle pesta contre le pistolet à eau récupéré par Rivera dans les ordures, ce machin qui ne giclait pas bien.

Le patron de la décharge et Juan Diego la regardèrent courir vers la maison, pour ajouter la trouvaille à sa collection.

El Jefe vérifia la bouteille de propane devant la bicoque. Il s'assurait régulièrement qu'elle ne fuyait pas. Mais ce matin-là, il voulait savoir si elle était pleine ou à moitié vide. Il se fiait au poids en la soulevant.

Juan Diego se demandait souvent comment El Jefe en avait conclu qu'il n'était pas son père. Certes, ils ne se ressemblaient pas du tout. Juan Diego, comme Lupe, était le portrait craché de sa mère ; comment aurait-il pu avoir en plus les traits de son père, quel qu'il soit ? « Espère seulement ressembler à Rivera par la bonté », lui avait répliqué Frère Pepe, un jour qu'il lui apportait des livres et que l'adolescent essayait de le cuisiner sur l'identité de son géniteur.

Chaque fois que Juan Diego lui demandait pourquoi il excluait la possibilité de cette paternité, le patron de la décharge se contentait de répondre en souriant qu'il n'était pas assez malin pour avoir engendré un petit lecteur.

Juan Diego, qui l'avait regardé soulever la bouteille de propane – c'est très lourd, une bouteille pleine –, lui dit tout à coup :

– Un jour, Jefe, je serai assez fort pour soulever une citerne de propane, même pleine.

C'était sa manière de lui faire savoir qu'il espérait être son fils.

– Faut qu'on y aille, répondit simplement Rivera en sautant dans son pick-up.

– Tu n'as toujours pas réparé ton rétroviseur latéral, constata Juan Diego.

Lupe courut vers le pick-up en babillant, la porte moustiquaire claqua derrière elle. La détonation n'émut pas les vautours courbés sur le chien mort, au milieu de la route. Il y en avait quatre, à présent, et pas un ne sursauta.

Rivera avait appris à ne plus faire de plaisanteries grasses sur les pistolets à eau, Lupe détestait ça. Un jour, il leur avait dit :

– Vous en êtes tellement fous de ces pistolets, les gens vont croire que vous pratiquez l'insémination artificielle.

Le terme avait cours dans les milieux médicaux depuis la fin du XIXe siècle, mais les gosses de la décharge l'avaient découvert dans un roman de science-fiction sauvé des flammes. Lupe trouvait la chose dégoûtante. En entendant El Jefe parler d'insémination artificielle, elle était entrée dans une fureur de préadolescente... À cette époque, elle devait avoir onze ou douze ans.

– Elle sait ce que c'est que l'insémination artificielle et elle trouve que c'est dégueulasse, avait traduit Juan Diego, lui-même âgé de douze ou treize ans.

— Penses-tu, elle sait pas ce que ça veut dire ! avait soutenu le patron de la décharge, non sans poser sur la petite véhémente un regard inquiet.

Qui sait ce que son frère lui avait lu ? Toute enfant déjà, elle avait horreur de ce qui était indécent ou obscène, et elle était très pointilleuse sur ce chapitre.

Mais, en la circonstance, son indignation morale semblait outrée. Juan Diego se borna à dire :

— Si, elle sait. Tu veux qu'elle te décrive comment ça se passe ?

— Surtout pas ! s'était écrié Rivera. Je blaguais, c'est tout. Bon, les pistolets à eau, ça sert juste à s'asperger. On en parle plus.

Mais Lupe vociférait de plus belle.

— Elle dit que tu penses qu'au sexe.

— Eh non, je pense pas qu'à ça. J'essaie même de pas y penser du tout quand je suis avec vous deux.

Mais Lupe ne désarmait pas. Elle tapait du pied. Ses bottes étaient trop grandes ; elle les avait trouvées sur la décharge. Pendant qu'elle invectivait Rivera, sa crise de nerfs se changea en danse improvisée, avec pirouette.

— Elle dit que c'est navrant de dire du mal des putes alors que tu continues à traîner avec elles.

— C'est bon, c'est bon ! avait gueulé Rivera en levant au ciel ses bras musclés. Vos éternels pistolets à eau, vos petits jouets qui giclent, c'est pour s'amuser. On peut pas engrosser les filles avec. Puisque vous le dites…

Lupe avait cessé de danser ; elle désignait du doigt sa lèvre supérieure en adressant une moue boudeuse à Rivera.

— Allons bon, qu'est-ce que ça veut dire, encore, ces gestes ?

— Elle dit que tu n'es pas près de trouver une chérie ailleurs que chez les putes tant que tu porteras cette moustache ridicule.

— Cause toujours, avait marmonné Rivera.

Mais la petite aux yeux sombres avait continué de le dévisager tout en traçant les contours d'une moustache absente au-dessus de sa lèvre supérieure.

Une autre fois, elle avait dit à Juan Diego :

– Rivera est trop vilain pour être ton père.

– Rivera, il est beau dedans, lui avait-il répondu.

– Il a de bonnes idées, en général, sauf sur les femmes.

– Il nous aime.

– Oui, il nous aime. Toi et moi. Même si je ne suis pas de lui, et toi non plus sans doute.

– Il nous a donné son nom, à tous les deux.

– Donné, donné… Prêté plutôt.

– Comment ça, prêté ? lui avait demandé le gamin.

Elle avait répondu par un haussement d'épaules à la manière de leur mère, indéchiffrable car toujours un peu semblable et jamais tout à fait pareil.

– Moi, je m'appelle Lupe Rivera et peut-être bien que je porterai ce nom toute ma vie. Mais pas toi, lui avait-elle répondu sans préciser davantage. Toi, tu t'appelleras pas indéfiniment Juan Rivera. Ça te correspond pas.

Le matin où la vie de Juan Diego devait basculer, Rivera n'avait pas fait de plaisanterie grivoise sur les pistolets gicleurs. L'œil vague, il était assis au volant de son pick-up, prêt à partir livrer sa marchandise, en l'occurrence une lourde cargaison de cuivre.

Au loin, l'avion était en approche ; il devait être en phase d'atterrissage, pensait Juan Diego. Il n'avait pas renoncé à l'habitude de scruter le ciel pour y apercevoir des objets volants. À la périphérie de Oaxaca, il y avait un aéroport – guère plus qu'une piste à l'époque – et il adorait regarder les avions survoler le basurero.

Dans son rêve, il connaissait d'avance, pour son grand désespoir, l'identité de celui qui était à bord. Alors, dès qu'il voyait paraître l'appareil dans le ciel, il comprenait aussi son destin. Dans la réalité, ce matin-là, un objet des plus banals venait de le distraire de cet avion encore lointain qui amorçait sa descente. Il avait en effet aperçu ce qu'il croyait être une plume, mais qui n'était ni une plume de corbeau ni une plume de vautour. Non, celle-ci était différente, quoique pas très différente, et coincée sous la roue arrière gauche du pick-up.

Lupe s'était déjà glissée dans la cabine au côté de Rivera.

Malgré sa silhouette efflanquée, Diablo était un chien bien nourri. Beaucoup plus haut dans la hiérarchie que les chiens fouilleurs d'ordures – pour diverses raisons, c'était un chien hautain et machiste : à Guerrero, on le surnommait Machocador.

Diablo posa ses pattes de devant sur la caisse à outils et tendit le cou par-dessus le siège passager ; s'il posait les pattes sur la roue de secours, sa tête obstruait le rétroviseur latéral, celui qui était cassé, côté conducteur. Et quand le patron de la décharge regardait dans ce miroir-là, un reflet à facettes, une toile d'araignée en verre lui renvoyait la hure de Diablo avec quatre yeux, deux gueules, deux langues.

– Où est ton frère ? demanda Rivera à la petite.

– Je suis pas la seule à être folle, dit Lupe, mais il ne la comprit pas.

Quand il faisait un somme dans son pick-up, il positionnait souvent le levier de vitesse en marche arrière parce que s'il le laissait en première, il lui rentrait dans les côtes et l'empêchait de dormir.

La face « normale » de Diablo apparaissait dans le rétroviseur côté passager, mais lorsqu'il regarda dans le rétro cassé, il ne vit pas Juan Diego essayer d'attraper la plume insolite, d'un brun rougeâtre, qui était coincée sous la roue arrière gauche. Le pick-up recula dans une embardée et roula sur le pied droit du gamin. Ce n'était qu'une plume de poulet, réalisa celui-ci au moment même où il devenait boiteux à vie ; une simple plume de poulet comme on en trouvait partout à Guerrero, où des tas de familles élevaient de la volaille.

La légère bosse, sous le pneu arrière gauche, fit tanguer de la hanche la petite Vierge de Guadalupe fixée sur le pare-brise.

– Fais gaffe à pas tomber enceinte ! lui lança Lupe.

Sans comprendre, Rivera entendit crier Juan Diego.

– T'as perdu la main, pour les miracles, tu t'es vendue, dit Lupe à la poupée.

Rivera freina, sortit du pick-up et s'élança vers le jeune blessé. Diablo aboyait comme un fou, des hurlements inhabituels. Tous les chiens de Guerrero l'imitèrent bientôt.

– Et voilà, regarde ce que t'as fait ! dit Lupe à la figurine, en descendant du véhicule pour accourir auprès de son frère.

Le pied droit du gamin avait été écrasé : il saignait, formant un angle aigu avec sa cheville et son mollet. Rivera emporta l'enfant dans ses bras pour l'installer dans la cabine. Juan Diego aurait bien continué à hurler, mais la douleur lui coupait le souffle. Il suffoquait, inspirait, bloquait sa respiration de nouveau. Il perdit sa chaussure.

– Tâche de respirer normalement, sinon tu vas t'évanouir, dit Rivera.

– Tu vas peut-être le changer, maintenant, ce rétro de merde ! hurla Lupe.

– Qu'est-ce qu'elle raconte ? J'espère qu'elle parle pas de mon rétroviseur.

– Mais je fais ce que je peux pour respirer normalement, répondit Juan Diego.

Lupe monta en voiture la première, pour que son frère puisse poser sa tête sur ses genoux, et sortir son pied blessé par la fenêtre passager.

– Emmène-le chez le Dr Vargas ! hurla-t-elle à Rivera, qui comprit ce nom à défaut du reste.

– Voyons d'abord s'il se produit un miracle, et après on ira chez Vargas, proposa Rivera.

– Tu peux toujours courir, pour le miracle, dit Lupe.

Elle donna un coup de poing à la figurine du pare-brise, qui se remit à danser.

– Ne me confie pas aux jésuites, il n'y en a qu'un que j'aime et c'est Frère Pepe.

– Peut-être qu'il vaudrait mieux que ce soit moi qui explique à votre mère… dit Rivera.

En traversant Guerrero, il roula lentement pour ne pas écraser de chien, mais une fois sur la grand-route il se mit à foncer.

Les cahots arrachaient des gémissements à Juan Diego ; son pied blessé qui continuait à saigner par la fenêtre avait laissé des traînées sur le siège passager. Dans le rétroviseur encore intact, la tête de Diablo se reflétait, piquetée de rouge. Le vent rabattait un flot de sang vers l'arrière, où Diablo le léchait.

– C'est du cannibalisme ! cria Rivera. Quel traître, ce chien !

– C'est pas le mot, contredit Lupe avec son indignation morale habituelle. Les chiens aiment le sang. Diablo est un bon chien.

Les mâchoires serrées sous l'effet de la douleur, Juan Diego ne put traduire le plaidoyer de sa sœur en faveur du chien buveur de sang ; sa tête roulait sur les genoux de Lupe.

Quand il parvint à la tenir immobile, il crut voir le même échange de regards menaçants entre la poupée Guadalupe sur le pare-brise et sa sœur, pourtant fervente adoratrice de la sainte. C'était d'ailleurs à elle que la petite devait son nom. Quant à Juan Diego, il portait celui de l'Indien qui avait rencontré la Vierge à la peau sombre, en 1531. Les niños de la basura étaient issus des Indiens du Nouveau Monde, mais ils avaient aussi du sang espagnol, et se considéraient également comme les descendants des conquistadors. Juan Diego et Lupe n'étaient pas convaincus que la Vierge de Guadalupe veillait sur eux jour et nuit.

– Tu ferais mieux de lui adresser une prière, espèce d'ingrate ! dit Rivera à la gamine. Mécréante, va, prie pour ton frère, demande-lui son aide.

Juan Diego était las de traduire les invectives de sa sœur contre la Vierge, il serra les dents et les lèvres, pas un son ne sortit de sa bouche.

– Guadalupe a été corrompue par les catholiques. C'était notre Vierge à nous, mais ils nous l'ont volée. Ils en ont fait la servante indigène de Marie. Pourquoi pas son esclave, pendant qu'ils y étaient. Ou bien sa bonne !

– Blasphème ! Sacrilège ! Païenne que tu es ! s'écria Rivera qui n'avait pas besoin qu'on lui traduise cette diatribe, ayant souvent entendu les sorties de Lupe.

Sa relation d'amour-haine avec la sainte n'était pas un secret pour lui, pas davantage que son antipathie à l'égard de la Vierge Marie. Cette petite folle la tenait pour une usurpatrice, qui avait pris la place de la Vierge de Guadalupe, les rusés jésuites l'ayant détournée à leurs fins personnelles. La Virgen Morena avait été compromise, «corrompue». Elle, jadis miraculeuse, avait perdu ses pouvoirs.

Cette fois, l'enfant lança un coup de pied quasi mortel à la poupée, mais la ventouse qui la fixait au pare-brise tint bon, si bien qu'elle se mit à se trémousser de façon peu virginale.

Dans son geste, Lupe s'était très légèrement courbée, ce qui avait suffi à déclencher un hurlement de douleur.

– Tu fais mal à ton frère, voyons ! cria Rivera.

Lupe se pencha sur Juan Diego et lui baisa le front, ses cheveux à l'odeur de fumée ruisselant le long des joues du blessé.

– N'oublie pas, lui chuchota-t-elle, c'est nous, le miracle, toi et moi. Pas eux. Nous.

Les paupières serrées, Juan Diego entendit l'avion rugir au-dessus d'eux. À ce moment-là, il savait seulement qu'ils n'étaient pas loin de l'aéroport. Il ignorait qui se trouvait dans cet avion à l'approche.

Alors que dans son rêve, au contraire, il savait tout. Y compris l'avenir, en partie du moins.

– C'est nous qui faisons des miracles, chuchota-t-il.

Il dormait. Il rêvait toujours alors que ses lèvres remuaient. Personne ne l'entendait. On n'entend pas un auteur qui écrit en dormant.

Le vol Cathay Pacific 841 fonçait sur Hong Kong, avec à sa droite le détroit de Taïwan et à sa gauche la mer de Chine. Mais, dans son rêve, Juan Diego n'avait que quatorze ans ; il était à bord du pick-up de Rivera, il souffrait, et ne savait que répéter à sa sœur : « C'est nous qui faisons des miracles. »

Tous les passagers de l'avion étaient peut-être endormis. De fait, ni la mère très avertie des choses de ce monde ni sa fille à peine moins redoutable ne l'avaient entendu.

5

Contre vents et marées

L'Américain qui atterrit à Oaxaca ce matin-là, et qui allait jouer un rôle clé dans l'avenir de Juan Diego, était un jeune séminariste. Les jésuites venaient de l'engager comme professeur à leur école et leur orphelinat. C'était Frère Pepe qui l'avait choisi sur la liste des candidats. Le Père Alfonso et le Père Octavio avaient bien émis quelques réserves sur la qualité de son espagnol, mais Pepe leur avait fait ressortir qu'il était surqualifié pour le poste ; il avait fait de brillantes études, il n'aurait aucun mal à se mettre à niveau dans leur langue.

Au Hogar de los Niños Perdidos, tout le monde l'attendait. Sœur Gloria exceptée, les religieuses qui s'occupaient des orphelins avaient confié à Pepe que sa photo leur plaisait. Sans rien en dire à personne, Pepe la trouvait engageante, lui aussi. S'il était possible que le zèle se voie en photo, il se voyait sur la sienne.

Le Père Alfonso et le Père Octavio avaient envoyé Pepe attendre le nouveau missionnaire à l'aéroport. D'après la photo de son dossier, celui-ci l'aurait imaginé plus costaud et un peu plus âgé. Or non seulement Edward Bonshaw n'avait pas trente ans, mais il avait beaucoup maigri ces derniers temps, et n'avait pas cru bon de renouveler sa garde-robe pour autant. Il nageait dans ses vêtements qui lui donnaient une allure de clown en dépit de son expression sérieuse voire grave, comme un enfant qu'on aurait habillé de bric et de broc. Il faisait l'effet du benjamin d'une famille nombreuse, perpétuellement noyé dans les hardes des divers grands frères et cousins plus âgés. Quant à sa chemisette hawaïenne – perroquets et palmiers –, ses manches lui couvraient les coudes et ses pans lui tombaient jusqu'aux genoux. À sa descente d'avion, il marcha sur ses bas de pantalon avachis.

Comme d'habitude, l'avion venait d'estourbir à l'atterrissage une ou plusieurs poules divaguant sur le tarmac. Les bourrasques faisaient voler des plumes d'un brun rougeâtre, car là où se rencontrent les deux chaînes de la Sierra Madre, il y a de sacrés coups de vent. Mais Edward Bonshaw ne s'aperçut pas qu'une poule ou plusieurs avaient trouvé la mort. Il considéra que les plumes et le vent lui souhaitaient une chaleureuse bienvenue à titre personnel.

«Edward?» allait dire Frère Pepe lorsqu'une plume collée à sa lèvre inférieure l'obligea à cracher. Le jeune Américain lui paraissait freluquet, pas à sa place, mal préparé, mais il se rappela combien il était peu sûr de lui au même âge, et il eut un élan d'affection envers le jeune homme, comme s'il faisait partie des orphelins à sa charge.

Les trois ans qu'il avait passés à se préparer à la prêtrise s'appelaient la régence ; trois ans d'études de théologie l'attendaient ensuite, puis ce serait l'ordination, se remémorait Pepe tout en évaluant l'étudiant aux prises avec les plumes. Une fois ordonné, le malheureux aurait droit à une quatrième année de théologie, lui qui avait déjà soutenu une thèse de littérature anglaise. Fallait-il s'étonner qu'il ait maigri !

Or Pepe sous-estimait le jeune zélote qui cherchait, au prix d'efforts surhumains, à se donner des airs de héros conquérant dans son maelström de plumes. Il ignorait que celui-ci descendait d'une horde d'ancêtres redoutables, même selon des critères jésuitiques.

Les Bonshaw étaient en effet originaires de la région de Dumfries, aux marches de l'Angleterre. Andrew, l'arrière-grand-père, avait émigré au Canada, dans les provinces maritimes. Duncan, le grand-père, avait choisi les États Unis, mais avec circonspection. «Je ne me suis pas aventuré plus loin que le Maine», se plaisait-il à dire. Graham, le père du jeune homme, avait poussé vers l'ouest – enfin, jusqu'à l'Iowa. Edward Bonshaw lui-même était né à Iowa City. Avant d'arriver au Mexique, il n'avait jamais quitté son Midwest.

Comment les Bonshaw s'étaient faits catholiques, c'était une autre histoire, connue de Dieu seul, et de l'arrière-grand-père. Comme beaucoup d'Écossais, Andrew avait été élevé dans la religion protestante. Parti de Glasgow parpaillot, il avait débarqué à Halifax dans le giron de Notre Sainte Mère l'Église ; c'était en catholique qu'il avait touché terre.

La conversion, pour ne pas dire le miracle (de ceux qui surviennent au moment de l'agonie), devait s'être produite à bord, quand le bateau cinglait vers la Nouvelle-Écosse ; mais même dans son grand âge, Andrew n'en avait jamais parlé. Il avait emporté le secret de ce miracle dans sa tombe. Tout ce qu'il disait de ce voyage, c'est qu'une religieuse l'avait initié au mah-jong. Il faut croire qu'il s'était passé quelque chose au cours d'une des parties.

Le plus souvent, les miracles laissaient Edward sceptique, même s'il se passionnait au-delà de tout pour le miraculeux. Il n'avait jamais remis sa religion en question, pas plus que la conversion mystérieuse de son arrière-grand-père. Faut-il le dire, tous les Bonshaw avaient appris le mah-jong.

« On a l'impression qu'il y a souvent une contradiction inexplicable ou du moins inexpliquée dans la vie des plus fervents croyants », avait écrit Juan Diego dans son roman situé en Inde et intitulé *Une histoire déclenchée par la Vierge Marie*. Et si le roman tournait autour d'un missionnaire imaginaire, il lui avait peut-être donné des traits spécifiques d'Edward Bonshaw.

– Edward ? s'enquit de nouveau Frère Pepe, d'une voix un peu plus ferme cette fois. Eduardo ? tenta-t-il.

Il n'était pas sûr de son anglais. Écorchait-il le prénom du jeune homme ?

– Ha ha ! s'écria le jeune Edward Bonshaw. Sur quoi, sans raison apparente, il proclama en latin : Haud ullis labentia ventis.

Frère Pepe n'avait pas dépassé le niveau débutant dans cette langue. Il pensa avoir saisi le mot « vent », au pluriel peut-être, et se dit qu'Edward Bonshaw étalait sa science, mais qu'il était cependant peu probable qu'il soit en train de parler des plumes de poule au vent. De fait, Edward venait de réciter la devise de sa famille, une devise écossaise. Les Bonshaw avaient aussi un tartan à eux. Lorsque Edward était nerveux ou intimidé, il se récitait cette devise.

HAUD ULLIS LABENTIA VENTIS : *Contre vents et marées*.

Seigneur Dieu, de quoi s'agit-il ? s'étonna Pepe, convaincu qu'il y avait là une allusion religieuse. Il en avait rencontré, des jésuites qui réglaient fanatiquement leur conduite sur celle de saint Ignace de Loyola, patron et fondateur de leur ordre, la Compagnie de Jésus. C'était à Rome que le saint avait annoncé être prêt à sacrifier sa vie pour prévenir le péché d'une seule prostituée lors d'une seule nuit. Frère Pepe avait passé sa vie à Mexico et Oaxaca, ce qui le prédisposait à juger que le saint devait être fou pour émettre pareille proposition.

Le pèlerinage se fait errance quand c'est le fou qui l'entreprend, se remémora-t-il en s'avançant sur le tarmac jonché de plumes, à la rencontre du jeune missionnaire américain.

– Edward, Edward Bonshaw ! lui dit-il.

– J'aime bien Eduardo, c'est nouveau, ça me plaît !

Celui-ci le surprit par une étreinte farouche qui lui fit un vif plaisir : pareille spontanéité l'enchantait.

Là-dessus, Edward-Eduardo se lança dans une explication sur son manifeste latin et Pepe découvrit avec étonnement qu'il s'agissait d'une devise familiale, tout à fait profane, sinon *protestante*.

Ce jeune natif du Midwest était décidément un garçon positif, doté d'une personnalité sociable, sa présence lui serait une joie. Oui, mais les autres, qu'est-ce qu'ils allaient en penser ? Car « les autres » n'étaient pas des joyeux. Il songeait en particulier aux deux vieux prêtres, mais aussi et surtout à Sœur Gloria. Ah, ils allaient rester baba quand il les serrerait dans ses bras, se dit-il, et quand ils verraient les perroquets dans les palmiers qui ornaient sa chemise hawaïenne... Pepe n'était pas fâché du désarroi qui serait le leur.

C'est alors qu'Eduardo, comme il aimait déjà qu'on l'appelle, voulut montrer à Frère Pepe que ses valises avaient subi les derniers outrages quand il avait passé la douane, à Mexico.

– Regardez-moi le bazar qu'ils ont mis dans mes affaires ! s'écriat-il, survolté, tout en ouvrant ses bagages pour lui faire constater les dégâts : il se fichait pas mal que les passants voient ses affaires répandues.

Et en effet Frère Pepe constata que le douanier de Mexico avait fouillé avec acharnement les bagages du séminariste haut en couleur, sans rien y trouver d'autre que des vêtements trop grands et trop voyants pour la circonstance.

– Vraiment très sobre, commenta Pepe en désignant d'autres chemises hawaïennes jetées en vrac dans une petite valise. Ce doit être les directives de la nouvelle encyclique papale.

– Ça fait fureur à Iowa City, répondit Edward Bonshaw, pour rire.

– Il se peut que Père Alfonso y voie de la singerie, dit Pepe pour le mettre en garde.

La formule était approximative. Il voulait dire : Le Père va croire que vous faites le singe. Peut-être aurait-il dû dire tout simplement : Je crains que le Père Alfonso n'apprécie pas ce genre d'accoutrement.

Toujours est-il qu'Edward Bonshaw comprit.

– Le Père Alfonso est un peu traditionaliste, c'est ça ?

– C'est le moins qu'on puisse décrire.

– Le moins qu'on puisse dire, rectifia Edward.

– Mon anglais a rouillé un petit.

– Je vais vous épargner mon espagnol pour l'instant.

Il montra à Pepe comment le douanier avait découvert le premier fouet, puis le second.

« Des instruments de torture ? s'était-il enquis en espagnol, puis en anglais.

– Non, des objets de piété », lui avait répondu Edward-Eduardo.

Doux Jésus, songeait Pepe, on voulait recruter un professeur d'anglais, voilà qu'il nous arrive un malheureux qui se flagelle.

La deuxième valise en désordre était bourrée de livres.

« Encore des instruments de torture ? avait réitéré le douanier en version bilingue.

– Encore des objets de piété », avait rectifié Edward Bonshaw.

Enfin, il lit, c'est déjà quelque chose, pensa Pepe.

– Les sœurs de l'orphelinat, dont certaines seront vos collègues, ont été conquises par votre photo, confia-t-il au séminariste qui bataillait pour refermer ses bagages outragés.

– Ah ah ! J'ai beaucoup maigri, depuis.

– Ça se voit, oui. Vous n'avez pas été malade, j'espère ?

– Le déni, le déni de la chair, voilà qui est bon. J'ai arrêté de fumer, j'ai arrêté de boire, et je crois que le régime zéro alcool m'a coupé l'appétit. Je n'ai plus aussi faim qu'avant, conclut le zélote.

– Ah ah, répliqua Frère Pepe (c'était contagieux) qui n'avait jamais bu d'alcool, pas la moindre goutte, et à qui le régime sec ne risquait pas de couper l'appétit.

« Des vêtements, des fouets, des livres, avait résumé le douanier en VO avec sous-titres.

– Le strict minimum », avait déclaré Edward Bonshaw.

Dieu miséricordieux, épargnez-le ! se disait Pepe, comme si les jours du séminariste étaient comptés.

Le douanier lui avait également posé des questions sur la validité de son visa :

« Vous allez rester combien de temps ?

– Trois ans, si tout va bien. »

Frère Pepe ne donnait pas cher de l'avenir du pionnier qu'il avait devant lui. Tiendrait-il même six mois dans cette vie missionnaire ? Il lui faudrait s'habiller, dans sa taille, de préférence. Il serait vite à court de livres, ses deux fouets ne lui suffiraient guère pour toutes les occasions où il aurait envie de se flageller.

– Vous conduisez une Coccinelle, Frère Pepe ! s'exclama Edward Bonshaw, comme ils se dirigeaient vers la Volkswagen rouge poussiéreuse garée dans le parking.

– Pepe tout court, je vous en prie, dit Pepe.

Il se demanda si tous les Américains se complaisaient à souligner l'évidence, mais l'enthousiasme à trois cent soixante degrés du jeune séminariste lui allait droit au cœur.

Ces jésuites avisés auraient-ils pu mieux choisir pour diriger leur école qu'un homme comme Pepe, incarnation même de l'enthousiasme qu'il admirait d'ailleurs comme une vertu ? N'était-il pas le mieux placé pour s'occuper de Los Niños Perdidos ? Quand on ajoute un orphelinat à une école déjà prospère, et qu'on l'appelle Les Enfants perdus, ne faut-il pas pour veiller à tout cela un inquiet au grand cœur tel que Pepe ?

Mais les inquiets, y compris au grand cœur, sont parfois de grands distraits. Peut-être Pepe pensait-il au lecteur-de-la-décharge ; peut-être songeait-il à lui apporter des livres. Quoi qu'il en soit, en quittant l'aéroport, il tourna dans la mauvaise direction ; au lieu d'aller vers Oaxaca, il partit vers le basurero, et lorsqu'il s'aperçut de son erreur, il était déjà à Guerrero.

Il connaissait mal l'endroit, et il s'engagea sur le chemin de terre qui menait à la décharge. Il était large, et on n'y rencontrait que les bennes puantes qui circulaient au ralenti.

Quand Pepe arrêta sa Coccinelle et réussit à faire demi-tour, des volutes de fumée noire enveloppaient déjà les deux jésuites. Des montagnes d'ordures et de bazar en tout genre s'élevaient au-dessus de la route, brûlant à petit feu. On voyait des enfants crapahuter au flanc des monticules infects pour fouiller les ordures. Le conducteur devait faire attention aux charognards, humains loqueteux ou spécimens canins. L'odeur, charriée par la fumée, donnait des haut-le-cœur au jeune missionnaire américain.

– Où sommes-nous ? On croirait voir l'Hadès, et le sentir, aussi. À quels terribles rites de passage ces malheureux enfants se livrent-ils ici ? demanda-t-il non sans grandiloquence.

Comment allons-nous supporter ce doux dingue ? songeait Frère Pepe. Ses bonnes intentions n'impressionneront personne à Oaxaca. Mais il lui expliqua simplement :

– C'est la décharge publique. Cette odeur provient de l'incinération des chiens morts, entre autres. Notre mission nous a fait connaître deux enfants qui fouillent les ordures, les pepenadores, les charognards comme on dit. Des récupérateurs.

– Des récupérateurs ! s'écria Edward Bonshaw.

– Ce sont les niños de la basura, dit Pepe tout bas, soucieux de faire la nuance entre les chiens et les enfants fouilleurs de décharge.

C'est alors qu'un gosse crasseux d'âge indécis – un gosse de la décharge, de toute évidence, on le voyait à ses bottes trop grandes pour lui – balança un petit chien frissonnant par la fenêtre passager de la Volkswagen.

– Non merci, déclina poliment Edward Bonshaw, plus à l'intention du chiot puant qu'à celle du gamin qui lui déclara tout à trac qu'il lui faisait cadeau de cette créature famélique (les gamins de la décharge ne mendiaient pas).

– Ne touche pas ce chien ! lui cria Pepe en espagnol, tu risques de te faire mordre.

– Je sais ce que c'est que la rage ! cria le gosse crasseux, en reprenant le chien tout recroquevillé. Je suis au courant, pour les vaccins.

– Quelle belle langue ! s'extasia Bonshaw.

Seigneur Dieu, notre séminariste n'entend pas un mot d'espagnol, en conclut Pepe.

Une pellicule de cendres recouvrait le pare-brise de la Volkswagen, et il s'aperçut que les essuie-glaces ne faisaient qu'en étaler une bouillie, lui obscurcissant encore plus la route qui quittait le basurero. Obligé de sortir de sa voiture pour nettoyer la vitre avec un vieux chiffon, il en vint à parler au missionnaire de Juan Diego, le jeune lecteur-de-la-décharge. Peut-être aurait-il dû en dire un peu plus sur Lupe, la petite sœur, en particulier sur la capacité qu'elle semblait avoir de lire dans les pensées, et sur l'idiome incompréhensible qui était le sien. Mais en indécrottable optimiste qu'il était, il avait tendance à se polariser sur les choses simples et positives.

La petite Lupe avait quelque chose d'inquiétant, alors que Juan Diego était une pure merveille. Aucune contradiction dans le fait que ce gamin de quatorze ans, né et élevé dans le basurero, ait appris à lire tout seul, dans deux langues de surcroît !

– Merci, mon Dieu ! s'exclama Edward Bonshaw quand ils se remirent en route, dans la bonne direction cette fois, cap sur Oaxaca.

Merci de quoi ? se demandait Pepe tandis que le jeune Américain poursuivait sa prière vibrante :

– Merci de me permettre cette immersion totale là où ma présence est la plus nécessaire.

– Mais nous sommes sur la décharge publique, objecta Pepe, et ces enfants ne sont nullement livrés à eux-mêmes. Croyez-moi, Edward, votre présence n'est pas nécessaire dans le basurero.

– Eduardo, rectifia le jeune Américain.

– Sí, Eduardo, articula Pepe.

Des années durant, il s'était trouvé seul pour tenir tête au Père Alfonso et au Père Octavio qui, plus âgés et plus calés que lui en théologie, lui donnaient parfois le sentiment d'être un traître à la foi catholique, un humaniste laïcard enragé, voire pire (une gageure pour les jésuites). Ils connaissaient sur le bout des doigts leur dogme catholique. Ses deux aînés étaient d'incurables doctrinaires : leurs conversations tournaient en rond et il avait l'amère impression d'être un croyant médiocre.

En Edward Bonshaw, Pepe venait peut-être de trouver un adversaire à leur mesure, un preux chevalier un peu fou, capable de contester la nature même de la mission de Los Niños Perdidos.

Il venait de remercier le Seigneur de lui avoir permis une « immersion totale » pour sauver ces deux gosses de la décharge. Se figurait-il sérieusement qu'ils étaient candidats au sauvetage ?

– Pardonnez-moi de ne pas vous avoir accueilli comme il faut, Señor Eduardo. Lo siento. Bienvenido, lui déclara-t-il avec admiration.

– ¡Gracias ! s'écria le zélote.

À travers le pare-brise maculé de cendres, sur le rond-point, devant eux, ils virent tous deux un petit obstacle que les voitures évitaient.

– Un accident ? demanda Edward Bonshaw.

Un contingent de chiens et de corbeaux querelleurs se disputait une dépouille invisible. Comme la Volkswagen approchait, Frère Pepe klaxonna. Les corbeaux s'envolèrent, les chiens s'éparpillèrent. Il ne resta plus qu'une auréole de sang sur le macadam. La victime, si c'était bien son sang qu'on voyait, avait disparu.

– Les chiens et les corbeaux l'ont mangé, constata Edward Bonshaw.

Le voilà qui enfonce une fois de plus les portes ouvertes, pensa Frère Pepe... Mais c'est alors que Juan Diego parla et se réveilla aussitôt de son long sommeil, et de son prétendu rêve – de ces souvenirs qui lui manquaient depuis que les bêtabloquants lui avaient volé son enfance et sa prime adolescence.

– Non, il n'y a pas eu d'accident de la route, c'est mon sang, il a coulé du pick-up de Rivera, Diablo ne l'a pas léché jusqu'à la dernière goutte.

– Vous écriviez ? lui demanda Miriam, la mère impérieuse.

– Quelle histoire macabre ! commenta Dorothy, sa fille.

Leurs deux visages rien moins qu'angéliques étaient penchés sur Juan Diego ; il découvrit que mère et fille étaient passées aux toilettes et s'étaient brossé les dents ; contrairement à lui, elles avaient l'haleine fraîche. Les hôtesses s'affairaient ostensiblement dans la cabine de première classe.

Le vol Cathay Pacific 841 amorçait sa descente sur Hong Kong ; un parfum étranger mais agréable flottait, très loin des relents du basurero.

– Nous allions vous réveiller quand vous avez ouvert les yeux, dit Miriam.

– Vous auriez tort de rater les muffins au thé vert, ajouta la fille, ils valent une bonne baise.

– Tu n'as que la baise à la bouche, Dorothy, gronda Miriam.

Juan Diego, conscient de sa mauvaise haleine, leur adressa un demi-sourire contraint, lèvres closes. Il se remémorait petit à petit où il était, et qui étaient ces deux jolies femmes. Ah oui, il avait zappé ses bêtabloquants. Pendant un bref instant, il avait pu rentrer chez lui. Il en éprouvait une nostalgie intense.

Allons bon, qu'est-ce qui se passait ? Voilà qu'il bandait dans son ridicule pyjama de la Cathay Pacific qui lui donnait l'air d'un clown.

Lui qui n'avait même pas pris une demi-pilule de Viagra, ses fameux cachets bleu-vert partis avec les bêtabloquants dans la valise enregistrée.

Il venait de dormir plus de quinze heures d'affilée, sur un vol de seize heures et dix minutes. Il se dirigea vers les toilettes d'un pas sensiblement plus vif et plus léger malgré sa claudication. Ses anges autopromus, et pas tout à fait gardiens, le couvèrent du regard.

– Il est trop chou, non ? demanda la mère.

– Si, si, il est mimi, répondit la fille.

– Il peut remercier le bon Dieu de nous avoir trouvées, il serait complètement perdu sans nous, observa la mère.

– Il peut remercier le bon Dieu, répéta Dorothy.

L'allusion à un « bon » dieu ne sortait pas avec naturel de ses lèvres ultra-pulpeuses.

– Il écrivait, je crois. Tu te rends compte, écrire en dormant ! s'exclama Miriam.

– Il était question du sang qui gouttait d'un camion. Diablo, ça veut dire diable, hein ? demanda Dorothy à sa mère, qui haussa les épaules pour toute réponse.

– Franchement, Dorothy, tu exagères, avec ces muffins au thé vert. Il n'y a pas de quoi en faire un roman, bon sang. Ça ne risque pas d'apporter le même plaisir que le sexe.

Dorothy leva les yeux au ciel et soupira. Assise ou debout, elle avait toujours l'air un peu avachie. À vrai dire, on l'imaginait surtout en position horizontale.

Juan Diego sortit des toilettes en souriant à ces deux femmes si avenantes. Il avait réussi à s'extirper du pyjama de bord, qu'il tendit à une hôtesse. Il avait hâte de goûter aux muffins, même si son impatience n'atteignait pas celle de Dorothy.

Son érection avait peu diminué, il le sentait très bien. Elles lui manquaient, du reste, ses érections. En temps normal, il lui fallait un demi-Viagra pour bander. Mais pas aujourd'hui.

Son pied infirme palpitait toujours un peu au réveil, or là, il palpitait différemment ; en tout cas, c'est ce qu'il se figurait. Car dans sa tête, il avait quatorze ans, et le pick-up de Rivera venait de lui écraser le pied droit. Il sentait la tiédeur des cuisses de Lupe contre son cou et sa nuque. Sur le pare-brise, la petite Vierge de Guadalupe se trémoussait dans tous les sens. Avec cette invite muette et pas tout à fait consciente.

Cette invite que lui faisaient maintenant Miriam et Dorothy – sans même avoir besoin de se trémousser.

Mais l'écrivain ne soufflait mot ; il serrait les dents, les lèvres, comme s'il s'efforçait encore de ne pas hurler de douleur, en roulant la tête sur les genoux de sa sœur, disparue depuis des lustres.

6

Le sexe et la foi

Le long couloir qui menait de l'aéroport international de Hong Kong jusqu'au Regal Hotel était chamarré d'un assortiment de décorations de Noël : renne à la face réjouie et cohorte d'elfes auxiliaires, mais ni traîneau, ni cadeaux, ni Père Noël.

– Il est allé se faire foutre, expliqua Dorothy. Il a dû appeler une escort.

– Suffit le sexe, Dorothy ! dit la mère à son effrontée de fille.

À en juger par la vivacité qui se glissait parfois dans ce dialogue un peu surfait entre elles, elles devaient voyager de concert depuis des années – des siècles, songea Juan Diego contre toute vraisemblance.

– En réalité, le Père Noël a élu domicile ici. On subit ces décos merdiques à longueur d'année !

– Mais enfin, objecta Miriam, tu n'es pas là toute l'année, qu'est-ce que tu en sais ?

– On est quand même là si souvent que j'ai l'impression d'y habiter, répondit la fille d'une voix maussade.

En montant un escalator, ils passèrent devant une crèche. Juan Diego constatait avec étonnement qu'ils n'étaient pas sortis à l'air libre depuis son arrivée à JFK dans la neige. La crèche était entourée de ses personnages habituels, humains et animaux, dont un spécimen exotique. Ici, à Hong Kong, la Vierge souriait d'un air timide, en détournant le regard devant ses admirateurs. À cette époque de l'année, c'était tout de même son précieux fils qui devait monopoliser l'attention, non ? Or souvent, il n'en était rien. La Vierge Marie lui volait la vedette, et pas seulement à Hong Kong.

Il y avait là Joseph, ce pauvre idiot. Mais si Marie avait effectivement conservé sa virginité, l'homme semblait gérer au mieux l'épisode de la naissance. Il ne lançait pas de regards noirs ou soupçonneux à tous ces curieux, rois, mages, bergers et autres badauds et autres parasites : une vache, un âne, un coq, un chameau. C'était lui, le spécimen exotique.

– Je suis sûre que c'est un roi mage qui l'a engrossée, spécula Dorothy.

– Suffit, le sexe ! lui rappela sa mère.

Juan Diego se figurait à tort être le seul à remarquer que l'Enfant Jésus n'était pas dans la crèche… peut-être était-il enseveli dans le foin ?

– L'Enfant Jésus… commença-t-il.

– On l'a kidnappé il y a des années, lui expliqua Dorothy. Et si vous voulez mon avis, les Chinois s'en foutent.

– Il est peut-être parti se faire lifter, suggéra Miriam.

– Tout le monde ne se fait pas lifter, maman.

– Le Divin Enfant n'est plus de première jeunesse, fit observer Miriam. Crois-moi, il est allé se faire lifter.

– L'Église catholique ne s'est pas contentée de ravaler sa propre façade, dit aigrement Juan Diego, comme si la promotion de la crèche et Noël tout entier étaient une affaire strictement catholique.

Intriguées par sa véhémence, mère et fille le regardèrent, stupéfaites. Et pourtant, le ton accusateur de sa remarque n'avait rien d'étonnant quand on avait lu ses romans. Il avait une dent non pas contre les hommes de foi, les croyants de tout poil, mais contre certaines stratégies sociales et politiques de l'Église catholique.

Cette aigreur qui s'entendait parfois dans sa voix surprenait cependant tout le monde, tant l'homme était policé dans ses manières, lent dans ses gestes à cause de son pied infirme. Il n'avait rien d'un kamikaze, sauf dans le domaine de l'imagination.

En haut de l'escalator, les trois voyageurs se trouvèrent au carrefour de passages souterrains, dont les panneaux annonçaient qu'ils menaient l'un à Kowloon et dans l'île de Hong Kong, et l'autre à la péninsule de Sai Kung.

– Il faut prendre un train ? demanda Juan Diego à ses admiratrices.

– Pas tout de suite, lui répondit Miriam en s'emparant de son bras.

Ces passages sont reliés à une gare, se dit Juan Diego. Mais il ne comprenait pas toutes ces publicités pour des boutiques de vêtements sur mesure, des restaurants, et des joailleries qui proposaient des opales à l'infini.

– On va déposer les bagages à l'hôtel d'abord et on en profitera pour se rafraîchir, lui dit Dorothy en saisissant son bras libre.

Tout en avançant, il se figurait boiter moins bas que d'habitude. Pourquoi ? Dorothy tirait le sac à roulettes qu'il venait de récupérer ainsi que le sien, d'une seule main, sans le moindre effort. Comment faisait-elle ? Ils parvinrent devant un grand miroir en pied, à côté de la réception de leur hôtel. Mais lorsqu'il jeta un coup d'œil dans la glace, il ne vit pas le reflet de ses deux compagnes si efficaces à ses côtés. Il avait dû mal regarder.

– On va prendre un train pour Kowloon, et on verra les gratte-ciel de l'île de Hong Kong se mirer dans l'eau. C'est plus beau de nuit, avec les lumières… lui murmura Miriam à l'oreille.

– On grignotera un morceau, on boira un ou deux verres, et puis on rentrera à l'hôtel en train, lui glissa Dorothy à l'autre oreille. On aura sommeil, à cette heure-là.

Quelque chose lui disait qu'il avait déjà vu ces deux dames. Mais où, mais quand ?

Était-ce à bord du taxi qui était passé par-dessus la glissière de sécurité et s'était enfoncé dans la neige du sentier des joggeurs, le long de l'East River ? Le chauffeur tentait de dégager ses roues arrière, armé de son essuie-glace en guise de pelle. « D'où tu viens, pauv' con, du Mexique ? » avait braillé le chauffeur de la limousine.

Les visages apeurés des deux passagères s'étaient inscrits dans la vitre arrière. Qu'elles aient été mère et fille, possible. Mais ce n'étaient sûrement pas Miriam et Dorothy. Rien ni personne n'aurait pu leur faire peur. Pourtant, il demeurait convaincu de les avoir déjà vues, ces deux femmes redoutables. Il en était sûr.

– C'est ultra-moderne, déclara-t-il, ne trouvant rien d'autre à dire dans l'ascenseur du Regal Airport Hotel.

Mère et fille l'avaient enregistré à la réception et il lui avait suffi de montrer son passeport ; il ne se souvenait pas d'avoir payé.

La clé de la chambre se présentait comme une carte de crédit ; une fois qu'on avait ouvert, il fallait la glisser dans un boîtier, situé contre la porte.

– Sinon la lumière ne va pas s'allumer, et votre téléviseur ne fonctionnera pas, lui expliqua Dorothy.

– N'hésitez pas à nous appeler si vous avez le moindre problème avec les gadgets modernes, dit Miriam.

– Si vous avez le moindre problème tout court, compléta Dorothy, qui avait écrit les numéros de sa chambre et de celle de sa mère sur l'étui de la carte.

Tiens, elles ne partagent pas la même chambre, se dit-il une fois seul dans la sienne.

Sous la douche, il se remit à bander. Il savait bien qu'il aurait dû prendre un bêtabloquant, et depuis longtemps. Mais cette érection le faisait hésiter. Et si jamais Miriam *ou* Dorothy avait des bontés pour lui ? Ou, plus inimaginable encore, si elles en avaient l'une *et* l'autre ?

Il retira les bêtabloquants de sa trousse de toilette et les posa près du verre d'eau, à côté du lavabo. C'étaient des Lopressor, ovales, gris-bleu. Il sortit ensuite les cachets de Viagra et les observa. Ils évoquaient vaguement un ballon de rugby. Ce qui rapprochait le plus le Viagra du Lopressor, c'était leur couleur.

Si un miracle faisait que Dorothy ou Miriam ait des bontés pour lui, il était trop tôt pour prendre du Viagra. Tout de même, il sortit le coupe-comprimé de sa trousse de toilette et le posa sur le lavabo, pour se rappeler qu'un demi-Viagra suffisait.

Voilà que je me fais du cinéma comme un ado en rut, se dit-il en s'habillant pour rejoindre ces dames. Son comportement l'étonnait lui-même. Dans ces circonstances inhabituelles, il ne prit pas son traitement ; il détestait ces bêtabloquants qui le diminuaient, et il ne commettrait pas l'erreur de prendre du Viagra avant l'heure.

Hélas, il ne voyageait pas avec son amie médecin, et s'il devait la remercier, ce n'était pas de ses consignes quant à l'usage du Viagra. Car le Dr Stein aurait pu lui rappeler pourquoi il se faisait l'effet d'un Roméo au destin tragique dans le corps d'un écrivain d'âge mûr, et boiteux de surcroît. Quand on saute une dose de bêtabloquants, gare ! Le corps est en manque d'adrénaline et voilà qu'il se met à en fabriquer, comme il fabrique des récepteurs. Ces prétendus rêves, qui n'étaient que des souvenirs d'enfance et d'adolescence plus intenses et plus précis, lui venaient tout autant du fait d'avoir sauté sa dose de

Lopressor que de ce désir soudain et explosif pour deux inconnues, mère et fille, qui lui semblaient curieusement plus familières qu'elles n'auraient dû.

Le billet de la navette express qui reliait l'aéroport à la gare de Kowloon coûtait 90 dollars hongkongais. Par timidité peut-être, Juan Diego s'abstint de dévisager Miriam et Dorothy pendant le voyage – car il paraît peu probable qu'il se soit passionné pour chaque mot inscrit sur les deux faces de son ticket. Il comparait les caractères chinois à leurs équivalents anglais. 1 ALLER SIMPLE, disait la face anglaise. *Un aller simple* en toutes lettres aurait mieux convenu. Comme un titre de roman, pensa Juan Diego. Il griffonna quelque chose sur le billet.

– Qu'est-ce que vous faites ? lui demanda Miriam. Ça vous passionne à ce point, un billet de train ?

– Il est encore en train d'écrire, dit Dorothy à sa mère. Il passe sa vie à ça.

– « Hong Kong Ville, billet adulte », leur lut Juan Diego à haute voix.

Il rangea le ticket dans la poche de sa chemise.

– Chaque fois que j'entends le mot « adulte », je pense à un truc porno, dit Dorothy en lui souriant.

– Suffit ! lui intima sa mère.

Il faisait déjà nuit lorsque leur train arriva en gare de Kowloon. Les touristes déambulaient sur le port, prenant des photos des gratte-ciel, mais Miriam et Dorothy passaient inaperçues au milieu de la foule. Il se figurait boiter moins bas si l'une ou l'autre lui prenait le bras. C'est dire à quel point il s'était toqué d'elles ! Il croyait même glisser entre les passants avec l'aisance qui était la leur.

Tout en étant classiques, les pulls moulants à manches courtes qu'elles portaient sous leurs cardigans dessinaient leur poitrine. Peut-être était-ce ce côté classique qui leur permettait de passer inaperçues. Ou alors les autres touristes, asiatiques pour la plupart, ne s'intéressaient pas à ces deux belles occidentales. Elles étaient en jupe, des jupes serrées, sans être pour autant provocantes au point d'attirer l'attention.

Suis-je le seul à ne pas pouvoir détacher les yeux d'elles ? Peu sensible à la mode comme il l'était, il ne fallait pas lui demander de comprendre l'effet des couleurs neutres. Il n'avait pas remarqué que leurs jupes et leurs pulls étaient dans les brun-beige, ou gris argent, et toujours d'une coupe impeccable. Quant au tissu de leurs vêtements, il devait être agréable au toucher, mais ce qui attirait son regard, c'étaient leurs seins – sans oublier leurs hanches, naturellement.

Il ne se rappellerait pas grand-chose du trajet jusqu'à la gare de Kowloon, et rien du tout de la promenade animée au port, ni du restaurant où ils avaient dîné, sinon que, chose inhabituelle chez lui, il avait une faim de loup. Il garderait cependant le souvenir de s'être bien amusé en la compagnie de Miriam et de Dorothy. Cela faisait longtemps qu'il n'avait pas passé une aussi bonne soirée. De là à pouvoir dire de quoi ils avaient parlé... De ses romans ? De son enfance ? Moins d'une semaine plus tard, il ne lui en resterait absolument rien.

Lorsqu'il rencontrait ses lecteurs, il devait prendre garde de ne pas parler trop de lui, car ils avaient tendance à l'interroger sur sa vie. Il essayait souvent d'orienter la conversation sur la leur, et il avait dû amener Miriam et Dorothy à parler d'elles, de leur enfance, peut-être, de leur adolescence... Et puis, il avait dû leur poser des questions, même voilées, sur les hommes qui avaient traversé leur existence. Il était sûrement curieux de savoir si elles étaient libres. Pourtant, il ne se rappellerait rien de cette conversation à Kowloon, sinon son intérêt absurde pour le ticket à l'aller et un échange vaguement érudit au retour.

Il y eut néanmoins un incident saillant lors de ce retour, un moment d'inconfort dans la gare lisse et aseptisée où ils attendaient tous trois leur rame.

L'intérieur de la station, traité dans des matériaux vitrifiés aux teintes dorées, avec ses poubelles en inox étincelantes comme autant de sentinelles de la propreté, avait des allures de corridor d'hôpital. Juan Diego cherchait désespérément une icône qui lui indique la fonction photo sur le menu de son téléphone portable car il aurait bien aimé photographier Miriam et Dorothy, lorsque la mère omnisciente le lui enleva des mains.

– Nous ne sommes pas photogéniques, Dorothy et moi, mais je vais vous prendre, lui dit-elle.

Ils étaient presque seuls sur le quai, à l'exception d'un jeune couple chinois qui se tenait par la main. Le garçon observait Dorothy, qui venait d'enlever à sa mère le téléphone de Juan Diego.

78

– Attends, je vais le faire, tes photos sont toujours affreuses.

Mais le jeune Chinois s'empara de l'appareil à son tour :

– Si c'est moi qui vous prends, vous serez tous trois sur la photo.

– Oh oui, merci ! accepta Juan Diego.

Miriam jeta à sa fille un regard qui signifiait : Si tu m'avais laissée faire, on n'en serait pas là.

On entendait le train arriver, et la jeune fille dit quelques mots à son ami, sans doute lui intimait-elle de se dépêcher.

Il s'exécuta, et le cliché les saisit tous trois par surprise. Le jeune couple eut l'air déçu. Le rendu était-il flou ? Mais le train était là. Miriam fit aussitôt main basse sur le téléphone, et Dorothy le lui enleva à son tour. Juan Diego était déjà assis lorsqu'elle le lui rendit ; il n'était plus en mode prise de vue.

– Nous sommes toujours moches en photo, expliqua simplement Miriam au jeune couple, qui semblait troublé.

Juan Diego s'était remis à chercher le menu de son cellulaire, auquel il ne comprenait goutte. Cette icône Media Center, par exemple, elle correspondait à quoi ? Pas du tout ce que je cherche, pensa-t-il pendant que Miriam posait sa main sur la sienne. Penchée vers lui au plus près, comme si le train était bruyant, elle lui parla sur un ton confidentiel, alors que Dorothy était on ne peut plus présente, et ne perdait rien de leurs propos.

– Je voudrais vous poser une question, Juan Diego, mais ça n'a rien à voir avec le sexe, dit Miriam.

Dorothy éclata d'un rire goguenard, qui attira l'attention du jeune couple monté à l'autre bout de la voiture. La jeune fille, quoique assise sur les genoux du garçon, semblait fâchée contre lui.

– Si, je t'assure, Dorothy, acheva sèchement Miriam.

– C'est ce qu'on va voir, répliqua sa fille avec hauteur.

– Dans *Une histoire déclenchée par la Vierge Marie*, il y a un passage où votre missionnaire, dont j'oublie le nom…

– Martin, compléta discrètement Dorothy.

– C'est ça, Martin, approuva aussitôt Miriam. Tu l'as lu, celui-là, ajouta-t-elle à l'intention de sa fille. Martin, donc, admire Ignace de Loyola, n'est-ce pas, Juan Diego ? Sans laisser au romancier le temps de lui répondre, elle poursuivit : Je pense à la rencontre du saint avec un Maure à dos de mule, et de leur discussion sur la virginité de Marie…

79

– Ils montent des mules tous deux, l'interrompit Dorothy.

– Je sais, répondit la mère avec une pointe d'agacement. Le Maure déclare qu'il veut bien croire que Marie a conçu sans le concours d'un homme, mais il refuse d'admettre qu'elle ait gardé sa virginité après l'accouchement.

– Tu vois bien qu'il est question de sexe, fit observer Dorothy.

– Pas du tout, rétorqua sa mère.

– Ensuite, le Maure passe son chemin et le jeune Ignace se dit qu'il devrait le poursuivre et le tuer, c'est bien ça ? poursuivit Dorothy.

– En effet, réussit à dire Juan Diego.

Mais il ne pensait pas à ce roman si lointain qui avait pour personnage un missionnaire nommé Martin, admirateur de saint Ignace de Loyola. Il pensait à Edward Bonshaw, alias Señor Eduardo, et au jour, historique pour lui, où cet homme était arrivé à Oaxaca. Alors que Rivera l'emmenait à l'église de la Compagnie de Jésus, grimaçant de douleur, la tête posée sur les genoux de sa petite sœur, Edward Bonshaw se dirigeait vers cette même église. Tandis que le patron de la décharge espérait un miracle, un de ceux dont il croyait la Vierge capable, le nouveau missionnaire américain était sur le point d'en devenir un, et des plus crédibles, dans la vie de Juan Diego, lui qui n'était pourtant pas un saint mais un sacré condensé de fragilités humaines.

Señor Eduardo ! Comme il me manque, songeait Juan Diego, ses yeux s'embuant de larmes.

– « Il est extraordinaire que la défense de la virginité de Marie lui tienne tant à cœur, à saint Ignace », commença Miriam, dont la voix se perdit lorsqu'elle vit que Juan Diego était au bord des larmes.

– « Il était déplacé et inacceptable de diffamer l'hymen de la Vierge Marie après la naissance », renchérit Dorothy.

C'est alors que, tout en refoulant son émotion, Juan Diego s'aperçut que mère et fille citaient le passage d'*Une histoire déclenchée par la Vierge Marie*. Mais comment faisaient-elles pour s'en souvenir aussi exactement, presque mot pour mot, alors qu'elles ne l'avaient pas écrit ?

– Oh, ne pleurez pas, cher ami ! s'écria Miriam en lui caressant le visage. J'adore ce passage, c'est tout.

– Tu le fais pleurer, accusa Dorothy.

– Non, non, ce n'est pas ce que vous croyez, tenta Juan Diego.

– Votre missionnaire… continua Miriam.

— Martin, lui rappela Dorothy.

— Je sais ! C'est tellement touchant, tellement mignon, cette admiration qu'il a pour Ignace. Parce qu'enfin, il nous paraît complètement cinglé, le saint.

— Pour vouloir tuer un parfait inconnu sur sa mule parce qu'il a douté que la Vierge ait gardé son hymen, il faut être cinglé, déclara Dorothy.

— Oui, mais, comme en toute chose, Ignace cherche la volonté de Dieu dans cette affaire, expliqua Juan Diego.

— La volonté de Dieu, ça va bien ! s'exclamèrent les deux femmes, comme si c'était un cri du cœur familier pour l'une et l'autre, ensemble ou isolément.

— Et lorsque leurs chemins se séparèrent, Ignace lâcha la bride à sa mule, en décidant que si la bête suivait le Maure, il tuerait cet infidèle, acheva Juan Diego.

Il aurait pu raconter l'histoire les yeux fermés. Cependant, s'il n'est pas rare qu'un romancier se souvienne avec une telle exactitude de ce qu'il a écrit, chez les lecteurs, c'est tout de même nettement plus insolite, non ? s'interrogeait-il.

— Or la mule a pris l'autre sentier, dirent ensemble mère et fille.

Elles lui parurent investies de l'autorité omnisciente du chœur dans la tragédie grecque.

— Mais saint Ignace était fou, il fallait qu'il soit dément, affirma Juan Diego, qui n'était pas sûr qu'elles comprennent cet aspect des choses.

— Oui ! confirma Miriam. Vous êtes très courageux de le dire, même dans un roman.

— Quand on parle de l'état de l'hymen après l'accouchement, il est question de sexe, dit Dorothy.

— Pas du tout, répliqua Miriam. C'est une question de foi.

— Il s'agit des deux, marmonna Juan Diego, non par diplomatie mais parce qu'il le pensait sincèrement, ce que les deux femmes comprirent.

— Vous avez connu quelqu'un qui ressemblait à ce missionnaire admirateur de saint Ignace ? s'enquit Miriam.

— Martin, répéta tout bas Dorothy.

Moi, je sens qu'il va me falloir un bêtabloquant, pensa Juan Diego par-devers lui.

– Elle veut dire : est-ce que Martin a un modèle dans la réalité ? demanda Dorothy qui l'avait vu se raidir de façon si flagrante en entendant la question de sa mère que celle-ci en avait lâché la main de l'écrivain.

Le cœur de Juan Diego battait la chamade, ses récepteurs d'adrénaline carburaient comme des fous, mais il était incapable d'articuler un mot. Il tenta d'énoncer « J'ai perdu beaucoup de gens… », mais les mots s'étranglèrent dans sa gorge : on aurait cru entendre le charabia de Lupe.

– Je crois que la réponse est oui, dit Dorothy à sa mère.

À présent, elles avaient toutes deux posé leurs mains sur Juan Diego, qui tremblait sur son siège.

– Le missionnaire que j'ai connu ne s'appelait pas Martin, se défendit-il.

– Notre ami a perdu les gens qu'il aimait, nous l'avons lu toutes les deux dans cette interview, tu sais…

– Je sais, répliqua Dorothy, mais tu lui parlais du personnage de Martin.

Juan Diego ne put que secouer la tête, et alors ses larmes ruisselèrent, un flot de larmes. Il ne pouvait expliquer à ces deux femmes pourquoi et pour qui il pleurait. Ce n'était ni l'heure ni le lieu.

– Eduardo ! gémit-il. Querido Eduardo.

C'est alors que la jeune Chinoise, assise sur les genoux de son ami, piqua une crise. Plus agacée que furieuse, elle se mit à le frapper, comme par jeu.

– Je lui avais bien dit que c'était vous ! lança-t-elle soudain à Juan Diego. Je le savais, mais il ne m'a pas crue.

Elle voulait dire qu'elle avait reconnu l'écrivain, mais que son petit ami la contredisait, ou qu'il ne lisait pas. Du reste, il n'avait pas une tête à lire, mais elle si, Juan Diego n'en était pas étonné. N'avait-il pas essayé de démontrer à longueur de temps que c'étaient les lectrices comme elle qui permettaient au roman de vivre ? Quand il avait pris l'accent espagnol pour prononcer le nom du Señor Eduardo, cela avait confirmé son intuition.

Encore une fois, on le reconnaissait. Il aurait bien voulu sécher ses larmes. Il fit un signe de la main à la jeune Chinoise en tentant de sourire. S'il avait vu Miriam et Dorothy foudroyer les amoureux du regard pour les réduire au silence, il aurait pu douter d'être en sécurité auprès de ces deux inconnues, mais il n'intercepta pas leur coup d'œil menaçant qui disait à la jeune fille : On l'a vu avant toi, espèce de pisseuse sournoise. On t'en fichera des écrivains favoris, va t'en chercher un autre ; celui-là, il est à nous.

Pourquoi Edward Bonshaw citait-il toujours Thomas a Kempis ? Il aimait bien se moquer gentiment de ce passage de *L'Imitation de Jésus-Christ*, « Évite la compagnie des jeunes et des inconnus ».

Bah, il était trop tard pour mettre Juan Diego en garde contre Miriam et Dorothy. Quand on a sauté une prise de bêtabloquants, comment ignorer deux femmes comme elles ?

Dorothy avait serré Juan Diego contre sa poitrine ; elle le berçait dans ses bras d'une vigueur étonnante, où il continuait à sangloter. Il avait forcément remarqué que la jeune femme portait un de ces soutiens-gorge qui dégagent les tétons ; on les voyait pointer sous son pull car son cardigan était ouvert.

Ce devait donc être Miriam qui lui massait la nuque ; elle s'était de nouveau penchée vers lui pour lui chuchoter à l'oreille :

– Pauvre chéri, bien sûr que ça fait mal d'être vous ! Tout ce que vous éprouvez ! La plupart des hommes ne souffrent pas à ce point. Cette pauvre mère, dans *Une histoire...* Seigneur Dieu ! Quand je pense à ce qui lui arrive...

– Non, maman... l'avertit Dorothy.

– Une statue de la Vierge tombe de son socle et l'écrase ! Elle meurt sur le coup.

Dorothy sentait Juan Diego frémir contre ses seins.

– Enfin, maman, tu tiens vraiment à retourner le couteau dans la plaie ?

– Tu n'y es pas, Dorothy. L'histoire le dit : « Au moins elle était comblée. Ce n'est pas tous les jours qu'un chrétien a la chance d'être tué sur le coup par la Sainte Vierge. » C'est une scène de comédie, voyons !

Mais Juan Diego secoua la tête de nouveau, cette fois contre les seins de Dorothy.

– Ce n'était pas votre mère, ce n'est pas comme ça qu'elle a fini, si ? demanda la jeune femme.

– Suffit, les indiscrétions, gronda Miriam.

— Tu peux parler !

Juan Diego trouvait sans aucun doute les seins de la mère tout autant à son goût, même si ses tétons ne pointaient pas sous son pull. Son soutien-gorge est moins tendance, songea-t-il en s'efforçant de répondre à Dorothy. Non, sa mère à lui n'était pas morte écrasée par une statue de la Vierge, c'est-à-dire, pas exactement.

Pourtant, là encore, il ne put dire un mot. Il était en surchauffe émotionnelle et sexuelle. Des décharges d'adrénaline si violentes lui parcouraient le système qu'il ne contenait plus ni sa libido ni ses larmes. Tous les gens qu'il avait connus lui manquaient. Il désirait si fort Miriam et Dorothy qu'il n'aurait pas su dire de laquelle il avait le plus envie.

— Pauvret ! lui chuchota Miriam à l'oreille.

Il sentit qu'elle lui déposait un baiser sur la nuque.

Quant à Dorothy, elle se contenta d'inspirer, et il sentit ses seins s'épanouir contre son visage.

Qu'est-ce que disait Edward Bonshaw, quand il considérait que le monde des fragilités humaines devait céder à la volonté de Dieu, et qu'alors il ne restait plus aux mortels qu'à écouter cette volonté, et l'exécuter ? Il l'entendait encore prononcer « Ad majorem Dei gloriam », pour la plus grande gloire de Dieu.

En la circonstance, c'est-à-dire blotti contre la poitrine de la fille et embrassé par la mère, que pouvait-il faire sinon écouter la volonté divine, et l'exécuter ? À ceci près qu'il n'était pas précisément auprès d'inconditionnelles de la volonté divine.

— Ad majorem Dei gloriam, murmura-t-il cependant.

— Ça doit être de l'espagnol, dit la fille à la mère.

— Nom de Dieu, Dorothy, c'est du latin !

Juan Diego sentit la jeune rebelle hausser les épaules.

— Moi, tout ce que je sais, c'est que ça doit parler de sexe !

7

Deux Saintes Vierges

Dans sa chambre d'hôtel, il y avait un panneau d'interrupteurs au chevet du lit de Juan Diego. Ce qui le laissait perplexe, c'est que ces boutons éteignaient et allumaient les lampes de sa chambre et de la salle de bains, qu'ils en variaient l'intensité, mais qu'ils avaient un effet déconcertant sur la radio et la télévision.

Or une femme de chambre sadique avait laissé la radio allumée, travers qui passe inaperçu de prime abord, mais est partagé par les caméristes du monde entier. Juan Diego avait réussi à couper le son, à défaut de l'éteindre tout à fait. Les lumières avaient sensiblement baissé, mais elles perduraient dans leur évanescence, malgré ses efforts. Le téléviseur, passé sa brève splendeur, était retourné aux ténèbres et au silence. En désespoir de cause, Juan Diego pourrait toujours extraire la carte de crédit, c'est-à-dire la clé, de la fente à côté de la porte ; moyennant quoi, comme Dorothy le lui avait expliqué, tout ce qui fonctionnait à l'électricité s'éteindrait, et il lui faudrait se déplacer à l'aveuglette dans le noir total.

La pénombre ne me gêne pas, se disait l'écrivain. Il avait dormi quinze heures d'affilée et voilà qu'il se sentait de nouveau fatigué. C'était à n'y rien comprendre. La faute aux interrupteurs ? À sa libido recouvrée ? En plus, la cruelle camériste avait déplacé les objets dans la salle de bains. Le coupe-comprimé se trouvait à présent du côté du lavabo opposé à celui où il avait soigneusement posé ses bêtabloquants, ainsi que son Viagra.

Tout en sachant qu'il était très en retard sur sa dose, il n'avait pas pris son Lopressor gris-bleu et s'était contenté de le faire tomber dans le creux de sa main, pour le remettre dans son flacon ensuite. Il avait avalé un Viagra à la place, un entier ! Non qu'il ait oublié qu'un demi lui suffisait, mais si Dorothy lui téléphonait ou frappait à sa porte, doubler la dose s'imposait.

Éveillé dans la pénombre de cette chambre, il s'imaginait qu'une visite de Miriam justifierait la même posologie. Et comme il avait l'habitude de n'en prendre que 50 mg au lieu de 100, il avait le nez plus bouché que d'ordinaire, la gorge plus sèche ; la migraine le menaçait. En homme avisé, il avait bu beaucoup d'eau pour faire descendre son Viagra, histoire de limiter les effets secondaires. Du coup, il devrait se lever la nuit pour pisser quand bien même la bière n'aurait pas suffi à le tirer du lit. De sorte que si Dorothy et Miriam ne se montraient pas, il n'aurait pas besoin d'attendre le matin pour absorber un de ces cachets de Lopressor qui le diminuaient. Sa dernière prise remontait désormais si loin qu'il ferait peut-être mieux d'en avaler deux. Ses désirs confus nés de l'adrénaline entraient en conflit avec la fatigue et avec son éternel manque de confiance en lui. Pourquoi ces femmes si désirables voudraient-elles, l'une ou l'autre, coucher avec lui ? Il dormait déjà, bien sûr. En l'absence de tout témoin et jusque dans son sommeil, il bandait.

Si la montée d'adrénaline avait stimulé son désir des femmes – de deux femmes, mère et fille, rien que ça ! –, il aurait dû se douter qu'une marée de détails allait déferler sur ses rêves, simples redites de ses expériences les plus formatrices d'adolescent.

Dans le rêve qu'il fit au Regal Airport Hotel, il faillit ne pas reconnaître le pick-up de Rivera. Des traînées de sang apparaissaient sur la carrosserie de la cabine burinée aux quatre vents ; à peine plus reconnaissable était la trogne piquetée de sang de Diablo, le chien du Jefe. Le pick-up garé devant l'église des jésuites attirait l'attention des touristes et des fidèles. Quant au chien maculé de sang, il ne passait pas inaperçu non plus.

Dans la benne du pick-up, il défendait farouchement son territoire ; il interdisait aux badauds d'approcher, même si un jeune téméraire avait touché du doigt une traînée qui séchait sur la portière passager, assez longtemps pour sentir qu'il était encore gluant, et que c'était bien du sang.

— ¡ Sangre ! s'était-il exclamé.

Quelqu'un d'autre avait murmuré «Una matanza», un massacre. Ah, la foule ! Elle a vite fait de conclure.

Il suffisait d'un peu de sang versé sur un vieux pick-up, d'une ou deux taches sur un chien, et cette foule-ci allait de déduction en déduction. Un contingent se détacha pour se ruer dans l'église. On racontait déjà que la victime d'un règlement de comptes avait été déposée aux pieds de l'immense Vierge Marie – un spectacle à ne pas manquer. Les rumeurs les plus folles circulaient. Des remous agitaient la foule, qui ne voulait surtout rien rater du drame qui se jouait à l'intérieur.

Pepe trouva une toute petite place pour se garer juste à côté du véhicule sanglant, et du chien à l'expression meurtrière. Le jésuite avait reconnu le pick-up du Jefe. À la vue du sang, il se figura qu'il était arrivé un malheur indicible aux enfants dont Rivera avait la charge.

– Misère ! Ce sont les niños. Laissez vos affaires, dit-il à Edward Bonshaw, on dirait qu'il y a eu du vilain.

– Du vilain ? répéta le zélote avec sa ferveur coutumière.

Dans la foule, quelqu'un avait prononcé le mot «perro», et tout en suivant Frère Pepe qui courait en se dandinant, Edward aperçut le terrible Diablo.

– Quoi, le chien ? demanda-t-il.

– El perro ensagrentado, répéta Pepe. Ensanglanté.

– Ça, je le vois, répliqua Edward Bonshaw sèchement.

L'église des jésuites était bondée de témoins sidérés.

– ¡ Un milagro ! braillait l'un d'entre eux.

L'espagnol d'Edward Bonshaw était plus sporadique que fautif. Mais le mot «milagro», qu'il connaissait, éveilla chez lui une étincelle d'intérêt.

– Un miracle, comment ça, un miracle ? cria-t-il à Pepe qui se frayait un chemin jusqu'à l'autel.

– Je ne sais pas, je viens d'arriver, moi aussi ! haleta le malheureux Pepe, qui se disait : On voulait un professeur d'anglais, et voilà qu'on écope d'un milagrero, un colporteur de miracles.

Rivera priait à haute voix pour qu'il se produise un miracle en effet, et cette foule de crétins, ou quelques crétins dans la foule, avait surpris sa prière. Désormais, le mot «miracle» était sur toutes les lèvres.

Avec précaution, El Jefe avait installé Juan Diego devant l'autel, ce qui n'empêchait pas le gamin de brailler. Rivera multipliait les signes de croix et les génuflexions devant l'orgueilleuse statue de

Marie, non sans guetter par-dessus son épaule l'arrivée de la mère du gosse. Difficile de savoir s'il priait pour la guérison de celui-ci, ou s'il espérait qu'un miracle détourne de lui le courroux d'Esperanza, qui ne manquerait pas de le tenir responsable de l'accident.

— Il ne me dit rien qui vaille, ce miracle attendu, marmonnait Edward Bonshaw. Un enfant qui crie de douleur augure mal du potentiel miraculeux.

— C'est un pieux vœu, souffla Frère Pepe, conscient que cette formule clochait.

Il demanda à Lupe ce qui s'était passé, mais ne put comprendre la réponse de la fillette.

— Quelle langue parle-t-elle ? demanda Edward. On dirait presque du latin.

— C'est du charabia, chuchota Pepe à l'oreille de l'Américain. Pourtant, il semble qu'elle soit très intelligente, et même dotée de prescience. Il n'y a que le garçon qui la comprenne.

Les cris devenaient insoutenables.

C'est alors qu'Edward vit Juan Diego qui saignait, prostré aux pieds de la Vierge géante.

— Sainte Marie pleine de grâce, sauvez ce pauvre enfant ! cria le natif de l'Iowa, ce qui fit taire la foule, à défaut du gamin.

Juan Diego n'avait pas remarqué l'assemblée qui peuplait l'église, sauf deux femmes en grand deuil, agenouillées au premier rang. Vêtues de noir des pieds à la tête, elles disparaissaient derrière leur crêpe. Bizarrement, il fut réconforté à leur vue, à moins que sa douleur n'ait diminué.

Mais ce répit soudain le poussa à s'interroger si c'était de lui qu'elles avaient pris le deuil, s'il était mort ou s'il allait mourir sous peu.

Lorsqu'il les chercha de nouveau du regard, il vit qu'elles n'avaient pas bougé ; elles se tenaient tête baissée dans leurs vêtements de deuil, immobiles comme des statues.

Juan Diego ne s'étonnait pas que la Vierge Marie n'ait pas guéri son pied. Il ne retenait pas davantage son souffle pour guetter le miracle qu'accomplirait Notre Dame de Guadalupe.

— C'est des feignantes, ces Vierges, elles sont pas de service aujourd'hui, ou alors elles veulent rien savoir pour t'aider, dit Lupe à son frère. C'est qui, ce drôle de gringo ? Qu'est-ce qu'il veut ?

– Qu'est-ce qu'elle dit ? demanda Edward Bonshaw au blessé.

– Cette Vierge Marie n'est qu'une usurpatrice, répondit le garçon qui sentit aussitôt sa douleur revenir.

– Une usurpatrice, notre Sainte Mère ! Allons donc !

– C'est le gamin de la décharge dont je vous ai parlé, essaya d'expliquer Frère Pepe. Il est futé.

– Qui êtes-vous ? Qu'est-ce que vous voulez ? demanda Juan Diego à ce gringo affublé d'une chemise hawaïenne.

– C'est notre nouveau professeur, Juan Diego, sois gentil avec lui, il fait partie des jésuites, il s'appelle Mr Edward Bon…

– Eduardo, corrigea le natif de l'Iowa.

– Père Eduardo ? Frère Eduardo ? demanda Juan Diego.

– Señor Eduardo, trancha tout à coup Lupe.

Cette fois, le nouveau missionnaire lui-même la comprit.

– Appelez-moi Eduardo tout court, répondit-il, modeste.

– Señor Eduardo, répéta Juan Diego.

Allez savoir pourquoi, le jeune lecteur blessé aimait ce nom. Il chercha des yeux les deux pleureuses du premier rang, et ne les trouva pas. Leur disparition subite lui parut tout aussi inexplicable que les fluctuations de sa douleur, qui avait brièvement diminué mais redoublait à présent. Quant aux deux femmes… peut-être n'avaient-elles qu'une présence intermittente. Que sait-on des visions qui apparaissent ou disparaissent aux yeux de qui endure une telle douleur ?

– Pourquoi la Vierge Marie serait-elle une usurpatrice ? demanda Edward Bonshaw au gamin qui gisait inerte aux pieds de la Sainte Mère de Dieu.

Ce n'est pas le moment de poser cette question, on n'a pas le temps, voulut dire Pepe. Mais déjà Lupe babillait son sabir en désignant du doigt la Vierge Mère, puis une autre, plus petite, à la peau plus sombre, qui passait presque inaperçue sur son modeste autel.

– C'est Notre Dame de Guadalupe ? demanda le nouveau missionnaire.

D'où ils étaient au pied de l'autel de la Vierge Monstre, ils apercevaient la petite icône de Guadalupe reléguée à dessein dans une chapelle latérale, tout juste visible.

– ¡ Sí ! cria Lupe en tapant du pied.

Tout à coup, elle cracha par terre à mi-distance parfaite des deux Vierges.

– Elle aussi, c'est sans doute une usurpatrice, dit Juan Diego pour expliquer le geste spontané de sa sœur. Mais elle n'est pas foncièrement mauvaise, un peu corrompue, c'est tout.

– Euh, la petite est… commença Edward Bonshaw, mais Frère Pepe lui posa la main sur l'épaule pour l'empêcher de poursuivre.

– Pas de mots irréparables !

– Jamais de la vie ! répondit Juan Diego.

Le mot «demeurée», qui n'avait pas été prononcé, planait dans l'église, comme si l'une des Vierges miraculeuses l'avait soufflé. Inutile de dire que Lupe avait lu dans les pensées du nouveau missionnaire, et savait à quoi s'en tenir.

– Il faut faire quelque chose, le pied du petit, il est écrasé et retourné. Il ne vaudrait pas mieux le conduire chez le médecin ?

– ¡ Sí ! s'écria Juan Diego. Emmenez-moi chez le Dr Vargas. Il n'y a que le patron pour espérer un miracle.

– Le patron ? s'étonna Señor Eduardo, comme si le titre renvoyait au Tout-Puissant lui-même.

– Non, pas Celui-là, le détrompa Pepe.

– Lequel alors ?

– El Jefe, dit Juan Diego en désignant Rivera qui se tordait dans les affres de la mauvaise conscience.

– Ah ah, c'est le père ? demanda Edward à Pepe.

– Non, sans doute pas, mais c'est le patron de la décharge.

– C'est lui qui était au volant. Il a eu la flemme de faire réparer son rétroviseur, et vous avez vu cette moustache ridicule ! Y a que les putes qui veulent de lui, avec cette espèce de chenille poilue au-dessus de la bouche ! se déchaîna Lupe.

– Seigneur Dieu ! Elle parle une langue bien à elle, hein ? demanda Edward Bonshaw à Pepe.

– Lui, c'est Rivera. Il conduisait le pick-up qui m'est passé dessus en marche arrière. Mais c'est un père pour nous, mieux qu'un père. Il ne nous laisse pas tomber, et il ne nous bat jamais.

– Ah ah, répéta Edward avec une circonspection inhabituelle chez lui. Et ta mère, elle est où ?…

Comme appelée par ces bonnes à rien de Vierges qui avaient pris leur journée, Esperanza accourut vers l'autel où gisait son fils. Cette jeune beauté faisait une entrée très remarquée en toutes circonstances.

Non seulement elle n'avait pas l'air d'une femme de ménage employée chez les jésuites, mais Bonshaw avait du mal à croire qu'elle soit mère.

Qu'est-ce qu'elles ont de spécial, les femmes qui ont une poitrine pareille ? se demandait Frère Pepe. Pourquoi est-ce qu'elle semble toujours se soulever ?

– Au bord de la crise de nerfs souvent, en retard toujours, résuma Lupe, boudeuse.

Si elle avait jeté un regard de mécréante aux deux Vierges, elle détourna carrément les yeux de sa mère.

– Elle ne peut tout de même pas être la mère du…

– Si, et celle de la petite, aussi, se borna à compléter Pepe.

Esperanza tenait des propos incohérents ; on aurait dit qu'elle suppliait Marie, au lieu d'interroger directement Juan Diego. Ses incantations évoquaient à Pepe le sabir de Lupe. Le problème serait-il génétique ?

Naturellement, la petite en rajoutait avec son babil, montrant du doigt le patron de la décharge pendant qu'elle mimait la saga du rétroviseur latéral et de l'écrasement du pied par le pick-up en marche arrière : pas de pitié pour l'homme à la moustache de chenille ! Celui-ci semblait prêt à se jeter aux pieds de la Vierge, ou à se taper la tête contre le piédestal sur lequel elle trônait avec un flegme inaltérable. Inaltérable.

C'est alors que Juan Diego leva les yeux vers son visage d'ordinaire impavide. Si la douleur ne lui brouillait pas la vision, la Mère de Dieu foudroyait du regard Esperanza la mal nommée, qui apportait si peu d'espoir dans la vie de son fils. Que lui reprochait-elle au juste ? Pourquoi cet œil courroucé ?

Le décolleté vertigineux de l'improbable femme de ménage révélait on ne peut plus généreusement ses charmes, et, de sa position supérieure, la Vierge avait une vue imprenable sur ce spectacle.

Esperanza ignorait la réprobation implacable de la statue géante. Surpris, Juan Diego constata que sa mère avait compris le charabia véhément de Lupe. D'ordinaire, il lui fallait traduire les paroles de la fillette, mais pas cette fois.

La pulpeuse femme de service avait cessé de se tordre les mains devant les orteils de la Madone, lasse de supplier cette indifférente. Juan Diego sous-estimait toujours les capacités de sa mère en matière

91

de culpabilité. En l'occurrence, c'était Rivera qu'elle inculpait avec une belle ardeur – il n'avait pas réparé son rétroviseur, il dormait dans la cabine de son pick-up avec le levier de vitesse sur la marche arrière. Elle se précipita sur lui et se mit à le bourrer de coups de pied dans les tibias, lui tirer les cheveux, lui labourer le visage avec ses bracelets.

– Il faut aller à la rescousse de Rivera, sinon il va finir chez le Dr Vargas lui aussi, Frère Pepe, dit le blessé. Il ajouta à l'intention de sa sœur : Tu as vu comment la Vierge Marie regarde notre mère ?

Mais l'enfant omnisciente haussa les épaules.

– Elle regarde tout le monde de travers, cette garce, personne trouve grâce à ses yeux !

– Qu'est-ce qu'elle dit ? demanda Edward Bonshaw.

– Dieu seul le sait, répondit Pepe, car Juan Diego s'était dispensé de traduire.

– T'as peut-être du souci à te faire, dit Lupe à son frère, mais c'est plutôt du côté de Guadalupe.

– Comment ça ? interrogea le blessé.

Il avait trop mal pour tourner la tête et ne voyait pas la Vierge effacée.

– On dirait qu'elle se penche sur ton cas, qu'elle a pas encore décidé, précisa l'extralucide.

– Sortez-moi de là, Frère Pepe, demanda le blessé, et vous, Señor Eduardo, il faut m'aider. Rivera va pouvoir me porter, mais il faut d'abord aller à son secours.

– Esperanza, je t'en prie… dit Frère Pepe en saisissant les poignets menus de la femme de ménage. Il faut qu'on emmène Juan Diego chez le Dr Vargas, on a besoin de Rivera et de son pick-up.

– Son pick-up ! déclama-t-elle.

– Il faut que vous priiez, lui dit Edward Bonshaw.

Curieusement, il savait le dire en espagnol et le dit parfaitement.

– Prier ? reprit Esperanza. C'est qui, lui ? lança-t-elle brusquement à Pepe, qui contemplait bouche bée son pouce en sang, où l'un des bracelets de la belle venait de faire une entaille.

– C'est notre nouveau professeur, celui que nous attendions tous, expliqua Pepe, qui ajouta sous le coup d'une inspiration subite : Il vient de l'Iowa.

Il avait dit « de l'Iowa » avec la même solennité qu'il aurait dit « de Rome ».

– De l'Iowa, répéta Esperanza, sa poitrine se soulevant d'émerveillement. Señor Eduardo…

Elle esquissa une révérence un peu gauche, mais qui révéla des profondeurs de décolleté.

– Prier, mais prier où ? Prier ici ? Prier maintenant ? demanda-t-elle au nouveau missionnaire en chemise à volière de perroquets.

– ¡ Sí ! confirma celui-ci, qui évitait scrupuleusement de regarder ses seins.

Il faut lui reconnaître ce mérite, songeait Frère Pepe, il sait y faire, on ne peut pas le lui enlever.

Déjà, Rivera avait soulevé Juan Diego dans ses bras, lui provoquant un cri de douleur, ce qui avait suffi pour imposer silence à la foule bruissante.

– Regarde-le, dit Lupe à son frère.

– Qui ?

– Le gringo, l'homme perroquet ! C'est lui, le faiseur de miracles, tu vois pas ? C'est lui. Il est venu spécialement pour nous, enfin, pour toi.

– Comment ça, il est venu pour nous ? Qu'est-ce que tu racontes ?

– Pour toi, insista la petite en tournant la tête, comme indifférente, tout à coup. En y réfléchissant, je crois pas qu'il fera des miracles pour moi, mais seulement pour toi, conclut-elle, désabusée.

– L'homme perroquet, répéta Juan Diego en riant.

Pourtant, quand Rivera l'emporta dans ses bras, il vit que Lupe ne souriait pas. Avec son sérieux habituel, elle semblait scruter en vain l'assistance, comme pour y découvrir qui ferait des miracles pour elle.

– Vous, les catholiques… commença Juan Diego, qui grimaçait de douleur tandis que Rivera se frayait un chemin à coups d'épaule dans le vestibule bondé de l'église des jésuites.

Ni Frère Pepe ni Edward Bonshaw ne surent s'ils devaient prendre cette apostrophe pour eux. Elle aurait tout aussi bien pu s'adresser à l'assistance parmi laquelle la mère de l'intéressé priait d'une voix stridente sans grand succès, car elle priait toujours à haute voix, comme Lupe, dans une langue qui rappelait celle de sa fille. À présent, l'une comme l'autre avaient cessé d'implorer la grande Vierge, et la jolie femme de ménage s'était tournée vers la Madone à la peau sombre.

– Ô toi qu'on a reniée, ô toi dont on a douté, qui as dû prouver qui tu étais, priait Esperanza devant l'effigie de la sainte, pas plus grande que celle d'une enfant.

– Vous, les catholiques… reprit Juan Diego.

Voyant venir les enfants de la décharge, Diablo remuait la queue. Mais cette fois le petit blessé avait agrippé une pleine poignée de perroquets sur l'ample chemise du missionnaire.

– C'est vous qui nous avez volé notre Vierge. Elle était à nous, Guadalupe, et vous nous l'avez prise, vous l'avez instrumentalisée, vous l'avez réduite au statut d'enfant de chœur de votre Sainte Mère de Dieu.

– Réduite au statut d'enfant de chœur ! Ce garçon parle un anglais remarquable, dit Edward à Frère Pepe.

– Sí, remarquable ! confirma celui-ci.

– Mais peut-être que la douleur le fait délirer… spécula le nouveau missionnaire.

Frère Pepe était convaincu que la douleur n'y était pour rien. Ce n'était pas la première fois qu'il entendait cette diatribe.

– Pour un gosse de la décharge, il est *milagroso*. Il lit mieux que nos élèves, et, en plus, n'oublions pas qu'il a appris tout seul.

– Oui, je sais, c'est stupéfiant. Tout seul !

– Et Dieu sait où et comment il a appris l'anglais. Il est sorti du basurero, il a traîné avec des hippies et des objecteurs de conscience. Il est entreprenant.

– Mais tout finit à la décharge, glissa Juan Diego entre deux rafales de douleur. Même les livres en anglais.

Il avait cessé de chercher des yeux les deux pleureuses. Il se disait qu'il ne les verrait pas parce qu'il avait mal et que ça signifiait qu'il n'était pas mourant.

– Moi je monte pas avec moustache de chenille, disait Lupe, je veux monter avec l'homme perroquet.

– Nous, on veut monter dans la benne, avec Diablo, déclara Juan Diego.

– Sí, accorda le patron de la décharge en soupirant.

Il voyait bien qu'on l'avait mis en quarantaine.

– Il est gentil, le chien ? demanda Señor Eduardo à Pepe.

– Je vais vous suivre avec ma Coccinelle. Comme ça, s'il vous met en pièces, je pourrai témoigner et adresser des recommandations à notre hiérarchie pour accélérer votre canonisation.

– Je ne plaisantais pas.

– Moi non plus, Edward – pardon, Eduardo –, moi non plus.

Rivera venait tout juste d'installer Juan Diego, la tête sur les genoux de sa sœur dans la benne du pick-up, lorsque les deux vieux prêtres arrivèrent sur les lieux. Edward Bonshaw s'était arc-bouté contre la roue de secours, les enfants entre lui et le chien qui le considérait d'un air soupçonneux, une larme perpétuelle au coin de son œil gauche privé de paupière.

– Qu'est-ce qui se passe, Pepe ? demanda le Père Octavio. Quelqu'un s'est évanoui ou a eu une crise cardiaque ?

– Ce sont les gosses de la décharge, dit le Père Alfonso en fronçant les sourcils. Leur pick-up doit puer jusque dans l'au-delà.

– Et Esperanza, pourquoi prie-t-elle, cette fois ? demanda le Père Octavio à Pepe – car à défaut de parvenir jusqu'au paradis, le gémissement suraigu de la femme de ménage résonnait au moins jusqu'au parvis de leur église.

– Le pick-up de Rivera est passé sur Juan Diego. On l'avait amené ici dans l'espoir qu'il y ait un miracle, mais nos deux Vierges n'ont rien voulu savoir.

– Ils vont chez le Dr Vargas, je présume, dit le Père Alfonso. Mais que fait ce gringo avec eux ?

Les deux prêtres fronçaient leur nez délicat et naturellement porté à la réprobation, non seulement devant le pick-up des ordures, mais devant ce gringo en chemise-montgolfière émaillée de perroquets hawaïens.

– Ne me dites pas que Rivera a renversé un touriste, par-dessus le marché, soupira le Père Octavio.

– Cet homme est celui que nous attendions tous, leur répondit Frère Pepe avec un sourire espiègle, notre nouveau professeur.

Il dut se mordre la langue pour ne pas ajouter que ce Señor Eduardo était un faiseur de miracles. Mais il parvint à se taire. Les deux vieux prêtres verraient bien par eux-mêmes. Il aborda donc la question de manière à provoquer ces conservateurs invétérés, mais sur un mode dégagé :

– Señor Eduardo es bastante milagroso.

– Señor Eduardo, répéta le Père Octavio.

– Miraculeux ! s'exclama le Père Alfonso, non sans écœurement – ce n'était pas un mot qu'il employait à tort et à travers.

– Vous verrez, vous verrez, répondit Pepe benoîtement.

– Il n'a pas d'autres chemises à se mettre, cet Américain ? s'enquit le Père Octavio.

– Des chemises à sa taille, précisa le Père Alfonso.

– Il en a une collection, et elles sont toutes hawaïennes, repartit Pepe. Et elles sont toutes trop grandes pour lui parce qu'il a beaucoup maigri.

– Pourquoi ? Il n'est pas à l'article de la mort ? demanda le Père Octavio.

Cet amaigrissement paraissait d'aussi mauvais goût aux deux vieux prêtres que la chemise multicolore. Ils étaient en effet l'un comme l'autre presque aussi rondouillards que Pepe.

– Pas que je sache, répondit Pepe, en tentant de réprimer son sourire espiègle. Il me paraît même en pleine santé. Et il a hâte de se rendre utile.

– Utile, répéta le Père Octavio, comme s'il s'agissait d'une condamnation à mort. Que c'est donc prosaïque !

– Dieu nous en préserve, ponctua le Père Alfonso.

– Je vais les suivre, expliqua Pepe, qui se dirigea en se dandinant vers sa Volkswagen rouge. En cas de pépin.

– Dieu nous en préserve, répéta le Père Octavio.

– On peut compter sur les Américains pour se rendre utiles… dit le Père Alfonso.

Le pick-up démarra, et Frère Pepe le suivit dans la circulation.

Devant lui, il voyait le petit visage de Juan Diego, entre les menottes protectrices de sa sœur. Diablo avait repris son poste, pattes posées sur la boîte à outils ; le vent rabattait en arrière ses oreilles dissymétriques, celle qui était normale, et celle où manquait un triangle aux bords dentelés. Mais ce fut Edward Bonshaw qui capta l'attention de Frère Pepe.

– Regarde-le, intima Lupe à Juan Diego. Le gringo, l'homme aux perroquets.

Ce que Frère Pepe voyait surtout, c'était que cet homme qui ne s'était jamais senti chez lui nulle part venait enfin de trouver sa place. Il ne savait pas s'il s'en réjouissait ou s'il s'en inquiétait, l'un n'empêchant pas l'autre. Ce Señor Eduardo avait un but.

Ainsi pensait Juan Diego dans son rêve, car c'est le sentiment qu'on a lorsqu'on devine que tout a changé, qu'on est à un tournant de sa vie.

– Allô, dit une voix de jeune femme.

Juan Diego s'aperçut qu'il tenait le téléphone à la main.

– Allô, répondit-il, tiré d'un profond sommeil.

Il venait de prendre conscience que son sexe en érection était traversé de frémissements.

– Salut, c'est moi, Dorothy. Vous êtes tout seul, j'espère. Ma mère n'est pas avec vous ?

8

Deux préservatifs

Que faut-il croire des rêves d'un auteur de romans ? De toute évidence, dans les siens, Juan Diego s'autorisait à interpréter les pensées et les sentiments de Frère Pepe. Mais qui donc interprétait ses propres rêves ?

Il aurait eu plaisir à évoquer ce chapitre, ainsi que quelques autres, liés à la résurgence de sa vie onirique, mais le moment lui paraissait mal choisi. Dorothy, restée nue, jouait avec son sexe ; il avait remarqué qu'elle apportait à cette activité la même attention scrupuleuse qu'à sa manipulation du téléphone mobile et de l'ordinateur portable. Pour sa part, il n'était guère porté aux fantasmes masculins, même si la fiction était son métier.

– D'après moi, tu es en état de recommencer. Bon, peut-être pas tout de suite, mais dans pas longtemps. Regarde-moi ce p'tit mec !

Elle n'avait manifesté aucune timidité la première fois, du reste.

Juan Diego avait passé l'âge de faire une fixette sur son sexe, mais Dorothy ne s'en était pas privée, d'entrée de jeu.

On a zappé les préliminaires ? se demandait-il. Il avait tenté d'expliquer à Dorothy la glorification de Notre Dame de Guadalupe par les Mexicains. Blottis tous deux dans la pénombre de son lit, ils entendaient le bruit de la radio en sourdine, comme parvenant d'une planète lointaine, et sa partenaire délurée avait rejeté les couvertures et considérait son érection bourrée d'adrénaline et exacerbée par le Viagra.

– Le problème a commencé avec Cortès, conquérant de l'Empire aztèque en 1521. Il était très catholique, Cortès, expliquait Juan Diego à la jeune femme dont il sentait les joues chaudes contre son ventre tandis qu'elle contemplait son sexe. Or Cortès venait d'Estrémadure, et on racontait que la Guadalupe de Extremadura, je veux dire la statue de la Vierge, avait été sculptée par saint Luc l'évangéliste lui-même. On l'avait découverte au XIVe siècle, un jour que la Vierge avait fait une de ses apparitions inopinées, tu vois le genre, devant un humble berger. Elle lui avait ordonné de creuser sur le lieu même, et il avait découvert la statue.

– Tu n'as pas un sexe de vieux, il est vif comme un gardon, ce p'tit mec, commenta Dorothy sans rapport immédiat avec le sujet.

Telle fut son entrée en matière, car elle n'était pas femme à perdre son temps.

Il fit de son mieux pour l'ignorer.

– La Guadalupe d'Estrémadure avait la peau sombre, comme la majorité des Mexicains, fit remarquer Juan Diego à Dorothy, non sans se laisser troubler par le fait qu'il parlait à sa nuque et à sa chevelure brune. Cette Vierge-là était l'artefact idoine pour les missionnaires prosélytes qui avaient accompagné Cortès au Mexique, la parfaite icône pour convertir les indigènes au christianisme.

– Hmm, répondit Dorothy en glissant le sexe de Juan Diego dans sa bouche.

Le romancier n'était pas, et n'avait jamais été, sûr de lui en matière de sexe. Ces derniers temps, en dehors des plaisirs solitaires expérimentés grâce au Viagra, il n'avait eu aucun rapport charnel. Néanmoins, il réussit à réagir avec détachement aux entreprises de Dorothy, et continua à parler.

– Ça se passait dix ans après la Conquête, sur une colline aux environs de Mexico, précisa-t-il à la jeune femme en train de le sucer.

– À Tepeyac, articula-t-elle soigneusement avant de se remettre à l'ouvrage.

Il fut sidéré qu'une jeune personne aussi peu bas-bleu connaisse le nom du lieu, mais il s'efforça néanmoins de garder la nonchalance qu'il affichait quant à la pipe en cours.

– C'était un matin de décembre 1531, reprit-il.

Il sentit la pointe de ses dents sur son sexe, tandis que, sans même s'arrêter pour le sortir de sa bouche, elle ajoutait impulsivement :

– Dans l'Empire d'Espagne, c'était la fête de l'Immaculée Conception, la date ne devait donc rien au hasard, hmm ?

— Oui, quoique…

Juan Diego s'interrompit : à présent, Dorothy s'était mise à le sucer avec une ardeur présageant qu'elle ne se donnerait même plus la peine de ponctuer son récit de quelques mises au point.

— Le paysan Juan Diego, dont je porte le nom, a eu une apparition, reprit vaillamment le romancier. Il a vu une jeune fille de quinze ou seize ans dans un halo de lumière, et quand elle lui a adressé la parole, il a compris – c'est en tout cas ce qu'on veut nous faire croire – qu'elle était la Vierge Marie, ou qu'elle lui ressemblait trait pour trait. Or elle voulait qu'on lui construise une église, rien que ça, une église qui lui soit dédiée sur le site de son apparition.

À ces mots, et sans doute pour manifester son incrédulité, Dorothy émit un grognement, voire un borborygme peu compromettant. Selon toute probabilité elle connaissait l'histoire, et l'idée que la Vierge Marie, ou son alter ego, apparaisse à un pauvre paysan adolescent et lui enjoigne de lui construire un sanctuaire lui inspirait cette réponse non verbale chargée d'une pointe de sarcasme pour ne pas dire plus.

— Que pouvait-il faire, ce malheureux ? demanda Juan Diego, question rhétorique s'il en fut et qui fit éructer Dorothy.

Juan Diego, l'écrivain, pas le paysan, tressaillit. Il redoutait un nouveau coup de dents, mais cette douleur lui fut épargnée, temporairement.

— Là-dessus, le paysan partit raconter son histoire à dormir debout à l'évêque.

— Zumárraga ! cracha Dorothy, qui manqua de suffoquer.

Voilà une jeune personne bien informée, songeait Juan Diego, ébahi. Elle connaît même le nom de l'évêque sceptique.

Sa connaissance manifeste des détails de l'histoire le dissuada de poursuivre ; il s'arrêta avant d'avoir abordé la question du miracle, soit qu'il fût impressionné par l'érudition de Dorothy sur un sujet qui l'obsédait depuis longtemps, soit que – et ce n'était pas trop tôt – il fût distrait par la turlutte.

— Et que fit cet évêque incrédule ?

Il voulait tester Dorothy. Celle-ci ne le déçut pas, sinon qu'elle cessa de le sucer, expulsant son sexe de sa bouche avec un « plop » qui le fit tressaillir une fois de plus.

— Ce connard d'évêque a demandé au paysan de prouver qu'il

s'agissait de la Vierge, comme si c'était à lui de le faire, répondit-elle avec mépris.

Elle remonta sur son corps et glissa son pénis entre ses seins.

– Alors le pauvre paysan est retourné voir la Vierge, et a imploré un signe qui puisse confirmer ses dires.

– Comme si c'était à elle de le faire, putain ! reprit Dorothy, qui se mit à l'embrasser dans le cou et à grignoter le lobe de ses oreilles.

C'est alors que tout devint confus. Nos deux amis connaissaient l'histoire l'un comme l'autre, et ils étaient pressés d'en achever le récit. La Vierge dit à Juan Diego, le paysan, d'aller cueillir des fleurs. Qu'il y en ait eu en décembre peut laisser perplexe – et que le paysan ait trouvé des roses de Castille, encore inconnues au Mexique, intriguera davantage. Mais il s'agit d'une histoire de miracle et le temps que Dorothy ou Juan Diego le romancier en arrivent à la partie du récit où le paysan montrait à l'évêque les fleurs que la Vierge avait déposées dans son humble tunique, Dorothy avait elle aussi fait apparaître une petite merveille. Cette jeune femme pleine de ressources avait en effet sorti un préservatif, qu'elle avait enfilé sur le sexe de Juan Diego pendant leur dialogue. Elle pouvait faire plusieurs choses à la fois, qualité qu'il avait déjà observée et qu'il admirait beaucoup chez les jeunes croisés au cours de sa carrière d'enseignant.

La rareté de ses contacts sexuels ne lui avait pas permis de rencontrer une femme qui ait des préservatifs sur elle, et les lui enfile avec maestria, ni qui prenne le dessus de la situation avec une autorité aussi familière.

Son inexpérience en matière de femmes, surtout de femmes dotées de la science érotique et du comportement offensif de Dorothy, le laissait pantois. Il restait sans voix, incapable de finir l'histoire de Guadalupe, à savoir ce qui était arrivé au pauvre paysan quand il avait présenté sa tunique pleine de roses à l'évêque Zumárraga.

Tout en s'asseyant solidement sur le sexe de Juan Diego – ses seins pointés en avant lui frôlaient le visage –, Dorothy reprit le fil du récit. Lorsque les fleurs étaient tombées de la tunique, on avait pu voir à leur place, imprimée sur l'étoffe grossière, l'image de la Vierge de Guadalupe, mains jointes en prière, paupières chastement baissées.

– Ce qui a dû impressionner l'évêque, ça n'est pas tant le fait que l'effigie de la Vierge se soit imprimée sur la tunique du paysan, poursuivit la jeune femme sans cesser d'aller et venir sur Juan Diego, c'est plutôt la Vierge elle-même.

– Comment ça ? demanda Juan Diego, tout pantelant.

– Son attitude, haleta Dorothy.

Ses seins gigotaient au-dessus de lui, il retenait son souffle à la vue du filet de transpiration qui coulait au creux de leur sillon.

– Sa posture, reprit-elle. Elle tenait ses mains de telle manière qu'on ne voyait même pas ses seins, si elle en avait ! Elle gardait les yeux baissés, et pourtant, on y apercevait une lueur maléfique.

– Dans l'iris ?

– Non, pas dans l'iris, dans la pupille, souffla la jeune femme. Au centre, il y avait une lueur effrayante.

– Exactement, grogna Juan Diego.

Il l'avait toujours pensé, mais il n'avait jamais encore croisé quelqu'un qui soit de son avis.

– Or Guadalupe était différente, ce n'était pas seulement une question de couleur de peau, poursuivit-il courageusement car il avait de plus en plus de mal à respirer pendant que Dorothy rebondissait sur lui. Elle parlait nahuatl, la langue de la région, elle était indienne et non pas espagnole. Si c'était une Vierge, alors c'était une Vierge aztèque.

– Cet évêque de merde, il en avait rien à cirer. La posture de Guadalupe était si chaste, putain, si virginale ! s'écria la jeune femme, qui décidément ne ménageait pas sa peine.

– ¡ Sí ! s'écria Juan Diego. Quels manipulateurs, ces catholiques…

Il en aurait dit davantage, mais Dorothy l'attrapa aux épaules avec une force surnaturelle, elle le fit basculer puis rouler sur elle.

Pourtant, à l'instant où elle était encore sur lui, et où il la regardait dans les yeux, il avait eu le temps de saisir son expression.

Qu'avait dit Lupe l'extralucide, au temps jadis ? « T'as peut-être du souci à te faire, mais c'est plutôt du côté de Guadalupe. On dirait qu'elle se penche sur ton cas, qu'elle a pas encore décidé. »

N'était-ce pas exactement l'expression de Dorothy dans la demi-seconde où elle lui avait appliqué une prise de lutte pour le faire passer sur elle ? À peine entrevu, ce regard l'avait effrayé. Or voilà qu'à présent, sous lui, Dorothy lui faisait l'effet d'une possédée. Sa tête roulait, ses hanches s'arc-boutaient contre lui avec une telle force qu'il s'accrochait à elle comme un homme au bord de l'abîme. Quel abîme ? Le lit était large, il ne risquait guère d'en tomber.

Il crut tout d'abord que l'imminence de l'orgasme avait entraîné chez lui un phénomène d'hyperacousie et qu'il entendait la radio, pourtant en sourdine. Cette langue inconnue le troublait dans son étrange familiarité. On ne parlait pas mandarin, à Hong Kong ? Cependant, cette voix de femme ne parlait pas chinois, et moins encore en sourdine. Peut-être que dans la violence de leurs ébats la main de Dorothy, ou son bras ou sa jambe qui battaient l'air, avait frappé le boîtier de commande sur la table de nuit. Car la voix hurlait carrément.

C'est alors qu'il comprit que cette voix n'était autre que celle de Dorothy. Ce n'était pas le son de la radio, mais l'orgasme de Dorothy qui était amplifié, au-delà de toute attente, au-delà de toute raison.

Dans l'esprit de Juan Diego, deux idées convergèrent désagréablement. Alors qu'il avait conscience d'être en train de jouir comme jamais, s'imposait à lui la nécessité d'absorber deux bêtabloquants dans les plus brefs délais. Mais cette idée brute allait de pair avec une autre : la langue que parlait la jeune femme, il l'avait entendue pour la dernière fois dans son enfance. Sur le point de jouir, Dorothy s'exprimait bel et bien en nahuatl, la langue même de Notre Dame de Guadalupe, celle des Aztèques. Le nahuatl appartenait à un groupe linguistique amérindien, parlé dans le centre et le sud du Mexique. Pourquoi Dorothy le parlait-elle, comment le connaissait-elle ?

– Tu ne réponds pas au téléphone ? lui demandait calmement la jeune femme en anglais.

Elle se cambra, mains derrière la tête, pour lui faciliter l'accès à l'appareil posé sur la table de nuit. Peut-être à cause de la pénombre, sa peau parut à Juan Diego plus mate qu'en réalité. À moins que ce détail ne lui ait échappé jusque-là.

Il dut s'étirer pour atteindre l'appareil ; sa poitrine puis son ventre touchèrent les seins de Dorothy.

– C'est ma mère, tu sais, lui dit-elle d'un air languide. Comme je la connais, elle a dû appeler ma chambre d'abord.

Trois bêtabloquants, peut-être, songea Juan Diego avant de susurrer « Allô » d'une petite voix.

– Vous devez avoir les tympans qui vibrent, lui dit Miriam. Je m'étonne que vous ayez entendu le téléphone sonner.

– Je vous entends très bien, répondit Juan Diego, plus fort qu'il ne l'aurait cru ; ses tympans vibraient en effet.

– On a dû en profiter dans tout l'étage, peut-être même dans tout l'hôtel. Si ma fille a recouvré l'usage de la parole, pourriez-vous me la passer ? Sinon, je vous laisse le message et vous le lui transmettrez quand elle sera revenue à elle.

« Revenue à elle », quelle formule ridicule ! D'où aurait-elle dû revenir ? N'était-elle pas couchée avec lui ? Il lui tendit le combiné

– Quelle surprise, maman ! déclara-t-elle sobrement.

Si Juan Diego n'entendait pas ce que Miriam disait à sa fille, il se rendait compte que celle-ci répondait du bout des lèvres.

Il envisagea de mettre à profit cet échange pour retirer discrètement le préservatif ; mais lorsqu'il roula sur la jeune femme pour se retrouver sur le flanc, dos à elle, il découvrit avec étonnement que celui-ci avait déjà été enlevé.

Question de génération, une fois de plus. Ah, ces jeunes ! Non seulement ils savent faire surgir une capote comme par enchantement, mais ils la font disparaître de même. Où l'a-t-elle mise ? Lorsqu'il se retourna vers Dorothy, elle l'étreignit d'un bras puissant et le serra contre ses seins. Le sachet en papier d'alu était sur la table de nuit – où il ne l'avait pas repéré –, mais le préservatif avait disparu.

Lui qui s'était défini comme « archiviste du détail » dans son travail romanesque se demanda où il était passé. Sous l'oreiller de Dorothy ? Jeté n'importe comment au fond de ce lit en bataille ? Peut-être fallait-il voir là aussi une pratique générationnelle.

– Oui, je suis au courant qu'il prend un vol de bonne heure, maman. Et oui, je sais pourquoi nous restons ici, nous.

Il faut que j'aille faire pipi, pensa Juan Diego, et il ne faut pas que j'oublie de prendre deux Lopressor dès que je me trouverai dans la salle de bains. Mais lorsqu'il tenta de filer en douce dans la pénombre, le bras puissant de Dorothy se referma sur sa nuque, lui plaquant le visage contre son sein.

– Et notre vol à nous, il est à quelle heure ? On ne part pas pour Manille tout de suite, si ?

Émoustillé par la perspective de se retrouver à Manille avec les deux femmes ou par le contact avec le sein de Dorothy, il bandait de nouveau. C'est alors qu'il entendit Dorothy lancer :

– Tu plaisantes ou quoi ? Depuis quand tu es attendue à Manille ?

Allons bon ! se dit-il. Si mon cœur n'a pas lâché avec la fille, je suis sûrement assez solide pour survivre avec la mère à Manille.

– Mais c'est un gentleman, maman, ce n'est pas lui qui m'a appelée, tu penses ! Oui, c'est moi qui l'ai appelé, et ne viens pas me dire que tu n'as pas envisagé de le faire toi-même, rétorqua-t-elle, caustique

En cet instant où il avait le visage enfoui contre un de ses seins, et tenait l'autre d'une main maladroite, lui revint en mémoire une phrase que sa sœur disait souvent, voire à tort et à travers : «No es buen momento para un terremoto», c'est pas le moment qu'on se prenne un tremblement de terre.

– Eh, moi aussi, je t'emmerde ! lança Dorothy en raccrochant.

Si ce n'était pas le moment qu'il arrive un tremblement de terre, il n'aurait pas été mieux choisi pour aller faire pipi.

– Je fais un rêve… commença-t-il, mais Dorothy se redressa brusquement, de sorte qu'il se retrouva allongé sur le dos.

– Mes rêves à moi, vaut mieux pas que je te les dise, crois-moi.

Elle s'était roulée en boule, visage contre son ventre à lui, mais elle se détourna, lui offrant de nouveau sa nuque brune. Quand elle se remit à jouer avec sa bite, il se demanda quel nom donner à cette activité. Des «postludes», peut-être.

– D'après moi, tu peux recommencer, lui dit-elle. Bon, peut-être pas tout de suite, mais dans pas longtemps. Regarde-moi ce p'tit mec !

Il bandait aussi dur que la première fois et la jeune femme le chevaucha sans hésiter.

Il n'y avait rien de métaphorique lorsqu'il déclara, en pensant à son envie de pisser :

– Ce n'est pas le moment qu'on se prenne un tremblement de terre.

– Je vais t'en faire voir, moi, un tremblement de terre, promit Dorothy.

Il s'éveilla avec la certitude d'être déjà mort et descendu en enfer. Car si l'enfer existait, ce dont il doutait toutefois, une musique infâme y résonnait en permanence pour tenter de couvrir des bulletins d'informations en langue étrangère. Or c'est précisément dans ces conditions qu'il s'éveilla au Regal Airport, dans son lit, au milieu d'une chambre éclairée a giorno, la radio à fond, la télévision diffusant ses nouvelles à tue-tête.

Dorothy avait-elle déclenché cette cacophonie en s'en allant ? Était-ce une facétie de sa part, ce réveil programmé ? À moins qu'elle ne soit partie fâchée. Impossible de s'en souvenir. Il avait l'impression d'émerger d'un sommeil profond comme jamais, et qui pourtant n'aurait pas duré plus de cinq minutes.

En cognant sur le panneau des interrupteurs, il se fit mal au tranchant de la main. Le volume de la radio et celui de la télévision baissèrent suffisamment pour qu'il entende sonner le téléphone et réponde. On lui hurla aux oreilles dans une langue aux sonorités asiatiques.

– Excusez-moi, je ne comprends pas, répondit-il en anglais.

Il avait tenté de dire « Lo siento », désolé en espagnol, mais son interlocuteur ne le laissa pas poursuivre :

– Espèce de gon !

– Je pense que vous voulez dire « espèce de con », rectifia l'écrivain, mais son correspondant excédé avait déjà raccroché.

C'est seulement à ce moment que Juan Diego s'aperçut que les sachets ayant contenu le premier et le second préservatif n'étaient plus sur la table de nuit. Dorothy avait dû les emporter, ou les jeter dans la corbeille.

Il vit que le second enveloppait toujours son sexe. C'était d'ailleurs la seule preuve qu'il avait « assuré » une deuxième fois. Il revoyait la jeune femme entreprendre de le chevaucher, mais ensuite, plus rien. Le tremblement de terre promis par elle se perdait dans les nébuleuses du temps. Si elle avait de nouveau franchi le mur du son dans cette langue étrangère qui ressemblait au nahuatl mais ne pouvait pas en être, l'instant n'était resté ni dans sa mémoire, ni dans son rêve.

Tout ce qu'il savait, c'est qu'il avait dormi sans faire le moindre rêve, précisément, pas même un cauchemar. Il se leva et se dirigea vers la salle de bains. Constatant qu'il n'avait pas envie de pisser, il en conclut qu'il s'était déjà soulagé. Pas au lit, espéra-t-il, ni dans le préservatif, et encore moins sur Dorothy. Mais il découvrit aussi que le bouchon de son flacon de Lopressor était ouvert ; en se levant pour pisser, il avait dû en profiter pour avaler un bêtabloquant, voire deux.

Mais quand ? Avant ou après le départ de Dorothy ? Et puis, en avait-il pris un seul selon la posologie habituelle, ou deux, pour compenser l'interruption ? À vrai dire, il n'était pas censé en prendre deux ; ce n'était pas recommandé, même lorsqu'on avait sauté une prise.

Malgré l'éclairage aveuglant, il voyait poindre au-dehors une aube grise. Il n'oubliait pas que son vol décollait de bonne heure. Il n'avait pas sorti grand-chose de sa valise, pour une seule nuit ; la refaire irait vite. Mais il faudrait bien réfléchir en rangeant ses affaires de toilette : cette fois, il placerait le Lopressor et le Viagra dans son bagage à main.

Il jeta la deuxième capote dans les toilettes et tira la chasse d'eau ; mais la première demeurait introuvable, ce qui le laissait perplexe. Et d'ailleurs, quand s'était-il levé pour pisser ? D'un moment à l'autre, Miriam allait l'appeler ou frapper à sa porte pour lui dire qu'il était l'heure. Il rabattit le drap de dessus et regarda sous les oreillers dans l'espoir de la retrouver. Rien non plus dans la corbeille, pas même les sachets protecteurs.

Ce fut sous la douche qu'il aperçut le préservatif fugueur qui décrivait des cercles au fond de la baignoire. Déroulé, on aurait dit une limace noyée. Il avait dû se coller à son dos ou à ses fesses, ou encore à son mollet.

C'était gênant ! Pourvu que Dorothy n'ait rien vu. S'il s'était dispensé de se doucher, il aurait pu embarquer pour Manille avec ce préservatif usagé collé au corps.

Malheureusement, le téléphone sonna quand il était encore sous l'eau. Or c'était dans leur salle de bains que les pires accidents guettaient les hommes de son âge, a fortiori handicapés. Il ferma donc le robinet et sortit avec les plus grandes précautions. Encore tout dégoulinant d'eau, attentif à ne pas glisser sur le carrelage, il voulut prendre une serviette mais celle-ci se coinça et il tira plus fort qu'il n'était nécessaire. Le porte-serviettes se détacha du mur, emportant avec lui son support de porcelaine qui alla se briser en mille morceaux translucides sur les carreaux mouillés. Juan Diego reçut en pleine figure la barre d'aluminium qui lui ouvrit le front au-dessus de l'arcade sourcilière. Il retourna dans la chambre, une serviette appuyée contre la plaie.

— Allô ! cria-t-il dans l'appareil.

— Bon, vous êtes réveillé, c'est déjà ça, répondit Miriam. Ne laissez pas Dorothy se rendormir.

— Elle n'est pas là.

— Sa chambre ne répond pas. Elle doit être sous la douche. Vous êtes prêt ?

— Vous me donnez dix minutes ?

– Pas plus de huit, et dans cinq j'arrive. On prendra Dorothy au passage. Ces jeunes femmes, elles sont toujours prêtes les dernières !

– Je serai prêt.

– Vous allez bien ?

– Mais oui, tout à fait.

– Vous n'avez pas votre voix habituelle.

Pas ma voix habituelle ?

Il vit qu'il avait saigné sur les draps ; l'eau qui coulait de ses cheveux avait dilué le sang, devenu rosâtre, mais il y en avait beaucoup pour une simple coupure. Voulant éponger le lit avec sa serviette, il ne fit qu'aggraver les dégâts. Au niveau de la table de chevet, on aurait dit une scène de crime rituel à connotations sexuelles.

Il retourna dans la salle de bains ; les carreaux étaient éclaboussés d'un mélange de sang et d'eau, et jonchés de bris de porcelaine. Il se rinça le visage, le front surtout, dans l'espoir que cette vacherie d'entaille cesse de saigner. Comme de juste, sa trousse contenait des provisions de Viagra et de Lopressor suffisantes pour soutenir un siège, sans oublier le coupe-comprimé, mais pas le moindre sparadrap. Pour étancher le flot, il appliqua un tampon de papier toilette sur l'entaille minuscule.

Lorsque Miriam frappa à sa porte et qu'il la fit entrer, il était prêt ou presque, il ne lui restait plus qu'à enfiler sa chaussure orthopédique, faite sur mesure. L'opération était toujours délicate, et pouvait durer un certain temps.

Miriam le poussa vers le lit.

– Venez, je vais vous aider.

Il s'assit pour qu'elle la lui passe ; à sa grande surprise, elle savait s'y prendre ; elle lui ajusta même sa chaussure avec une telle dextérité et si peu d'efforts qu'elle se permit de considérer longuement le lit taché de sang pendant qu'elle opérait.

– On croirait qu'il y a eu mort d'homme ou rupture d'hymen, commenta-t-elle en désignant du menton le carnage, mais tant pis pour ce que penseront les femmes de chambre.

– Je me suis coupé, expliqua Juan Diego.

Elle avait nécessairement remarqué le tampon de papier toilette sur son front, au-dessus de l'arcade.

– Pas en vous rasant, à mon avis, répondit-elle.

Il la vit aller du lit à la penderie, jeter un coup d'œil à l'intérieur ;

puis elle ouvrit et referma les tiroirs pour s'assurer qu'il n'y avait laissé aucun vêtement.

Il ne put l'empêcher d'inspecter la salle de bains, où il était cependant sûr de n'avoir laissé aucun article de toilette, et moins encore son Viagra ou son Lopressor, rangés dans son bagage à main. Il s'avisa tout à coup qu'il avait en revanche laissé au fond de la baignoire le préservatif, où il devait être resté au ras de l'évacuation, telle la preuve incriminante d'un minable plaisir libidineux.

— Coucou, petit condom, entendit-il en provenance de la salle de bains, alors qu'il était encore assis sur le lit sanglant. Je sais bien qu'on se fiche de ce que penseront les femmes de chambre, mais quand même, l'usage voudrait qu'on jette ces choses dans les toilettes, non ?

— Sí, répondit Juan Diego sans savoir que dire d'autre.

Avait-il pris deux Lopressor ? Il se sentait encore plus diminué que d'ordinaire. Il réussirait peut-être à dormir dans l'avion. Il était trop tôt pour spéculer sur les rêves qui lui viendraient. À ce degré de fatigue, il espérait même que sa vie onirique serait temporairement bridée par les bêtabloquants.

— Ma mère t'a frappé ? demanda Dorothy comme ils entraient dans la chambre de la jeune femme.

— Mais non, voyons ! répondit celle-ci.

Elle avait déjà entrepris l'inspection de la chambre de sa fille.

Dorothy n'avait pas fini de s'habiller, elle était encore en jupe et soutien-gorge, sans chemisier ni pull, sa valise ouverte sur le lit – une valise assez grande pour y loger un gros chien.

— J'ai glissé dans la salle de bains, résuma sobrement Juan Diego, en désignant le tampon de papier toilette collé sur son front.

— Ça ne saigne plus, je crois, constata la jeune femme.

Face à lui, elle se mit à gratter le papier ; quand elle le détacha de son front, l'entaille se remit à saigner, mais elle l'étancha en humectant le bout de son index qu'elle appuya dessus.

— Ne bouge plus, lui intima-t-elle, tandis qu'il essayait de ne pas regarder son affriolant décolleté.

— Pour l'amour du ciel, Dorothy, finis de t'habiller, intervint Miriam.

— Au fait, où on va comme ça, tous les trois ? demanda la jeune femme à sa mère sur un ton pas tout à fait innocent.

– Habille-toi et je te le dirai, repartit celle-ci qui s'exclama : Oh, j'allais oublier, j'ai gardé votre itinéraire, Juan Diego, il faut que je vous le rende !

Il se souvenait en effet qu'elle le lui avait emprunté au départ de JFK, et qu'elle ne le lui avait pas rendu. Voilà qu'elle le lui tendait.

– J'ai ajouté quelques notes, sur les bonnes adresses de Manille. Elles ne vous serviront à rien cette fois, vous ne vous attardez pas, vous pouvez descendre un peu n'importe où. Mais, croyez-moi, vous n'allez pas apprécier votre hôtel. Quand vous retournerez à Manille et que vous y resterez un peu plus longtemps, vous trouverez là quelques adresses. Et puis j'ai pris copie de votre itinéraire, pour que nous puissions venir vous voir.

– Nous ? releva Dorothy. Parle pour toi.

– J'ai bien dit « nous ».

– Je vais vous revoir, j'espère, dit brusquement Juan Diego. L'une comme l'autre, ajouta-t-il gauchement parce qu'il n'avait regardé que Dorothy.

La jeune fille avait enfilé un chemisier qu'elle n'avait pas encore boutonné. Elle considérait son nombril et le grattait.

– Oh, pour nous revoir, vous allez nous revoir, confirma Miriam, qui se dirigeait vers la salle de bains au terme de son inspection.

– Oui, tu peux y compter, renchérit Dorothy, toujours occupée à se curer le nombril.

– Boutonne-toi, je te prie, Dorothy ! lui cria sa mère. Ça se boutonne, un chemisier.

– J'ai rien oublié, maman ! lui cria sa fille en retour.

Elle était prête lorsqu'elle embrassa promptement Juan Diego sur la bouche. Elle tenait une petite enveloppe qui semblait provenir du sous-main de l'hôtel. Elle la lui glissa dans la poche de sa veste.

– Ne la lis pas maintenant, attends un peu. C'est une lettre d'amour, lui chuchota-t-elle avant de plonger sa langue entre ses lèvres.

– Tu m'étonnes, Dorothy, dit Miriam en revenant dans la chambre. Ta salle de bains est moins en désordre que celle de Juan Diego.

– T'étonner donne un sens à ma vie, maman.

Juan Diego leur adressa un vague sourire. Il s'était toujours représenté son voyage aux Philippines comme un voyage sentimental, pour honorer sa promesse à un ami mort qui n'avait pu accomplir ce pèlerinage lui-même.

Or voilà que ce voyage, où son sort semblait désormais lié à celui de Miriam et Dorothy, prenait un tour on ne peut plus personnel.

— Et vous, euh, vous deux, où allez-vous ? se risqua-t-il à demander à ce duo de voyageuses chevronnées.

— Bouh ! Nous, on a une putain de feuille de route, répondit Dorothy sombrement.

— Nous avons des obligations, Dorothy. Ta génération n'a que le mot « putain » à la bouche.

— On se retrouvera plus tôt que tu ne crois, dit Dorothy à Juan Diego. Pour nous aussi, c'est terminus Manille, mais pas aujourd'hui, ajouta-t-elle, énigmatique.

— Nous nous retrouverons à Manille tôt ou tard, lui expliqua Miriam avec une pointe d'impatience. Tôt sans doute, ajouta-t-elle.

— Tôt sans doute, répéta Dorothy, ouais, ouais.

Sur quoi, elle empoigna sa valise avant qu'il ait pu faire un geste pour l'aider. Cette valise énorme qui avait l'air de peser une tonne, elle l'avait soulevée comme une plume. Il eut un coup au cœur en revoyant avec quelle facilité elle l'avait tiré vers le bord du lit pour le faire rouler sur elle.

Quelle force, cette fille ! ne put-il s'empêcher de penser. Il se tourna pour prendre son bagage et découvrit avec surprise que Miriam s'en était chargée, en plus de son propre sac, pourtant grand. Quelle force, cette mère ! Il sortit du hall de l'hôtel en pressant le pas pour ne pas perdre les deux femmes ; c'est tout juste s'il s'aperçut qu'il ne boitait presque pas.

Chose singulière, il fut séparé d'elles au milieu d'une conversation dont il avait oublié le sujet. Devant le portail de sécurité, il s'était retourné vers Miriam qui retirait ses chaussures et avait découvert que le vernis à ongles de ses orteils était de la même couleur que celui de Dorothy. Elle n'était plus là lorsqu'il passa le portail et leva les yeux ; mère et fille avaient tout bonnement disparu l'une comme l'autre.

Il avisa un employé de la sécurité : où étaient les deux femmes qui l'accompagnaient ? Le jeune homme lui fit une réponse agacée, son attention monopolisée par un dysfonctionnement de l'appareil.

– Des femmes, quelles femmes ? J'en ai vu des civilisations entières, de femmes. Elles doivent être devant !

Restait donc à les appeler depuis son portable, ou à leur envoyer un texto. Sauf qu'il avait oublié de leur demander leurs numéros. Il fit défiler ses contacts en vain. Et dans les annotations griffonnées sur son itinéraire par Miriam et réduites à une liste d'adresses d'hôtels à Manille, elles n'y figuraient pas davantage.

Miriam lui avait paru attacher une très grande importance à ce deuxième séjour, mais il cessa d'y penser, et s'achemina à son rythme vers sa porte d'embarquement pour les Philippines, vers son premier séjour à Manille. Il sentait une fatigue anormale l'envahir.

Ce devait être les bêtabloquants ; il n'aurait jamais dû en prendre deux, si c'était le cas.

Même le muffin au thé vert de la Cathay Pacific – il volait cette fois dans un avion beaucoup plus petit – le déçut un peu. Rien à voir avec la première dégustation sublime, lors de sa descente sur Hong Kong en compagnie de Miriam et Dorothy.

Se rappelant brusquement la lettre d'amour que Dorothy avait glissée dans sa poche, il sortit l'enveloppe et l'ouvrit.

« À bientôt », avait écrit la jeune femme sur le papier à lettres du Regal Airport Hotel. Elle avait posé ses lèvres manifestement peintes de frais sur le mot « bientôt », dans un contact intime.

Son rouge à lèvres, il le remarquait maintenant, était assorti à son vernis à ongles et à celui de sa mère. Un rouge bordeaux.

Il ne risquait pas de rater le contenu annexe de l'enveloppe où était placée la prétendue lettre d'amour : les deux sachets en alu ayant contenu les préservatifs. Peut-être le détecteur de métaux de l'aéroport était-il bel et bien défectueux, puisqu'il ne les avait pas repérés. Décidément, ce voyage ne s'annonçait pas comme le pèlerinage prévu. Mais il était beaucoup trop tard pour faire demi-tour.

9

Si vous voulez savoir…

Edward Bonshaw avait sur le front une cicatrice en forme de V, qu'il devait à une chute dans son enfance. Il avait trébuché sur un chien endormi un jour qu'il courait en serrant dans sa menotte une tuile de mah-jong, minuscule objet d'ivoire et de bambou, dont un coin s'était enfoncé dans son front pâle au-dessus du nez, gravant une encoche parfaite entre ses sourcils blonds.

Il avait réussi à se mettre en position assise, mais il était trop sonné pour se relever. Le sang pissait entre ses yeux, dégoulinait du bout de son nez. Le chien, qui s'était réveillé en frétillant, avait léché son visage ensanglanté.

Cette attention affectueuse l'avait un peu réconforté. Il avait sept ans et son père l'avait surnommé « le petit garçon à sa maman » pour la seule et mauvaise raison qu'il détestait la chasse.

– Pourquoi tirer sur des êtres vivants ? avait-il demandé à son père.

Le chien non plus n'aimait pas la chasse. C'était une chienne, un golden retriever. Toute petite, elle était tombée dans la piscine des voisins, et elle avait failli se noyer ; depuis, elle avait peur de l'eau, trait « anormal » chez un labrador. Comme était « anormale », selon le père d'Edward, tyran domestique aux idées bien arrêtées, l'incapacité de la chienne à rapporter balle ou bâton, et moins encore un oiseau mort.

– Un golden retriever qui ne rapporte pas, ça sert à quoi ? disait souvent Oncle Ian, qui était un sale type.

Mais Edward aimait sa chienne avec son horreur de l'eau et de la chasse, et la brave bête adorait Edward. Graham, le père, jugeait que fils et chienne étaient des poules mouillées. Et, aux yeux de l'enfant, son oncle était une brute, bête et méchante.

Autant de circonstances qui aident à comprendre la suite. Père et oncle, partis à la chasse au faisan, en étaient rentrés avec deux victimes.

À l'époque, la famille habitait Coralville, grande banlieue d'Iowa City. Edward était assis sur le carrelage de la cuisine, le visage en sang, et la chienne donnait l'impression qu'elle se préparait à le dévorer lorsque les deux hommes, entrés par la porte du garage, firent irruption dans la cuisine avec le retriever d'Oncle Ian, un chesapeake bay, gros mâle écervelé qui partageait avec son maître des dispositions hargneuses et un manque évident de moralité.

– Beatrice ! Saloperie de chienne ! avait braillé le père d'Edward.

Il avait affublé la chienne de ce nom par pure dérision. Une chienne qui s'appelle Beatrice, disait Oncle Ian, est tout juste bonne à se faire stériliser, faut surtout pas qu'elle se reproduise, elle altérerait une noble race.

Les deux chasseurs avaient donc laissé Edward assis sur le sol de la cuisine, pendant qu'ils entraînaient la chienne dehors et l'abattaient dans l'allée du garage.

On ne s'attendait guère à entendre une histoire pareille lorsque, bien plus tard dans sa vie, Edward Bonshaw désignait son front et, après cette entrée en matière d'un flegme désarmant : « Si vous voulez savoir comment je me suis fait cette cicatrice… », se lançait dans le récit brutal du meurtre de Beatrice, sa chienne adorée, la bête la plus douce qu'on puisse imaginer.

Et pendant toutes ces années, il avait gardé la jolie tuile de mah-jong qui avait gravé un V indélébile sur sa peau claire.

Était-ce à cause de l'entaille bénigne causée par le porte-serviettes, entaille qui avait enfin cessé de saigner ? Toujours est-il que cet épisode cauchemardesque de l'enfance de son Edward Bonshaw bien-aimé avait refait surface. Le vol de Hong Kong à Manille était-il trop court pour lui permettre un sommeil profond ? Pourtant, il était plus long qu'il n'aurait cru, deux heures, mais il les passa dans un demi-sommeil agité, peuplé de rêves décousus – preuve de plus à ses yeux qu'il avait absorbé deux bêtabloquants au lieu d'un.

Il allait rêver en pointillés jusqu'à Manille, et tout d'abord, de l'horrible histoire de la cicatrice. Deux Lopressor, et voilà le travail ! Cependant, dans l'état de fatigue où il se trouvait, il s'estima heureux d'avoir rêvé, fût-ce par à-coups. Le passé était son habitat le plus confortable. Là, au moins, il savait qui il était, et pas seulement en tant que romancier.

Il y a souvent trop de dialogues dans les rêves décousus ; les événements s'y succèdent avec violence, sans crier gare. À l'Hôpital de la Croix-Rouge, le Cruz Roja de Oaxaca, on avait installé les cabinets de consultation à côté de l'entrée des Urgences, initiative délibérée ou malencontreuse, prêtant à confusion. Une petite fille mordue par un chien des toits fut ainsi introduite dans le cabinet du Dr Vargas par erreur. Malgré ses mains et ses avant-bras lacérés car elle les avait mis en avant pour se protéger, elle ne présentait aucun problème orthopédique évident. Or le Dr Vargas était orthopédiste, même s'il lui arrivait de traiter les gens de cirque, les gamins de la décharge et les orphelins des Enfants perdus sans se limiter à sa spécialité.

Il était très irrité que la petite lui ait été amenée.

– Ça va aller, disait-il à l'enfant en pleurs. C'est aux Urgences qu'il faut la conduire, pas chez moi, répétait-il à la mère, dont les nerfs étaient en train de lâcher.

Dans la salle d'attente, cette enfant déchiquetée par un chien perturbait tout le monde, y compris Edward Bonshaw, qui venait à peine d'arriver en ville.

– Qu'est-ce que c'est qu'un chien des toits ? s'enquit-il auprès de Pepe. Ce n'est sûrement pas le nom d'une race.

Ils suivirent Vargas dans son cabinet, Juan Diego sur un chariot.

Lupe baragouina quelques mots, que son frère blessé s'abstint de traduire. Elle expliquait en effet que certains de ces chiens étaient des esprits, des spectres de chiens martyrisés de leur vivant. Ils hantaient les toits de la ville et s'en prenaient aux innocents parce que leur propre innocence avait été violée, et qu'ils criaient vengeance. Ils erraient sur les toits, et comme ces chiens volants étaient devenus des fantômes, désormais on ne pouvait plus leur faire de mal.

– En voilà une longue réponse. Qu'est-ce qu'elle a dit ? demanda Edward à Juan Diego.

– Vous avez raison, ce n'est pas une race, résuma prudemment le gamin.

– Ce sont des corniauds, en général. Il y a beaucoup de chiens errants à Oaxaca. Certains sont retournés à l'état sauvage. Ils passent leur vie sur les toits, allez savoir comment ils y montent ! expliqua Frère Pepe.

— Ce ne sont pas des chiens volants, ajouta Juan Diego, mais Lupe poursuivait son babil.

— Bon, et toi, qu'est-ce qui t'arrive ? demanda le médecin à la fillette. Calme-toi, prends ton temps, que je te comprenne bien.

— C'est moi le malade, glissa Juan Diego au médecin qui n'avait pas fait attention au chariot. Elle, c'est ma petite sœur.

Le Dr Vargas était jeune et beau. Il dégageait cette aura de noblesse impérieuse que confère souvent la réussite. Il avait l'habitude d'avoir raison, était souvent contrarié par l'incompétence des autres, et coutumier des jugements hâtifs sur les gens qu'il rencontrait pour la première fois. Il était de l'aveu général le meilleur chirurgien orthopédiste de Oaxaca, ayant pour spécialité les enfants infirmes – et un de ceux qui se soucie de leur sort. Pourtant, il prenait tout le monde à rebrousse-poil, les enfants parce qu'il en voyait tant qu'il finissait par les confondre, les adultes parce qu'ils lui reprochaient son arrogance.

— Alors, c'est toi le malade ? demanda-t-il à Juan Diego. Parle-moi de toi, pas besoin de me dire que tu es un gosse de la décharge, ça se sent à plein nez, je le connais, le basurero. Parle-moi de ton pied, c'est tout ce qui m'intéresse.

— Mais l'histoire de mon pied, elle est liée à la décharge. Un pick-up de Guerrero m'est passé dessus, avec une pleine cargaison de cuivre ; ça pèse lourd.

Parfois Lupe s'exprimait par énumération – et c'est ce qu'elle fit.

— Un, ce docteur est un sinistre abruti. Deux, il a honte d'être encore en vie. Trois, il estime qu'il aurait dû mourir. Quatre, il va te dire qu'il faut que tu passes une radio ; mais c'est reculer pour mieux sauter parce qu'il sait déjà qu'il peut rien pour ton pied.

— On dirait du zapotèque ou du mixtèque, commenta le Dr Vargas.

Comme le gamin ne le trouvait pas très sympathique, il décida de lui traduire les assertions de Lupe.

— Elle a dit tout ça ?

— En général, elle ne se trompe pas sur le passé. Sur l'avenir, elle est moins pertinente.

— Il faut effectivement te faire une radio et il est probable que je ne pourrai rien pour ton pied, mais j'ai besoin de voir les clichés avant de te dire ce qu'il en est, expliqua le médecin. Tu as fait venir notre ami jésuite pour obtenir une assistance divine ? poursuivit-il en désignant Pepe d'un signe de tête.

À Oaxaca, ce dernier était encore plus connu que le Dr Vargas.

– Ma mère est femme de service chez les jésuites, et lui, il s'occupe de nous.

«Lui» désignait El Jefe, qui l'interrompit :

– C'est moi qui étais au volant du pick-up, avoua-t-il d'un air coupable.

Lupe refit son numéro du rétroviseur cassé, mais Juan Diego ne se donna pas la peine de traduire. D'ailleurs, la petite était passée à un autre sujet, et elle étayait dans le détail son verdict selon lequel le docteur était un sinistre abruti.

– Il s'est soûlé la veille, alors il s'est pas réveillé. Il a raté son avion, celui qu'il devait prendre avec sa famille. L'avion s'est écrasé avec ses parents à bord, plus sa sœur, son beau-frère et leurs deux enfants. Tous morts pendant que Vargas cuvait sa cuite ! s'exclama Lupe.

– Quelle voix de crécelle ! dit le médecin à Juan Diego. Il faudrait que j'examine sa gorge. Ses cordes vocales, peut-être.

Juan Diego fit ses condoléances au Dr Vargas pour la perte qu'il avait subie.

– Elle t'a dit ça, aussi ?

Lupe était devenue intarissable : Vargas avait hérité de la maison de ses parents, et de tous leurs biens. Ses parents étaient très croyants et le fait que lui ne l'était pas avait souvent été une source de conflits entre eux et lui. À présent, il était «encore moins» croyant.

– Comment est-ce qu'il serait «moins croyant» qu'à l'époque où il ne l'était pas, Lupe ? s'étonna Juan Diego.

La petite répondit par un haussement d'épaules. Elle savait des choses, des messages lui parvenaient, mais sans le mode d'emploi.

– Moi, je te dis ce que je sais. Me demande pas de t'expliquer ce que ça veut dire.

– Attendez voir ! les interrompit Bonshaw. Qui est-ce qui n'était pas croyant, et qui l'est devenu «encore moins» ? C'est un syndrome qui m'est familier.

Juan Diego répéta en anglais ce que Lupe venait de dire. Pepe lui-même ne connaissait pas toute l'histoire. Pendant ce temps-là, Vargas continuait d'examiner le pied écrasé et retourné. Juan Diego commençait à le trouver un peu plus sympathique. Le don irritant qu'avait Lupe pour deviner le passé d'un inconnu, et, à un degré moindre, son avenir, l'avait distrait de sa douleur, et il était reconnaissant à Vargas d'avoir profité de cette diversion pour l'ausculter.

– Où ça apprend l'anglais, un gosse de la décharge ? demanda le docteur à Frère Pepe. Votre anglais est sommaire, mais je présume tout de même que vous l'avez enseigné à cet enfant.

– Il a appris tout seul, Vargas. Il parle anglais, il le comprend, et il le lit.

– Voilà un don qu'il faut cultiver, Juan Diego, dit Edward Bonshaw. Toutes mes condoléances pour votre tragédie familiale, Dr Vargas. Et les malheurs familiaux, j'en ai eu ma part.

– C'est qui, ce gringo ? demanda grossièrement Vargas en espagnol.

– El Hombre Papagayo, répondit Lupe, ce que Juan Diego voulut bien décrypter à l'intention de Vargas.

– Edward est notre nouveau professeur, dit Frère Pepe. Il nous arrive de l'Iowa.

– Eduardo, rectifia Bonshaw.

Il avait tendu la main au médecin avant de s'apercevoir que ses gants de caoutchouc étaient maculés du sang du pied écrasé.

– Vous êtes sûr qu'il ne nous arrive pas plutôt d'Hawaï ? demanda Vargas, car on ne pouvait ignorer la volière tapageuse qui ornait la chemise du missionnaire.

– Comme vous, Dr Vargas, poursuivit Edward Bonshaw en rengainant sagement la main qu'il lui avait tendue, j'ai vu ma foi assaillie par le doute.

– Moi, n'ayant jamais eu la foi, je n'ai pas connu le doute, répliqua le médecin dans son anglais sans fioritures qui ne laissait aucune place à l'ambiguïté. Je vais vous dire ce qui me plaît, dans les rayons X, c'est qu'ils n'ont rien de spirituel, à vrai dire ils sont même beaucoup moins équivoques que beaucoup d'éléments auxquels je pense en ce moment précis. Tu es blessé, tu viens me trouver avec deux jésuites, et tu amènes aussi ta sœur visionnaire, qui voit plus clair dans le passé que dans l'avenir. Ton estimé Jefe vous accompagne, ce patron de la décharge qui veille sur toi, et t'écrase le pied avec son pick-up.

(Heureusement pour Rivera, déjà bourrelé de remords, cette analyse fut faite en anglais.) Et la radio va nous montrer les limites de ce qu'on pourra réparer. Moi, je parle en médecin, Edward. Vargas s'interrompit pour les regarder, lui et Frère Pepe : L'aide de Dieu, je vous la laisse à vous, jésuites.

– Eduardo, rectifia Edward Bonshaw.

Le deuxième prénom de son père, Graham, le tueur de chienne, était en effet Edward, ce qui suffisait à lui faire préférer celui d'Eduardo, lequel avait également séduit Juan Diego d'emblée.

Là-dessus, Vargas fit une sortie à Frère Pepe, mais en espagnol, cette fois :

– Ces gosses de la décharge habitent Guerrero, leur mère est femme de service à l'église de la Compagnie de Jésus, je suppose qu'elle fait aussi le ménage aux Enfants perdus ?

– Oui, à l'orphelinat aussi, confirma Pepe.

Juan Diego se retint de dire au Dr Vargas qu'Esperanza n'était pas que femme de ménage ; ses activités annexes avaient un caractère louche pour ne pas dire plus, et il avait bien compris que le médecin entretenait une piètre opinion de tout ce qui était équivoque.

– Mais elle est où, ta mère, à cette heure-ci ? Je suppose qu'elle n'est pas en train de faire le ménage.

– Elle est à l'église, elle prie pour moi.

– Ne restons pas là, allons faire la radio, intima le Dr Vargas, qui s'abstint au prix d'un effort visible de tout commentaire désobligeant sur le pouvoir de la prière.

– Merci, Vargas, dit Pepe.

Il avait parlé avec un manque de sincérité si inhabituel chez lui que tous le regardèrent, y compris Edward Bonshaw qui venait de faire sa connaissance.

– Merci de ces efforts pour nous épargner votre athéisme opiniâtre, précisa-t-il.

– Mais j'en fais, des efforts, Pepe.

– Que vous ne croyiez en rien ne me regarde pas, Dr Vargas, mais ce n'est peut-être pas le moment de vous en vanter, par égard pour le gamin, dit Edward Bonshaw, qui ne put s'empêcher d'ajouter son grain de sel.

– Ce n'est pas grave, Señor Eduardo, dit Juan Diego dans un anglais quasi impeccable. Je ne suis pas très croyant, moi non plus. Pas tellement plus que le Dr Vargas.

Il l'était pourtant davantage qu'il ne le laissait paraître. L'Église lui inspirait des réserves, y compris dans sa politique des Madones locales, mais les miracles l'intriguaient. Aux miracles, il était ouvert.

– Ne parle pas ainsi, Juan Diego, tu es trop jeune pour te couper de la foi.

– Dans l'intérêt de ce garçon, interrompit Vargas dans son anglais sans concession, l'heure est mieux choisie pour se confronter à la réalité que pour affirmer sa foi.

– Personnellement, je sais pas quoi croire, intervint Lupe sans se soucier d'être comprise ou incomprise. Je veux croire en Guadalupe, mais regardez comment elle s'est fait instrumentaliser, la Vierge Marie la manipule ! Comment s'y fier alors qu'elle se laisse régenter par la Vierge Monstre ?

– Guadalupe se laisse piétiner par Marie, dit Juan Diego.

– Ne dis pas ces choses, protesta Edward Bonshaw, tu es bien trop jeune pour être cynique.

Dès qu'il s'agissait de religion, son espagnol était meilleur qu'on n'aurait pu le penser.

– Ne restons pas là, Eduardo, reprit Vargas, allons faire la radio. Ces gosses habitent Guerrero et travaillent à la décharge pendant que leur mère fait le ménage chez vous, c'est pas un arrangement cynique, ça ?

– Allons-y, Vargas, allons faire cette radio, dit Frère Pepe.

– Elle est très bien, notre décharge ! Dis à Vargas qu'on l'aime, notre basurero, sinon, entre lui et l'homme perroquet, on va finir aux Enfants perdus ! cria Lupe.

Mais Juan Diego ne traduisit rien, il se contenta de répéter :

– Allons faire cette radio.

Il voulait être fixé.

– Vargas pense que ça sert à rien de t'opérer. Il croit que si le sang n'arrive plus, il va devoir amputer ! Tu pourras pas continuer à vivre à Guerrero avec un pied en moins, ni en traînant la patte ! Ton pied se ressoudera, mais à angle droit. Tu vas remarcher, mais il te faudra bien deux mois, et tu boiteras toute ta vie. Il se demande pourquoi c'est l'homme perroquet qui nous a accompagnés, et pas notre mère. Dis-lui que je sais ce qu'il pense ! glapit-elle à son frère.

– Alors voilà... commença Juan Diego.

Il raconta ce que Lupe venait de lui confier, en ménageant ses effets, le temps de tout expliquer en anglais à Edward Bonshaw.

Vargas s'adressa à Frère Pepe en ignorant la présence des autres :

– Votre gamin de la décharge est bilingue, sa sœur lit dans les pensées. Ils s'en tireraient mieux dans un cirque, leurs perspectives seraient meilleures qu'à Guerrero, au milieu des ordures.

– Dans un cirque ? reprit Edward Bonshaw. Il a bien dit un cirque, Pepe ? Ce sont des enfants, pas des bêtes ! Les Enfants perdus peuvent sûrement les prendre en charge ! Un petit infirme et une fillette qui n'arrive pas à parler.

– Lupe parle beaucoup ! Elle ne parle que trop, objecta Juan Diego.

– Ce ne sont pas des bêtes ! répéta Eduardo.

Peut-être était-ce ce mot qui, même en anglais, incita Lupe à regarder de plus près l'homme perroquet.

Oh là là ! pensait Frère Pepe. Si elle s'avise de lire dans ses pensées, cette petite folle, que Dieu nous vienne en aide !

– En général, le cirque s'occupe bien de ses enfants, dit le Dr Vargas en anglais à l'homme de l'Iowa, tout en n'accordant qu'un bref regard à Rivera que la culpabilité accablait. Ils pourraient constituer une attraction.

– Une attraction ! s'écria Edward Bonshaw en se tordant les mains.

Geste qui inspira peut-être à Lupe une vision de lui à l'âge de sept ans. Elle se mit à pleurer à gros sanglots, en se cachant les yeux.

– La voilà qui recommence à lire dans les pensées ? demanda Vargas avec une indifférence feinte.

– Elle lit vraiment dans les pensées, Pepe ? s'étonna Edward.

Oh, pas en ce moment, j'espère ! se dit Pepe.

– Le garçon a appris à lire tout seul, et dans les deux langues. Nous pouvons lui venir en aide. Pensez à lui, Edward. La fille, on ne peut rien pour elle, ajouta Pepe à mi-voix et en anglais.

L'aurait-il dit en espagnol que la petite ne l'aurait pas entendu, car elle s'était remise à piailler.

– Oh, non ! Ils lui ont tué son chien ! Son père et son oncle, ils ont abattu la pauvre chienne de l'homme perroquet ! gémit-elle de sa voix aigrelette et voilée.

Juan Diego savait combien sa sœur aimait les chiens. Elle ne put, ou ne voulut, en dire davantage. Elle sanglotait à fendre l'âme.

– Qu'est-ce qu'elle a encore ? demanda Bonshaw à Juan Diego.

– Vous aviez un chien, Señor Eduardo ?

Ce dernier tomba à genoux.

– Sainte Mère de miséricorde, merci de m'avoir amené ici, car c'est ma place !

– Il faut croire qu'il avait bien un chien, conclut le Dr Vargas en espagnol.

– Ce chien est mort, on l'a abattu d'un coup de fusil, lui chuchota Juan Diego, aussi bas que possible.

Entre les sanglots bruyants de Lupe et l'invocation à la Vierge Marie, on ne risquait guère d'entendre ce bref échange entre le médecin et son patient, ou ce qui s'ensuivit.

– Vous connaissez du monde, au cirque ?

– Je connais la personne à contacter, éventuellement. Il va falloir obtenir que votre mère s'engage.

Vargas s'aperçut que Juan Diego venait de fermer les yeux instinctivement.

– Ou alors, faute de rallier ta mère à l'idée, il faudra obtenir l'accord de Pepe.

– El Hombre Papagayo… tenta Juan Diego.

– Je ne suis pas l'interlocuteur rêvé pour faire avancer les choses auprès de lui, l'interrompit Vargas.

– Ils ont tué sa chienne ! Pauvre Beatrice ! sanglotait Lupe.

Malgré son parler encore plus inintelligible sous le coup de l'émotion, Edward Bonshaw saisit le nom de Beatrice.

– L'extralucidité est un don de Dieu, Pepe. Elle est vraiment douée de prescience ? C'est le mot que vous avez prononcé…

– Ne pensez plus à la petite, Señor Eduardo, dit Pepe à mi-voix et en anglais. Pensez au garçon, on peut le sauver, lui, ou l'aider à s'en sortir tout seul. Il est récupérable !

– Mais la petite sait des choses.

– Rien qui puisse lui être utile.

– L'orphelinat les accueillerait, non ?

Pepe s'inquiétait un peu de la réaction des religieuses ; il n'imaginait pas qu'elles puissent se montrer hostiles à l'égard des enfants. Leurs réserves concernaient plutôt leur mère, Esperanza, avec ses deux métiers. Il se contenta de répondre :

– Oui, Los Niños Perdidos prendra les enfants.

Il marqua un temps, ne sachant trop que dire, ni s'il devait le dire. Il avait des doutes.

Personne ne s'était aperçu que la petite avait cessé de pleurer.

– El Circo, dit-elle en désignant Pepe.

– Quoi, le cirque ? demanda son frère.

– Pepe trouve que c'est une bonne idée.

– Pepe trouve que c'est une bonne idée, leur dit Juan Diego à tous, en espagnol et en anglais.

Pourtant, Pepe n'en avait pas l'air tellement persuadé.

La conversation s'interrompit un moment. La radio prit du temps, et le diagnostic du médecin fut long à venir, ce qui n'augurait rien de bon.

Pendant qu'ils attendaient son verdict, Juan Diego décida que le Dr Vargas lui plaisait. Lupe était arrivée à une conclusion un peu différente ; elle adorait Señor Eduardo, et pas seulement à cause de ce qui était arrivé à son chien quand il avait sept ans. Elle s'était endormie, la tête sur ses genoux. Ce lien qu'elle nouait avec lui le faisait redoubler de zèle ; il ne quittait pas Pepe des yeux, comme pour lui dire : Et vous croyez qu'on ne peut pas la sauver ? Allons donc !

Seigneur ! Que de périls nous guettent en chemin, priait Pepe, car nous sommes entre des mains inconnues autant qu'insensées. Guide-nous, je T'en prie !

À ce moment-là, Vargas vint s'asseoir entre eux. Il caressa légèrement la tête de la petite dormeuse.

– Je voudrais ausculter sa gorge, rappela-t-il.

Il avait prié son infirmière de contacter une consœur qui exerçait aussi sur place ; il s'agissait du Dr Gomez, otorhinolaryngologiste. L'idéal serait qu'elle puisse examiner le larynx de Lupe. Sinon elle lui prêterait ses instruments, une lampe spéciale et un petit miroir à introduire au fond de la gorge.

– Nuestra madre, notre mère, dit Lupe. C'est sa gorge à elle, qu'il faut examiner.

– Elle dort, expliqua Rivera. Lupe parle toujours en dormant.

– Qu'est-ce qu'elle dit, Juan Diego ? demanda Pepe.

– Elle parle de notre mère, elle lit dans les pensées même en dormant, précisa Juan Diego à l'intention du Dr Vargas.

– Parlez-moi de la mère de Lupe, Frère Pepe, dit le médecin.

– Sa mère parle comme elle, mais pas tout à fait. Personne ne la comprend quand elle s'énerve ou quand elle prie. Cela dit, elle n'a pas le même âge…

Pepe se perdait dans ses explications, entre l'anglais et l'espagnol.

– Esperanza peut se faire comprendre, elle n'est pas inintelligible en permanence. Elle se prostitue occasionnellement ! lâcha-t-il après s'être assuré que Lupe dormait toujours. Tandis que cette petite fille, cette enfant innocente, n'est comprise que de son frère.

Le Dr Vargas regarda Juan Diego, qui confirma d'un hochement de tête. Rivera hochait la tête, lui aussi, mais il pleurait en même temps. Vargas lui demanda :

– Quand elle était bébé, et dans sa petite enfance, a-t-elle eu des problèmes respiratoires ?

– Elle a eu le croup… elle toussait sans arrêt, répondit Rivera entre ses sanglots.

Lorsque Pepe fit l'historique de cette maladie, Edward Bonshaw objecta :

– Il y a des tas d'enfants qui contractent le croup, non ?

– Son enrouement est très particulier. On y entend une tension caractérisée des cordes vocales, répondit lentement le Dr Vargas. Je tiens quand même à jeter un coup d'œil à sa gorge, son larynx, ses cordes vocales.

La tête de l'enfant extralucide sur ses genoux, Edward Bonshaw paraissait pétrifié. Dans la même fraction de seconde, l'énormité de ses vœux sembla à la fois l'ébranler sur ses bases et lui insuffler de la force : sa dévotion envers saint Ignace de Loyola, pour la raison démente que le saint avait été prêt à sacrifier sa vie pour empêcher une seule prostituée de pécher une seule nuit ; ces deux gamins de la décharge surdoués, au bord du salut ou du gouffre, des deux peut-être. Et maintenant, ce jeune scientifique athée qui n'avait qu'une idée en tête, examiner la gorge, le larynx et les cordes vocales de l'enfant médium. Quelle ouverture, mais aussi quel télescopage !

Sur ce, Lupe se réveilla, ou, si elle était déjà éveillée depuis un moment, elle ouvrit les yeux.

– C'est quoi, mon larynx ? Je veux pas que le Dr Vargas aille regarder dedans.

126

– Elle veut savoir ce que c'est que son larynx, traduisit Juan Diego pour le médecin.

– C'est le haut de sa trachée, où se trouvent ses cordes vocales.

– Pas question qu'on touche à ma trachée. C'est quoi, la trachée ?

– Maintenant, c'est sa trachée qui l'inquiète, traduisit Juan Diego.

– C'est le tronc commun d'un système de tubes ; l'air passe dedans, et il va et vient dans ses poumons.

– Y a des tubes dans ma gorge ?

– Il y en a dans la gorge de tout le monde, Lupe, la rassura son frère.

– Je sais pas qui c'est, ce Dr Gomez, mais en tout cas le Dr Vargas veut coucher avec elle, dit la petite à son frère. Elle est mariée et mère de famille, elle est bien plus vieille que lui, n'empêche qu'il veut coucher avec elle.

– Le Dr Gomez est une spécialiste nez-gorge-oreille, dit Juan Diego à son étrange sœur.

– Je veux bien qu'elle regarde mon larynx, mais pas le Dr Vargas, il est dégoûtant. Ça me plaît pas qu'on m'enfonce un miroir dans la gorge, ils nous réussissent pas, les miroirs, aujourd'hui.

– Elle a un peu peur, pour le miroir, résuma Juan Diego.

– Dis-lui que ça ne fait pas mal.

– Et ce qu'il veut faire au Dr Gomez, ça fait mal ? s'écria Lupe.

– Le Dr Gomez ou moi allons appuyer sur sa langue avec un tampon de gaze, pour nous permettre de voir le fond de sa gorge, tenta Vargas, mais Lupe l'interrompit :

– Je veux bien que la dame appuie sur ma langue, mais pas Vargas.

– Lupe a hâte de rencontrer le Dr Gomez, traduisit Juan Diego.

– Dr Vargas, dit Edward Bonshaw après avoir inspiré profondément, le jour qui nous conviendra à tous deux, pas aujourd'hui, bien sûr, je crois que nous devrions nous entretenir de ce que nous croyons.

La main du médecin qui avait effleuré avec une telle délicatesse l'enfant endormie se referma avec nettement plus de vigueur sur le poignet du nouveau missionnaire.

– Ce que je crois, Edward, ou Eduardo, peu importe, c'est que cette petite a quelque chose à la gorge ; c'est peut-être un problème de larynx qui affecte ses cordes vocales. Et ce gamin va boiter pour le restant de ses jours, qu'il garde son pied ou non. Voilà ce qui nous concerne, ici-bas, je veux dire.

Lorsque Edward Bonshaw souriait, sa peau claire semblait resplendir, suggérant l'idée surnaturelle qu'une lumière intérieure venait de s'allumer en lui. Quand il souriait, une ride aussi précise et foudroyante que l'éclair traversait le blanc éclatant du V parfait gravé entre ses sourcils blonds.

– Si vous voulez savoir comment je me suis fait cette cicatrice… commença-t-il, comme toujours quand il racontait son histoire.

10

Pas de juste milieu

« On se retrouvera plus tôt que tu ne crois, Juan Diego », avait dit Dorothy qui avait ajouté, énigmatique : « Pour nous aussi, c'est terminus Manille. »

Dans un accès d'hystérie, Lupe avait prédit à Juan Diego qu'ils finiraient aux Enfants perdus – une demi-vérité, en l'occurrence. Les niños de la basura – comme tout le monde, les nonnes les appelaient ainsi – apportèrent leurs affaires à l'orphelinat des jésuites. Ils menèrent une vie bien différente de celle qu'ils connaissaient sur la décharge, où seuls Rivera et Diablo les protégeaient. Les religieuses, ainsi que Frère Pepe et Señor Eduardo, allaient veiller plus étroitement sur eux.

Ce fut un crève-cœur pour Rivera de se voir remplacé, mais Esperanza l'avait catalogué comme un connard, et Lupe ne lui pardonnait pas de n'avoir pas fait réparer le rétroviseur cassé. Elle prétendit que seuls lui manqueraient Diablo et Blanc Sale, mais les autres chiens de Guerrero et de la décharge lui manqueraient aussi, et même les chiens morts. D'ordinaire, elle brûlait ces derniers avec l'aide de son frère et de Rivera, et, malgré ce qu'elle avait dit, El Jefe allait lui manquer aussi.

Frère Pepe avait vu juste : les religieuses s'étaient habituées aux enfants, bon gré mal gré. C'était Esperanza, leur mère, qui leur faisait piquer des crises, mais elle en faisait piquer à tout le monde, y compris au Dr Gomez, l'ORL, femme charmante qui n'était pour rien dans les intentions libidineuses du Dr Vargas à son endroit.

Lupe s'était d'emblée prise d'amitié pour le Dr Gomez, alors même que celle-ci l'auscultait, le Dr Vargas s'étant éloigné par discrétion. L'ORL, qui avait une fille de l'âge de Lupe, savait parler aux adolescentes.

– Tu sais ce qu'elles ont de spécial, les pattes du canard ? demanda le Dr Gomez, Marisol de son prénom.

– Ils nagent mieux qu'ils marchent, ils ont une peau qui pousse entre leurs doigts.

Quand Juan Diego eut traduit ce que Lupe venait de dire, le Dr Gomez répondit :

– Les canards ont des pattes palmées. Une membrane couvre leurs doigts ; ça s'appelle leur palme. Toi, tu as une palmure du larynx congénitale. Congénitale, ça veut dire que tu es née avec. Ton larynx est palmé. C'est rudement rare, c'est vraiment original – ça concerne un enfant sur dix mille. Tu te rends compte à quel point tu es exceptionnelle, Lupe ?

Lupe haussa les épaules.

– C'est pas mon larynx palmé qui est original, chez moi. Je sais des trucs que je devrais pas savoir.

– Lupe est parfois médium, commenta Juan Diego, c'est rare qu'elle se trompe sur le passé, mais elle est moins fiable pour l'avenir.

Marisol se tourna vers Vargas.

– Qu'est-ce qu'il veut dire ?

– C'est pas à Vargas qu'il faut le demander, dit Lupe. Lui, il veut coucher avec vous. Il sait que vous êtes mariée, que vous avez des enfants, et que vous êtes bien trop vieille pour lui, et pourtant il y pense. Il pense même qu'à ça.

– De quoi parle-t-elle, Juan Diego ?

Eh merde, après tout ! pensa le gamin. Il traduisit in extenso au Dr Gomez ce que sa sœur venait de dire.

– La petite est télépathe, expliqua Vargas quand Juan Diego eut fini. Je cherchais comment vous le dire, Marisol, mais sans témoins, à supposer que j'en aie le courage.

– Lupe a vu ce qui était arrivé à son chien, dit Frère Pepe en désignant Edward Bonshaw.

Il essayait de détourner la conversation.

– Lupe voit ce qui est arrivé à tout le monde ou presque, et elle lit dans les pensées de tout le monde ou presque, précisa Juan Diego.

– Et même quand elle dort, ajouta Vargas. Je ne crois pas que la palmure de son larynx y soit pour quelque chose.

– On ne comprend rien de ce qu'elle dit. La palmure du larynx

130

explique la hauteur de sa voix, son enrouement, mais pas qu'elle soit incompréhensible, sauf pour toi, acheva le médecin à l'adresse de Juan Diego.

– C'est joli, ce nom, Marisol. Parle-lui de notre mère demeurée. Dis-lui de lui examiner la gorge, elle a plus de problèmes que moi de ce côté-là. Dis-lui, au Dr Gomez, intima Lupe.

Juan Diego s'exécuta.

– Tu n'as aucun problème, Lupe, la palmure du larynx n'est pas une marque de retard. C'est un phénomène rare, voilà tout.

– Parmi les choses que je sais, il y en a qui ne sont pas bonnes à savoir, dit Lupe.

Juan Diego s'abstint de traduire.

– Dix pour cent des enfants qui ont une palmure du larynx souffrent d'anomalies congénitales associées, commenta le Dr Gomez à l'intention du Dr Vargas, qu'elle évita toutefois de regarder.

– Expliquez-moi le mot « anomalies », dit Lupe, ce que Juan Diego traduisit.

– Des irrégularités, des déviations de la norme, dit le Dr Gomez.

– Des choses qui ne sont pas normales, expliqua le Dr Vargas à Lupe.

– Je suis moins anormale que vous ! lui répondit Lupe.

– Mieux vaut ne pas traduire, je suppose, dit Vargas à Juan Diego.

– Je vais examiner la gorge de sa mère, annonça le Dr Gomez en s'adressant à Pepe plutôt qu'à Vargas. Il faut que je lui parle, de toute façon, parce qu'il y a plusieurs interventions possibles quant à la palmure de Lupe…

La jolie mère de famille au physique juvénile n'alla pas plus loin.

– Elle est à moi, cette palmure du larynx ! Personne ne touche à mes anomalies ! cria Lupe en foudroyant Vargas du regard.

Quand Juan Diego eut répété cette déclaration mot pour mot, le Dr Gomez conclut :

– C'est une possibilité parmi d'autres. Et je vais examiner la gorge de la mère. Je serais bien étonnée d'y trouver une palmure.

Frère Pepe partit chercher Esperanza, car Vargas voulait lui expliquer les choix possibles au sujet de son fils. Des choix, la radio allait le confirmer, il n'y en avait guère. Le pied était inopérable. Il allait guérir tel quel et demeurer ainsi toute sa vie : déformé, mais irrigué par un afflux de sang suffisant. Les premiers temps, Juan Diego devrait éviter de soulever des poids. D'abord il serait en fauteuil roulant, ensuite il marcherait avec des béquilles, et puis il boiterait.

Quant à la gorge d'Esperanza, c'était une tout autre histoire. Aucune palmure du larynx chez elle, mais un prélèvement révéla une gonorrhée. Elle était porteuse du gonocoque dans sa gorge. Le Dr Gomez lui expliqua que, dans quatre-vingt-dix pour cent des cas, les gonorrhées du pharynx sont indétectables parce qu'elles ne s'accompagnent d'aucun symptôme.

Esperanza voulut savoir ce qu'était le pharynx et où il se trouvait.

– C'est la partie au fond de la bouche où communiquent les fosses nasales, l'œsophage et la trachée, lui répondit l'ORL.

Lupe n'assistait pas à cette conversation, mais Frère Pepe avait permis à Juan Diego d'être là, car il savait que si sa mère s'agitait ou disjonctait, il serait le seul à la comprendre. Elle avait cependant pris la chose avec philosophie. Ce n'était pas la première fois qu'elle contractait une gonorrhée, mais elle ne se doutait pas qu'elle s'était installée dans sa gorge.

– Señora Chtouille, dit-elle en haussant les épaules.

On voyait tout de suite d'où Lupe tenait ce geste, même si sa mère ne lui avait pas légué grand-chose d'autre, du moins Frère Pepe l'espérait-il.

– Le problème de la fellation, expliqua le Dr Gomez à Esperanza, c'est que le bout de l'urètre entre en contact avec le pharynx. Et là, les ennuis commencent.

– Fellation ? Urètre ? demanda Juan Diego au Dr Gomez, qui secoua la tête.

– Une pipe, et le trou au bout de ta bite, expliqua Esperanza à son fils avec agacement.

Frère Pepe se félicita que Lupe ne soit pas là. La petite attendait dans une salle attenante avec le nouveau missionnaire. Il fut également soulagé que ce dernier n'entende pas la conversation, même en espagnol. Mais il se ferait un devoir de lui en rendre compte, avec l'aide de Juan Diego, dans les moindres détails.

– Amusez-vous à dire au client qu'il faut qu'il mette un préservatif quand on lui fait une pipe ! dit Esperanza au médecin.

– Un préservatif ? demanda Juan Diego.

– Une capote ! lui cria Esperanza, exaspérée. Mais qu'est-ce qu'on leur apprend, chez les nonnes ? Il sait rien, ce gosse !

– Il sait lire, lui. Bientôt il saura tout, lui dit Frère Pepe, qui n'ignorait pas qu'elle était analphabète.

– Je peux vous prescrire un antibiotique, proposa le Dr Gomez, mais vous allez être contaminée de nouveau en un rien de temps.

– Donnez-moi déjà l'antibiotique. Évidemment, que je vais me faire contaminer de nouveau, vu que je fais le tapin.

– Est-ce que Lupe lit dans vos pensées, aussi ? demanda le médecin à Esperanza, qui donnait des signes d'agitation croissante.

Juan Diego ne dit rien. Il aimait bien le Dr Gomez, et refusait de lui répercuter les saletés et les invectives que sa mère s'était mise à cracher.

– Dis-lui, à cette connasse de médecin !

– Pardon, Dr Gomez, mais je ne comprends pas ma mère. C'est une folle furieuse, elle raconte des horreurs dans son délire.

– Dis-lui, petit salaud ! cria Esperanza.

Elle se mit à frapper son fils, et Frère Pepe s'interposa.

– Ne me touche pas, dit Juan Diego à sa mère. Ne t'approche pas de moi, tu es contaminée. Contaminée !

Tel fut peut-être le mot qui tira Juan Diego de son rêve décousu. À moins que ce ne fût le bruit du train d'atterrissage qui sortait de l'avion, car son vol Cathay Pacific avait entamé sa descente. Il allait bientôt atterrir à Manille, où sa « vraie » vie, ou ce qui en tenait lieu présentement, l'attendait.

Il avait beau aimer rêver, il n'était pas fâché de se réveiller quand il rêvait de sa mère. Si les bêtabloquants ne le faisaient pas déjanter, elle s'en chargeait. En tant que mère, elle portait bien mal son nom. Les nonnes l'avaient d'ailleurs rebaptisée Desesperanza, désespérance – derrière son dos, il est vrai. Parfois même, elles la nommaient Desesperación, désespoir, pour exprimer leur absolu découragement. Malgré ses quatorze ans, Juan Diego était l'adulte de la famille, avec sa petite sœur clairvoyante. Esperanza était restée une enfant à tous égards, et surtout aux yeux des siens, sauf dans le domaine érotique. Mais quelle mère voudrait que sa progéniture voie en elle une incarnation du sexe ?

Elle ne s'habillait jamais comme une femme de ménage ; ses

vêtements évoquaient toujours ses activités nocturnes sur la calle Zaragoza et à l'hôtel Somega, « la boîte à putes », comme disait Rivera. Elle s'habillait de manière enfantine, ou infantile – provocation sexuelle en prime.

Pour l'argent, elle était aussi peu mature. Les orphelins de Los Niños Perdidos n'avaient pas le droit d'en avoir, ce qui n'empêchait pas Juan Diego et Lupe d'en thésauriser. (Un charognard des décharges restera toujours charognard ; les pepenadores gardent toujours avec eux le produit de leurs fouilles, bien longtemps après qu'ils ont cessé de récupérer l'alu, le cuivre ou le verre.) Ils cachaient astucieusement leur argent dans leur chambre ; les religieuses ne le trouvaient jamais.

Esperanza, si. Et elle leur en volait quand elle en avait besoin. Mais elle les remboursait à sa manière. De temps en temps, quand la nuit avait été lucrative, elle glissait des billets sous l'oreiller de sa fille ou de son fils, qui reniflaient toujours avant les nonnes l'argent que leur mère avait déposé : son parfum vendait la mèche.

– Lo siento, madre, dit tout bas Juan Diego au moment où son avion atterrissait à Manille.

À quatorze ans, il n'était pas encore capable d'éprouver de la compassion pour elle, pour l'enfant ou l'adulte qu'elle était.

Chez les jésuites, et surtout pour le Père Alfonso et le Père Octavio, le mot « charité » était un mot clé. C'était par charité qu'ils avaient engagé une prostituée comme femme de ménage, pour lui offrir « une deuxième chance ».

Eh oui, c'était bien par charité jésuite que les niños de la basura s'étaient vu accorder le statut d'orphelins ; car enfin, ils avaient une mère, pour irresponsable qu'elle fût. Le Père Alfonso et le Père Octavio étaient à coup sûr convaincus d'avoir fait preuve d'une charité exceptionnelle en allouant à Juan Diego et à Lupe une chambre et une salle de bains pour eux seuls – sans prendre en compte le fait que la petite dépendait de son frère comme interprète. Les deux vieux prêtres se figuraient-ils ce qu'elle deviendrait sans lui ?

Les autres orphelins occupaient des dortoirs séparés, y compris lorsqu'ils étaient frère et sœur ; les garçons à un étage, les filles à un autre, avec des sanitaires communs pour chaque sexe, mais de plus grands miroirs chez les filles. Leur parentèle, s'il leur en restait, n'avait pas la permission de monter dans les dortoirs lors des visites, tandis qu'Esperanza pouvait aller voir Juan Diego et Lupe dans leur chambre, aménagée au sein d'une ancienne bibliothèque dite « salle de lecture pour les chercheurs de passage ». La plupart des livres étaient encore sur les rayons qu'Esperanza époussetait, car, on le répétait à satiété, c'était une femme de ménage des plus consciencieuses.

Bien entendu, il aurait été malvenu de la séparer de ses enfants ; elle avait elle-même sa chambre à l'orphelinat, dans l'aile des domestiques. Seules les femmes y étaient logées, peut-être pour protéger les enfants, ce qui ne les empêchait pas d'être farouchement convaincues – Esperanza la première, et elle ne mâchait pas ses mots – que c'était surtout des prêtres, ces maniaques de la chasteté, qu'il fallait les protéger.

Personne, pas même Esperanza, n'aurait accusé le Père Octavio ou le Père Alfonso de cette pédophilie répandue dans le clergé et qui a fait couler tellement d'encre ; personne ne croyait les orphelins en danger auprès d'eux. Quand les bonnes parlaient des enfants victimes de prêtres censés être chastes, elles évoquaient la chasteté contre nature chez les hommes. Sans aller jusqu'à dire qu'elle était naturelle chez les nonnes, plus d'une femme de service les aurait enviées de ne pas avoir à coucher.

Il n'y avait qu'Esperanza pour décocher « Forcément, regardez-les, qui voudrait les baiser ? », flèche acérée autant qu'injuste, comme bien des propos d'Esperanza. Comme on l'imagine, le sujet de la chasteté – contre nature ou pas – ne manquait pas d'apparaître dans les nombreux débats nocturnes entre Frère Pepe et Edward Bonshaw.

Le missionnaire s'efforçait de rire de ses flagellations, disant à Juan Diego que c'était une bonne chose qu'il ait une chambre pour lui seul. Mais Juan Diego savait que le flagellant partageait sa salle de bains avec Frère Pepe : celui-ci trouvait-il des traces du sang du missionnaire dans la baignoire ou sur les serviettes ? Tout en étant pour sa part hostile aux mortifications de la chair, Pepe jugeait amusant que le Père Alfonso et le Père Octavio, qui sur les autres sujets s'estimaient supérieurs au jeune Américain, louent ses pratiques douloureuses.

– C'est très XIIe siècle ! se pâmait le Père Alfonso.
– Le rite est digne d'être perpétué, renchérissait le Père Octavio.

Quel courage ! pensaient les deux jésuites, en dépit de leurs réserves sur sa personne.

Et, toujours au grand amusement de Pepe, ils continuaient de critiquer ses chemises hawaïennes flottantes sans même songer que les perroquets polynésiens sur fond de jungle, avec leurs couleurs tapageuses, cachaient ses saignements permanents.

La salle de bains qu'ils partageaient ainsi que la proximité immédiate de leurs chambres faisaient de Pepe et d'Eduardo des colocataires improbables à l'étage même où les gamins de la décharge dormaient dans l'ancienne salle de lecture. Ils percevaient sans nul doute les allées et venues d'Esperanza, qui passait autour de minuit ou aux petites heures du matin, plus comme un fantôme que comme une vraie mère. Pourtant, la femme de chair avait de quoi déconcerter ces deux hommes qui avaient fait vœu de chasteté, et, de son côté, elle devait parfois entendre Edward Bonshaw se flageller.

Elle était bien placée pour savoir que les planchers de l'orphelinat étaient propres, puisque c'était elle qui les briquait. Par conséquent, quand elle venait voir ses enfants, à des heures où tout le monde dormait, elle marchait pieds nus pour ne pas faire de bruit. Oui, elle venait embrasser ses enfants dans leur sommeil, et en cela elle ressemblait aux autres mères. Elle venait aussi les voler, ou déposer quelques sous parfumés sous leur oreiller. Mais le but principal de ces visites silencieuses était d'occuper leur salle de bains. Elle avait sans doute besoin d'un peu d'intimité, car elle devait en manquer aussi bien à l'hôtel Somega que dans l'aile des domestiques à l'orphelinat, et aspirait à prendre un bain seule. Et qui sait comment les autres bonnes la traitaient ? Avaient-elles envie de partager leurs sanitaires avec une putain ?

Rivera avait laissé son levier de vitesse en marche arrière, et il avait roulé sur le pied de Juan Diego ; à cause de ce rétroviseur latéral cassé, les gamins de la décharge dormaient désormais dans l'ancienne bibliothèque de l'orphelinat. Et parce que leur mère y était femme de ménage – et se prostituait ailleurs –, elle hantait l'étage même où le nouveau missionnaire vivait.

Ces dispositions n'auraient-elles pas pu durer ? Cette donne n'aurait-elle pu convenir à toutes les parties ? Pourquoi les enfants n'auraient-ils pas préféré au bout du compte vivre à l'orphelinat plutôt que dans leur bicoque sur la décharge, à Guerrero ? Quant à Esperanza, cette beauté du diable, et Edward Bonshaw, ce flagellant infatigable, est-il absurde d'imaginer qu'ils auraient pu profiter de quelques enseignements mutuels ?

Edward Bonshaw aurait gagné à entendre ce qu'Esperanza pensait de la chasteté et de la flagellation, et il est clair qu'elle aurait eu à dire sur son désir de sacrifier sa vie pour les péchés d'une seule prostituée en une seule nuit.

De son côté, il aurait pu lui demander pourquoi elle se prostituait encore : n'avait-elle pas un emploi, un toit au-dessus de sa tête ? Était-ce par vanité ? Lui importait-il davantage d'être désirée que d'être aimée ?

Mais l'un comme l'autre n'étaient-ils pas extrémistes ? Un juste milieu aurait peut-être eu ses vertus.

Lors d'une de leurs nombreuses conversations nocturnes, Frère Pepe présenta les choses en ces termes à Eduardo :

– Dieu de miséricorde, il doit bien y avoir un moyen terme pour que vous puissiez prévenir les péchés d'une seule prostituée en une seule nuit sans sacrifier votre vie pour autant !

Mais ce problème ne serait pas résolu ; jamais Edward Bonshaw n'explorerait le moyen terme.

Ils ne vivraient pas assez longtemps ensemble, tous autant qu'ils étaient, pour savoir ce qui aurait pu advenir.

La faute au mécréant, à l'humaniste laïc, ennemi juré du catholicisme. Ils auraient pu avoir une petite vie tranquille, orphelins sans l'être, orphelins avec privilèges en tout cas.

L'histoire aurait pu connaître un dénouement heureux.

Mais Vargas avait prononcé le mot « cirque », il en avait semé les graines. Or quel enfant n'aime pas le cirque, ou ne se figure pas l'aimer ?

11

L'arnaque aux stigmates

Lorsque les gamins de la décharge avaient quitté leur bicoque de Guerrero pour Les Enfants perdus, ils avaient emporté presque autant de pistolets à eau que de vêtements. Bien entendu, les nonnes allaient les leur confisquer, mais Lupe ne les laissa trouver que ceux qui ne marchaient plus et elles ne surent jamais à quoi ils servaient.

Juan Diego et Lupe s'étaient entraînés sur Rivera, se disant que s'ils arrivaient à le berner, l'arnaque aux stigmates prendrait avec tout le monde. Mais ils ne le bernèrent pas longtemps ; il faisait la différence entre le vrai sang et le faux. Et puis c'était lui qui achetait les betteraves que Lupe lui réclamait jour après jour.

Les enfants remplissaient les pistolets de jus de betterave allongé d'eau, à quoi Juan Diego mêlait un peu de salive : selon lui, ça donnait une texture plus proche de celle du sang. « Explique texture », demandait Lupe.

L'arnaque fonctionnait comme suit : Juan Diego cachait le pistolet chargé sous la ceinture de son pantalon, avec sa chemise flottant par-dessus. Le plus sûr était de viser la chaussure de la victime, qui ne sentait pas le liquide se répandre, sauf lorsqu'elle portait des sandales.

Les femmes, Juan Diego aimait bien les asperger par-derrière, sur le mollet. Le temps qu'elles tournent la tête, il avait déjà caché le pistolet. C'est alors que Lupe se mettait à babiller, désignant du doigt la zone qui saignait, puis le ciel. Car si le sang venait du ciel, alors sa source ne pouvait être que l'éternelle demeure de Dieu et des Bienheureux. « Elle dit que c'est un miracle ! » traduisait Juan Diego. Il lui arrivait aussi de tenir des propos équivoques : « Non, pardon, c'est soit un miracle, soit un saignement normal. »

Mais déjà Lupe se penchait, le chiffon dans sa petite main.

Miraculeux ou non, elle essuyait le sang sur la chaussure ou le mollet avant que la victime ait pu réagir. Si on leur offrait de l'argent, les enfants protestaient. Ils refusaient toujours d'être rémunérés pour avoir fait observer le miracle ou pour essuyer le sang sacré – voire pas sacré du tout. Disons plutôt qu'ils *commençaient* par décliner ; ils ne mendiaient pas, eux.

Après l'accident, Juan Diego découvrit qu'il pouvait mettre à profit le fauteuil roulant, qui offrait plus de cachettes pour le pistolet et lui laissait les mains libres pour empocher, non sans réticence, le dédommagement. En revanche, les béquilles étaient malcommodes puisqu'il devait en lâcher une pour tendre la main. C'était alors plutôt Lupe qui prenait l'argent malgré ses scrupules, et jamais de la main qui avait essuyé le sang, bien sûr.

Quand Juan Diego en fut au stade de la claudication, ils se mirent à improviser. En général, Lupe cédait bon gré mal gré aux instances des hommes qui tenaient à la récompenser ; quand leurs victimes étaient des femmes, Juan Diego découvrit qu'un garçon infirme suscitait plus de sympathie qu'une fillette agressive.

Ils réservaient le mot « stigmate » aux occasions à hauts risques où Juan Diego osait viser la main du « client » potentiel. Il le faisait toujours par-derrière. Lorsqu'on marche, on a souvent les bras ballants, paumes ouvertes vers l'arrière.

Et quand on voit tout à coup apparaître une giclée de sang rouge betterave sur sa main, et qu'une petite fille se jette à genoux à vos pieds en s'en barbouillant le visage d'un air extatique, il y a des chances qu'on se laisse gagner plus que d'ordinaire par la foi. C'est alors que le jeune infirme criait le mot « stigmate », en espagnol et en anglais, car il y avait des touristes dans le Zócalo.

La seule fois où les enfants réussirent à rouler Rivera, ce fut avec le coup du jet sur la chaussure. Il leva les yeux vers le ciel, mais pas pour y chercher une manifestation divine.

– Peut-être qu'il y a un oiseau qui saigne ! dit-il simplement.

Le jet sur la main ne le trompa pas davantage. Quand il vit Lupe se barbouiller du « sang » de sa main, il la lui retira calmement, et quand Juan Diego se mit à crier le mot « stigmate », le patron de la décharge lécha sa paume.

– Los betabeles, dit-il en souriant à Lupe. Les betteraves.

140

L'avion venait d'atterrir aux Philippines. Juan Diego enveloppa un morceau de muffin au thé vert dans une serviette en papier, qu'il fourra dans la poche de sa veste. Les passagers s'étaient levés pour rassembler leurs affaires, moment toujours délicat pour un infirme. Pourtant, l'esprit de Juan Diego vagabondait. Lupe et lui étaient alors des adolescents, ils patrouillaient le Zócalo, au cœur de Oaxaca, repérant le touriste naïf et l'infortuné natif susceptibles de croire que, depuis ses hauteurs invisibles, un Dieu nébuleux leur avait accordé la grâce d'un saignement spontané.

Comme toujours et partout, même à Manille, ce fut une femme qui eut pitié de ce monsieur d'âge mûr qui boitait.

– Je peux vous aider ? lui demanda cette jeune mère.

Elle voyageait avec deux enfants en bas âge, une petite fille et son frère encore bambin. Elle avait donc les mains prises, mais tel était l'effet du handicap de Juan Diego sur les femmes, en particulier.

– Oh non, merci beaucoup, je vais me débrouiller tout seul, lui répondit-il aussitôt.

La jeune mère sourit, visiblement soulagée. Ses enfants continuèrent de regarder fixement la patte folle de Juan Diego, médusés comme tous les gosses par l'angle de son pied.

À Oaxaca, se souvenait Juan Diego, ils avaient appris la circonspection dans le Zócalo, interdit aux voitures mais infesté de mendiants et de vendeurs à la sauvette. Les mendiants avaient parfois un sens aigu de leur territoire ; quant aux vendeurs, l'un d'entre eux, marchand de ballons, avait repéré leur arnaque sans qu'ils s'en aperçoivent. Un jour, il donna un ballon à Lupe, et dit en regardant Juan Diego :

– J'aime bien son style, à elle. Toi tu te fais trop voir, mon petit cracheur de sang.

Il portait un lacet de cuir maculé de sueur autour du cou, sorte de collier brut auquel était attachée une patte de corbeau qu'il touchait en parlant comme on toucherait un talisman.

– Du sang, j'en ai vu du vrai dans le Zócalo, il faudrait pas que des malveillants s'aperçoivent de votre petit jeu. Ils voudraient pas de toi, mais elle, ils la prendraient, dit-il en désignant la petite de sa patte de corbeau.

– Il sait d'où on vient, c'est lui qui, sur le basurero, a abattu le corbeau dont il a gardé la patte, dit Lupe à Juan Diego. Le ballon qu'il m'a donné, il est percé, il fuit. Demain, il sera tout dégonflé.

– J'aime bien son style, répéta le marchand à Juan Diego.

Il donna un second ballon à Lupe.

– Dans celui-là, il y a pas de trou, il fuit pas. Mais demain, qui sait. J'ai pas abattu que des corbeaux, sur le basurero, petite sœur…

Les enfants prirent peur parce que le vendeur louche avait compris Lupe sans avoir besoin de traduction.

– Il tue les chiens, il en a tué sur la décharge, et beaucoup ! cria Lupe.

Elle lâcha les deux ballons, qui étaient à l'hélium et montèrent très haut, même celui qui était percé. Après cet épisode, le Zócalo ne fut plus jamais le même. Les enfants se méfièrent de tout le monde.

À la terrasse du Marquès del Valle, l'hôtel favori des touristes, un serveur les avait repérés ; il avait vu le coup des stigmates, ou bien le marchand de ballons le lui avait raconté. Il les avertit donc d'un air sournois qu'il pourrait cafter aux religieuses.

– Vous n'avez rien à confesser au Père Alfonso ou au Père Octavio, vous deux ?

– Et qu'est-ce que vous pourriez leur raconter, aux nonnes ?

– C'est du faux sang que je parle, voilà ce que vous avez à confesser.

– Mais vous dites que vous pourriez nous dénoncer, vous allez le faire, oui ou non ?

– Moi je vis des pourboires, répondit l'autre.

C'est ainsi que les enfants perdirent leur meilleur emplacement et durent passer au large du Marquès del Valle, où un serveur opportuniste réclamait son bakchich.

Lupe décréta que ça leur porterait malheur de fréquenter les abords de l'hôtel, de toute façon, parce qu'un des touristes qui s'étaient laissé berner par leur jus de betterave avait sauté du balcon du cinquième étage. Ce suicide était intervenu peu après que l'homme avait donné un pourboire très généreux à la petite, qui avait essuyé le sang sur sa chaussure. Il faisait partie de ces âmes sensibles qui ignoraient les scrupules des enfants ; il avait spontanément tendu une belle somme à Lupe.

– Ce type ne s'est pas tué parce que sa chaussure s'était mise à saigner, voyons, Lupe, avait expliqué Juan Diego.

142

Mais la petite n'avait pas la conscience tranquille.

– Je le savais qu'il était triste. Je voyais bien que sa vie était moche.

Juan Diego n'était pas mécontent d'éviter l'hôtel ; il le détestait déjà avant la rencontre avec le serveur rapace. «Marquès del Valle», c'était le titre que Cortès s'était arrogé en arrivant, et Juan Diego se méfiait de tout ce qui concernait la Conquête espagnole, catholicisme compris. Oaxaca avait joué un rôle essentiel dans la civilisation zapotèque. Lui et sa sœur se considéraient comme Zapotèques et détestaient Cortès. «Nous sommes les enfants de Benito Juarez, pas les siens», disait volontiers Lupe. Eux, ils étaient indigènes.

L'État de Oaxaca voit converger deux chaînes de la Sierra Madre. Mis à part l'Église toujours prosélyte et soucieuse d'étendre son influence, les Espagnols ne s'y intéressèrent jamais beaucoup, sauf pour planter le café dans les montagnes. Puis, comme attirés par les dieux zapotèques, deux tremblements de terre devaient détruire la cité de Oaxaca, capitale de l'État, l'un en 1834 et l'autre en 1931.

Ces faits historiques étaient à l'origine de l'obsession de Lupe. Elle qui répétait à tout propos et hors de propos : «No es buen momento para un terremoto», c'est pas le moment qu'on se prenne un tremblement de terre, appelait pourtant de ses vœux le troisième, celui qui détruirait Oaxaca et ses cent mille habitants, ne serait-ce qu'à cause de la tristesse du touriste suicidaire au Marquès del Valle, ou des méfaits de l'homme aux ballons, tueur de chiens impénitent. Or, selon elle, quiconque tuait des chiens méritait la mort.

– Un tremblement de terre, carrément, Lupe ? Et nous alors ? On mérite tous de mourir ? demandait Juan Diego.

– On ferait mieux de quitter la ville, enfin, toi en tout cas. Parce que le troisième, on va y avoir droit. Tu ferais mieux de quitter le Mexique.

– Et pas toi ? Toi, tu vas rester ? Pourquoi ?

– C'est comme ça. Moi je reste à Oaxaca. C'est comme ça.

Juan Diego Guerrero, romancier de son état, en était là de ses réflexions quand il arriva pour la première fois à Manille, distrait et désorienté. Une jeune femme avec deux enfants en bas âge avait eu la bonne idée de lui proposer son aide, et lui, il avait eu la mauvaise idée de lui répondre qu'il allait s'en sortir tout seul. Il la retrouva aux bagages, avec ses deux enfants et ses bonnes intentions. Les sacs se bousculaient sur le tapis roulant, et les gens allaient et venaient, y compris certains qui n'avaient rien à faire là. Juan Diego oubliait à quel point il semblait vulnérable au milieu d'une foule, mais la jeune femme avait forcément remarqué ce qui était flagrant pour tout le monde : cet infirme distingué paraissait perdu.

– Il règne une pagaille terrible à l'aéroport. Est-ce que quelqu'un vient vous chercher ? lui demanda-t-elle.

Quoique philippine, elle parlait un anglais excellent ; quant à ses enfants, il ne les avait entendus parler qu'en tagalog, mais ils avaient l'air de comprendre ce que leur mère lui disait.

– Est-ce qu'on vient me chercher ? répéta Juan Diego.

Même ça, il n'en sait rien ? avait dû penser la jeune mère.

Il ouvrit le compartiment de son sac où l'itinéraire était glissé ; il lui faudrait ensuite farfouiller dans la poche de sa veste pour y prendre ses lunettes, comme il l'avait fait à JFK, dans le salon des premières de British Airways, le jour où Miriam lui avait retiré le papier des mains. Et voilà qu'il présentait une fois de plus toute l'apparence du voyageur novice. Encore heureux qu'il n'ait pas dit à la jeune Philippine comme à Miriam : « Je trouvais que je partais trop loin pour emporter mon ordinateur. » Quelle imbécillité ! songeait-il à présent, comme si la distance faisait quelque chose à l'affaire.

Clark French, son ancien élève qui ne doutait de rien, avait organisé son voyage pour lui. Sans consulter l'itinéraire, Juan Diego aurait été incapable de se rappeler quelles dispositions avaient été prises, sinon que Miriam avait critiqué le choix des hôtels, et qu'elle lui en avait conseillé d'autres pour son second séjour. Il se souvenait sur quel ton cette femme si sagace lui avait dit « Croyez-moi ». Tout en cherchant ses lunettes, il essayait de s'expliquer pourquoi il ne la croyait pas. Alors même qu'il la désirait.

Il vit qu'il allait descendre au Shangri-La de Makati et s'en alarma tout d'abord, ne sachant pas que cette ville faisait partie de la métropole de Manille. Et comme il repartait le lendemain pour Bohol, personne de sa connaissance ne venait le chercher à l'aéroport, pas même un membre de la famille de Clark French.

Son itinéraire lui révéla pourtant qu'il serait attendu à l'aéroport par un chauffeur professionnel, « et personne d'autre », avait écrit Clark.

144

– Un chauffeur et personne d'autre, répondit enfin Juan Diego à la jeune Philippine.

Elle dit quelques mots en tagalog à ses enfants, tout en leur désignant sur le tapis roulant un énorme sac à la forme bizarre ; au coude que décrivait le tapis, le mastodonte fit dégringoler ses congénères ; les enfants se mirent à rire de ce sac bouffi. On aurait pu y loger deux labradors, pensait Juan Diego, et comme c'était le sien, il lui fit honte. Un sac aussi moche et aussi encombrant vous classait irrémédiablement parmi les voyageurs novices, une fois de plus. Il était orange, de cet orange fluo que porte le chasseur pour ne pas être pris pour un animal, de cet orange gueulard des cônes qui indiquent la présence de travaux sur la voie publique. La vendeuse avait réussi à le lui fourguer en affirmant que ses compagnons de voyage ne risqueraient pas de le confondre avec le leur. Un sac comme celui-là, il n'y en aurait pas deux.

À l'instant même où la mère de famille et ses enfants hilares commençaient à se douter que ce sac-boulet lui appartenait, il pensa à Señor Eduardo, qui avait vu abattre sa chienne labrador à un âge où tout vous marque. Il eut les larmes aux yeux à l'idée que ce sac hideux était assez grand pour héberger deux Beatrice bien-aimées d'Edward Bonshaw.

Il est fréquent que les larmes des adultes prêtent à confusion. Qui peut savoir quelle période de leur existence ils sont en train de revivre ? La maman charitable et ses deux enfants durent croire que le boiteux pleurait parce qu'ils venaient de se moquer de son bagage. Le malentendu ne s'arrêterait pas là. La pagaille régnait en effet dans cette zone de l'aéroport où amis et familles, sans compter les chauffeurs professionnels, venaient attendre les passagers. La jeune mère proposa donc de rouler le cercueil canin biplace tandis que Juan Diego se coltinait la valise qu'elle venait de lui confier ainsi que son propre bagage à main. Quant aux enfants, qui portaient de petits sacs à dos, ils se partageaient le sac-cabine de leur mère. Juan Diego dut dire son nom à cette dame serviable pour qu'ils repèrent son chauffeur, qui porterait une pancarte indiquant *Juan Diego Guerrero*. Or la pancarte annonçait *Señor Guerrero*. Si Juan Diego ne sut que penser, la jeune femme comprit tout de suite qu'il s'agissait de son chauffeur.

– C'est vous, n'est-ce pas ? lui dit cette patiente créature.

Il aurait eu du mal à lui expliquer pourquoi son propre nom l'avait laissé perplexe, mais il finit par comprendre le contexte où il se trouvait. S'il n'était pas né « Señor Guerrero », il était bel et bien le Guerrero qu'attendait le chauffeur.

– C'est vous, l'écrivain, n'est-ce pas ? Vous êtes bien le Juan Diego Guerrero écrivain ? lui demanda le chauffeur, beau gosse.

– En effet, lui répondit-il.

Il n'aurait pas voulu que la jeune mère se sente coupable de ne pas savoir qui il était. Mais lorsqu'il la chercha des yeux, elle et ses enfants avaient disparu. Elle s'était éclipsée sans savoir qu'il était Juan Diego Guerrero l'écrivain. Et c'était tant mieux, car elle avait accompli sa bonne action pour l'année.

– Je dois mon nom à un écrivain, annonça son jeune chauffeur, qui eut du mal à soulever ce sac inavouable pour le placer dans le coffre de la limousine. Bienvenido Santos. Vous avez lu son œuvre ?

– Non, mais j'en ai entendu parler.

J'aurais horreur qu'on dise ça de moi ! songea-t-il.

– Vous pouvez m'appeler Ben. Il y a des gens qui trouvent Bienvenido bizarre.

– Moi j'aime bien.

– Je vais être votre chauffeur pour tous vos déplacements dans Manille, pas seulement jusqu'à votre hôtel. Votre ancien élève me l'a demandé ; c'est lui qui m'a dit que vous étiez écrivain. Désolé, je n'ai pas lu vos livres. Je ne sais pas si vous êtes connu.

– Je ne le suis pas, s'empressa de répondre Juan Diego.

– Bienvenido Santos est célèbre, il était célèbre ici, du moins. Il est mort, à présent. J'ai lu tous ses livres, ils sont rudement bien. Mais je pense qu'on a tort de donner le nom d'un écrivain à son gosse. Toute mon enfance j'ai su qu'il fallait que je lise les bouquins de ce Mr Santos et il y en avait un tas. Vous vous rendez compte, si je les avais détestés ? Ou bien si je n'avais pas aimé la lecture ? C'est lourd à porter.

– Je vous comprends.

– Vous avez des enfants ?

– Non.

La réponse n'était pas si simple. C'était une autre histoire, et il n'aimait pas y penser.

146

– Si j'en ai un jour, je ne leur donnerai pas le nom d'un écrivain, ajouta-t-il simplement.

– Je connais déjà l'une de vos destinations ici, dit le chauffeur. J'ai cru comprendre que vous voulez vous rendre au Cimetière et Mémorial américain de Manille.

– Pas à l'aller, je ne fais que passer. Mais au retour…

– Quand vous voudrez, pas de problème, je vous y conduis, Señor Guerrero.

– Appelez-moi Juan Diego, je vous en prie.

– Bien sûr, comme vous voudrez. Ce que je vous dis, Juan Diego, c'est que tout est prévu. Tout est organisé. Ce sera comme vous voudrez quand vous voudrez.

– Je déciderai peut-être de changer d'hôtel, pas cette fois-ci, mais à mon retour, lâcha Juan Diego.

– Vous n'aurez qu'à dire.

– J'ai eu des échos négatifs, sur cet hôtel.

– Dans mon métier, j'entends des tas de choses négatives. Sur tous les hôtels.

– Qu'est-ce qu'on vous a dit, sur le Shangri-La de Makati ?

La circulation était bloquée et tout le vacarme de ces embouteillages évoquait davantage une gare routière qu'un aéroport. Le ciel était d'un beige sale, l'air humide et fétide, et la climatisation de la limousine trop poussée.

– Après, on y croit, on n'y croit pas, il faut faire la part des choses, vous savez.

– Ça a été mon problème, quand j'ai lu le roman : y croire.

– Quel roman ?

– Shangri-La est un pays imaginaire dans un roman qui s'appelle *L'Horizon perdu*. Il a été écrit dans les années 30, je crois, j'ai oublié le nom de l'auteur.

Imagine qu'on dise ça d'un de tes livres, pensa Juan Diego. Autant s'entendre dire qu'on est mort.

Pourquoi cette conversation avec le chauffeur l'épuisait-il à ce point ? La rue se dégagea et la voiture s'élança aussitôt.

Mieux vaut un air pollué que la climatisation, décida Juan Diego. Il baissa sa vitre, et l'air beige sale lui souffla au visage. Le smog lui rappelait le Mexique, ce dont il se serait bien passé. L'atmosphère viciée, cette atmosphère de gare routière, lui rappelait des souvenirs d'enfance associés aux cars de Oaxaca dont la proximité lui semblait infectieuse. Et dans ses souvenirs d'adolescence, les rues au sud du Zócalo étaient bel et bien un foyer d'infection, la calle Zaragoza en particulier, et aussi celles qu'ils prenaient pour s'y rendre depuis l'orphelinat. Car une fois les religieuses endormies, Juan Diego et Lupe allaient y chercher Esperanza.

– Il se peut que l'une des choses que j'ai entendu dire ne repose sur rien, risqua Bienvenido.

– Quoi donc ?

Par la vitre ouverte, Juan Diego sentait des odeurs de cuisine. Ils passaient devant une sorte de bidonville, où la circulation ralentit ; des vélos se faufilaient entre les voitures, des enfants sans chemise ni chaussures se précipitaient dans la rue. Les Jeepneys du pauvre étaient bondés ; ils roulaient tous phares éteints, ou grillés, leurs passagers serrés sur des bancs comme à l'église. Peut-être cette association d'idées lui vint-elle parce que les véhicules étaient ornés de slogans religieux.

DIEU EST BON, proclamait l'un d'entre eux. DIEU VEILLE SUR TOI ET ÇA SE VOIT, disait un autre. À peine arrivé à Manille, Juan Diego mettait le doigt sur un sujet sensible, à savoir que les conquistadors et l'Église catholique l'avaient précédé sur les lieux, et y avaient laissé leur marque. Son chauffeur s'appelait Bienvenido, et les Jeepneys, qui constituaient le moyen de transport le plus économique de tous, étaient recouverts de réclames pour le bon Dieu.

– C'est un problème qui concerne les chiens, répondit le jeune chauffeur.

– Les chiens, quels chiens ?

– Les chiens du Shangri-La, les chiens renifleurs de bombes.

– L'hôtel a été victime d'un attentat ?

– Pas que je sache. Il y a des chiens renifleurs de bombes dans tous les hôtels. On dit que ceux du Shangri-La reniflent tout et n'importe quoi, sans même savoir ce qu'ils cherchent.

– Si ce n'est que ça…

Notre homme aimait les chiens et prenait toujours leur parti. Peut-être que ceux du Shangri-La adhéraient au principe de précaution, voilà tout.

– On raconte qu'ils ne sont pas dressés.

Mais Juan Diego ne parvenait pas à garder le fil de cette conversation absurde. Manille lui rappelait le Mexique, à son grand étonnement, et voilà qu'on se mettait à parler de chiens.

Aux Enfants perdus, les chiens leur avaient manqué, à lui et à Lupe. Quand une portée de chiots naissait sur le basurero, ils essayaient de s'en occuper. Quand un chiot mourait, ils tâchaient de le trouver avant les vautours. S'ils avaient aidé Rivera à brûler les cadavres de chiens, c'était par amour pour eux.

La nuit, quand ils partaient à la recherche de leur mère calle Zaragoza, ils évitaient de penser aux chiens des toits, car ils en avaient peur. C'étaient des corniauds pour la plupart, comme l'avait dit Frère Pepe. Mais il avait ajouté que seuls quelques-uns étaient retournés à l'état sauvage, alors qu'en fait c'était le cas pour la majorité d'entre eux. Et si le jésuite ignorait comment ils étaient arrivés sur les toits, le Dr Gomez le savait fort bien.

Nombre de ses patients avaient en effet été mordus par les chiens des toits. Elle était spécialiste nez-gorge-oreille, et un chien vous saute à la gorge d'emblée. Il vous attaque au visage. Des années auparavant, au dernier étage des appartements situés au sud du Zócalo, les gens laissaient leurs chiens courir sur les toits. Mais ces derniers s'étaient sauvés, ou bien les chiens sauvages – comment étaient-ils arrivés là, mystère ! – leur avaient fait peur. Souvent, les immeubles étaient si proches que les chiens pouvaient sauter de l'un à l'autre. On cessa bientôt de laisser les animaux de compagnie courir sur les toits, et il n'y vécut plus que des chiens sauvages.

La nuit, calle Zaragoza, les phares se reflétaient dans les yeux des chiens des toits. Pas étonnant que Lupe les ait pris pour des fantômes. Ils couraient au ras du vide, comme pour poursuivre les passants, au-dessous d'eux. Quand on ne parlait pas, quand on n'avait pas d'écouteurs sur les oreilles, on les entendait haleter dans leur course. Parfois, lorsqu'ils sautaient d'un toit à l'autre, ils tombaient. Ils se tuaient sur le coup, sauf si leur chute était amortie par un passant. S'ils étaient blessés, ils avaient tendance à mordre celui sur qui ils étaient tombés.

– Vous, vous aimez les chiens, non ?

– Si, si, j'aime les chiens, convint Juan Diego.

Mais il était distrait par le souvenir de ces chiens des toits et se demandait si certains étaient des fantômes.

« Ces chiens ne sont pas les seuls fantômes en ville, Oaxaca est plein de fantômes, disait Lupe à sa manière omnisciente.

– J'en ai jamais vu, répondait Juan Diego.

– Tu en verras », concluait-elle sans autre précision.

À présent, à Manille, voilà qu'il était de nouveau distrait par un Jeepney en surcharge et doté de slogans religieux. Manifestement DIEU VEILLE SUR TOI ET ÇA SE VOIT faisait recette. Un autocollant d'un tout autre genre, sur la vitre arrière, attira son attention : NE FERMEZ PAS LES YEUX SUR LE TOURISME PÉDOPHILE, DÉNONCEZ-LE.

Et comment ! pensait Juan Diego. Il faut les coller au trou, ces enfoirés. Mais ces enfants recrutés pour avoir des rapports sexuels avec les touristes, si Dieu veillait sur eux, ça ne se voyait guère.

– Je suis curieux de savoir ce que vous penserez des chiens renifleurs, dit Bienvenido.

Mais quand il regarda dans le rétroviseur, son client s'était endormi. Ou bien il était mort. Sauf que ses lèvres remuaient. Il se dit que ce romancier pas très célèbre était en train de composer un dialogue dans son sommeil. On aurait cru qu'il parlait tout seul – comme le font les écrivains, supposa-t-il. Le jeune Philippin ne pouvait pas savoir que son passager se remémorait une discussion, ni deviner où les rêves de celui-ci allaient le transporter ensuite.

12

Calle Zaragoza

– Écoutez-moi bien, monsieur le missionnaire, ces deux-là, il ne faut pas les séparer, dit Vargas. Le cirque les habillera, il paiera leurs médicaments si besoin, ils auront droit à trois repas par jour, un lit pour dormir et en prime une famille qui s'occupera d'eux.

– Quelle famille ? C'est un cirque ! Ils dorment sous la tente !

– La Maravilla, c'est une famille, Eduardo, dit Frère Pepe, qui ajouta avec moins de conviction : Les enfants de cirque ne manquent de rien.

Comme celui de l'orphelinat, le nom du petit cirque de Oaxaca avait été critiqué. La majuscule renvoyait au fait que « la Merveille » était une vraie personne, une artiste ; mais le numéro qu'elle exécutait s'écrivait en minuscules. Du reste, certains considéraient que le cirque usurpait son nom : les autres attractions étaient tout ce qu'il y avait d'ordinaire, y compris les numéros d'animaux. Sans compter les bruits qui couraient.

Ce dont on parlait en ville, c'était de la Merveille justement, à savoir une jeune fille. Il y en avait eu beaucoup dans le rôle, une acrobatie à couper le souffle qui frôlait souvent le défi à la mort. Plusieurs d'entre elles s'étaient tuées et celles qui survivaient ne demeuraient pas « Merveille » très longtemps. Elles se succédaient au contraire à une cadence rapide, probablement en raison du stress. Car elles risquaient leur vie lorsqu'elles devenaient femmes, et c'étaient peut-être leurs hormones qui les trahissaient. Fallait-il voir quelque chose de merveilleux dans le fait que ces filles exécutaient une acrobatie susceptible de leur coûter la vie au moment même où elles avaient leurs premières règles et où elles voyaient leurs seins s'arrondir ? Cet avènement de leur féminité représentait-il le vrai danger, la fameuse Merveille ?

Parmi les gosses de la décharge, certains des plus grands s'étaient glissés en douce au cirque – incartade que Rivera n'aurait jamais tolérée chez ses protégés – et c'étaient eux qui avaient parlé de La Maravilla à Juan Diego et Lupe. À cette époque, quand le cirque était en ville, il s'installait dans la calle Cinco Señores, c'est-à-dire plus près du Zócalo et du centre-ville que de Guerrero.

Qu'est-ce qui attirait les foules, dans ce spectacle ? Était-ce l'éventualité de voir mourir une jeune innocente ? Pourtant, Pepe n'avait pas tort de considérer La Maravilla et les cirques en général comme des familles. Cela dit, il en est de bonnes, il en est de mauvaises.

– Mais qu'est-ce que vous voulez qu'ils fassent d'un infirme ? demanda Esperanza.

– Je vous en prie, pas devant lui ! s'écria Señor Eduardo.

– Il n'y a pas de mal, dit Juan Diego, c'est vrai que je suis infirme.

– La Maravilla t'engagera parce que tu es indispensable, Juan Diego, reprit le médecin. Il faut bien un interprète pour Lupe, Esperanza. À quoi bon engager une diseuse de bonne aventure que personne ne comprend ?

– Je suis pas diseuse de bonne aventure ! objecta Lupe, ce que Juan Diego ne traduisit pas.

– Soledad est la femme qu'il vous faut, annonça Vargas à Edward Bonshaw.

– Comment ça, il ne me faut pas de femme à moi ! s'écria le missionnaire, qui crut que Vargas avait mal compris ce qu'impliquait un vœu d'abstinence.

– Pas une femme *pour vous*, modèle de chasteté que vous êtes. Une femme à qui parler au nom des enfants. Or c'est Soledad qui s'occupe des enfants du cirque. Elle est mariée au dompteur.

– Pas très rassurant comme nom, pour une femme de dompteur. Soledad, solitude, voilà qui n'augure rien de bon. Il la prédispose au veuvage.

– Pour l'amour du ciel, Pepe, c'est son prénom, voilà tout.

– Vous, vous êtes un antéchrist, vous le savez ? dit Edward en montrant Vargas du doigt. Ces gosses ont la possibilité de vivre à l'orphelinat, où ils recevront l'éducation des jésuites, et voilà que vous voulez leur faire courir des risques. Elle vous fait si peur, cette éducation, Dr Vargas ? Votre athéisme est si militant que vous redoutez qu'on en fasse des croyants ?

– Ces enfants courent des risques à Oaxaca, je me fiche pas mal de ce qu'ils croient ou non !

– C'est un antéchrist, dit Edward, cette fois à Frère Pepe.

– Il y a des chiens au cirque ? demanda Lupe, question que son frère traduisit.

– Oui, il y en a. Des chiens savants. Soledad forme les jeunes acrobates, y compris les voltigeuses, mais la troupe des chiens a sa propre tente. Tu aimes les chiens, Lupe ? demanda Vargas à la petite.

Celle-ci haussa les épaules. Juan Diego voyait bien que l'idée de La Maravilla l'emballait autant que lui. C'était Vargas qui ne lui plaisait pas.

– Promets-moi quelque chose, dit-elle à Juan Diego, dont elle avait pris la main.

– Bien sûr. Quoi ?

– Si je meurs, je veux que tu me brûles sur la décharge. Comme les chiens. Tu le feras avec Rivera, et personne d'autre.

– Oh mon Dieu ! s'exclama Juan Diego.

– Non, *sans* ton Dieu. Rivera et toi, ça suffira.

– D'accord, c'est promis.

– Vous la connaissez bien, cette Soledad ? demanda Edward au médecin.

– Elle fait partie de mes patients. C'est une ancienne acrobate, elle était trapéziste. Les articulations ont beaucoup forcé, les mains et les poignets en particulier, les coudes aussi. On a intérêt à serrer la barre quand on s'accroche. Et puis il y a les chutes.

– Il n'y a pas de filet pour les voltigeuses ? demanda Edward.

– Pas dans les cirques mexicains.

– Miséricorde ! Et vous me dites que ces enfants courent des risques à Oaxaca ?

– Il est rare qu'on tombe en disant la bonne aventure, cette pratique ne tire pas sur les articulations.

– Mais je ne lis pas dans les pensés de tout le monde, dit Lupe. Il y a des gens chez qui ça n'est pas clair. Je sais seulement ce que certains pensent. Et ceux dont je n'arrive pas à deviner les pensées, je leur dirai quoi ?

Ce qui donna, en traduction :

– Il faut qu'on en sache un peu plus sur les attractions dont on ferait partie, comment elles fonctionnent. On a besoin de réfléchir.

– J'ai pas dit ça.

– Il faut qu'on y réfléchisse, répéta Juan Diego.

– Et le dompteur ? demanda Pepe à Vargas.

– Eh bien quoi, le dompteur ?

– Il paraît qu'il mène la vie dure à Soledad.

– Bah, les dompteurs sont sûrement des hommes difficiles à vivre. Il faut une bonne dose de testostérone pour dompter des lions, spécula Vargas en haussant les épaules, geste que Lupe imita.

– Alors ce dompteur est un macho ?

– On le dit. Il ne fait pas partie de mes patients.

– On ne risque pas tellement de tomber ou de forcer ses articulations quand on est dompteur, persifla Edward Bonshaw.

– D'accord, on va réfléchir, conclut Lupe.

– Aux Enfants perdus, la porte vous restera ouverte ; vous viendrez me voir, dit Edward à Juan Diego. Je te dirai ce qu'il faut lire, on parlera de tes lectures, tu me feras voir tes écrits.

– Il écrit, ce gamin ? demanda Vargas.

– Il veut écrire, oui, il veut recevoir de l'instruction. Il est clair qu'il est doué pour les langues. Il a un avenir d'homme de lettres.

– Vous pourrez toujours venir au cirque, répliqua Juan Diego, venir me voir, m'apporter des livres.

– Mais bien sûr, Edward, confirma Vargas. Cinco Señores, on peut quasiment y aller à pied. Et puis La Maravilla se déplace, aussi. Ils partent parfois en tournée. Les enfants pourront voir Mexico. Peut-être pourrez-vous les accompagner ? Les voyages forment la jeunesse, dit-on…

Sans attendre sa réponse, il se tourna vers les gosses de la décharge.

– Qu'est-ce qui vous manque dans le basurero ?

Tous ceux qui les connaissaient savaient que les chiens manquaient à Lupe, pas seulement Blanc Sale et Diablo. Quant à Pepe, il savait que de l'orphelinat au cirque, il y avait en réalité des kilomètres.

Lupe ne répondit pas, et Juan Diego fit en silence la liste de ce qui lui manquait de Guerrero et de la décharge. Le gecko vif comme l'éclair sur la porte moustiquaire de la bicoque, le terrain vague, les diverses façons de réveiller El Jefe quand il dormait dans la cabine de son pick-up ; l'aboiement de Diablo qui faisait taire les autres chiens ; la dignité et la solennité des bûchers funéraires canins, au milieu des ordures.

– Les chiens manquent à Lupe, répondit Edward Bonshaw.

Le médecin lui avait tendu la perche, Lupe l'avait compris.

– Vous savez quoi ? enchaîna Vargas, comme frappé par une idée subite. Je parie que Soledad leur permettrait de dormir dans la tente des chiens. Je pourrais lui en parler. Je ne serais pas étonné qu'elle pense que ça leur plairait. Tout le monde y trouverait son compte !

– Des enfants, partager la tente des chiens ! s'exclama Edward Bonshaw.

– On va bien voir ce qu'en pensera Soledad.

– En général, j'aime mieux les bêtes que les gens, observa Lupe.

– Je crois que j'ai deviné : elle dit qu'elle préfère les bêtes aux hommes.

– J'ai dit « en général », rectifia Lupe.

– J'ai bien compris qu'elle ne peut pas me sentir, dit Vargas à Juan Diego.

Leur grogne et leurs chamailleries rappelaient à Juan Diego les orchestres qui assaillaient les touristes du Zócalo, les mariachis. Les week-ends, il y avait toujours des groupes là-bas – dont la minable fanfare du lycée, avec ses majorettes. Lupe s'amusait à pousser Juan Diego dans son fauteuil au cœur de la foule. Tout le monde leur cédait le passage, même les majorettes. « C'est comme si on était des célébrités », disait-elle à son frère.

Ils étaient en tout cas bien connus pour hanter la calle Zaragoza, dont ils devenaient des habitués. Ils avaient renoncé aux enfantillages des stigmates, personne ne leur aurait donné de pourboire pour essuyer du sang. Il en coulait trop, jour après jour, dans cette rue-là.

Le long du trottoir s'alignaient les prostituées ; dans la cour de l'hôtel Somega, les enfants les voyaient aller et venir avec leurs clients ; mais ils n'y virent jamais leur mère. Il n'était pas établi qu'Esperanza travaillait dans la rue ; d'autre part, l'hôtel n'hébergeait peut-être pas que des prostituées et leurs clients – même si Rivera n'était pas le seul à nommer cet établissement « la boîte à putes », ce que les navettes incessantes semblaient confirmer.

Une nuit que Juan Diego était encore assigné à son fauteuil, ils avaient suivi une prostituée nommée Flor ; ils ne l'avaient pas prise pour leur mère, mais de dos elle lui ressemblait un peu, et surtout elle avait la même démarche.

Lupe aimait pousser le fauteuil roulant à toute vitesse ; elle fonçait sur les gens quand ils avaient le dos tourné pour qu'ils ne le voient pas venir avant le choc. Juan Diego avait peur qu'ils tombent à la renverse et atterrissent sur ses genoux. Il se penchait donc, mains en avant, pour amortir la collision. C'est ainsi qu'il toucha Flor ; il n'avait voulu toucher que sa main, mais elle balançait les bras en marchant, et la main de Juan Diego se porta sans qu'il l'ait fait exprès sur son postérieur remuant.

– Jésus Marie Joseph ! s'exclama-t-elle dans une volte-face immédiate.

Elle qui était prête à faire le coup de poing se retrouva à toiser un gosse en fauteuil roulant.

– C'est rien que ma sœur et moi, dit Juan Diego sur un ton plaintif. On cherche notre mère.

– Je lui ressemble, à votre mère ? demanda Flor, qui était un travesti.

Des travestis tapinant à Oaxaca, il n'y en avait pas encore beaucoup, à cette époque-là. Flor sortait du lot, pas seulement par sa stature. Elle était presque belle, et ce qui était beau chez elle n'était en rien déparé par un duvet tout doux sur sa lèvre supérieure – détail que Lupe remarqua cependant.

– Vous lui ressemblez un peu, oui. Vous êtes toutes les deux jolies, répondit Juan Diego.

– Flor est bien plus grande et bien plus baraquée, et puis il y a les trucmuches, dit Lupe en passant le doigt sur sa lèvre supérieure – il était inutile de traduire.

– Vous n'avez rien à faire ici, les enfants, vous devriez être au lit, dit Flor.

– Notre mère s'appelle Esperanza. Vous l'avez peut-être vue, vous la connaissez peut-être, risqua Juan Diego.

– Je la connais, mais je ne la vois pas travailler ici. Alors que vous deux, je vous vois tout le temps traîner.

– Peut-être qu'elle est très demandée, dit Lupe, et qu'elle ne sort pas de l'hôtel Somega. Peut-être que c'est les hommes qui viennent la voir.

Juan Diego s'abstint de traduire.

– Je sais pas ce qu'elle baragouine, mais je vais te dire un truc et il faut me croire. Tous ceux qui passent ici, on les repère. Peut-être bien que votre mère n'est jamais venue. Vous feriez mieux de rentrer vous coucher.

– Flor sait des tas de choses sur le cirque, annonça Lupe à son frère. Elle est en train d'y penser. Vas-y, pose-lui des questions.

– On a eu une proposition de la part de La Maravilla, pour faire un petit numéro, expliqua Juan Diego. On aurait notre tente, mais on la partagerait avec les chiens. C'est des chiens savants, ils sont très intelligents. Vous ne les voyez pas par ici, les gens du cirque, je suppose ?

– Je fais pas les nains. Il faut bien se fixer des limites. Je leur plais énormément, par contre, ils me collent.

– Je vais pas fermer l'œil cette nuit, dit Lupe à Juan Diego. L'image des nains collant Flor va m'empêcher de dormir.

– C'est toi qui m'as dit de lui poser ces questions. Moi non plus, je vais pas dormir.

– Demande-lui si elle connaît Soledad.

– Peut-être qu'on préfère ne pas le savoir, objecta Juan Diego, qui posa tout de même la question à Flor.

– C'est une femme malheureuse, elle souffre de solitude. Son mari est un enfoiré. À choisir, j'aime encore mieux les lions.

– Vous ne faites pas non plus les dompteurs, c'est ça ? demanda Juan Diego.

– Je fais pas *celui-là*, chico. Vous êtes pas des mômes de l'orphelinat ? Votre mère travaille pas là-bas ? Pourquoi vouloir partager la tente des chiens quand on est pas obligés ?

Lupe entama une de ses listes :

– Un, parce qu'on adore les chiens. Deux, pour être des vedettes, dans un cirque, on pourrait devenir célèbres. Trois, parce que l'homme perroquet viendra nous voir et que notre avenir… Elle s'interrompit une seconde : Son avenir à lui, en tout cas, poursuivit-elle en désignant son frère, son avenir est entre les mains de cet homme-là. Ça, j'en suis sûre, que ce soit au cirque ou ailleurs.

– Je ne connais pas l'homme perroquet, je ne l'ai jamais rencontré, dit Flor après que Juan eut bataillé pour traduire cette énumération.

– L'homme perroquet, il veut pas de femme, rétorqua Lupe.

– Des hommes perroquets, j'en connais plus d'un, déclara le prostitué travesti après traduction.

– Elle veut dire qu'il a fait vœu de chasteté, tenta Juan Diego, mais Flor ne le laissa pas finir.

– Des comme ça, j'en connais aucun. Et il fait un numéro à La Maravilla, cet homme ?

– C'est le nouveau missionnaire de la Compagnie de Jésus, c'est un jésuite, il vient de l'Iowa.

– Jésus Marie Joseph ! s'écria de nouveau Flor. Je vois le genre !

– On lui a tué son chien, ça a dû changer sa vie, commenta Lupe, mais Juan Diego ne traduisit pas.

Une bagarre venait d'éclater devant l'hôtel ; elle avait dû commencer à l'intérieur, mais elle s'était poursuivie jusque dans la rue.

– Oh merde ! C'est le brave gringo, dit Flor. Ce jeune-là, il est bon qu'à se faire du mal. Il aurait couru moins de risques au Vietnam.

Il y avait de plus en plus de hippies américains à Oaxaca ; certains étaient accompagnés de leurs amies, mais elles ne restaient jamais longtemps. La plupart venaient seuls, ou se retrouvaient seuls. Ils fuyaient la guerre du Vietnam, ou ce que leur pays était devenu, disait Edward Bonshaw. Il leur tendait la main, une main secourable, mais en général ce n'étaient pas des croyants. Tels les chiens des toits c'étaient des âmes perdues, qui menaient une vie débridée, ou traînaient en ville comme des ombres.

Flor aussi leur avait tendu la main. Tous ces jeunes paumés la connaissaient. Peut-être leur plaisait-elle parce que c'était un travesti – comme eux, elle était encore un garçon –, mais ils l'appréciaient aussi pour son anglais excellent. Elle était partie vivre au Texas puis était revenue au Mexique. Elle n'avait jamais changé de version quand elle racontait son histoire :

– Disons simplement que pour quitter Oaxaca, il m'a fallu passer par Houston. Vous êtes déjà allés à Houston, vous ? Pour faire bref, disons qu'ensuite, il m'a fallu quitter Houston.

Juan Diego et Lupe avaient déjà vu le brave gringo dans les parages. Un matin, Frère Pepe l'avait trouvé endormi sur une rangée de sièges de l'église jésuite. Dans son sommeil, il chantait *The Streets of Laredo*, une chanson de cow-boy, dont il répétait sempiternellement le premier couplet :

As I walked out in the streets of Laredo
As I walked out in Laredo one day
I spied a young cowboy all wrapped in white linen
Wrapped in white linen and cold as the clay[1].

Le jeune hippie avait toujours été gentil avec les enfants.

Informations prises, on venait de le jeter dehors sans lui laisser le temps de s'habiller. Il gisait sur le trottoir, recroquevillé en position fœtale pour se protéger des coups de pied; il n'avait sur lui que son jean. Il serrait contre lui ses sandales et une chemise crasseuse à manches longues – la seule que les enfants lui aient jamais vue sur le dos. Mais ce qu'ils ne soupçonnaient pas, c'était son immense tatouage – un Christ en croix, face en sang, couronne d'épines sur la tête, s'étalait sur le torse nu du gringalet. La poitrine du Fils de Dieu lui-même, blessure comprise, recouvrait son ventre nu. Ses bras tendus, ses poignets et ses mains martyrisés étaient tatoués sur les avant-bras et les bras du hippie. On aurait dit que le corps du Christ avait été agrafé sur le sien. C'était la première fois que les enfants voyaient le brave gringo torse nu; lui et le Christ étaient mal rasés, leurs longues chevelures pareillement emmêlées.

Au-dessus du jeune Américain, sur le trottoir de la calle Zaragoza, se tenaient deux gros bras. Les gamins de la décharge connaissaient le plus grand, un barbu dénommé Garza. Posté devant le vestibule du Somega, il faisait office de videur et éjectait régulièrement les deux enfants. Il considérait la cour de l'hôtel comme son territoire. L'autre nervi, plus jeune et plus enrobé, s'appelait César et c'était son esclave personnel. Car Garza sautait sur tout ce qui bougeait.

– C'est comme ça que vous prenez votre pied? demanda Flor aux deux gros bras.

Une prostituée toute jeune, à la peau grêlée et qui n'était pas beaucoup plus couverte que le brave gringo, se tenait près d'eux. Elle se nommait Alba, aube, et Juan Diego se dit que c'était le genre de fille avec laquelle on passerait un moment aussi fugace que le point du jour.

---

1. Un jour que je marchais dans les rues de Laredo / Un jour que je marchais dans Laredo / Un malheureux cow-boy j'ai aperçu, tout de lin blanc vêtu / Tout de lin blanc vêtu, et froid comme la terre du tombeau.

– Il m'a pas donné assez, dit-elle à Flor.

– Elle m'a demandé plus que ce qui était convenu, articula le gringo. Moi je lui ai donné ce qu'elle m'avait annoncé au départ.

– Emmenez-le avec vous, dit Flor à Juan Diego. Si vous avez pu sortir en douce, il devrait pouvoir entrer de même, hein ?

– Les nonnes vont le trouver demain matin, dit Lupe. Ou alors ce sera Frère Pepe ou Señor Eduardo.

Juan Diego tenta d'expliquer la situation à Flor. Lupe et lui partageaient une chambre et une salle de bains. Il arrivait que leur mère débarque sans crier gare. Mais Flor voulait qu'ils récupèrent le gringo. Aux Enfants perdus, il serait en sécurité, personne ne le cognerait.

– Vous n'aurez qu'à dire aux religieuses que vous l'avez trouvé sur le macadam, et que vous avez agi par charité, expliqua Flor à Juan Diego. Raconte qu'il n'avait pas de tatouage, et que quand tu t'es réveillé, ce matin, il portait ce grand Christ étalé sur tout son corps.

– Et qu'on l'a entendu chanter dans son sommeil cette chanson de cow-boy, mais comme il faisait noir on n'y voyait rien, improvisa Lupe. Son tatouage a dû se graver tout seul pendant la nuit.

Comme pour lui répondre, le hippie à moitié nu avait repris sa chanson ; il ne dormait plus. Sans doute chantait-il *The Streets of Laredo* pour narguer les deux gros bras qui l'avaient molesté, et il en était au deuxième couplet.

> *I see, by your outfit, that you are a cowboy*
> *These words he did say, as I slowly walked by*
> *Come sit down beside me and hear my sad story*
> *Got shot in the breast and I know I must die*[1]

– Jésus Marie Joseph ! souffla Juan Diego.

– Alors, l'homme à roulettes, ça gaze ? demanda le brave gringo, comme s'il venait à peine de remarquer le fauteuil. Et toi, p'tite sœur,

---

1. Aux vêtements que tu portes, je vois que tu es un cow-boy / Ces mots il m'adressa comme je passais lentement devant lui / Viens t'asseoir auprès de moi, écoute ma triste histoire / J'ai pris une balle dans la poitrine et je sais que je vais mourir.

fais gaffe aux excès de vitesse, tu t'es pas encore pris une amende ? (Lupe l'avait déjà tamponné en poussant Juan Diego.)

Flor aidait le jeune hippie à se rhabiller.

– Si tu portes encore la main sur lui, Garza, je te coupe la bite et les couilles dès que tu t'endors.

– T'as le même bazar entre les jambes, rappela l'intéressé au travesti.

– Non, mon bazar à moi, il est bien plus gros que le tien, rétorqua Flor.

César éclata de rire, mais le regard que lui jetèrent Flor et son maître le réduisit aussitôt au silence.

– Et toi, il faut que tu fixes ton prix dès le départ, Alba, enjoignit Flor à la jeune prostituée grêlée, tu dois pas changer d'estimation en route.

– J'ai pas de conseils à recevoir de toi, Flor ! riposta Alba, une fois qu'elle fut hors de sa portée dans la cour de l'hôtel Somega.

Flor raccompagna les deux gamins et le gringo jusqu'au Zócalo.

– Je te revaudrai ça ! lui lança l'Américain lorsqu'ils se séparèrent. Et à vous aussi, les enfants. Je vais vous faire un cadeau.

– Comment on va le cacher ? demanda Lupe à son frère. On pourra le faire entrer en douce ce soir, sans problème. Mais demain matin, ça sera une autre paire de manches de le sortir sans se faire voir.

– Je réfléchis à cette histoire de tatouage miraculeux (pareille idée ne pouvait que séduire le lecteur-de-la-décharge).

– C'est bien un petit miracle, commença le gringo, l'idée m'en est venue…

Mais Lupe l'interrompit.

– Promets-moi quelque chose, demanda-t-elle à Juan Diego.

– Encore !

– Promets-moi ! s'écria-t-elle. Si je finis calle Zaragoza, tue-moi. Je veux que tu me tues. Allez, dis-le.

– Jésus Marie Joseph ! s'exclama Juan Diego en s'efforçant d'imiter le ton de Flor.

Le hippie avait perdu le fil de ce qu'il disait. Il chantait maintenant le troisième couplet de *The Streets of Laredo*, comme s'il en écrivait lui-même les paroles inspirées.

Get six jolly cowboys to carry my coffin
Get six pretty maidens to bear up my pall.
Put bunches of roses all over my coffin,
Roses to deaden the clods as they fall[1].

– Allez, vas-y, répéta Lupe.
– D'accord, je te tuerai. Voilà, t'es contente ?
– Oh là là, l'homme à roulettes et la petite sœur, personne va tuer personne, OK ? On est tous potes ici, hein ?

Le brave gringo soufflait une haleine mescalisée, que Lupe appelait l'haleine parfumée au ver de terre, à cause de celui qu'on met au fond des bouteilles. « Le mescal, c'est la tequila du pauvre, disait Rivera. Ça se boit de la même manière, avec du sel sur le tranchant de la main, et du jus de citron vert. » Le hippie sentait le citron vert et la bière. La nuit où les enfants l'introduisirent en catimini dans l'orphelinat, ses lèvres étaient couvertes d'une croûte de sel, et il en avait aussi dans le petit bouc qu'il se laissait pousser. Ils l'installèrent dans le lit de Lupe ; après quelques minutes, il dormait à poings fermés.

Entre deux ronflements, on aurait dit qu'il soufflait le quatrième couplet de *The Streets of Laredo* dans son haleine.

Oh, beat that drum slowly and play the fife lowly
Play the dead march as you carry me along ;
Take me to the valley, and lay the sod over me
For I am a young cowboy and I know I've done wrong[2].

Lupe mouilla un gant de toilette et essuya la croûte de sel sur ses lèvres et son visage. Elle aurait voulu le couvrir de sa chemise parce qu'elle redoutait de voir son Jésus sanguinolent au milieu de la nuit. Mais lorsqu'elle renifla le vêtement, elle déclara qu'il puait le mescal

---

1. Trouvez-moi six vaillants cow-boys pour porter mon cercueil / Six jolies demoiselles pour les cordons du poêle / Placez des bouquets de roses sur mon cercueil / Elles amortiront le choc des mottes de terre.
2. Oh faites lentement rouler les tambours, et soufflez dans les fifres en sourdine / Pour jouer la marche funèbre quand vous m'emporterez ; / Dans la vallée menez-moi, et de terre couvrez-moi / Je suis un jeune cow-boy, je sais que j'ai fauté.

ou le vomi de bière, ou peut-être le ver mort. Alors elle se contenta de remonter le drap jusqu'au menton du jeune Américain, en le bordant tant bien que mal.

Il était grand et maigre ; ses bras qui portaient gravés les mains et les poignets blessés du Christ reposaient le long de son corps, sur le drap.

– Et s'il meurt dans notre chambre ? s'enquit Lupe. Où elle va, ton âme, si tu meurs dans la chambre de quelqu'un d'autre, en pays étranger ? Comment va faire la sienne pour rentrer chez elle ?

– Jésus ! ponctua Juan Diego.

– Laisse Jésus où il est. C'est nous qui sommes responsables de lui. Qu'est-ce qu'on fait s'il meurt ?

– On le brûlera sur le basurero. Rivera nous aidera. Et son âme partira en fumée.

Il n'en pensait pas un mot, mais il voulait que Lupe se couche.

– Bon, d'accord, maintenant on sait quoi faire.

Quand elle se glissa dans le lit de Juan Diego, Lupe était plus vêtue que d'ordinaire ; elle expliqua que c'était par pudeur, parce que le hippie était dans leur chambre. Elle voulut que Juan Diego dorme du côté du jeune homme, pour ne pas sursauter à la vue du Christ en sang si elle se réveillait.

– J'espère que tu vas mettre l'histoire au point, dit-elle à son frère en lui tournant le dos dans le lit étroit. Personne ne va croire que ce tatouage s'est gravé par miracle.

Juan Diego passa la moitié de la nuit à échafauder la présentation dudit miracle. Et au moment où il allait s'endormir enfin, il s'aperçut que Lupe n'avait pas fermé l'œil non plus.

– Je voudrais bien me marier avec lui, s'il sentait moins mauvais et s'il arrêtait de chanter cette chanson de cow-boy, lui dit-elle.

– Tu as treize ans, lui rappela Juan Diego.

Dans sa stupeur mescalisée, le brave gringo s'en tenait aux deux premiers vers de la chanson en question ; et comme ils étaient de moins en moins audibles, les gamins de la décharge en arrivaient presque à espérer qu'il chante la suite.

As I walked out in the streets of Laredo
As I walked out in Laredo one day

– Tu as treize ans, Lupe, répéta Juan Diego avec plus d'insistance.

– Plus tard, je veux dire, quand je serai plus grande, enfin, si j'y arrive. Mes seins commencent à pousser, mais ils sont tout petits. Je sais qu'il faudrait qu'ils grossissent.

– Comment ça, si tu y arrives ?

Ils étaient couchés dans le noir, dos à dos, mais il la sentit hausser les épaules.

– Je crois pas qu'on fera de vieux os, le gringo et moi.

– Qu'est-ce que tu en sais ?

– Je sais que mes seins grossissent pas.

Juan Diego demeura éveillé encore un moment, à méditer ces paroles. Lupe se trompait rarement sur le passé ; et il sombra dans le sommeil avec l'idée à moitié rassurante qu'elle était moins fiable quant à l'avenir.

13

Maintenant et à jamais

Il n'y eut rien de rationnel ni de posé dans l'arrivée fracassante au Shangri-La de leur «hôte de marque», puisque telle était la formule ronflante qui désignait Juan Guerrero à la réception. Ah, ce Clark French! L'ancien élève de l'écrivain n'avait pas manqué cette occasion de se mettre en avant.

La chambre avait reçu des aménagements; des prestations spéciales, dont l'une inhabituelle, seraient offertes. Et on avait bien recommandé à la direction de ne pas dire que Mr Guerrero était mexicano-américain. Pourtant, à en juger par l'accueil musclé qu'il avait reçu sitôt le portail franchi, on n'aurait pas imaginé que le directeur de l'hôtel, toujours tiré à quatre épingles, était venu lui-même à la réception un peu plus tôt pour conférer au malheureux Juan Diego épuisé un statut de célébrité. Hélas, Clark n'était pas sur place pour accueillir son professeur…

Tout d'abord, Bienvenido découvrit dans le rétroviseur que son estimé client s'était endormi; il tenta donc d'écarter d'un geste le portier qui se précipitait pour ouvrir la porte arrière de la limousine contre laquelle il était affalé. Sortant précipitamment par la sienne, le chauffeur s'élança ensuite vers le hall en agitant les deux bras.

Qui aurait pu savoir que ses gesticulations perturberaient les chiens renifleurs? Ils se jetèrent sur Bienvenido, qui leva les mains en l'air comme si les vigiles étaient en train de le braquer. Et lorsque le portier vint lui ouvrir, Juan Diego, si profondément assoupi qu'on l'aurait cru mort, glissa peu à peu vers le sol. Ce mort qui dégringolait mit un comble à l'excitation des chiens; ils bondirent sur la banquette arrière, leur laisse et leur harnais échappant aux mains des vigiles.

La ceinture de sécurité empêcha Juan Diego de tomber complètement de la voiture; il fut réveillé en sursaut, sa tête cognant contre la portière.

Il avait sur les genoux un chien, qui lui léchait le visage ; c'était un chien de taille moyenne, un petit labrador, ou une chienne ; en réalité un croisé labrador, avec des oreilles molles et douces, des yeux affectueux, écartés de la truffe.

– Beatrice ! s'exclama Juan Diego.

On devine de quoi il était en train de rêver. Mais à l'entendre prononcer ce nom – féminin – le chien, qui était un mâle et se nommait James, fut tout déconcerté. Quant au portier qui entendit le prétendu mort crier « Beatrice ! », il se mit à hurler.

Manifestement, les chiens renifleurs avaient tendance à devenir agressifs quand on criait autour d'eux. Le dénommé James, qui s'était installé sur les genoux de Juan Diego, voulut protéger celui-ci en montrant les dents au portier. Or Juan Diego n'avait pas remarqué l'autre chien, assis à côté de lui. Il s'agissait d'un de ces chiens à l'allure nerveuse, oreilles dressées aux aguets, pelage rêche et hirsute. Ce n'était pas un berger allemand pure race, il était croisé, et quand il se mit à pousser des aboiements féroces dans son oreille, l'écrivain dut le prendre pour un chien des toits et penser que certains d'entre eux étaient bel et bien des fantômes, comme le croyait Lupe. Le corniaud avait un œil mort, d'un jaune verdâtre, et qui n'était pas en phase avec son œil valide. Cet œil de travers accrédita pour Juan Diego l'hypothèse que l'animal frémissant à côté de lui était bien un spectre. Il détacha sa ceinture de sécurité et tenta une sortie – entreprise délicate avec James sur les genoux.

Les deux chiens promenaient maintenant leur truffe dans le voisinage immédiat de l'entrejambe de Juan Diego. L'immobilisant contre son siège, ils s'étaient mis en devoir de le renifler avec passion. Or, comme ils étaient dressés à repérer des bombes, leur attitude attira l'attention des vigiles.

– On ne bouge plus, intima l'un d'entre eux, sans qu'on puisse déterminer si cette injonction s'adressait aux chiens ou à Juan Diego.

– Les chiens m'adorent, annonça fièrement l'écrivain, il faut dire que j'étais un gosse de la décharge, un niño de la basura.

Les deux vigiles avaient les yeux rivés à la chaussure orthopédique de cet homme qui leur faisait l'effet d'un déséquilibré et tenait des propos incohérents.

– Ma sœur et moi, on veillait comme on pouvait sur les chiens du basurero et quand ils mouraient, on s'arrangeait pour les brûler avant que les vautours les trouvent.

– On ne bouge pas ! ordonna le même vigile, intrigué par l'angle bizarre de la chaussure adaptée quand Juan Diego posa son pied à terre.

Au ton de sa voix et au doigt qui désignait le passager, il n'était plus question de se méprendre sur le destinataire de cette injonction. Juan Diego s'immobilisa à mi-sortie.

Qui aurait pu savoir que les chiens renifleurs n'aimaient pas voir les humains se figer de façon insolite ? James et le croisé de berger allemand, truffe inventoriant la zone du bassin de Juan Diego, et plus précisément la poche de sa veste contenant le morceau de muffin enveloppé dans la serviette en papier, se raidirent aussitôt.

Juan Diego tentait de se remémorer un attentat récent – à Mindanao, l'île la plus au sud des Philippines, la plus proche de l'Indonésie ? N'y avait-il pas une population musulmane conséquente là-bas ? N'y avait-il pas eu un kamikaze portant des explosifs fixés à sa jambe ? Or, avant l'explosion, tout le monde avait bien remarqué que l'homme boitait.

Ça se présente mal, pensait Bienvenido. Abandonnant le sac de voyage monstrueux aux mains du portier froussard encore mal remis de ses émotions après avoir vu Juan Diego revenir à la vie en criant un nom de femme, le jeune chauffeur se présenta à la réception, où il expliqua qu'on malmenait leur hôte de marque.

– Rappelez vos chiens mal dressés, vos vigiles sont sur le point de tirer sur un écrivain infirme.

Lorsque le malentendu fut dissipé, Juan Diego se préoccupa surtout du sort des chiens.

– Il ne faut pas leur en vouloir, dit-il au directeur de l'hôtel, ils n'ont rien à se reprocher, promettez-moi qu'ils ne seront pas maltraités.

– Maltraités ? Non, monsieur, on ne les maltraite jamais !

Il était peu probable que les chiens aient déjà trouvé un tel avocat au Shangri-La. Le directeur tint à escorter Juan Diego dans sa chambre. Les prestations de l'hôtel comprenaient un panier de fruits et la traditionnelle assiette de biscuits et de fromage. Les quatre bouteilles de bière qui remplaçaient le classique champagne dans le seau à glace étaient une attention de son ancien élève, qui savait que son maître bien-aimé ne buvait rien d'autre.

Clark French, lecteur inconditionnel de Juan Diego, était plus connu à Manille comme un écrivain américain marié à une Philippine. Juan Diego comprit au premier coup d'œil qu'il était à l'initiative de l'installation d'un aquarium géant dans sa chambre, car il aimait faire à son ancien professeur des cadeaux qui étaient autant d'allusions à des morceaux de bravoure de ses romans. Or, dans une œuvre de jeunesse – un roman que presque personne n'avait lu –, l'écrivain avait doté son protagoniste d'une malformation du canal urinaire. Sa petite amie avait un énorme aquarium dans sa chambre, et les couleurs et les sons de ce biotope si exotique avaient un effet déstabilisant sur l'homme dont l'urètre était une voie étroite et sinueuse.

Juan Diego éprouvait une affection durable pour Clark French ; l'homme était un lecteur infatigable qui retenait les détails les plus marquants, de ces détails que les écrivains n'enregistrent que dans leur propre œuvre, en général. Seulement, Clark ne se rappelait pas toujours en quoi ces détails étaient censés affecter le lecteur. Dans le roman de Juan Diego, le protagoniste était très perturbé par les drames subaquatiques qui se jouaient dans l'aquarium, au chevet du lit : les poissons l'empêchaient de dormir.

Le directeur de l'hôtel expliqua à Juan Diego que l'aquarium éclairé et gargouillant avait été prêté pour la nuit par la famille philippine de Clark French. Une de ses tantes par alliance possédait en effet une animalerie avec des spécimens exotiques à Makati. L'aquarium était trop lourd pour qu'on l'installe sur une table ; on l'avait donc posé à même le sol, au chevet du lit, où il trônait immuable, et presque aussi haut que lui. Ce parallélépipède, théâtre d'une activité sinistre, était cependant accompagné d'un mot de bienvenue : « Retrouver des détails familiers vous aidera à dormir. »

– Toutes ces créatures viennent de la mer de Chine, signala le directeur, pour mettre Juan Diego en garde. Ne leur donnez pas à manger. Elles peuvent rester à jeun une nuit.

– Je vois, répondit Juan Diego, qui se demandait comment Clark, ou sa tante philippine propriétaire d'une animalerie, pouvait avoir imaginé que l'aquarium aurait un effet calmant sur qui que ce soit.

Il devait contenir une centaine de litres d'eau. La nuit tombée, la lumière verdâtre serait encore plus verte et plus intense. Du menu fretin, trop vif pour se laisser décrire, bondissait furtivement vers la surface. Une créature plus imposante demeurait tapie dans l'obscurité des fonds, où l'on voyait luire ses yeux et onduler ses nageoires.

– C'est une anguille ? s'enquit Juan Diego.

Le directeur de l'hôtel était un petit homme à la mise impeccable, qui portait une moustache taillée avec un soin maniaque.

– Ça pourrait bien être une murène. Ne vous avisez pas de tremper le doigt dans l'eau.

– Non, non. C'est une anguille, à coup sûr, répondit Juan Diego.

Tout d'abord, il avait regretté d'avoir accepté que le chauffeur le conduise dans un restaurant, ce soir-là. Il aurait préféré dîner dans sa chambre et se coucher de bonne heure. Mais l'homme l'avait convaincu : il s'agissait d'un établissement très familial où il n'y aurait pas de touristes, un secret bien gardé à Manille. Finalement, il était soulagé qu'on l'emmène loin du Shangri-La ; ces poissons insolites et cette anguille patibulaire attendraient son retour. Il aurait préféré dormir avec le labrador croisé nommé James !

Le post-scriptum du message de Clark French disait ceci : « Vous êtes entre de bonnes mains, avec Bienvenido ! À Bohol, tout le monde se réjouit de votre arrivée. Ma famille au grand complet a hâte de faire votre connaissance. Tante Carmen me dit que la murène se nomme Morales. Surtout, n'y touchez pas ! »

Du temps qu'il était étudiant de troisième cycle, Clark French avait eu besoin d'un défenseur, et Juan Diego l'avait protégé. La fougue et l'optimisme à toute épreuve du jeune écrivain allaient à contre-courant des positions adoptées par ses condisciples.

– C'est bel et bien une murène, dit Juan Diego au directeur de l'hôtel. Elle s'appelle Morales.

– Ça ne manque pas d'ironie, d'avoir baptisé Morales, bonnes mœurs, cette murène vorace. La boutique a dépêché une équipe pour monter l'aquarium. Il a fallu deux chariots à bagages pour transporter les conteneurs d'eau de mer. Le thermomètre est très délicat et le système de filtration a eu un problème de bulles ; on a dû déplacer les poissons à la main dans des sachets en plastique. C'est beaucoup de cinéma, pour un séjour d'une nuit ! Ils ont peut-être mis la murène sous sédatif pour lui épargner le stress du voyage.

Pour l'heure, Dame Morales ne semblait aucunement sous sédatif.

Lovée, prête à l'attaque au fond de l'aquarium, elle respirait régulièrement, ses yeux jaunâtres grands ouverts.

Du temps de l'atelier d'écriture à la fac de l'Iowa, et plus tard, lorsqu'il avait publié ses romans, Clark French ignorait l'ironie. Sa sincérité et son sérieux étaient sans faille. Cette ironie devait donc être celle de Tante Carmen, dans la belle-famille philippine de Clark. Juan Diego avait le trac à l'idée qu'ils l'attendent tous à Bohol. Mais, d'un autre côté, il se réjouissait que Clark, garçon apparemment sans amis, ait trouvé une famille. Ses condisciples, comme lui apprentis écrivains, l'avaient jugé d'une naïveté indécrottable. On n'a pas idée, pour un jeune romancier, d'avoir la fibre solaire ! Clark était dans la pensée positive à un point improbable. À part ça, beau gosse, visage d'acteur, corps d'athlète, fagoté dans d'abominables complets dignes d'un Témoin de Jéhovah.

Ses convictions religieuses – il était très catholique – rappelaient sans nul doute Edward Bonshaw à Juan Diego. Du reste, Clark French avait rencontré son épouse et *toute sa famille*, comme il disait avec enthousiasme, au cours d'une mission caritative aux Philippines dont Juan Diego avait oublié les circonstances précises, bonnes œuvres concernant des orphelins et des mères célibataires.

Ses romans eux-mêmes étaient pavés de bonnes intentions opiniâtres, voire militantes. Ses protagonistes, âmes perdues et pécheurs en série, trouvaient toujours la rédemption. Et l'acte qui les rachetait suivait en général un nadir moral, pour permettre au roman de s'achever dans une apothéose de bons sentiments. On le devine, ses œuvres prêtaient le flanc à la critique. Il avait tendance au prêchi-prêcha ; il évangélisait au fil des pages. Juan Diego s'affligeait de voir son œuvre méprisée, comme il avait vu sa personne moquée par ses camarades, du temps de la fac. Car lui aimait bien la prose de Clark ; c'était un styliste. Mais son drame, c'était cette gentillesse exaspérante. Il le savait sincère, par ailleurs, un chic type authentique. Seulement il prêchait, c'était plus fort que lui.

Une apothéose de bons sentiments après un creux de la vague moral – recette efficace –, mais est-ce que ça marchait sur le lecteur croyant ? Fallait-il mépriser Clark au seul titre qu'il avait des lecteurs ? Était-ce sa faute s'il était « édifiant » – « mortellement édifiant », avait dit un de ses condisciples à la fac.

Tout de même, cet aquarium pour une seule nuit... il s'était surpassé, il avait fait du Clark French. Je suis peut-être trop fatigué par le voyage pour apprécier le geste. Juan Diego s'en voulait de reprocher à Clark d'être ce qu'il était, d'avoir la bonté chevillée au corps. Il l'aimait sincèrement, son ancien élève, et pourtant cette affection le tourmentait. Clark était un catholique invétéré.

Un coup de queue désordonné et une gerbe d'eau de mer tiède firent sursauter Juan Diego et le directeur de l'hôtel. Est-ce qu'un malheureux poisson venait de se faire occire ou dévorer ? L'eau d'une rare clarté, dans sa lueur verte, ne révélait aucune trace de sang ou de fragments de chair. Quant à la murène aux aguets, on lui aurait donné le bon Dieu sans confession.

– Nous vivons dans un monde de violence, conclut le directeur.

C'était, ironie en plus, une phrase qu'on aurait pu rencontrer au creux de la vague moral, dans un roman de Clark French.

– Oui, se borna à répondre Juan Diego.

Lui qui était né dans le ruisseau s'en voulait toujours quand il regardait autrui de haut, surtout lorsqu'il s'agissait d'une bonne personne comme Clark French. Or il le regardait avec cette condescendance que tous lui manifestaient dans la République des Lettres – parce qu'il était « édifiant ».

Une fois le directeur parti, il s'aperçut avec contrariété qu'il avait oublié de lui demander comment fonctionnait l'air conditionné. Il faisait trop froid dans la chambre. Le thermostat fixé sur le mur offrait au voyageur las un tableau cabalistique de flèches et de chiffres. Juan Diego se serait cru dans le cockpit d'un avion de chasse. Mais qu'est-ce que j'ai à être fatigué comme ça ? se disait-il. Pourquoi est-ce que je ne pense qu'à dormir, rêver, ou bien revoir Miriam et Dorothy ?

Il s'offrit un somme impromptu, cette fois sur le fauteuil du bureau. Il se réveilla frigorifié.

Il n'y avait pas lieu de défaire son immense sac orange pour une nuit. Il posa ses bêtabloquants sur le lavabo de la salle de bains, pour éviter d'absorber le double de la dose prescrite. Il étala ses vêtements sur le lit, prit une douche et se rasa. Sans Miriam et Dorothy, sa vie de voyageur ressemblait à s'y méprendre à sa vie quotidienne, et pourtant voilà qu'elle lui apparaissait soudain vide et sans but, en leur absence. Pourquoi donc ? se demandait-il tout en s'interrogeant sur sa fatigue.

Il regarda les infos à la télévision dans le peignoir de bain de l'hôtel ; l'air était toujours aussi glacial, mais à force de tripoter le thermostat, il avait au moins réussi à réduire la vitesse de la ventilation. Ces malheureux poissons n'étaient-ils pas des spécimens des mers chaudes, murène comprise ?

La télévision diffusait une vidéo assez floue, prise par une caméra de surveillance, du kamikaze de Mindanao. Il n'était pas reconnaissable, mais sa façon de boiter ressemblait de manière troublante à celle de Juan Diego. Ce dernier traquait la moindre différence, mais c'était la même jambe, la droite, qui avait souffert, lorsque l'explosion oblitéra tout. Il y eut comme un déclic, et l'écran vira au noir avec un bruit de déchirure. La séquence laissa à Juan Diego l'impression perturbante d'avoir assisté à son propre suicide.

Il nota qu'il y avait assez de glace dans le seau pour tenir la bière au frais longtemps après son dîner ; d'ailleurs, l'air conditionné aurait suffi à la réfrigérer. Il s'habilla dans la lueur glauque de l'aquarium.

– Lo siento, Señora Morales, dit-il en quittant sa chambre. Désolé s'il ne fait pas assez chaud pour vous et vos amis.

La murène semblait observer sa posture indécise, sur le seuil ; cette créature énigmatique le fixait avec une telle intensité qu'il lui fit un signe de la main avant de refermer la porte.

Au restaurant dit familial, et qui demeurait peut-être un secret pour certains, il y avait un gosse braillard à chaque table ; les familles semblaient toutes se connaître : on se passait et se repassait les plats sans cesse en s'interpellant bruyamment.

Le décor défiait l'entendement : un dragon à trompe d'éléphant piétinait des soldats ; une Vierge Marie tenant dans ses bras un Enfant Jésus furibond montait la garde à l'entrée du restaurant. Sainte Marie la Menace, songeait Juan Diego, on dirait un videur ! On pouvait lui faire confiance pour dénigrer l'attitude de la Vierge. Et le dragon éléphant, alors, il se tenait bien, peut-être ?

– Ce n'est pas une bière espagnole, la San Miguel ? demanda Juan Diego à Bienvenido sur le chemin du retour, après en avoir bu quelques-unes.

– C'est-à-dire, les brasseurs sont espagnols, mais ils ont une filiale aux Philippines.

Devant tout indice de colonialisme, surtout de colonialisme espagnol,

Juan Diego démarrait au quart de tour. Et puis il y avait ce qu'il considérait comme le colonialisme catholique.

– C'est une forme de colonialisme, sans doute, dit-il simplement.

Dans le rétroviseur, il vit que le chauffeur ruminait ce propos. Pauvre Bienvenido qui avait cru parler d'une bière !

– Sans doute, fut ce que ce dernier se borna à répondre.

C'était la fête d'un saint quelconque, lequel, Juan Diego ne s'en souvenait pas. Les prières alternées, qui débutaient dans la chapelle, n'étaient pas une invention de son rêve ; elles montaient jusqu'à lui et sa sœur le matin où ils s'éveillèrent avec El Gringo Bueno dans leur chambre à Los Niños Perdidos.

– ¡ Madre ! lançait une des religieuses (elle avait la voix de Sœur Gloria). Ahora y siempre, serás mi guía…

– Mère, reprenaient en chœur les enfants de la maternelle, maintenant et à jamais, tu seras mon guide.

Ils étaient dans la chapelle, ces enfants, à l'étage au-dessous de la chambre de Juan Diego et Lupe. Lors de ces fêtes, les chants s'élevaient avant qu'ils n'entament leur procession matinale. Lupe, éveillée ou dormant encore à moitié, murmurait sa propre prière en écho à la leur, prière à prendre au second degré :

– Dulce madre mía de Guadalupe, por tu justicia, presente en nuestros corazones, reine la paz en el mundo, ma douce mère Guadalupe, par ta justice, présente en nos cœurs, fais régner la paix sur le monde.

Mais ce matin-là, où Juan Diego avait encore du mal à ouvrir les yeux, elle dit :

– Tiens, toi qui voulais un miracle, figure-toi que notre mère a réussi à traverser la chambre pour prendre un bain sans voir le brave gringo !

Juan Diego ouvrit les yeux. Soit le gringo avait trépassé, soit il avait dormi sans bouger pied ni patte. Pourtant, le drap ne le couvrait plus. Lui et son Christ en croix gisaient nus, image même de la mort qui vient faucher les hommes dans leur jeunesse. Et pendant ce temps-là, Esperanza chantait un refrain des plus profanes dans la baignoire.

– Qu'est-ce qu'il est beau, hein ! dit Lupe à son frère.

– Il sent la pisse de bière, observa Juan Diego, qui se pencha sur le jeune Américain pour vérifier qu'il respirait.

– Il faut qu'on le sorte dans la rue, ou du moins qu'on le rhabille.

Esperanza avait retiré la bonde de la baignoire, qu'on entendait se vider. La chanson leur parvenait feutrée, sans doute leur mère était-elle en train de s'essuyer les cheveux dans une serviette.

Dans la chapelle, à l'étage au-dessous, ou peut-être dans la licence poétique prise par le rêve, la religieuse qui avait la voix de Sœur Gloria exhorta une fois de plus les enfants à répéter après elle : « ¡ Madre ! Ahora y siempre… »

– Je veux t'enlacer de mes bras et mes jambes, chantait Esperanza, je veux mêler ma langue à la tienne.

– I spied a young cowboy, all wrapped in white linen, chantait le gringo qui dormait d'un sommeil de mort. Wrapped up in white linen and cold as the clay.

– Regarde-moi dans quel état il s'est mis, tu parles d'un miracle ! dit Lupe qui se leva pour aider Juan Diego à habiller le gringo inerte.

– Whoa ! gémissait celui-ci, qui dormait encore ou s'était évanoui. On est tous potes ici, hein ? Tu sens bon, toi, et tu es si belle, soupira-t-il à Lupe qui essayait de boutonner sa chemise crasseuse.

Mais il ne parvenait pas à ouvrir les yeux, il ne la voyait pas ; la gueule de bois l'empêchait de se réveiller.

– Pour que je l'épouse, faudra qu'il arrête de boire, confia Lupe à Juan Diego.

L'haleine du brave gringo puait encore plus que tout le reste de sa personne, et Juan Diego s'efforçait de l'oublier en imaginant quel cadeau ce hippie sympathique allait pouvoir leur faire, puisque la veille, dans un état semi-lucide, il leur en avait promis un.

Comme de juste, ces pensées n'échappèrent pas à Lupe.

– Ça m'étonnerait qu'il puisse nous offrir des cadeaux somptueux, pauvre chou. Un jour, dans cinq ou sept ans, une simple alliance en or, je ne dirai pas non, mais je ne risque pas de compter sur un truc spécial pour l'instant, vu qu'il dépense son argent à boire et à aller avec les putes.

Comme si le mot l'avait fait surgir, Esperanza sortit de la salle de bains selon son habitude, drapée dans deux serviettes, l'une autour de la tête, l'autre couvrant sommairement ses formes. Elle portait sur le bras sa tenue de la calle Zaragoza.

– Regarde-le, maman ! s'écria Juan Diego en déboutonnant la chemise du gringo plus vite que Lupe ne l'avait boutonnée. Quand on l'a trouvé dans la rue hier soir, il avait pas la moindre marque sur lui. Mais ce matin, rends-toi compte ! (Il ouvrit la chemise pour révéler Jésus et ses plaies.) C'est un miracle ! cria-t-il.

– C'est El Gringo Bueno et il a rien d'un miracle, répondit Esperanza.

– Oh je voudrais tomber raide morte ! cria Lupe. Elle l'a connu, ils ont été nus ensemble ! Elle lui a tout fait.

Esperanza roula le gringo sur le ventre et le déculotta.

– Et ça, c'est un miracle ? demanda-t-elle à ses enfants.

Sur le cul nu de leur cher ami, un tatouage représentait le drapeau américain, mais délibérément déchiré au milieu par la raie des fesses. Difficile d'y voir un manifeste patriotique.

– Whoa ! souffla l'homme encore inconscient d'une voix étranglée. Il gisait face contre le lit, au risque de suffoquer.

– Il pue le vomi, commenta Esperanza. Aidez-moi à le mettre dans la baignoire, l'eau va le revigorer.

– Le gringo lui a mis son truc dans la bouche, babillait Lupe, et elle, elle a rentré son truc en elle.

– Arrête, Lupe, ordonna Juan Diego.

– Oublie ce que j'ai dit. Pas question que je l'épouse, ni dans cinq ans ni dans cent.

– Tu rencontreras quelqu'un d'autre.

– Elle a rencontré qui, Lupe ? Qui l'a mise dans cet état ? demanda Esperanza.

Elle avait pris le hippie nu sous les aisselles, Juan Diego l'avait attrapé par les chevilles, et ils l'emportaient dans la salle de bains.

– C'est toi qui l'as mise dans cet état, expliqua-t-il à sa mère. C'est la pensée que tu es allée avec lui.

– Bêtise, répliqua Esperanza. Tout le monde l'aime, ce jeune gringo, et lui aussi, il nous aime. Je plains sa mère, mais toutes les autres, il les rend très heureuses.

– Le gringo m'a brisé le cœur, pleurnichait Lupe.

– Qu'est-ce qui lui arrive, elle vient d'avoir ses premières règles ou quoi ? À son âge, j'avais déjà les miennes.

– Non, j'ai pas eu mes règles, je les aurai jamais, mes règles ! piailla Lupe. N'oublie pas que je suis retardée ! Mes règles aussi, elles sont en retard.

En le faisant glisser dans la baignoire, Juan Diego et sa mère cognèrent la tête du hippie sur le robinet d'eau chaude, mais il ne frémit pas, ni n'ouvrit les yeux. Sa seule réaction fut de prendre son sexe dans sa main.

– C'est pas mignon, ça ? commenta Esperanza. Il est trop chou, hein ?

– I see, by your outfit, that you are a cowboy, chantait le gringo en dormant.

Lupe aurait bien voulu faire couler l'eau, mais la vue du Gringo Bueno qui se tenait le sexe la mit de nouveau hors d'elle.

– Qu'est-ce qu'il est en train de se faire ? Il pense à baiser, j'en suis sûre !

– Il chante, il pense pas à baiser, Lupe, dit son frère.

– Bien sûr que si, dit Esperanza, le gringo, il pense qu'à ça, voilà pourquoi il fait pas son âge.

Sur quoi, elle ouvrit les deux robinets.

– Whoa ! s'écria le brave gringo en ouvrant les yeux.

Il les trouva tous trois en train de le regarder dans la baignoire. Il n'avait sans doute jamais vu Esperanza dans cette tenue, drapée serré dans une serviette blanche, ses cheveux en désordre retombant de part et d'autre de son joli visage. Elle avait ôté la seconde serviette, celle qui lui entourait la tête, car elle la destinait au hippie quand il sortirait de l'eau.

– Tu bois trop, gamin, dit-elle au brave gringo, t'es trop gringalet pour écluser tout cet alcool.

– Qu'est-ce que tu fais là, toi ? s'exclama leur ami.

Il avait un sourire merveilleux qui contrastait avec le Christ en agonie sur sa poitrine grêle.

– C'est notre mère, c'est notre mère que tu baises ! brailla Lupe.

– Ouh là là, petite sœur, commença-t-il, sans avoir rien compris de ce qu'elle disait, bien sûr.

– C'est notre mère, répéta Juan Diego au hippie pendant que la baignoire se remplissait.

– Eh ben ! On est tous potes, non ? Amigos, quoi ?

Lupe retourna dans la chambre.

Esperanza ayant laissé ouverte la porte du couloir, et Lupe celle de la salle de bains, on entendait Sœur Gloria monter avec les petits de la maternelle. La sœur nommait cette marche forcée le « reconstituant »

176

des enfants. Ils montaient au pas de charge, en psalmodiant leurs répons, et cela tous les jours, pas seulement pour la fête d'un saint quelconque. Elle déclarait que cette activité offrait l'avantage annexe d'avoir un effet bénéfique sur Frère Pepe et sur Edward Bonshaw, qui adoraient voir et entendre les marmots répéter «maintenant et à jamais».

Mais Sœur Gloria avait la fibre punitive. Elle voulait sans doute châtier Esperanza, la cueillir, comme le plus souvent, sortant du bain drapée dans deux serviettes. Peut-être imaginait-elle que la piété attendrissante du chant des petits transpercerait son cœur de pécheresse à la manière d'une épée incandescente. Peut-être entretenait-elle l'illusion que le «tu seras mon guide» des marmots aurait un effet purificateur sur les sales gosses de la prostituée, à qui l'on avait accordé des privilèges particuliers : une chambre à eux, avec salle de bains s'il vous plaît ! Il n'aurait pas fallu compter sur elle pour les gâter comme ça. Ce n'était pas la meilleure manière de faire tourner un orphelinat, non. Pas de traitement de faveur pour des petits charognards qui puent la fumée !

Le matin où Lupe apprit que sa mère et le gentil gringo avaient été amants, elle n'était pas d'humeur à entendre Sœur Gloria et les petits chanter leurs prières alternées.

– Mère ! répétait avec zèle Sœur Gloria.

Elle marqua un temps devant la porte ouverte, où elle vit Lupe assise sur un des deux lits défaits. Les enfants s'interrompirent dans leur marche. Ils piétinèrent sur place au milieu du couloir, en regardant la chambre. Lupe sanglotait, ce qui n'était pas précisément nouveau.

– Maintenant et à jamais, tu seras mon guide, répétèrent les enfants pour ce qui dut lui paraître la centième, voire la millième fois.

– Sainte Marie Mère de Dieu, c'est une usurpatrice ! leur cria-t-elle. Qu'elle me fasse un miracle, tiens ! Rien qu'un tout petit, s'il vous plaît, et je croirai, ne serait-ce qu'une minute, qu'elle sait faire autre chose que voler le Mexique à notre Guadalupe. Qu'est-ce qu'elle a de si fameux à son actif, la Vierge, hein ? On sait même pas comment elle est tombée enceinte !

Mais Sœur Gloria et les petits chanteurs avaient l'habitude des sorties incompréhensibles de la vagabonde demeurée : ainsi la nommait la nonne, La Vagabunda.

– ¡ Madre ! lança de nouveau Sœur Gloria, et, une fois de plus, les enfants répétèrent la prière lancinante.

Or voilà que, sous leurs yeux, Esperanza sortait de la salle de bains, tel un spectre ; leurs voix s'étranglèrent au milieu d'une phrase. Leur incantation se tut. Esperanza était sobrement vêtue d'une serviette, cheveux en bataille, lavés de frais. Ce n'était plus la femme de service déchue qu'ils connaissaient, mais une personne beaucoup plus sûre d'elle.

– Console-toi, Lupe. C'est pas la dernière fois qu'un garçon nu te brisera le cœur, dit Esperanza.

Aussitôt, Sœur Gloria s'interrompit à son tour.

– Oh que si, la première et la dernière ! cria Lupe, ce que ni les enfants ni la nonne ne comprirent.

– Ne faites pas attention à elle, les enfants ! leur lança Esperanza en traversant la chambre pieds nus. Elle a eu une vision du Christ, et elle est tourneboulée ; elle a cru qu'il était dans la baignoire, avec sa couronne d'épines et ses plaies ouvertes, sur sa croix. Normal d'être retourné, quand on se réveille dans ces conditions, jeta-t-elle à Sœur Gloria, tout ébaubie. Bien le bonjour, ma sœur, ajouta-t-elle en longeant le couloir d'un pas déhanché, dans la mesure du moins où le déhanchement est permis à une femme entravée par une serviette minuscule l'obligeant à faire de tout petits pas, ce qui ne l'empêchait pas d'aller vite.

– Quel homme nu ? demanda Sœur Gloria à Lupe.

La petite vagabonde s'était assise sur le lit, avec une expression butée ; elle lui désigna la salle de bains, où une voix chantait :

– Come sit down by me and hear my sad story. Got shot in the breast, and I know I must die.

Sœur Gloria hésita ; depuis que la prière avait cessé et qu'Esperanza s'était éclipsée dans le plus simple appareil ou presque, la nonne au visage en lame de couteau entendait des voix provenir de la salle de bains des gosses de la décharge. Elle crut peut-être tout d'abord que c'était Juan Diego qui parlait, ou chantait tout seul. Mais bientôt, sur fond de robinets qui coulaient et de clapotis, elle comprit qu'elle entendait *deux* voix ; celle du jeune moulin à paroles du basurero, élève chéri de Frère Pepe, et puis une autre, celle d'un adolescent nettement plus âgé, ou d'un jeune adulte. Tout à coup, elle pensa que le garçon nu évoqué par Esperanza devait être un homme fait et elle hésita à entrer.

178

Les petits enfants, eux, avaient été endoctrinés. On les avait entraînés à marcher au pas, et ils marchèrent. Ils entrèrent au pas de charge dans la chambre, puis dans la salle de bains.

Que faire ? se demandait Sœur Gloria. S'il y avait vraiment un jeune homme ressemblant de près ou de loin au Christ en croix, un Jésus à l'agonie aux dires d'Esperanza, son devoir ne lui dictait-il pas de protéger les orphelins de la fausse vision qui avait mis Lupe dans un tel état d'agitation ?

Lupe, pour sa part, ne perdit pas de temps et se dirigea vers le couloir.

– ¡ Madre ! lança la nonne en se ruant dans la salle de bains aux trousses des bambins.

– Maintenant et à jamais, tu seras notre guide, reprirent ceux-ci avant que les hurlements ne retentissent.

La conversation entre Juan Diego et le gentil gringo était fort intéressante, mais étant donné ce qui suivit l'entrée en force des petits, on peut comprendre qu'en vieillissant Juan Diego ait eu du mal à se rappeler les détails dans l'ordre.

– Je sais pas pourquoi ta mère s'obstine à m'appeler « gamin », je suis pas aussi jeune que j'en ai l'air, avait commencé le gringo.

Inutile de dire qu'aux yeux de Juan Diego qui, à quatorze ans, était en effet un gamin, le gringo n'avait pas l'air d'un gosse ; mais il se contenta d'acquiescer.

– Mon père est mort aux Philippines, pendant la guerre, il y a beaucoup d'Américains qui y sont morts. Sauf que mon père, il est mort après tout le monde, il a vraiment joué de malchance. Et ça, c'est de famille, chez nous. C'est une des raisons pour lesquelles j'ai pensé qu'il fallait pas que je parte au Vietnam. Mais en plus, je voulais aller aux Philippines, voir où il est enterré et lui rendre hommage, lui dire tout simplement combien je regrette de ne pas l'avoir connu, tu comprends.

Là encore, Juan Diego se contenta d'acquiescer, et pour cause !

Malgré les robinets qui coulaient, le niveau d'eau ne montait pas dans la baignoire. Elle se remplissait et se vidait en même temps. Le hippie avait dû faire sauter la bonde à force de se tortiller sur son cul tatoué. En outre, il n'arrêtait pas de se shampouiner, et la mousse qui glissait de ses cheveux enrobait désormais son corps visqueux, au point que le Christ en croix avait disparu.

– La bataille de Corregidor, en mai 42, a marqué le cœur des combats aux Philippines. Les Américains se sont fait laminer. Dans la marche de la mort de Bataan, en avril de la même année, ils ont dû faire une centaine de kilomètres après la capitulation, et des tas de prisonniers sont morts en route. C'est pourquoi on a fait un cimetière et mémorial aussi grand aux Philippines, il se trouve à Manille.

– Je vois, dit simplement Juan Diego.

– J'ai cru pouvoir les convaincre que j'étais pacifiste, poursuivit le brave gringo.

Il était à présent entièrement recouvert de mousse, à l'exception du petit bouc brun qu'il portait au menton, au seul endroit où poussait sa barbe. Quoiqu'il parût trop jeune pour se raser, il fuyait la conscription depuis trois ans, car on avait voulu le recruter dès la fin de ses études universitaires, apprit-il à Juan Diego, et il avait aujourd'hui vingt-six ans. Il s'était fait tatouer ce Christ aux plaies ouvertes pour persuader l'armée américaine qu'il était objecteur de conscience. Mais ça n'avait pas marché.

Pour manifester ensuite son hostilité au patriotisme, il s'était fait tatouer ce drapeau américain déchiré en deux par la raie de ses fesses et puis il s'était enfui au Mexique.

– Voilà à quoi ça mène de se déclarer objecteur de conscience, trois ans à la rue, commenta le gringo. Mais écoute un peu ce qui est arrivé à mon pauvre père : il était plus jeune que moi quand ils l'ont expédié aux Philippines. La guerre était presque finie, mais il combattait dans les troupes amphibies qui ont repris Corregidor en février 45. On peut mourir en gagnant une guerre, tu vois, c'est pas plus difficile que de mourir en la perdant. Mais c'est quand même de la poisse, hein ?

– C'est de la poisse, convint Juan Diego.

– Tu peux le dire, oui. Moi je suis né en 44, quelques mois avant que mon père se fasse tuer. Il m'a jamais vu. Ma mère est même pas sûre qu'il ait vu mes photos de bébé.

– Quel dommage, dit Juan Diego.

Il était à genoux sur le sol, devant la baignoire. Impressionnable comme tout garçon de son âge, il pensait n'avoir jamais rencontré personne d'aussi passionnant.

– Promets-moi un truc, l'homme à roulettes, dit le gringo en posant ses doigts savonneux sur la main de Juan Diego.

– D'accord, répondit celui-ci.

Avec les promesses faites à Lupe, il n'en était plus à ça près.

– S'il m'arrive quelque chose, il faut que tu ailles aux Philippines à ma place. Il faut que tu dises à mon père combien je regrette de ne pas l'avoir connu.

– Oui, bien sûr, j'irai.

Pour la première fois, le jeune hippie parut surpris.

– Tu iras ?

– Oui, j'irai.

– Whoa, l'homme à roulettes ! Des amis comme toi, ça me ferait pas de mal d'en avoir davantage.

À ces mots, il s'immergea complètement sous l'eau et la mousse, de sorte que quand les enfants suivis par Sœur Gloria firent irruption dans la salle de bains aux accents de « Madre, maintenant et à jamais » et autres sornettes, il n'y avait plus ni hippie ni Jésus.

– Alors, où est-il ? demanda Sœur Gloria à Juan Diego. Je ne vois pas de garçon nu, ici. Quel garçon nu ?

Elle n'avait pas fait attention aux bulles qui crevaient à la surface mousseuse, mais l'un des enfants à l'œil aigu les lui fit remarquer, et elle braqua aussitôt son regard dessus.

C'est alors qu'un monstre marin se dressa sur les eaux écumeuses, devant les petits. Endoctrinés comme ils l'étaient, ils durent voir dans ce hippie tatoué et son Christ en croix shampouiné un monstre marin biblique. Et lui, selon toute probabilité, dut croire que le voir surgir des eaux du bain détendrait l'atmosphère. Peut-être qu'après son récit mélancolique, il souhaitait alléger l'humeur ambiante. Nous ne saurons jamais au juste quelles intentions il nourrissait quand il jaillit du fond de la baignoire en crachant de l'eau comme une baleine, bras en croix à l'instar du Jésus mourant tatoué sur sa poitrine haletante. Quelle lubie s'était emparée du grand échalas, qu'est-ce qui avait pu l'inciter à se dresser debout dans la baignoire où il dominait tout le monde et attirait l'attention sur sa nudité ? Nous ne saurons jamais à quoi il pensait, ni même s'il pensait, d'ailleurs, le gringo n'étant pas réputé pour sa conduite rationnelle dans la calle Zaragoza.

Disons en toute honnêteté qu'il s'était immergé à un moment où il était seul avec Juan Diego ; il était loin de se douter qu'il referait surface devant une multitude, essentiellement constituée d'enfants de cinq ans qui croyaient en Jésus.

– Whoa ! s'écria cette image de la Crucifixion mâtinée du Déluge.

Quant à son mot unique, il semblait étranger aux oreilles des petits hispanophones.

Quatre ou cinq des enfants firent instantanément pipi dans leur culotte. Une petite fille se mit à piailler si fort que plusieurs marmots se mordirent la langue. Les bambins qui se trouvaient le plus près de la porte traversèrent la chambre comme des fusées pour regagner le couloir en hurlant. Ceux qui n'espéraient pas pouvoir échapper au Christ gringo tombèrent à genoux, qui pissant qui pleurant, et se cachèrent le visage dans leurs mains. Un petit garçon s'agrippa si fort à l'une de ses camarades qu'elle lui mordit la joue.

Sœur Gloria s'était raccrochée de justesse à la baignoire en sentant qu'elle s'évanouissait, mais le hippie christique, craignant qu'elle ne tombe, l'avait entourée de ses bras. Il ne sut balbutier que « Whoa, ma sœur… » avant qu'elle ne lui martèle la poitrine de ses poings. Elle asséna ainsi plusieurs coups sur la face torturée du Christ qui levait au ciel des yeux implorants, et, quand elle découvrit avec horreur ce qu'elle était en train de faire, elle ne put qu'imiter cette attitude de supplication à son tour.

– ¡ Madre ! s'écria-t-elle une dernière fois, comme si la Vierge Marie était sa seule confidente et son seul salut, son seul et unique guide, comme elle le répétait dans sa prière alternée.

C'est alors que le gringo glissa et retomba à quatre pattes dans la baignoire, dont l'eau savonneuse déborda en inondant la salle de bains. Il eut la présence d'esprit de se tourner pour arrêter le robinet : la baignoire pourrait du moins se vider. Du coup, à mesure que le niveau baissait, les enfants, que la peur avait cloués au sol, virent émerger le drapeau américain déchiré sur le cul nu du Christ.

Sœur Gloria le vit aussi, ce tatouage explicitement profane qui semblait insulter celui du Jésus en agonie. Portée d'instinct à réprouver ce spectacle, elle sentit qu'il en émanait une contradiction quasi satanique.

À genoux sur le sol de la salle de bains, l'eau inondant ses cuisses, Juan Diego n'avait pas bougé. Tout autour de lui, les enfants s'étaient roulés en boule, trempés. Sans doute parce qu'il avait déjà l'étoffe d'un écrivain, il songea aux troupes amphibies qui s'étaient fait massacrer en reprenant Corregidor – avec, dans leurs rangs, des garçons à peine sortis de l'enfance. Il pensait à la promesse faite au gentil gringo, et il palpitait, comme on peut palpiter à quatorze ans devant une vision du futur parfaitement irréaliste.

– Ahora y siempre, maintenant et à jamais, geignait l'un des marmots trempés.

– Maintenant et à jamais, reprit Juan Diego avec plus d'assurance.

Il savait ce qu'il se promettait là, à savoir de saisir dorénavant toute perche porteuse d'avenir.

14

Nada

Devant la classe d'Edward Bonshaw, dans le couloir, se dressait sur son piédestal un buste de la Vierge Marie avec une larme sur sa joue. Il y avait souvent une tache rouge betterave sur l'autre : on aurait dit du sang. Toutes les semaines, Esperanza l'essuyait ; la semaine suivante, la tache était revenue.

– C'est peut-être du sang, après tout, avait-elle confié à Frère Pepe.

– Impossible, lui avait répondu celui-ci. On ne nous a rapporté aucun cas de stigmates à l'orphelinat.

Sur le palier intermédiaire entre le rez-de-chaussée et le premier étage se trouvait une statue de saint Vincent de Paul dans la veine « Laissez venir à moi les petits enfants », avec deux bambins dans les bras. Esperanza avait signalé que du sang apparaissait sur l'ourlet de la pèlerine du saint.

– J'en essuie toutes les semaines, mais la semaine suivante il est revenu. Ça doit être du sang miraculeux.

– Impossible, s'était borné à répéter Pepe.

– Vous ne voyez pas ce que je vois, lui avait rétorqué Esperanza en désignant ses yeux de braise. Je ne sais pas ce que c'est, mais ça laisse une marque.

Ils avaient raison tous deux. Ce n'était pas du sang, non, mais la tache revenait bien toutes les semaines. Depuis l'épisode du gringo dans la baignoire, les gamins de la décharge devaient faire profil bas avec leur arnaque au jus de betterave. Ils avaient dû réduire leurs visites nocturnes sur la calle Zaragoza. Señor Eduardo et Frère Pepe, sans parler de Sœur Gloria, cette sorcière, et des autres nonnes, les tenaient à l'œil. Et Lupe avait vu juste quant aux cadeaux qui seraient dans les moyens du hippie ; ils ne furent pas grandioses.

Il avait sans nul doute marchandé au mieux les figurines religieuses qu'il avait achetées dans les boutiques de piété et de cotillons sur la calle Independencia. L'une des deux était une idole de la dimension d'une statuette, l'autre, la Vierge de Guadalupe, était grandeur nature.

À vrai dire, elle était même un peu plus grande que Juan Diego, et c'était son cadeau. Son manteau bleu-vert, sorte de cape sans manches ou d'étole, correspondait à un vêtement traditionnel. Sa large ceinture, pièce d'étoffe noire, viendrait un jour étayer la supposition qu'elle était enceinte. Longtemps après, en 1999, le pape Jean-Paul II ferait d'elle la Patronne des Amériques et la Protectrice des enfants à naître.

Ah, ce pape polonais et ses enfants à naître...

La Vierge de la boutique n'avait rien d'une femme enceinte ; elle paraissait très jeune, quinze ou seize ans à peine, et elle avait des seins, des sacrés nibards qui lui donnaient une allure rien moins que pieuse.

– On dirait une poupée gonflable ! s'écria Lupe à sa vue.

C'était peut-être un peu exagéré, n'empêche qu'elle rappelait bien ces objets, même si Juan Diego ne pouvait ni la déshabiller ni faire bouger ses membres (et même si elle n'avait pas de parties génitales reconnaissables).

– Et mon cadeau, à moi ? lança Lupe.

Le brave gringo lui demanda si elle lui pardonnait d'avoir couché avec sa mère.

– Oui, mais on pourra jamais se marier, tous les deux.

– Ça m'a l'air bien définitif, conclut le hippie lorsque Juan Diego lui eut traduit la réponse.

– Fais-moi voir mon cadeau, reprit Lupe.

C'était une figurine qui représentait Coatlicue, hideuse à souhait. Juan Diego se disait que fort heureusement elle était petite, plus petite encore que Blanc Sale. Quant au gringo, il n'arrivait pas à prononcer le nom de la déesse aztèque et Lupe essayait de l'y aider à sa manière, articulant farouchement Coh-ah-tli-cou-eh, sans qu'il y entende goutte.

Juan Diego avait toujours eu du mal à croire qu'une même déesse puisse avoir des attributs aussi contradictoires ; en revanche, il comprenait pourquoi Lupe adorait cette harpie. C'est que Coatlicue incarnait des extrêmes : déesse de l'enfantement et de l'impureté sexuelle, ainsi que des conduites répréhensibles, elle était liée à plusieurs mythes de création. Selon l'un d'entre eux, elle avait été engrossée par une boule de plumes qui était tombée sur elle au moment où elle balayait un temple. Normal qu'elle l'ait mauvaise, se disait Juan Diego. Mais Lupe déclara qu'elle voyait très bien ce genre d'aventure arriver à leur mère, Esperanza.

Contrairement à cette dernière, Coatlicue était vêtue d'une jupe de serpents. Son accoutrement était constitué de reptiles onduleux. Elle portait aussi un collier fait de cœurs, de mains et de crânes humains ; les doigts de ses mains et de ses pieds étaient griffus. Ses seins étaient flasques, avec des serpents à sonnettes en guise de tétons. « Elle a trop allaité, peut-être », observa Lupe.

– Mais qu'est-ce qui te plaît tant, chez elle ? lui demanda un jour Juan Diego.

– C'est que, parmi ses enfants, il y en a qui ont juré de la tuer, lui répondit-elle. Una mujer difícil.

– Esperanza m'a dit que tu admirais cette drôle de déesse mère, intervint le hippie.

– Je l'adore.

– Coatlicue est une mère dévoratrice, expliqua Juan Diego. Elle est la matrice et la tombe.

– Je vois ça, oui. Elle a l'air *mortelle*, affirma le hippie avec un peu plus d'assurance.

– Personne irait lui chercher des noises, proclama Lupe.

Edward Bonshaw lui-même, toujours porté à voir le bon côté des choses, trouva la figurine effrayante.

– Je comprends que la mésaventure de la boule de plumes ait pu l'aigrir, mais c'est vrai qu'elle n'a pas l'air commode, dit-il à Lupe – avec tout le respect qu'il lui devait.

– Elle a pas demandé à naître comme ça, lui répondit la petite. Elle a été sacrifiée dans le plan général de la création, apparemment. Quand on lui a coupé la tête, du sang a jailli de sa nuque et deux serpents gigantesques ont formé son visage.

Lupe marqua un temps pour permettre à Juan Diego de traduire.

– Parmi nous, il y en a qui n'ont pas choisi d'être ce qu'ils sont.

– Mais… commença Edward Bonshaw.

– Moi je suis comme je suis, reprit Lupe.

Juan Diego leva les yeux au ciel en traduisant. Lupe appuya contre sa joue l'idole grotesque ; elle était déjà pleine d'adoration pour la déesse avant même que le brave gringo ne lui en offre l'effigie.

Quant à Juan Diego, il se masturbait parfois dans son lit, imaginant allongée à côté de lui la Sainte Vierge reçue en cadeau, car il aimait voir son visage extatique tout près du sien. Le léger renflement de ses seins lui suffisait.

L'impassible mannequin était fait d'un plastique léger mais rigide. Et s'il mesurait quelques centimètres de plus que Juan Diego, il était creux, de sorte qu'il pouvait le transporter sous son bras.

Deux circonstances s'opposaient cependant à ce qu'il mette la Vierge dans son lit, ou plutôt qu'il fantasme de le faire. Tout d'abord, il lui fallait pour cela être seul dans la chambre – sachant bien entendu que Lupe, qui lisait dans ses pensées, n'ignorait pas son dessein.

Et ensuite, il y avait le socle. Les jolis pieds de Guadalupe étaient fixés à un piédestal d'herbe vert chartreuse qui avait la circonférence d'un pneu de voiture. C'était donc un obstacle conséquent à son désir de se pelotonner contre elle dans son lit. Il avait bien pensé à le scier, ce piédestal, mais alors il aurait sectionné du même coup les pieds mignons de la statue et ses chevilles ; et elle n'aurait plus pu tenir debout.

Lupe n'ignorait rien des ruminations de son frère.

– Je ne veux pas voir Notre Dame de Guadalupe couchée ni adossée au mur de notre chambre. Que je ne te prenne pas à la flanquer tête en bas dans un coin parce que tu l'auras amputée des pieds !

– Regarde-la, Lupe ! s'écria Juan Diego.

Il désignait la statue, devant l'une des étagères de l'ancienne bibliothèque. On aurait dit un personnage littéraire sorti de son contexte, une héroïne échappée d'entre les pages d'un roman, et désormais incapable d'y retourner.

– Regarde-la, répéta-t-il. Tu crois que ça l'intéresse de coucher ?

Un hasard heureux voulut que Sœur Gloria vienne à passer devant leur chambre ; elle y jeta un coup d'œil, depuis le couloir. Elle n'était pas d'accord pour qu'ils installent cette Guadalupe grandeur nature dans leur domaine – encore des privilèges immérités ! Mais Frère Pepe avait défendu les enfants. Que pouvait-elle trouver à redire à un objet de piété ? Sœur Gloria objecta que la statue ressemblait davantage à un mannequin de couturière – et plutôt suggestif, avait-elle précisé.

– Pas question d'allonger Notre Dame de Guadalupe !

Les Saintes Vierges vendues à la Niña de Las Posadas n'étaient pas convenables, pensait-elle. Elle se figurait la Madone autrement et jugeait indécent qu'on lui donne une allure aguichante !

Ce fut hélas ce souvenir, parmi d'autres, qui tira Juan Diego de son rêve dans sa chambre soudain étouffante. Au fait, comment pouvait-il faire aussi chaud dans cet hôtel frigo ?

Les poissons flottaient, ventre en l'air, à la surface de l'aquarium figé dans sa lueur verdâtre. L'hippocampe si fringant naguère avait cessé de se dresser, et sa queue préhensile inerte indiquait qu'il avait rejoint à jamais les membres défunts de sa famille des syngnathes. Le problème des bulles d'eau était-il revenu ? Ou bien les poissons morts avaient-ils bouché le système de filtration ? On n'entendait plus gargouiller l'aquarium, l'eau demeurait immobile et trouble, et pourtant une paire d'yeux jaunâtres fixait Juan Diego depuis les fonds nébuleux. La murène, ses ouïes cherchant le peu d'oxygène qui restait, semblait la seule survivante du désastre.

Tst tst, se souvint Juan Diego ; quand il était rentré, il avait trouvé sa chambre glaciale et la climatisation à fond. La femme de chambre avait dû la monter ; elle avait d'ailleurs aussi laissé la radio allumée. Comme il ne savait pas éteindre cette musique taraudante, il avait dû débrancher le radioréveil.

Il faut dire que la femme de chambre était perfectionniste. Voyant qu'il avait préparé sa dose de bêtabloquants, elle avait étalé tous ses autres médicaments, dont le Viagra, ainsi que le coupe-comprimé. L'écrivain en avait été irrité et déconcentré. Circonstance aggravante, il n'avait découvert les interventions de la cameriste qu'après avoir débranché la radio et bu l'une des quatre bières du seau à glace.

À la lumière crue de l'aquarium sinistré, il vit qu'il ne restait qu'une bouteille de San Miguel, surnageant dans l'eau tiède. Aurait-il bu les trois autres en rentrant ? Et l'air conditionné, quand l'avait-il éteint ? Peut-être s'était-il réveillé en claquant des dents, et, dans un demi-sommeil polaire, s'était-il dirigé en grelottant vers le thermostat fixé sur le mur de la chambre.

Tout en tenant à l'œil la Señora Morales, il plongea l'index dans l'eau du bac et le retira aussitôt : la mer de Chine elle-même jamais ne fut si chaude. On aurait dit une bouillabaisse mijotant à petit feu.

Malheureux, qu'est-ce que j'ai fait ? se demandait-il. Et puis quels rêves intenses ! C'était rare quand il prenait la dose prescrite de bêtabloquants.

Tst tst, c'est alors qu'il se souvint. Il alla dans la salle de bains. Le pouvoir de suggestion s'y révéla. Il avait dû couper en deux la pilule de Lopressor ; cette fois, il n'avait absorbé qu'une *demi*-dose ! Du moins n'avait-il pas pris un Viagra à la place…

Double dose la veille, demi-dose ce soir-là. Que dirait le Dr Rosemary Stein, si elle savait !

– Pas bon, pas bon, marmonna-t-il en rentrant dans la chambre torride.

Les trois bouteilles de San Miguel vides l'accusaient. On aurait dit de petits gardes du corps inflexibles qui auraient protégé la télécommande sur la table de la télévision. Mais oui, il se souvenait, maintenant. Il était resté hébété devant l'écran passé au noir après avoir montré le terroriste boiteux de Mindanao. Et quand il s'était couché, après les trois bières frappées et dans une climatisation féroce, son cerveau avait dû entrer en hibernation. Un demi-comprimé de Lopressor ne suffisait pas à tenir ses rêves en respect.

Il se rappelait qu'il faisait très chaud dans la rue lorsque Bienvenido l'avait ramené au Shangri-La après dîner. Il régnait une moiteur terrible à Manille et il sentait sa chemise coller à son dos. Les chiens renifleurs haletaient dans le hall de l'hôtel. Il avait constaté avec contrariété que cette équipe de nuit n'était pas celle qu'il connaissait ; les vigiles aussi avaient changé.

Le directeur de l'hôtel lui avait indiqué que le thermomètre de l'aquarium était très délicat. Peut-être avait-il voulu dire « le thermostat ». Dans une chambre avec air conditionné, le rôle de ce thermostat n'était-il pas de maintenir la température de l'eau assez élevée pour ne pas dépayser les natifs de la mer de Chine ? Si bien que, quand Juan Diego avait coupé la climatisation, la fonction de ce thermostat avait changé. Les petits poissons de Tante Carmen, Juan Diego les avait mis à cuire. Seule la murène outragée s'accrochait à la vie parmi ses congénères qui flottaient, le ventre en l'air. Ce thermostat ne pouvait-il donc pas rafraîchir l'eau, aussi ?

– Lo siento, Señora Morales, dit une fois de plus Juan Diego.

Les ouïes de la murène n'ondulaient plus, elles brassaient.

Il appela le directeur de l'hôtel pour lui annoncer l'hécatombe ; il fallut alerter l'animalerie exotique de Makati City. Pouvait-on encore sauver Morales si les employés arrivaient assez vite et démontaient l'aquarium pour la remettre dans une eau de mer toute fraîche ?

– Il faudra peut-être lui donner un sédatif pour le voyage, suggéra le directeur de l'hôtel.

À voir de quel œil elle le fixait, Juan Diego conclut qu'elle vivrait très mal cette sédation.

Il remit l'air conditionné avant de quitter sa chambre pour prendre son petit déjeuner. Sur le seuil, il lança un coup d'œil qu'il espéra être le dernier vers l'aquarium devenu antichambre de la mort. La Señora Morales le regarda partir comme si elle avait hâte de le revoir, de préférence à l'heure de l'extrême-onction.

– Lo siento, Señora Morales, lui dit-il encore, en laissant la porte se refermer en douceur derrière lui.

Mais lorsqu'il se retrouva tout seul dans l'ascenseur, sorte d'étouffoir puant dépourvu de climatisation, il se mit à hurler à pleins poumons :

– Je t'emmerde, Clark French, et toi aussi, je t'emmerde, Tante Carmen, sans t'avoir jamais vue !

Il cessa de hurler en apercevant la caméra de surveillance fixée au-dessus des boutons d'étage et braquée sur lui. Il ne savait pas si elle enregistrait aussi les sons. Mais qu'ils comprennent ou pas ce qu'il disait, il se figurait les vigiles de l'hôtel en train d'observer ce cinglé d'infirme proférant ses imprécations tout seul dans l'ascenseur.

Le directeur de l'hôtel vint trouver son Hôte de Marque au moment où il finissait son petit déjeuner.

– Ces malheureux poissons, monsieur, on s'en est occupé. Les employés de l'animalerie sont passés, lui annonça-t-il.

Puis, baissant la voix car il n'était pas nécessaire d'affoler les autres pensionnaires qui auraient pu croire à la présence d'un virus, il ajouta :

– Ils portaient des masques chirurgicaux.

– Vous savez peut-être si la murène… hasarda Juan Diego.

– L'anguille a survécu. Ça a la vie dure, ces bestioles, il faut croire. Mais elle est très énervée.

– Comment ça, énervée ?

– Elle a mordu quelqu'un, monsieur. Rien de grave, mais il y a eu morsure. Ça saignait.

De nouveau, le directeur avait baissé la voix.

– Où ça, la morsure ?

– À la joue.

– À la joue !

– Rien de grave, monsieur. J'ai vu le visage de l'homme mordu. La plaie se refermera sans laisser de cicatrice. C'est fâcheux, voilà tout.

– Oui, c'est fâcheux, convint Juan Diego.

Il n'osa pas demander si Tante Carmen était passée en personne avec son équipe. Avec un peu de chance, elle était déjà partie pour Bohol avant l'accident et elle l'attendait sur place avec toute la smala philippine de Clark French. Mais là-bas, il faudrait bien qu'elle apprenne la nouvelle de la catastrophe, la murène énervée, la joue mordue du malheureux employé de la boutique.

Qu'est-ce qui m'arrive ? se demandait Juan Diego en remontant dans sa chambre. Il vit une serviette par terre, au pied du lit – sans doute là où l'eau de l'aquarium avait débordé. Il imagina la murène en train de donner des coups de queue et de se jeter à la figure de l'employé effaré ; cependant il n'y avait pas de sang sur la serviette.

Il allait se servir des toilettes lorsqu'il aperçut l'hippocampe sur le sol de la salle de bains ; il était si petit qu'il avait dû échapper à l'attention des employés de la boutique au moment où l'on jetait ses congénères dans la cuvette. Ses yeux écarquillés par l'étonnement donnaient l'illusion de la vie. Dans sa minuscule face préhistorique, ils exprimaient une indignation féroce à l'égard du genre humain : on aurait dit un dragon traqué.

– Lo siento, caballo marino, dit Juan Diego avant de le précipiter dans la cuvette et d'actionner la chasse d'eau.

Alors, il en voulut au monde entier. À lui-même d'abord, et puis au Shangri-La, et aux simagrées du directeur servile, car cette gravure de mode à la moustache trop bien taillée lui avait remis une brochure sur le Cimetière américain de Manille et son Mémorial ; il s'agissait d'une publication de la Commission des monuments et batailles des États-Unis, avait-il appris en lisant distraitement la plaquette dans l'ascenseur, après son petit déjeuner.

192

Qui lui avait dit, à cette mouche du coche, qu'il s'intéressait personnellement à ce cimetière ? Bienvenido lui-même n'ignorait pas qu'il
avait l'intention de se rendre sur les tombes des Américains tombés
lors des « opérations » dans le Pacifique.

Est-ce que Clark French – ou son épouse philippine – avaient raconté
à la terre entière qu'il se proposait de rendre hommage au père du brave
gringo jadis tombé en héros ? Il avait eu pendant de longues années
une raison toute privée de se rendre à Manille. Mais on pouvait faire
confiance à Clark French et à son dévouement insigne pour que cette
mission soit portée sur la place publique.

Juan Diego en voulait à Clark French. Il n'avait nulle envie de se
rendre à Bohol ; c'était tout juste s'il situait l'île et se la représentait.
Sauf que Clark French jugeait inacceptable que son mentor vénéré
passe le 31 décembre tout seul à Manille.

– Mais voyons, Clark, j'ai vécu seul presque toute ma vie dans
l'Iowa ! lui avait-il dit. Et toi-même, il t'est arrivé d'être seul à Iowa
City !

Enfin, bon, Clark French, toujours bien intentionné, espérait peut-être
que Juan Diego rencontre sa future femme aux Philippines. C'était
bien ce qui lui était arrivé, à lui ! Il avait fait une rencontre ! N'était-il
pas follement heureux, peut-être grâce à cette épouse philippine ?
Sauf qu'à vrai dire, du temps qu'il vivait seul à Iowa City, il était
déjà follement heureux. Le bonheur, chez lui, c'était une religion,
soupçonnait Juan Diego.

C'était peut-être sa belle-famille ; si ça se trouvait, ces gens s'étaient
fait une fête de l'inviter à Bohol. Mais, selon lui, Clark était bien
capable de se faire une fête de l'invitation tout seul. Il n'avait besoin
de personne.

Année après année, la famille philippine de Clark French descendait
dans un hôtel au bord de la plage, près de la baie de Panglao. Ils
occupaient tout l'établissement depuis le lendemain de Noël jusqu'au
lendemain du jour de l'An.

– Nous réservons toutes les chambres, il n'y aura pas d'étranger,
lui avait dit Clark.

C'est moi, l'étranger, crétin ! avait pensé Juan Diego. Car il ne
connaîtrait personne d'autre que son ancien élève. Et naturellement,
l'écrivain arriverait à Bohol précédé d'une réputation d'assassin d'un

précieux biotope subaquatique. Tante Carmen saurait tout. Il ne doutait pas que cette fan de la faune exotique aurait communiqué d'une manière ou d'une autre avec la murène. Si la Señora Morales s'était montrée *énervée*, que dire de la fameuse Tante Carmen, autre Dame Bonnes Mœurs ?

Il imaginait sans peine ce que sa thérapeute bien-aimée, le Dr Rosemary, penserait de cette poussée de colère. Elle lui ferait sûrement observer que la rage qu'il avait ressentie dans l'ascenseur, et ressentait encore à présent, montrait si besoin était qu'un demi-Lopressor ne suffisait pas.

Cette rage constituait la démonstration même que son corps fabriquait plus d'adrénaline et plus de récepteurs d'adrénaline. De fait, une forme de léthargie survenait quand on prenait la dose exacte de bêtabloquants, et le sang circulant alors mal dans les extrémités on avait froid aux mains et aux pieds. Et, de fait encore, une pilule, une pilule entière, pouvait lui inspirer des rêves aussi intenses et chaotiques que s'il avait carrément oublié ses bêtabloquants. De quoi s'y perdre.

Néanmoins, il avait 17 de tension, et, s'il fallait en croire sa mère, l'un de ses pères putatifs était mort jeune, d'une crise cardiaque.

Et puis, il y avait la fin d'Esperanza elle-même. Pourvu qu'elle ne m'inspire pas mon prochain mauvais rêve, se dit-il, sachant qu'une fois cette appréhension en tête il multipliait les risques de la voir se réaliser. De toute façon, le destin d'Esperanza hantait ses rêves comme sa mémoire.

– On n'y peut rien, constata-t-il à haute voix.

Il était toujours dans la salle de bains, encore sous le choc d'avoir jeté l'hippocampe dans les toilettes, lorsque son regard tomba sur le demi-Lopressor restant, qu'il prit aussitôt, le faisant passer avec un verre d'eau.

Appelait-il consciemment de ses vœux cette sensation d'être diminué qu'il devrait traîner toute la journée ? Et s'il prenait la dose prescrite de ses bêtabloquants, ne risquait-il pas d'éprouver une fois de plus, à son arrivée à Bohol, cet ennui, cette inertie, cette pure apathie dont il se plaignait si souvent auprès du Dr Stein ?

Il faudrait que je l'appelle tout de suite, se dit-il. Il savait qu'il avait triché avec ses doses ; peut-être savait-il même qu'il avait tendance à les modifier légèrement de façon chronique, parce qu'il était tenté de manipuler les résultats. Il savait pertinemment qu'il était censé bloquer ses montées d'adrénaline, sauf que l'adrénaline lui manquait au quotidien, il en aurait voulu davantage. De sorte que s'il n'appela pas le Dr Stein, ce ne fut pas pour de bonnes raisons.

En fait, il était sûr qu'elle allait lui déconseiller fortement de faire joujou avec l'adrénaline et ses récepteurs. Or cela, il ne voulait pas l'entendre. Et comme il comprenait aussi clairement que Clark French faisait partie des gens qui savent tout et vont s'appliquer à savoir le reste, il fit un effort pour mémoriser les informations les plus saillantes de la brochure sur le Cimetière américain. On aurait cru sans peine qu'il y était déjà allé.

Il fut même tenté de le faire croire à Bienvenido, dans la limousine. («J'ai rencontré un vétéran de la Seconde Guerre mondiale à l'hôtel, et j'ai visité le Cimetière américain. Il avait fait le débarquement à Leyte avec MacArthur, quand il était revenu, en 44.») Mais il se retint :

– Je visiterai le cimetière une prochaine fois. Je voudrais jeter un coup d'œil sur un ou deux hôtels, pour y descendre à mon retour. C'est une amie qui me les a recommandés.

– Bien sûr, c'est vous le patron, repartit Bienvenido.

La plaquette du cimetière présentait une photo du général MacArthur s'avançant d'une puissante enjambée vers la côte, de l'eau jusqu'aux genoux.

Il y avait plus de 17 000 pierres tombales dans le cimetière ; Juan Diego avait gardé le chiffre en mémoire, avec plus de 36 000 «disparus au combat» et moins de 4 000 «inconnus». Il mourait d'envie de partager ces chiffres avec quelqu'un, mais il s'abstint cependant d'étaler son savoir devant Bienvenido.

Plus de 1 000 soldats américains, dont le père du brave gringo, étaient tombés à la bataille de Manille qui avait duré un mois – au moment où les troupes amphibies reprenaient l'île de Corregidor. Dans le même temps, plus de 100 000 civils philippins avaient trouvé la mort. Et si un ou plus des membres de la famille de Bienvenido étaient du nombre ?

Il lui demanda seulement s'il connaissait l'emplacement des tombes dans ce vaste cimetière de plus de 70 hectares. Y avait-il une zone réservée aux soldats américains tués à Corregidor soit en 42, soit en 45 ? La brochure faisait état d'un mémorial spécial pour les morts de Guadalcanal, qui comptait onze carrés ; mais ne pas connaître le nom de famille du brave gringo ni celui de son père lui posait problème.

– Je crois qu'on dit le nom du soldat, et eux vous indiquent quel carré, quelle rangée et quelle tombe. Il suffit de leur annoncer le nom. Ça marche comme ça.

Le chauffeur surveillait l'écrivain dans son rétroviseur ; peut-être lui semblait-il épuisé par une mauvaise nuit. Bienvenido ignorait tout des meurtres de l'aquarium, et il ne se doutait pas que la posture affalée de Juan Diego indiquait simplement que la seconde moitié du Lopressor commençait à faire effet.

Le Sofitel, où il le conduisit, se trouvait dans le quartier de Pasay City et, malgré son apathie, Juan Diego remarqua les chiens renifleurs de bombes.

– Il faudra vous méfier du buffet, lui dit le jeune homme, c'est ce qu'on raconte sur le Sofitel.

– Me méfier du buffet ?

Ce n'était pas la perspective d'un empoisonnement qui l'avait ragaillardi, mais sa curiosité d'écrivain. Ses voyages dans les pays où ses romans étaient traduits lui avaient appris à s'intéresser aux chauffeurs de place, qui étaient une mine de renseignements.

– Je sais toujours où se trouvent les toilettes dans la zone des halls d'hôtel et des restaurants. Quand on est chauffeur de métier, ce sont des choses qu'il faut savoir.

– Où pisser, en somme ? (Juan Diego l'avait déjà entendu dire par d'autres chauffeurs.) Et le buffet, alors ?

– Quand vous avez le choix, les toilettes du restaurant sont mieux que celles du hall, en principe. Mais pas là.

– Et le buffet ?

– J'ai vu des gars gerber dans les chiottes. Je les ai entendus chier leurs tripes.

– Ici, au Sofitel ? Et vous êtes sûr que c'est à cause du buffet ?

– Peut-être que les plats traînent indéfiniment sur les dessertes à température ambiante. Alors quand c'est des crevettes… Moi je mets ça sur le compte du buffet !

Dommage, pensa Juan Diego. Le Sofitel lui avait fait pourtant une bonne impression de l'extérieur. Miriam devait avoir ses raisons de l'apprécier. Peut-être n'avait-elle jamais essayé le buffet en question. Et puis Bienvenido pouvait se tromper.

Ils s'éloignèrent sans que Juan Diego ait mis les pieds dans l'établissement. L'autre adresse suggérée par Miriam était l'Ascott.

– Vous auriez dû me le dire tout de suite, soupira Bienvenido. Il est sur Glorietta Drive, il faut revenir à Makati. Vous serez à côté du centre Ayala. On y trouve tout ce qu'on veut.

– C'est-à-dire?

– Des kilomètres de boutiques, c'est un centre commercial. Il y a des escalators, des ascenseurs, toutes sortes de restaurants.

Les infirmes ne sont pas fous des centres commerciaux.

– Et l'hôtel lui-même? Pas de victimes du buffet?

– Il est très bien l'Ascott, c'est là que vous auriez dû descendre tout de suite.

– Ne commençons pas la liste des «quel dommage», dit l'écrivain à qui l'on reprochait de truffer ses romans de «si».

– La prochaine fois, alors, conclut le chauffeur.

Ils repartirent donc à Makati pour que Juan Diego aille réserver en personne une chambre à l'Ascott pour son prochain séjour. Il n'aurait qu'à prier Clark d'annuler celle au Shangri-La. Après l'Armageddon de l'aquarium, tout le monde en serait soulagé.

À l'Ascott, le hall n'étant pas de plain-pied, on y accédait par des ascenseurs devant lesquels étaient postés, tant au rez-de-chaussée qu'à l'étage, des vigiles nerveux avec leurs chiens renifleurs.

S'il n'en dit rien à Bienvenido, les deux chiens plurent tout de suite à Juan Diego. Tout en faisant sa réservation, il imaginait Miriam arrivant à l'hôtel. Les ascenseurs étaient loin de la réception; il était sûr que les vigiles la suivraient de l'œil. Car il n'y avait que les aveugles et les chiens renifleurs pour l'ignorer; on l'accompagnait du regard au moindre pas qu'elle faisait.

Qu'est-ce qui lui arrivait? Ses pensées, ses souvenirs, ce qu'il imaginait, ce qu'il rêvait, tout se mélangeait. Et il était obsédé par Miriam et Dorothy.

Une fois dans la voiture, il sombra au fond de son siège comme une pierre dans une mare invisible.

«Pour nous aussi, c'est terminus Manille», avait dit Dorothy. Qui, «nous»? Tout le monde? Peut-être qu'on finit tous ici, songea-t-il.

Aller simple. Ça sonnait comme un titre. Quelque chose qu'il aurait écrit ? Qu'il se proposerait d'écrire ? Il ne s'en souvenait pas.

« Je voudrais bien me marier avec le hippie s'il ne sentait pas aussi mauvais et s'il arrêtait de chanter cette chanson de cow-boy », disait Lupe. « Oh je voudrais tomber raide morte ! » s'était-elle exclamée.

Comme il les maudissait, les surnoms que les nonnes de Los Niños Perdidos donnaient à sa mère ! Il regrettait de l'avoir insultée lui-même. Desesperanza, Desesperación !

– Lo siento, madre, dit-il tout bas, si bas que le chauffeur ne l'entendit pas.

Son client était-il réveillé ? Dormait-il ? Bienvenido aurait eu du mal à le dire. Il lui avait parlé de l'aéroport réservé aux vols intérieurs, lui expliquant que les guichets d'enregistrement fermaient arbitrairement et rouvraient de même, qu'il fallait prévoir des suppléments pour tout. Mais Juan Diego n'avait pas réagi.

Le pauvre diable lui semblait largué ; il résolut donc de l'accompagner d'un bout à l'autre du processus de réservation malgré les tracasseries auxquelles il s'exposerait avec la voiture, tout chevronné qu'il était.

– Il fait trop froid ! s'exclama Juan Diego. Ouvrez la fenêtre s'il vous plaît, arrêtez la climatisation.

– Pas de problème, c'est vous le patron, dit Bienvenido, qui s'exécuta.

Ils approchaient de l'aéroport et longeaient un autre bidonville lorsqu'ils durent s'arrêter à un feu rouge.

Avant que le chauffeur ait pu le mettre en garde, Juan Diego fut assailli par des petits mendiants : leurs bras maigres et leurs paumes implorantes firent irruption par les fenêtres ouvertes.

– Hello, les enfants ! lança l'écrivain, comme s'il les attendait.

Un fouilleur de décharge le reste toute sa vie, et trimballe avec lui le sens de la récupération longtemps après qu'il a cessé de chercher de l'aluminium, du cuivre ou du verre.

Il mit la main à la poche, malgré les injonctions du chauffeur.

– Non, non, ne leur donnez rien. Et quand je dis rien, c'est rien ! Monsieur, je vous en prie, Juan Diego, sinon on ne s'en sort plus.

Qu'est-ce que c'était donc que cette drôle de monnaie, au fait ? On aurait dit des billets de Monopoly. Juan Diego n'avait pas de piécettes mais seulement deux petits billets. Il donna celui de 20 piso à la première main tendue, et celui de 50 piso à la deuxième.

– Dalawampung piso ! s'écria le premier gamin.

– Limampung piso ! brailla le second.

Était-ce du tagalog ?

Bienvenido voulut l'empêcher de leur donner un gros billet de 1 000 piso, mais l'un des enfants l'aperçut avant qu'il ait eu le temps d'arrêter sa main.

– Monsieur, s'il vous plaît, c'est trop, dit le chauffeur.

– Sanlibong piso ! cria l'un des enfants suppliants.

Aussitôt, les autres reprirent ce cri. «Sanlibong piso, sanlibong piso !» À ce moment-là, le feu passa au vert et Bienvenido accéléra en douceur ; les enfants retirèrent leurs bras de la voiture.

– Trop, pour ces enfants, ça ne veut rien dire, Bienvenido. Ils manquent de tout, au contraire. Je suis un gosse de la décharge, moi, j'en sais quelque chose.

– Un gosse de la décharge, monsieur ?

– J'y ai grandi, Bienvenido. Ma sœur et moi, on était des niños de la basura. On y vivait quasiment, sur l'ordure. On n'aurait jamais dû en partir, tout est allé de mal en pis après.

– Monsieur… commença Bienvenido, qui s'interrompit en voyant que Juan Diego pleurait.

L'air pollué de la cité s'engouffrait par les vitres ouvertes ; les odeurs de cuisine l'agressaient. Les enfants mendiaient dans les rues ; les femmes, la mine épuisée, portaient des robes sans manches, ou bien des shorts avec des débardeurs. Les hommes traînaient dans l'embrasure des portes ; ils fumaient ou bavardaient entre eux, désœuvrés.

– C'est la zone ! s'écria Juan Diego. Un bidonville infect et pollué ! Il y a là des millions de gens au chômage ou en sous-emploi, et les catholiques voudraient qu'ils se reproduisent comme des lapins !

Il parlait en fait de Mexico. Manille venait de lui rappeler Mexico avec force.

– Et regardez-moi ces abrutis de pèlerins ! Ça avance à genoux, ça s'écorche, ça se fouette pour faire étalage de piété !

Inutile de dire que Bienvenido n'y comprenait plus rien. Il croyait que son client parlait de Manille. Quels pèlerins ?

– Ce n'est qu'un petit bidonville, monsieur, on ne peut pas dire que ce soit la zone. Je reconnais que la pollution est un problème…

– Attention ! cria Juan Diego.

Mais Bienvenido conduisait bien. Il avait déjà vu le petit garçon tomber du Jeepney en surcharge, alors que le chauffeur du bus lui-même ne s'était pas rendu compte que le gamin avait roulé, ou avait été poussé, depuis l'arrière. L'enfant était tombé sur la chaussée et Bienvenido donna un coup de volant pour ne pas l'écraser.

C'était un marmot à la frimousse sale, avec une sorte de fourrure mitée autour du cou et des épaules, ou peut-être un boa – le genre d'oripeau qu'une vieille aurait porté sous des latitudes plus froides. Mais quand l'enfant tomba, chauffeur et client s'aperçurent que cette étole de fourrure n'était autre qu'un petit chien, et que l'animal s'était blessé dans sa chute. Il jappait, ne pouvait plus poser une de ses pattes de devant, qu'il gardait levée, toute tremblante. L'enfant s'était juste écorché un genou et il s'inquiétait surtout pour son chien.

DIEU EST BON ! proclamait le sticker du bus. Pas pour ce gamin ni pour son chien, pensa Juan Diego.

– Arrêtez ! Il faut qu'on s'arrête ! cria-t-il, mais le chauffeur roulait toujours.

– Pas ici, monsieur. L'enregistrement va durer plus longtemps que votre vol…

– Dieu n'est pas bon ! Dieu a l'air indifférent. Demandez à ce gamin. Parlez-en à son chien !

– Vous venez de parler de pèlerins. Quels pèlerins, monsieur ?

– À Mexico, il y a une rue… commença Juan Diego.

Il ferma les yeux et les rouvrit aussitôt, peut-être pour échapper à la vision de cette rue.

– Les pèlerins y vont, c'est par là qu'ils accèdent à un sanctuaire, poursuivit-il, mais son débit ralentissait, comme si la voie qui menait à ce sanctuaire était difficile, du moins pour lui.

– Quel sanctuaire, monsieur ? Quelle rue ?

Mais Juan Diego avait refermé les paupières et ne semblait pas entendre son jeune chauffeur.

– Juan Diego ? reprit celui-ci.

– Avenida de los Misterios, répondit l'écrivain sans ouvrir les yeux. Avenue des Mystères. Des larmes ruisselaient sur son visage.

– C'est bon, monsieur, vous n'êtes pas obligé de me raconter…

Déjà, Juan Diego s'était tu. Le vieux fou était ailleurs, Bienvenido le voyait. Ailleurs très loin, dans l'espace ou dans le temps.

Il faisait soleil à Manille, ce jour-là. Même les yeux clos, le noir était strié de lumière. L'écrivain avait l'impression de voir sous l'eau. Un instant, il crut deviner une paire d'yeux jaunâtres braquée sur lui, mais on ne distinguait rien dans cette obscurité barrée de traits lumineux.

Ce sera comme ça quand je mourrai, songea-t-il. Sauf que ce sera le noir absolu. Pas de Dieu. Pas de bien ni de mal. Pas de Dame Bonnes Mœurs non plus. Pas même une murène recherchant l'oxygène. Rien, le néant.

– Nada, souffla-t-il sans rouvrir les yeux.

Bienvenido ne dit rien, il continua de rouler. Mais à sa façon de hocher la tête et à la sympathie manifeste avec laquelle il considérait le passager assoupi dans son rétroviseur, il était clair qu'il connaissait le mot « nada », sinon tout ce que cela recouvrait.

15

La nariz

« Je ne suis pas très croyant », avait dit Juan Diego à Edward Bonshaw.

Mais c'était le gosse de quatorze ans qui parlait et il lui était plus facile de faire cette déclaration que de trouver des arguments justifiant sa défiance à l'égard de l'Église catholique, surtout auprès d'un séminariste aussi sympathique qu'Edward.

« Ne parle pas ainsi, Juan Diego, tu es trop jeune pour te couper de la foi », lui avait répondu celui-ci.

En réalité, ce n'était pas la foi qui manquait à l'adolescent. Comme la majorité de ses semblables, il voulait croire au miraculeux, à toutes sortes de mystères inexplicables. Mais il demeurait sceptique au sujet de ceux auxquels l'Église voulait rallier tout le monde, ceux des fondations, dont le temps avait terni le lustre.

Ce qu'il remettait en question, c'était l'Église, sa politique, son influence dans la société, ses façons de manipuler l'histoire et de s'immiscer dans les comportements sexuels ; mais il aurait eu du mal à l'exprimer du haut de ses quatorze ans dans le bureau du Dr Vargas, où le médecin athée et le missionnaire de l'Iowa étaient en train de croiser le fer.

La plupart des petits récupérateurs de décharge sont croyants ; il faut peut-être croire en quelque chose quand on voit tant de rebut. Et Juan Diego savait comme tout récupérateur – et tout orphelin – que chaque objet, voire chaque être devenu encombrant était peut-être bienvenu hier et aurait pu l'être dans d'autres circonstances.

Lui, le lecteur-de-la-décharge, sauvait les livres du bûcher pour les lire. Un tel type de lecteur ne pourrait être imperméable à toute croyance. Il faut une éternité pour lire certains livres, même, et surtout, peut-être, ceux qu'on a arrachés aux flammes.

Le vol de Manille à Tagbilaran, sur l'île de Bohol, ne durait qu'une heure. Mais il est des rêves qui durent une éternité. À quatorze ans, quand Juan Diego était passé du fauteuil roulant aux béquilles pour finir par marcher en traînant la patte, la transition lui avait semblé interminable. De cette période ne subsistaient dans son rêve que l'approfondissement de sa relation avec le missionnaire, leurs échanges théologiques. L'adolescent avait fait machine arrière quant à la foi, mais il campait sur ses positions à l'égard de l'Église.

Il se souvenait d'avoir dit, du temps où il avait encore ses béquilles :

– Notre Vierge de Guadalupe n'était pas votre Sainte Vierge. C'est l'Église catholique qui a opéré ce tour de passe-passe, c'est du tripatouillage papal.

– Je vois où tu veux en venir, lui avait répondu Edward Bonshaw avec sa rhétorique jésuite pseudo-conciliante. Je reconnais qu'il y a eu comme un décalage ; il s'est passé très longtemps avant que le pape Benoît XIV voie une copie de l'icône de Guadalupe sur la tunique de l'Indien et déclare qu'elle était la Vierge Marie. C'est bien ce que tu veux dire ?

– Un décalage de deux cents ans ! s'exclama Juan Diego en enfonçant le bout de sa béquille dans le pied du missionnaire. Vos évangélistes sont arrivés d'Espagne, ils se sont mis à poil avec les Indiennes, et crac, ça a donné Lupe et moi. On est des Zapotèques et rien d'autre. On n'est pas catholiques, il ne faut pas confondre Guadalupe avec Marie, l'usurpatrice.

– Vous allez toujours brûler les chiens sur la décharge, m'a dit Pepe. Je ne vois pas ce qui vous fait croire que brûler les cadavres puisse leur être bénéfique.

– C'est vous, les catholiques, qui êtes opposés à la crémation…

Et ainsi de suite, les arguties s'étaient poursuivies même après que Frère Pepe les avait conduits à la décharge pour ce rituel. Et pendant ce temps-là, les enfants étaient de plus en plus séduits par l'idée de travailler dans un cirque et désireux de quitter l'orphelinat.

– Il n'y a qu'à voir ce que vous avez fait de Noël, vous les catholiques, disait Juan Diego. En choisissant le 25 décembre comme date de la naissance du Christ, vous n'avez fait qu'entériner une fête païenne. Ce qui prouve bien que vous vous contentez de valider ce qui existe déjà. Il y a peut-être une vraie étoile, à Bethléem, vous le saviez ?

Les Chinois ont fait état d'une nova, une étoile qui aurait explosé, en l'an 5 avant Jésus-Christ.

– Où va-t-il chercher tout ça ? demandait souvent Edward Bonshaw.

– Dans la bibliothèque des Enfants perdus. Faudrait-il l'empêcher de lire ? Nous voulons qu'il lise, au contraire, n'est-ce pas ? répondait Pepe.

– Et ce n'est pas tout, se souvenait d'avoir dit Juan Diego, pas forcément en rêve.

Il marchait à présent sans béquilles, en traînant la patte. Ils se trouvaient quelque part dans le Zócalo. Lupe caracolait devant ; Frère Pepe s'époumonait à les suivre. Même avec sa patte folle, Juan Diego avançait plus vite que lui.

– Qu'est-ce qui vous plaît tellement dans la chasteté ? Pourquoi est-ce que les prêtres tiennent tant à rester célibataires ? Ils passent leur temps à nous dire ce qu'il faut faire et ce qu'il faut penser en ce qui concerne le sexe. Mais comment voulez-vous qu'ils soient pris au sérieux s'ils n'ont aucune expérience dans ce domaine ?

– Vous n'allez tout de même pas me dire que c'est dans notre bibliothèque à la mission qu'il a appris à remettre en question l'autorité légitime d'un clergé chaste en matière de comportements sexuels ? avait demandé Edward Bonshaw à Frère Pepe.

– Il m'arrive de penser des trucs que je n'ai lus nulle part, avait répliqué Juan Diego. Les idées me viennent parfois toutes seules.

Sa claudication était un phénomène relativement récent ; il se rappelait encore cette sensation nouvelle.

Il se souvenait aussi du matin où Esperanza époussetait la statue de la Vierge dans l'église de la Compagnie de Jésus. Pour atteindre le visage de la sainte, il lui fallait monter sur une échelle. En général, Juan Diego et Lupe lui tenaient cette échelle. Pas ce matin-là.

Quant au brave gringo, il était tombé très bas. Flor avait dit aux enfants qu'il n'avait plus un sou, ou qu'il dépensait ce qui lui restait à boire et n'allait même plus avec les putes. Elles ne le voyaient plus guère, et il leur était donc difficile de veiller sur lui.

Lupe en rejetait en bonne partie la faute sur Esperanza, et Juan Diego avait traduit ses propos à sa mère.

– C'est la guerre du Vietnam qu'il faut accuser, rectifia celle-ci.

Qu'elle y crût ou pas, elle se contentait de répéter comme parole d'évangile tout ce qui se disait calle Zaragoza : en l'occurrence, les bavardages des prostituées ou l'argument que lui servaient les jeunes paumés américains qui voulaient éviter la conscription.

Esperanza avait appuyé l'échelle contre la Vierge Marie. Comme le piédestal était haut, ses yeux arrivaient tout juste au niveau des pieds de Marie qui, bien plus grande qu'une femme de chair, la dominait de sa stature.

– El Gringo Bueno, il est en train de livrer son combat à lui, chuchota Lupe, énigmatique. Puis elle regarda en direction de la statue : Ça lui plaît pas, cette échelle, commenta-t-elle sans en ajouter davantage.

Juan Diego traduisit ce dernier constat, mais zappa la réflexion sur le combat du brave gringo.

– Tenez-moi l'échelle, je monte épousseter, dit Esperanza.

– C'est pas le moment de faire la poussière, elle est de mauvais poil, la Vierge, aujourd'hui, prévint Lupe.

Juan Diego ne crut pas bon de traduire.

– J'ai pas toute la journée, moi, vous savez, dit Esperanza en grimpant les barreaux.

– Regardez les yeux de la géante, regardez ses yeux ! s'écria soudain Lupe.

Mais Esperanza n'était pas en mesure de comprendre ; en outre, elle était en train d'épousseter le bout du nez de la Vierge Marie avec son plumeau.

C'est alors que Juan Diego vit les yeux de la sainte ; scandalisés, ils passaient sans cesse du joli visage d'Esperanza à la profondeur de son décolleté, qu'elle semblait juger trop vertigineux.

– Madre, évite son nez, peut-être ? réussit-il seulement à dire.

Il avait tendu la main vers l'échelle, mais s'interrompit au milieu de son geste. Les gros yeux courroucés de la Vierge se dirigèrent un instant vers lui, ce qui aurait suffi à le glacer. Puis elle fixa son regard-sentence sur le décolleté d'Esperanza.

La jeune femme perdit-elle l'équilibre ? Jeta-t-elle les bras autour du cou de la Vierge Monstre pour se rattraper ? Lâcha-t-elle prise en lisant dans ses yeux, ayant plus peur de sa colère que de la chute ? Celle-ci ne fut pas particulièrement violente. Esperanza ne se cogna même pas la tête. Et l'échelle resta en place. On aurait dit que la jeune femme s'en était détachée d'une simple poussée.

– Elle est morte avant de tomber, répétait Lupe. C'est pas la chute qui l'a tuée.

La statue colossale avait-elle bougé ? La Vierge avait-elle chancelé sur son piédestal ? Pas du tout, affirmaient les deux adolescents à qui voulait les entendre. Mais alors, comment son nez avait-il été emporté ? Comment la Sainte Mère avait-elle perdu cet appendice ? Esperanza lui aurait-elle collé une gifle en glissant ? L'aurait-elle calottée avec le manche de bois du plumeau ? Jamais de la vie, disaient les jeunes, en tout cas, ils n'avaient rien vu de tel. On dit bien qu'on a quelqu'un « dans le nez », or celui de la Vierge s'était détaché de son visage. Juan Diego le chercha partout, un nez pareil ne disparaît pas comme une tête d'épingle !

Les yeux immenses de la Vierge étaient redevenus fixes et impénétrables. Nulle trace de colère, ils avaient retrouvé leur opacité habituelle, qui les rendait quasi anodins. Et maintenant qu'il lui manquait son nez, ses yeux aveugles étaient d'autant moins expressifs.

Les gamins de la décharge ne pouvaient s'empêcher de remarquer qu'il y avait plus de vie dans les yeux écarquillés d'Esperanza, alors qu'elle était morte – ce qu'ils avaient compris à l'instant même où elle était tombée de l'échelle « comme la feuille tombe de l'arbre », dirait plus tard Juan Diego au Dr Vargas.

Ce fut l'homme de science qui commenta l'autopsie :

– Le plus souvent, quand on meurt de peur, on meurt d'une arythmie.

– Vous avez la certitude qu'elle est morte de peur ? l'interrompit Edward Bonshaw.

– Elle est morte de peur, c'est sûr, répondit Juan Diego.

– Sûr et certain, confirma Lupe.

Ni Edward Bonshaw ni le Dr Vargas n'eurent besoin de traduction.

– Quand le système de conduction du cœur est saturé d'adrénaline, reprit Vargas, on observe des anomalies du rythme cardiaque ; autrement dit, le sang n'est plus pompé. Le nom de l'arythmie la plus courante est la fibrillation ventriculaire ; les cellules musculaires palpitent, mais il n'y a plus de pompage.

– Et alors on tombe raide mort, c'est ça ?

– On tombe raide mort. Exactement.

– Et ça peut arriver à un sujet aussi jeune qu'Esperanza ? Avec un cœur normal ?

– La jeunesse ne constitue pas forcément un avantage, en l'occurrence. D'autre part, Esperanza n'avait pas un cœur « normal », sa tension était tout à fait anormale.

– Ça pouvait venir de son mode de vie… suggéra Bonshaw.

– On n'a pas d'indice dénotant que la prostitution provoque des crises cardiaques, sinon chez les catholiques, objecta Vargas sur le ton d'autorité scientifique qui était le sien. Esperanza n'avait pas un cœur normal, et vous, les jeunes, il faudra surveiller le vôtre, toi en tout cas, Juan Diego.

Le médecin marqua un temps, il réfléchissait à l'éventail des géniteurs possibles pour Juan Diego sur une échelle à peu près raisonnable, l'ascendance de Lupe donnant lieu à des conjectures infiniment plus ouvertes. Même pour un athée, l'affaire était délicate.

Il regarda Edward Bonshaw.

– L'un des pères éventuels de Juan Diego, je veux dire son père biologique le plus plausible, est mort d'une crise cardiaque. Il était très jeune, d'après ce qu'Esperanza m'a dit. Vous en savez davantage sur la question, vous ? demanda-t-il aux deux enfants.

– On n'en sait pas plus que vous, répondit Juan Diego.

– Rivera sait quelque chose, il le garde pour lui, c'est tout, affirma Lupe.

Juan Diego n'aurait pas pu beaucoup mieux dire. Rivera leur avait effectivement confié que le père « le plus probable » de Juan Diego était mort « le cœur brisé ».

– Tu veux dire d'une crise cardiaque ? lui avait alors demandé Juan Diego, parce que c'était ce que leur mère leur avait dit, comme elle le disait à tout le monde.

– Si c'est le mot qui convient quand un cœur se brise pour toujours… s'était contenté de répondre Rivera.

Quant au nez de la Vierge, eh bien, Juan Diego l'avait aperçu qui gisait à côté du prie-Dieu de la deuxième travée. Il avait eu toutes les peines du monde à le faire entrer dans sa poche. Les hurlements de Lupe ameutèrent bientôt le Père Octavio et le Père Alfonso, qui accoururent. Le Père Alfonso récitait déjà des prières penché sur le corps lorsque cette mégère de Sœur Gloria parut, Pepe sur ses talons, hors d'haleine. La nonne à la face de carême semblait agacée par la sortie spectaculaire d'Esperanza, qui, par-delà la mort, exhibait encore ce décolleté que la Vierge géante venait de condamner de façon aussi théâtrale.

Les gamins restaient plantés là. Combien de temps faudrait-il aux deux prêtres, à Frère Pepe ou à Sœur Gloria pour s'apercevoir que la statue de la Vierge Monstre avait perdu son nez ?

Devinez qui s'en aperçut ? Il débarla le long de la nef jusqu'à l'autel, sans même s'arrêter pour faire une génuflexion, sa chemise hawaïenne faisant flotter autour de lui une débandade de singes et d'oiseaux tropicaux qu'un coup de tonnerre aurait éparpillés dans la forêt pluviale.

– C'est la Sainte Garce qui l'a tuée ! cria Lupe à Edward Bonshaw. Votre grosse Vierge a tué notre mère. Elle l'a fait mourir de peur.

Juan Diego traduisit bravement cette accusation.

– Tout à l'heure, elle va nous dire que c'est un miracle, grinça Sœur Gloria.

– Ne me parlez pas de miracle, ma sœur, lui répondit le Père Octavio.

Le Père Alfonso achevait ses oraisons, qui visaient à libérer l'âme d'Esperanza de ses péchés.

– Milagro, vous avez dit « milagro » ? demanda Edward Bonshaw au Père Octavio.

– Milagro ! brailla Lupe, ce que le nouveau missionnaire n'eut aucun mal à comprendre.

– Esperanza est tombée de l'échelle, expliqua le Père Octavio.

– Elle a été foudroyée avant de tomber, baragouina Lupe.

Juan Diego censura cette expression dramatique. Ce ne sont pas quelques regards qui font mourir, sauf mourir de peur.

– Où est le nez de Marie ? demanda Bonshaw en désignant la face mutilée de la Vierge.

– Disparu, parti en fumée, délira Lupe. Tenez-la à l'œil, la Sainte Garce, elle pourrait bien partir en morceaux.

– Lupe, dis la vérité, lui intima son frère.

Edward Bonshaw, qui n'avait rien compris à leur échange, ne quittait pas des yeux la statue ébréchée.

– Ce n'est que son nez ! s'écria Frère Pepe en tentant de refréner le zélote. Ça ne veut rien dire, il doit se trouver quelque part.

– Ça ne veut rien dire ? Mais comment voulez-vous que ça ne veuille rien dire ? Comment expliquez-vous qu'il ne soit plus là ?

Le Père Alfonso et le Père Octavio s'étaient mis à genoux, non pour prier, mais pour chercher l'appendice manquant sous la première travée.

— Vous, vous ne savez rien de ce nez, je présume ? demanda Frère Pepe à Juan Diego.

— Nada, rien du tout, répondit Juan Diego.

— Les yeux de la Sainte Garce ont bougé ; on aurait dit qu'elle était vivante, dit Lupe.

— Ils te croiront jamais, soupira son frère.

— Si, l'homme perroquet, il me croira. Il a besoin de croire davantage, il croira n'importe quoi.

— Qu'est-ce qu'on ne croira pas ? demanda Frère Pepe à Juan Diego.

— J'avais bien compris ! Oui, que veux-tu dire, Juan Diego ? insista Bonshaw.

— Dis-lui ! La Sainte Garce a bougé les yeux ! Elle regardait autour d'elle ! cria Lupe.

Juan Diego glissa une main dans sa poche pleine à craquer, où il avait dissimulé le nez de la Vierge, et il leur parla de ses yeux soudain mobiles et furibonds qui ne cessaient de revenir sur le décolleté d'Esperanza.

— C'est un miracle, affirma tranquillement le missionnaire.

— Parlons-en à l'homme de science, proposa non sans ironie le Père Alfonso.

— Oui, reprit le Père Octavio, il pourra nous organiser une autopsie.

— Vous voulez autopsier un miracle ? demanda Frère Pepe avec un mélange de candeur et de malice.

— Elle est morte de peur, l'autopsie ne vous apprendra rien d'autre, dit Juan Diego en serrant entre ses doigts le nez cassé de la Vierge.

— C'est la Sainte Garce qui l'a tuée, voilà tout ce que je sais, conclut Lupe.

Pas faux, jugea Juan Diego, qui traduisit.

— La Sainte Garce ! répéta Sœur Gloria.

Tous se tournèrent vers le visage ébréché de la Sainte Mère, comme s'ils s'attendaient à y découvrir de nouveaux dégâts. Frère Pepe vit que le missionnaire était le seul à considérer les yeux de la Vierge, et rien que ses yeux.

Un milagrero, voilà ce qu'il est, songea Frère Pepe. Le type même du colporteur de miracles.

Juan Diego, lui, ne pensait rien du tout. Il serrait le nez de la Vierge Marie dans sa poche, comme si sa vie en dépendait.

Les rêves se dépouillent du superflu en sabrant les détails. Ce n'est pas le bon sens qui leur dicte ce qui doit rester ou disparaître. Un rêve de deux minutes peut durer indéfiniment.

Le Dr Vargas ne garda rien pour lui. Il approfondit la question de l'adrénaline, mais tout ce qu'il expliqua ne parvint pas jusqu'au rêve de Juan Diego. Selon Vargas, l'adrénaline était toxique en grande quantité – or il s'en libère beaucoup dans les cas de peur subite.

Juan Diego lui avait même demandé de lui parler d'autres états émotionnels. À part la peur, qu'est-ce qui pouvait conduire à une arythmie mortelle dans le cas d'un cœur défectueux ?

– Toute émotion forte, positive comme négative, un bonheur, un chagrin, lui avait répondu le médecin, mais ces propos n'apparaissaient pas dans le rêve. Il y a des gens qui sont morts pendant un rapport sexuel, voire pendant un accès de ferveur religieuse, ajouta-t-il à l'intention d'Edward Bonshaw.

– Et pendant qu'ils se flagellaient ? demanda Frère Pepe, toujours avec le même mélange de candeur et de malice.

– Aucun cas répertorié, répondit l'homme de science non sans arrière-pensées.

Des golfeurs avaient succombé en frappant leur trou du premier coup. Une proportion atypique d'Allemands trépassait d'une crise cardiaque chaque fois que l'équipe de football allemande disputait la Coupe du Monde. Des hommes étaient morts un ou deux jours après leur femme ; des femmes, en perdant leur mari, et parfois au profit d'une autre ; des parents qui avaient perdu un enfant. Tous mouraient de chagrin, tous de mort subite. Ces exemples d'états émotionnels ayant amené l'arythmie meurtrière étaient absents du rêve de Juan Diego. Pourtant le bruit du pick-up de Rivera, le gémissement si particulier de la marche arrière, s'y insinua sans nul doute au moment où le train d'atterrissage sortit de l'avion qui arrivait à Bohol. Ainsi font les rêves : telle l'Église catholique, ils valident et s'approprient plus qu'ils ne créent.

Dans le rêve, tout se confond, le grincement de l'appareil lors du vol Philippine Airlines 117 et le gémissement de la marche arrière. Mais quant à savoir comment une odeur viciée, en l'occurrence celle de la morgue de Oaxaca, s'infiltrait dans le rêve de Juan Diego lors de ce vol – tout ne s'explique pas, il faut bien en convenir.

Rivera savait où se trouvait le quai de charge de la morgue et il connaissait aussi le légiste qui ouvrait les corps dans l'anfiteatro de disección. Le frère et la sœur, eux, jugeaient superflue cette autopsie. La Vierge Monstre avait fait mourir leur mère de peur, tout à fait sciemment de surcroît.

Rivera avait de son mieux préparé Lupe à l'aspect du cadavre couturé depuis la base du cou jusqu'à l'aine via le sternum. Mais ce à quoi l'adolescente ne s'attendait pas, c'était le nombre de corps en souffrance attendant leur autopsie, ou encore le fait que celui du gringo – bras étendus, on aurait dit une descente de croix – se détachait par sa blancheur sur tous les autres, à la peau mate.

Tout récemment ouvert et recousu, il portait à la tête une entaille que la couronne d'épines n'aurait pas suffi à lui infliger. Le brave gringo avait livré son dernier combat. Lupe et Juan Diego eurent un choc en découvrant son cadavre relégué là. Et si Jésus tatoué sur sa peau claire avait eu à souffrir du bistouri, la face christique du jeune Américain arborait enfin une expression sereine. Il n'échappa pas à Lupe que le corps de sa mère et celui du brave gringo étaient les plus beaux de l'amphithéâtre, même s'ils étaient plus beaux encore de leur vivant.

– On va emporter celui du gringo, aussi. Tu m'as promis qu'on le ferait brûler, rappela Lupe à son frère. On va le brûler avec notre mère.

Rivera avait réussi à persuader le légiste de leur donner le corps d'Esperanza, mais quand Juan Diego traduisit la requête de sa sœur, le médecin piqua une crise.

Le décès du fugitif américain faisait l'objet d'une enquête criminelle. À l'hôtel Somega, on avait raconté qu'il avait succombé à un coma éthylique ; une prostituée avait confié qu'il était mort « sur » elle. Mais les conclusions du légiste étaient tout autres. El Gringo Bueno avait été battu à mort. Ivre, certes, mais ce n'était pas l'alcool qui l'avait tué.

– Il faut que son âme retourne dans son pays, répétait Lupe. *As I walked the streets of Laredo*, se mit-elle tout à coup à chanter, *As I walked the streets of Laredo one day...*

– Dans quelle langue est-ce qu'elle chante, la petite ? demanda le légiste à Rivera.

– La police ne bougera pas le petit doigt, dit El Jefe. Les flics ne veulent même pas convenir qu'il a été battu à mort. Ils parlent d'intoxication par l'alcool.

Le légiste haussa les épaules.

– Ouais, c'est ce qu'ils racontent déjà. Je leur ai dit que le tatoué avait été battu, mais ils m'ont répondu de fermer ma gueule.

– Intoxication par l'alcool, ce sera leur version, dit Rivera.

– La seule chose qui compte, maintenant, c'est l'âme du gringo, insista Lupe, ce que Juan Diego décida de traduire.

– Et si sa mère veut récupérer le corps ? ajouta-t-il cependant.

– Elle a réclamé les cendres, la crémation n'est pas la procédure habituelle avec les étrangers, expliqua le médecin. On n'aurait pas l'idée de les brûler sur le basurero.

Rivera haussa les épaules.

– On vous les donnera, les cendres, lui assura-t-il.

– Il y a deux corps, intervint Juan Diego, on gardera la moitié des cendres pour nous.

– On les emportera à Mexico, et on les dispersera à la basilique de Nuestra Señora de Guadalupe, aux pieds de notre Vierge à nous, parce qu'il est pas question qu'on s'approche de la Sainte Garce qu'a plus de nez ! s'écria Lupe.

– Cette petite parle une langue qui ne ressemble à aucune autre, et sa voix, alors… s'étonna le légiste.

Mais Juan Diego se garda bien de traduire ce qu'elle avait dit quant à la dispersion des cendres aux pieds de Notre Dame de Guadalupe.

Sans doute pour ne pas choquer l'adolescente, Rivera exigea que le corps d'Esperanza et celui du gringo soient placés dans deux sacs différents et, avec Juan Diego, il aida à les y glisser. Le temps de cette funèbre besogne, Lupe observa les autres cadavres, ceux déjà disséqués et ceux en attente, ceux qui ne comptaient pas pour elle, autrement dit. Juan Diego entendait Diablo aboyer et hurler à l'arrière du pick-up. Le chien flairait cette odeur viciée qui émanait de la morgue ; l'anfiteatro de disección sentait la viande froide.

– Comment ça se fait, que sa mère ne veuille pas voir son corps avant ? demanda Lupe. Comment une mère peut se contenter des cendres ?

Esperanza n'aurait peut-être pas voulu être incinérée, mais les enfants en avaient décidé ainsi. Catholique fervente et pratiquant abondamment la confession, elle n'aurait peut-être pas choisi la décharge pour bûcher funéraire, mais lorsque le défunt ne laisse pas de consignes particulières, la décision revient à ses enfants.

– Ils sont fous, ces catholiques, de ne pas accepter la crémation, disait Lupe. Il n'y a pas mieux que la décharge pour tout brûler. La fumée noire s'élève jusqu'au plus haut du ciel, les vautours planent sur le paysage.

Elle avait fermé les yeux et serrait l'affreuse statuette de Coatlicue contre ses seins qui peinaient à s'arrondir.

– Tu as toujours le nez, hein ? demanda-t-elle à son frère en rouvrant les yeux.

– Bien sûr, tiens ! lui répondit celui-ci dont la poche faisait une bosse.

– On le fera brûler avec, on ne sait jamais.

– On ne sait jamais quoi ? Pourquoi tu veux brûler ce nez ?

– Pour le cas où Marie l'usurpatrice aurait des pouvoirs qu'on n'imagine pas.

– La nariz ? demanda Rivera, qui avait hissé un sac mortuaire sur chacune de ses larges épaules. De quel nez vous parlez ?

– Ne lui dis rien, il est trop superstitieux. Il aura qu'à deviner tout seul. Il verra bien que la Vierge Monstre a perdu son nez, la prochaine fois qu'il ira à la messe, ou bien à confesse. J'arrête pas de lui dire, mais il m'écoute pas, sa moustache, c'est un péché.

Lupe vit que Rivera tendait l'oreille ; le mot « nariz » avait attiré son attention ; il essayait de deviner de quoi il retournait.

– Get six jolly cowboys to carry my coffin, entonna Lupe, Get six pretty maidens to bear up my pall, car le moment était venu de chanter le thrène du cow-boy.

Rivera charriait les deux corps jusqu'à son pick-up.

– Put bunches of roses all over my coffin, chantait Lupe. Roses to deaden the clods as they fall.

– C'est un phénomène, cette petite, dit le légiste au patron de la décharge. Il faut en faire une rock star.

– Elle ? Comment voulez-vous qu'on en fasse une rock star, il n'y a que son frère qui la comprenne, objecta Rivera.

– Personne ne comprend ce que chantent les rock stars. Les paroles n'ont ni queue ni tête, répliqua le légiste.

– C'est pas par hasard que cet abruti passe sa vie avec des macchabées, commenta Lupe.

Mais l'allusion aux rock stars fit oublier le problème du nez à Rivera. Il emporta les deux sacs jusqu'au quai de charge et les déposa tout doucement dans la benne du pick-up, où Diablo se mit à les renifler avec ardeur.

– Ne le laisse pas se rouler sur les corps, enjoignit Rivera à Juan Diego.

Ils savaient tous trois que le chien adorait se rouler sur la chair morte. Juan Diego monta dans la benne avec les corps d'Esperanza et du Gringo – sans oublier Diablo. Lupe s'installa dans la cabine avec Rivera.

– Les jésuites vont rappliquer, dit le médecin au patron de la décharge. Ils vont venir prendre leurs ouailles, ils voudront le corps d'Esperanza.

– Les enfants sont habilités à prendre en charge la dépouille de leur mère. Tu leur diras que ceux-là sont les ouailles d'Esperanza.

– La petite, c'est un phénomène de cirque, tu sais ! lança le légiste en désignant Lupe, assise dans la cabine.

– Qu'est-ce qu'elle y ferait ?

– Les gens paieraient rien que pour l'entendre parler ! Elle n'aurait même pas besoin de chanter.

Plus tard, Juan Diego serait hanté par le fait que ce légiste, avec ses gants en caoutchouc et son odeur de mort et de dissection, avait introduit le cirque dans la conversation, ce jour-là, à la morgue de Oaxaca.

– Démarre ! lança-t-il à Rivera en tambourinant des poings sur la cabine.

El Jefe quitta le quai de charge. Dans le ciel bleu vif, il n'y avait pas un nuage.

– Va pas te rouler sur eux ! ordonna Juan Diego à Diablo.

Mais le chien restait assis, placide, dans la benne ; il regardait fixement l'adolescent et ne faisait même pas mine de renifler les cadavres.

Bientôt, le vent sécha les larmes sur les joues de Juan Diego, mais il l'empêcha aussi de saisir ce que disait Lupe à Rivera, dans la cabine. Il entendait sans les comprendre les vaticinations de sa sœur, qui ne cessait de s'étendre sur Dieu sait quel sujet. Il pensa d'abord qu'elle parlait de Blanc Sale. Rivera avait donné le petit cabot aux allures de rat à une famille de Guerrero, mais il revenait tous les jours, sans doute à la recherche de Lupe. À présent, il avait disparu. Inutile de dire que Lupe vitupérait impitoyablement contre Rivera. Elle savait très bien où Blanc Sale irait – irait mourir, voulait-elle dire. «Là où vont les chiots», avait-elle précisé.

Depuis la benne, Juan Diego n'entendait que des bribes des réponses de Rivera. «Si tu le dis», «J'aurais pas mieux dit, Lupe», et ce jusqu'à Guerrero, où Juan Diego commença à voir les panaches de fumée isolés. plusieurs bûchers étaient déjà allumés sur la décharge toute proche.

Ce qu'il entendait, déformé sans doute, de la conversation à sens unique rappela à Juan Diego les moments où il étudiait la littérature avec Edward Bonshaw dans une des salles de lecture de la bibliothèque, à l'orphelinat ; en fait d'étudier la littérature, il s'agissait de lire à haute voix. Edward Bonshaw commençait par lire un roman pour adultes à Juan Diego ; ainsi, ils déterminaient ensemble si le livre convenait à son âge. Bien entendu, il y avait entre eux certaines divergences sur le chapitre.

– Et si le livre me plaît vraiment, alors ? Et si je me dis que, pour le cas où j'aurais l'autorisation de le lire, je le dévorerais d'un trait ?

– Ça ne prouverait pas que le livre soit approprié à ton âge pour autant, répondait Bonshaw à l'adolescent.

Parfois, il s'interrompait dans sa lecture, laissant ainsi présager qu'il allait sauter des passages où il était question de sexe.

– Vous êtes en train de me censurer une scène érotique, lançait Juan Diego.

– Je ne suis pas convaincu qu'elle soit convenable.

Ils s'étaient mis d'accord pour aborder Graham Greene. Les questions de la foi et du doute étaient sans équivoque celles qui préoccupaient le missionnaire au tout premier chef, et n'étaient pas étrangères à ses mortifications ; quant à Juan Diego, il aimait les passages liés au sexe chez Graham Greene, même si l'auteur avait tendance à le reléguer dans le non-dit, ou à n'y faire que des allusions discrètes.

Maître et élève travaillaient comme suit : Edward Bonshaw commençait par lire le roman à haute voix, puis Juan Diego prenait la relève et le finissait ; enfin, l'adulte et l'adolescent discutaient de l'intrigue. Edward aimait beaucoup citer certains passages et demander à Juan Diego ce que l'auteur avait voulu dire.

Une phrase de *La Puissance et la Gloire* avait suscité un échange prolongé et récurrent. L'un et l'autre s'en faisaient une idée très contrastée. À savoir : « Il vient toujours un moment, dans l'enfance, où la porte s'ouvre pour laisser entrer l'avenir. »

– Comment comprends-tu cette phrase, Juan Diego ? Est-ce que, selon Greene, notre avenir commence dans l'enfance, et il nous faut être attentifs à…

– Que l'avenir commence dans l'enfance, bien sûr. Où commencerait-il, sinon ? Mais c'est une connerie de dire qu'il y a un moment et un seul où la porte s'ouvre à l'avenir. Pourquoi est-ce qu'il n'y aurait pas des tas de moments, et puis il dit *la porte*, comme si c'était la seule.

– Graham Greene ne dit pas de conneries, Juan Diego ! s'était écrié Bonshaw, qui serrait un petit objet dans sa main.

– Je la connais, votre pièce de mah-jong, pas la peine de me la ressortir. Je sais, je sais. Vous êtes tombé, le petit morceau de bambou et d'ivoire vous a écorché le visage, vous avez saigné, Beatrice vous a léché, et c'est pour ça qu'on l'a abattue. Je sais, je sais. Mais c'est ce moment-là et aucun autre qui vous a donné envie d'être prêtre ? Cette porte ouverte sur l'abstinence de toute une vie, elle ne s'est ouverte que parce qu'on avait abattu Beatrice ? Il a dû y avoir d'autres moments décisifs, dans votre enfance… Vous auriez pu ouvrir d'autres portes. Et vous pourriez encore, du reste, non ? Qui dit que de cette tuile de mah-jong doivent dépendre toute votre enfance et votre avenir ?

La résignation, Juan Diego la lisait sur le visage d'Edward Bonshaw. Il semblait accepter son lot de chasteté, d'autoflagellation et de prêtrise. Tout ça à cause d'une pièce de mah-jong dans sa menotte ? Une vie entière à se flageller et à s'interdire le sexe parce que sa chienne bien-aimée avait été abattue par des hommes cruels ?

La résignation, Juan Diego la lut aussi sur le visage de Rivera lorsque El Jefe fit marche arrière vers la maison qu'ils partageaient du temps où ils formaient une sorte de famille et vivaient ensemble à Guerrero. Juan Diego était bien placé pour savoir ce qu'il en était de ces pseudo-conversations avec Lupe, qu'on la comprenne ou pas.

Elle avait toujours une longueur d'avance et même si elle était le plus souvent incompréhensible, elle était la seule à savoir certaines choses. C'était une enfant, mais elle argumentait en adulte. Il lui arrivait de tenir des propos qu'elle ne comprenait pas elle-même ; les mots lui venaient «comme ça», disait-elle, parfois avant même qu'elle ait conscience de ce qu'ils signifiaient.

– Il faut brûler le brave gringo avec maman, brûler le nez de la Vierge avec eux. Un point c'est tout. Et pour finir, disperser leurs cendres à Mexico.

Et voilà qu'Edward Bonshaw, pétri de bonnes intentions, lui recrachait Graham Greene – un autre catholique, ce Greene ; torturé par la foi autant que par le doute, c'était clair –, prétendant qu'il n'y avait qu'un seul moment où la porte, une porte et une seule, merde !, s'ouvrait pour laisser entrer l'avenir.

– Seigneur Dieu ! marmonna Juan Diego en s'extirpant de la benne du pick-up. (Ni Lupe ni Rivera ne se figurèrent qu'il priait.)

– Attendez-moi une minute, dit Lupe.

Elle s'éloigna d'un pas délibéré et disparut derrière la bicoque qui avait été leur foyer. Elle a envie de pisser, pensa Juan Diego.

– Non, j'ai pas envie de pisser, lui cria Lupe, je cherche Blanc Sale !

– Elle est allée faire pipi, ou bien il vous faut de nouveaux pistolets à eau ? demanda Rivera.

Juan Diego haussa les épaules.

– Il faudrait qu'on commence à brûler les corps avant de voir rappliquer les jésuites, fit observer El Jefe.

Lupe revint, un chiot mort dans les bras ; elle était en larmes.

– Je les trouve toujours au même endroit, ou presque, sanglotait-elle.

Le chiot mort n'était autre que Blanc Sale.

– On va brûler Blanc Sale avec votre mère et le hippie ? s'enquit Rivera.

– Si vous me brûliez, j'aimerais que ce soit avec un chiot, répondit Lupe entre deux sanglots.

Juan Diego jugea que cette déclaration méritait d'être traduite. El Jefe n'accorda pas un regard au chiot mort ; il ne l'avait jamais aimé, ce Blanc Sale. Il estimait sans doute heureux que ce méchant avorton n'ait pas chopé la rage, et qu'il n'ait pas mordu Lupe.

– Je regrette vraiment que l'adoption ait raté, dit-il à Lupe quand la fillette fut revenue s'installer sur le siège passager du pick-up, le petit chien mort tout raide dans ses bras.

Lorsque Juan Diego eut rejoint Diablo dans la benne, Rivera se dirigea vers le basurero ; il s'approcha en marche arrière du feu le plus vif.

Il se hâta de sortir les deux corps pour les arroser d'essence.

– Blanc Sale a l'air trempé, constata Juan Diego.

– Il l'est, dit sa sœur, qui le coucha sur le sol à côté des deux sacs.

Rivera versa de l'essence sur le chiot mort, avec le plus grand respect.

Les adolescents tournèrent la tête au moment où il jetait les corps dans le brasier, et aussitôt on vit s'élancer des flammes plus hautes. Quand ce fut un feu d'enfer, El Jefe profita de ce que Lupe avait toujours le dos tourné pour jeter le minuscule chiot dedans.

– Il vaudrait mieux que je déplace le pick-up, déclara-t-il.

Les jeunes avaient déjà remarqué qu'il s'était abstenu de faire réparer le rétroviseur latéral ; il s'était engagé à le laisser en l'état exprès pour que le souvenir le torture.

En bon catholique, pensa Juan Diego, tout en le regardant éloigner le véhicule de l'incandescence soudaine du bûcher funéraire.

– C'est qui, le bon catholique ? demanda Lupe à son frère.

– Arrête de lire dans mes pensées !

– J'y peux rien.

Pendant que Rivera était au volant du pick-up, elle ajouta :

– C'est le moment de jeter le grand nez au feu.

– Je vois pas à quoi ça rime, dit Juan Diego, qui s'exécuta tout de même.

– Il était temps, annonça Rivera en rejoignant le frère et la sœur, que la chaleur avait fait reculer. Voilà les jésuites.

Frère Pepe arrivait en effet à toute allure dans sa Volkswagen rouge poussiéreuse.

En les revoyant, dans son souvenir, descendre de voiture – Pepe en premier, suivi d'Octavio et d'Alfonso, les deux prêtres indignés, et derrière eux un Edward Bonshaw muet de stupeur –, Juan Diego eut la vision de quatre clowns entrant sur la piste.

Le bûcher funéraire dispensait les enfants de tout aveu; ils ne dirent rien, mais Lupe décida qu'il n'y avait pas de contre-indication à chanter:

– Oh beat the drum slowly, and play the fife lowly. Play the dead march as you carry me along.

– Esperanza n'aurait jamais voulu être incinérée, commença le Père Alfonso, mais le patron de la décharge ne lui permit pas d'en dire plus.

– C'est la volonté de ses enfants, mon père, c'est comme ça.

– Nous, on brûle tout ce qu'on aime, dit Juan Diego.

Lupe souriait, sereine. Elle regardait s'élever les colonnes de fumée qui s'effilochaient au loin, tandis que les vautours planaient à l'horizon.

– Take me to the valley, and lay the sod over me, for I'm a young cowboy and I know I've done wrong.

– Voilà ces enfants orphelins, maintenant, dit Edward Bonshaw. Ils sont donc plus que jamais sous notre responsabilité, n'est-ce pas?

Frère Pepe ne lui répondit pas tout de suite, et les deux vieux prêtres se contentèrent d'échanger un regard.

– Qu'en penserait Graham Greene? demanda Juan Diego à son maître.

– Graham Greene! s'exclama le Père Alfonso. Vous n'allez tout de même pas me dire que cet enfant lit Graham Greene?!

– C'est parfaitement inconvenant, commenta le Père Octavio.

– Ce n'est guère une lecture de son âge, reprit le Père Alfonso, mais Eduardo coupa court:

– Greene est catholique!

– Ce n'est pas un bon catholique, Eduardo, objecta le Père Octavio.

– Est-ce que nous sommes en train de vivre ce qu'entend Greene par «un seul moment». Elle est là, cette porte qui s'ouvre sur l'avenir, sur le mien et celui de Lupe? interrogea Juan Diego.

– Cette porte s'ouvre sur le cirque, dit Lupe. C'est le prochain épisode. C'est notre destination.

Juan Diego s'empressa de traduire, avant de demander à Edward Bonshaw:

– Est-ce que c'est notre seul moment? Notre seule porte ouverte sur l'avenir? Est-ce que c'est ce que Greene a voulu dire? Est-ce que c'est la fin de l'enfance pour nous?

Le missionnaire réfléchissait intensément, il n'avait jamais réfléchi autant, et pourtant c'était un homme profondément réfléchi.

– Oui, vous avez raison. C'est tout à fait juste ! dit soudain Lupe à son Señor Eduardo, en lui effleurant la main.

– Elle dit que vous avez raison dans vos pensées, traduisit Juan Diego pour Edward Bonshaw, qui contemplait les flammes rugissantes.

– Il pense que les cendres du pauvre objecteur de conscience vont retourner dans son pays, et à sa triste mère, mélangées aux cendres d'une prostituée.

Tout à coup, le bûcher émit un crachotement âpre, et une mince flamme bleue jaillit parmi les orangés et les jaunes, comme si on y avait jeté un produit chimique, ou que le feu avait pris à une flaque d'essence.

– C'est peut-être le chiot, il était tellement mouillé, dit Rivera, tandis que tous regardaient la flamme, médusés.

– Le chiot ! s'écria Bonshaw. Vous avez brûlé un chien avec votre mère et le hippie que vous aimiez tant ? Vous avez mêlé un chien à leur bûcher ?

– Tout le monde devrait avoir la chance d'être incinéré avec un chiot, répliqua Juan Diego.

Pendant que la flamme bleue monopolisait l'attention de tous, Lupe tendit les bras et prit le visage de son frère dans ses mains. Il crut d'abord qu'elle voulait l'embrasser mais elle tenait à lui chuchoter un mot à l'oreille, quand bien même personne n'aurait compris si elle l'avait dit à haute voix.

– C'est le chiot mouillé, forcément, dit Rivera.

– La nariz, chuchota Lupe.

Elle n'avait pas soufflé le mot que le sifflement cessa et que la flamme bleue disparut. Bien sûr, conclut Juan Diego.

La secousse de l'appareil des Philippine Airlines qui atterrit à Bohol ne le réveilla même pas. À croire que rien ne pouvait le tirer du rêve où il voyait les prémices de son propre avenir.

16

Le roi des animaux

À l'arrivée du vol Philippine Airlines 177, plusieurs passagers signalèrent à l'hôtesse qu'ils s'inquiétaient pour le monsieur d'un certain âge à la peau mate, à présent affalé contre son hublot. « Soit il est mort au monde, soit il est mort tout court », avait résumé l'un d'entre eux dans une formule lapidaire.

Certes, on aurait dit que Juan Diego était mort et cependant ses pensées l'entraînaient très loin, tout là-haut, avec les volutes de fumée qui s'élevaient du basurero ; son imagination lui faisait plonger un œil de vautour au-dessus de la cité et jusqu'à ses confins, vers Cinco Señores, où le Circo de La Maravilla avait élu domicile, avec ses tentes lointaines et pourtant chatoyantes.

Le personnel médical avait été appelé depuis le cockpit, et avant même que tous les passagers aient quitté le bord, les sauveteurs accouraient. On était sur le point de tenter plusieurs pratiques de réanimation lorsque l'un des intervenants s'aperçut que Juan Diego était bien vivant ; par ailleurs, son bagage à main avait été fouillé, et ses médicaments avaient retenu l'attention. Qui dit bêtabloquants dit problème cardiaque ; quant au Viagra, dont les précautions d'emploi précisent qu'il ne doit pas être absorbé avec des nitrates, sa présence avait poussé l'une des soignantes à demander aussitôt à Juan Diego s'il en avait absorbé.

Or d'une part l'écrivain n'avait pas la moindre idée de ce que recouvrait le mot « nitrate », et, d'autre part, son imagination vagabondait toujours à Oaxaca, quarante ans en arrière, au moment où Lupe lui parlait à l'oreille.

– La nariz, souffla-t-il à la jeune femme anxieuse, qui comprenait un peu l'espagnol.

– Votre nez ? demanda celle-ci en touchant le sien pour confirmation.

– Vous n'arrivez pas à respirer ? Vous respirez mal ? reprit l'un de ses collègues, qui se toucha le nez à son tour, joignant en quelque sorte le geste à la parole.

– Le Viagra bouche parfois le nez, ajouta un troisième.

– Non, non, pas mon nez à moi, rectifia Juan Diego en riant, celui de la Vierge Marie.

Cette mise au point troubla l'équipe médicale, qui en oublia d'interroger la victime sur sa prise de médicaments, ce qui l'aurait pourtant conduite à découvrir qu'il avait fait joujou avec la posologie de son Lopressor. Les soignants jugèrent cependant qu'il donnait des signes de vie rassurants, et que, s'il ne s'était pas réveillé pendant cet atterrissage mouvementé malgré les pleurs des enfants et les cris des femmes, la chose ne relevait pas de leur compétence.

– On aurait dit qu'il était mort, répétait l'hôtesse à tous et à toutes, alors qu'il était juste imperméable à ces manifestations bruyantes.

Aujourd'hui comme alors, il s'était laissé méduser par le miracle du nez virginal et il n'avait entendu que le sifflement de la flamme bleue, disparue aussi subitement qu'elle avait jailli.

Estimant qu'il était hors de danger, l'équipe médicale ne s'attarda pas au chevet d'un homme qui rêvait de nez. Pendant ce temps, son ancien élève le bombardait de textos lui demandant s'il allait bien.

Juan Diego ne s'en rendait pas compte, mais Clark French était un écrivain célèbre, aux Philippines du moins. Il serait réducteur d'attribuer ce succès au seul fait que les lecteurs catholiques y étaient nombreux, et que les romans roboratifs traitant de la croyance et de la foi y recevaient un accueil plus favorable qu'aux États-Unis ou en Europe. C'était en partie vrai, certes, mais il se trouvait aussi que Clark French avait épousé une Philippine d'une grande famille – les Quintana s'étaient fait un nom éminent dans la communauté médicale. Cette notoriété avait aidé l'écrivain à jouir d'un lectorat plus vaste sur place que dans son pays d'origine.

Pour avoir été son professeur, et n'avoir lu que les critiques condescendantes qu'il s'attirait aux États-Unis, Juan Diego croyait encore qu'il fallait le protéger. Par ailleurs, comme ils correspondaient exclusivement par e-mails, il n'avait qu'une idée floue de l'endroit où vivait son ancien élève.

Il vivait à Manille et sa femme, le Dr Josefa Quintana, était « spécialiste du bébé ». Juan Diego savait qu'elle était un ponte au Centre médical Cardinal Santos, « l'un des plus grands hôpitaux des Philippines », se plaisait à répéter Clark. Une clinique privée, avait tenu à préciser Bienvenido, pour le distinguer de « ces hôpitaux d'État crasseux ». Une clinique catholique, avait entendu Juan Diego – facteur qui s'ajoutait à son agacement de ne pas pouvoir décider si cette « spécialiste du bébé » était pédiatre ou obstétricienne.

Lui qui avait passé toute sa vie d'adulte dans la même ville universitaire, et vécu sa carrière d'écrivain comme indissociable de celle de professeur dans la même université, ne s'était pas rendu compte que Clark French appartenait à une tout autre catégorie d'auteurs – ceux qui peuvent habiter partout et n'importe où.

Clark faisait partie des écrivains qui fréquentent tous les festivals et manifestations littéraires ; il appréciait à l'évidence – peut-être même y excellait-il – de parler de l'écriture, contrairement à Juan Diego, mal à l'aise sur ce chapitre, et peu désireux de l'aborder. Lui, ce qu'il aimait surtout dans ce métier, et de plus en plus en vieillissant, c'était ce qu'il nommait la partie « chantier ».

Clark French courait le monde, mais Manille était son foyer, ou du moins son port d'attache. Lui et sa femme n'avaient pas d'enfants. Parce qu'il voyageait ? Parce qu'elle était « spécialiste du bébé » et qu'elle en voyait assez dans son métier ? Ou encore, si elle était gynécologue obstétricienne, parce qu'elle avait vu pléthore d'accouchements difficiles et de complications abominables ?

Il n'y avait pas de festival important ou de séminaire auxquels Clark French n'ait pas participé ; la partie publique de son métier ne l'assignait pas à résidence aux Philippines, il revenait à Manille comme on revient chez soi et parce que sa femme y exerçait. Dans leur couple, c'était elle qui avait une vraie profession.

Sans doute parce qu'elle était médecin et issue d'une grande famille de médecins, la plupart des soignants la connaissaient, ne serait-ce que de nom. De sorte que les réanimateurs qui avaient examiné Juan Diego dans l'avion commirent une indiscrétion. Ils firent même un compte rendu complet de leurs découvertes médicales et extra-médicales au Dr Quintana. Or Clark French était aux côtés de sa femme à ce moment-là, et il n'en rata pas une miette.

Le passager endormi leur avait paru passablement déphasé ; quand on lui avait dit qu'on le tenait pour mort, il avait ri de bon cœur, expliquant qu'il était en train de rêver de la Vierge Marie. Clark French n'en revenait pas.

— Il rêvait de la Vierge ? Juan Diego ?

— De son nez, seulement, précisa l'un des soignants.

— Le nez de la Vierge ! s'exclama Clark.

Il avait prévenu sa femme de l'anticléricalisme de son professeur, mais une plaisanterie d'aussi mauvais goût dénotait qu'il était tombé au dernier degré de l'anticatholicisme primaire.

L'équipe médicale avertit le Dr Quintana de la présence du Viagra et du Lopressor. Josefa dut alors expliquer en détail le fonctionnement des bêtabloquants à son mari, et elle indiqua qu'avec les effets secondaires classiques du Lopressor, le Viagra était peut-être « nécessaire ».

— Il avait aussi un roman dans son bagage à main, enfin, je crois que c'était un roman, ajouta l'un des réanimateurs.

— Lequel ? demanda Clark French.

— *La Passion*, de Jeanette Winterson. Ce doit être un truc mystique.

Sa jeune collègue suggéra prudemment, peut-être pour faire le lien entre le livre et le Viagra :

— Ou pornographique.

— Non, non, expliqua Clark French, Jeanette Winterson est bien une auteure littéraire. Lesbienne, certes, mais vraie romancière.

Il n'avait pas lu le livre, mais il présumait qu'il mettait en scène des homosexuelles ; avait-elle écrit une histoire se passant dans une congrégation de lesbiennes ?

Après le départ des soignants, Clark et sa femme se retrouvèrent en tête à tête. Juan Diego se faisait attendre ; l'heure tournait, et Clark French s'inquiétait.

— À ma connaissance, il vit seul ; il a toujours vécu seul. Qu'est-ce qu'il peut bien en faire, de ce Viagra ? demanda-t-il à sa femme.

En tant que gynécologue obstétricienne, Josefa en savait long sur le Viagra. Ses patientes l'interrogeaient souvent sur le médicament ; leurs maris, leurs amants en prenaient ou avaient l'intention d'essayer et elles voulaient savoir quelle incidence cela aurait sur leur vie. Risquaient-elles de se faire violer au milieu de la nuit, saillir au moment où elles prépareraient le café du matin, ou quand elles tourneraient le dos pour sortir le panier des courses du coffre arrière de leur voiture ?

– Écoute, Clark, répondit-elle, ton professeur peut très bien ne vivre avec personne et apprécier d'avoir une érection de temps en temps, non ?

C'est alors qu'elle vit arriver Juan Diego. Elle le reconnut grâce aux photos illustrant la jaquette de ses livres, et parce que Clark l'avait prévenue qu'il boitait.

Juan Diego entendit son ancien élève demander : « Mais pour quoi faire ? » à sa doctoresse d'épouse, qui parut un peu gênée mais n'en adressa pas moins un signe de la main accompagné d'un sourire à leur invité. Ce devait être une femme charmante, son sourire était sincère.

Clark se retourna. En apercevant son vieux professeur, il lui fit son sourire de gosse, parasité par une pointe de mauvaise conscience, comme s'il avait été en train de dire ou de faire quelque chose de répréhensible.

– Comment ça, pour quoi faire ? lui répéta-t-elle tout bas, avant de tendre la main à Juan Diego.

Clark était tout sourire, lui aussi. Voilà qu'il montrait du doigt le sac-boulet orange de Juan Diego.

– Regarde, Josefa, je te disais que Juan Diego fait des recherches fouillées pour ses romans. Il charrie toute sa doc avec lui !

Sacré Clark ! Il n'avait pas changé, aussi adorable qu'embarrassant, se disait Juan Diego ; puis il banda ses muscles, sachant que l'autre allait l'écraser dans ses bras athlétiques.

Outre le livre de Jeanette Winterson, il apportait un cahier d'écolier dans son bagage à main. Il y avait consigné quelques notes pour le roman qu'il était en train d'écrire – car il en avait toujours un en chantier. Et celui-ci, il l'écrivait depuis un voyage effectué en Lituanie pour la promotion d'une de ses traductions, en février 2008. Le texte avait donc environ deux ans et Juan Diego estimait avoir encore deux ou trois ans de travail devant lui.

Ce voyage à Vilnius était son premier contact avec la Lituanie, mais ce n'était pas la première fois qu'un de ses livres y était traduit. Il s'était rendu à la Foire de Vilnius avec son éditrice et sa traductrice, et il avait été interviewé sur scène par une actrice lituanienne. Après lui avoir posé quelques questions, d'ailleurs pertinentes, celle-ci avait invité l'auditoire à poser les siennes. Il y avait là un millier de personnes, dont beaucoup d'étudiants ; c'était un public plus vaste et plus informé qu'il n'en rencontrait lors d'événements comparables aux États-Unis.

Après la Foire, les trois femmes l'avaient accompagné pour une séance de signatures dans une librairie de la vieille ville. Les noms lituaniens lui donnaient du fil à retordre, mais pas les prénoms. Il fut donc décidé qu'il ne mentionnerait que ceux-ci dans la dédicace. Ainsi l'actrice-intervieweuse se nommait Dalia, son éditrice s'appelait Rasa et sa traductrice Daiva, mais leurs patronymes n'avaient pas une consonance familière.

Tout le monde était très sympathique, et le jeune libraire aussi. Il parlait un anglais approximatif, mais il avait lu tous les livres traduits de Juan Diego, et il était enchanté de parler à son auteur préféré.

– La Lituanie est un pays naître encore, nous sommes vos lecteurs re-nés.

Daiva lui expliqua que le jeune libraire voulait dire : Depuis le départ des Soviétiques, le peuple lit en toute liberté – surtout des romans étrangers en traduction.

– Nous avons ouvert les yeux pour découvrir que quelqu'un comme vous nous préexistait ! s'exclama le jeune homme en se tordant les mains.

Juan Diego en fut très ému.

À un moment donné, Daiva et Rasa s'éclipsèrent, pour aller aux toilettes ou pour faire une pause dans ce déluge d'enthousiasme. Le prénom du libraire n'était pas des plus faciles à prononcer, c'était quelque chose comme Gintaras, ou Arvydas.

Juan Diego regardait un panneau d'affichage ; on y voyait des photos de femmes – il nota qu'il n'y avait pas un seul portrait d'homme –, avec ce qui semblait être des listes d'auteurs ; il y avait aussi des numéros, qui pouvaient être leurs numéros de téléphone. Il reconnut des noms célèbres dans ces listes ; le sien y figurait. Tous ces auteurs étaient des romanciers.

– Ces femmes, elles lisent des romans, elles font partie d'un club de lecture ? demanda-t-il au libraire, qui s'attardait auprès de lui.

Le jeune homme prit un air affligé. Peut-être n'avait-il pas compris, peut-être lui manquait-il un mot en anglais.

– Toutes des lectrices désespérées, qui cherchent à en rencontrer d'autres pour boire une bière ou un café ! s'écria Gintaras ou Arvydas. Le mot « désespérées » exprimait-il vraiment sa pensée ?

– Vous voulez dire qu'elles draguent ? demanda Juan Diego.

Pour sa part, il trouvait cela plutôt touchant, des femmes qui voulaient rencontrer des hommes pour parler des livres qu'elles avaient lus. C'était la première fois qu'il entendait parler d'un pareil phénomène. Une plate-forme de rencontres, en somme ?

Apparier les gens sur la base des romans qu'ils ont aimés ! Mais ces pauvrettes, est-ce qu'elles en trouvaient, des hommes qui lisaient ? Il en doutait fort.

– Des fiancées en vente par correspondance, commenta le jeune libraire avec dérision, en désignant le panneau d'affichage.

A priori, les femmes en question ne méritaient pas sa considération.

L'éditrice et la traductrice étaient revenues auprès de Juan Diego, mais il avait eu le temps de jeter un regard de nostalgie à la photo d'une femme qui avait mis son nom à lui en haut de sa liste. Elle était jolie, mais pas trop. Elle avait un petit air malheureux, des cernes noirs autour des yeux, un regard qu'on ne risquait pas d'oublier, les cheveux un peu négligés. Cette femme qui répondait au prénom d'Odeta, avec un nom de famille comportant au moins une quinzaine de lettres, n'avait donc personne dans sa vie à qui parler des magnifiques romans qu'elle avait lus ?

– Des fiancées en VPC, mais comment… demanda Juan Diego à Gintaras ou Arvydas.

– Des femmes pitoyables, qui s'accouplent à des personnages de roman au lieu de rencontrer des hommes dans la vraie vie ! explosa le libraire.

Voilà ! Juan Diego tenait la première étincelle d'un roman. Des fiancées en VPC qui font leur propre pub par le truchement des romans qu'elles lisent, et dans une librairie, encore ! L'idée naquit avec son titre : *Une chance unique de quitter la Lituanie*. Oh non ! pensa-t-il. Au départ, quand une idée de roman lui venait, il la trouvait immanquablement exécrable.

Mais tout ceci, naturellement, n'était qu'un malentendu, une confusion de termes. Gintaras ou Arvydas ne savait pas s'exprimer en anglais. L'éditrice et la traductrice, hilares, expliquèrent l'erreur du libraire.

– Ce sont simplement des femmes qui aiment lire, dit Daiva.

– Et qui se retrouvent entre elles devant une bière ou un café, pour le plaisir de parler de leurs auteurs préférés, poursuivit Rasa.

– C'est un club de lecture improvisé, on va dire.

– Il n'y a pas de fiancées en VPC chez nous.

– Il doit bien y en avoir quelques-unes, hasarda Juan Diego.

Le lendemain matin, à son hôtel au nom imprononçable, le Stikliai, Daiva et Rasa lui présentèrent une policière d'Interpol qui travaillait à Vilnius. «Il n'y a pas de commerce de fiancées en Lituanie», lui confirma-t-elle. Sa chevelure blonde de surfeuse striée de mèches orangées ne parvenait pas à dissimuler son professionnalisme ; ce n'était pas une fille qui aimait s'amuser, mais une policière pragmatique. Pas de roman sur des femmes lituaniennes qui cherchent à se vendre, s'il vous plaît, tel fut son message sans concession. Pourtant, *Une chance unique de quitter la Lituanie* avait fait son chemin dans l'imagination de l'écrivain.

– Et l'adoption ? avait demandé Juan Diego à Daiva et Rasa. Vous avez bien des orphelinats et des agences d'adoption ? Il doit aussi y avoir des services d'État, pour ça, peut-être des services garantissant les droits des enfants ? Que font les femmes qui veulent céder leurs enfants à des adoptants ou sont obligées de le faire ? La Lituanie est un pays catholique, non ?

Daiva, qui avait traduit nombre de ses romans, comprit fort bien où il voulait en venir.

– Les femmes qui cèdent leurs enfants à l'adoption ne s'affichent pas dans les librairies.

– Ce n'est que le point de départ. Il faut bien qu'un roman commence quelque part, ensuite surviennent les révisions.

Il n'avait pas oublié le visage d'Odeta, sur le panneau d'affichage de la librairie. Mais *Une chance unique de quitter la Lituanie* était en train d'évoluer. La femme qui envisageait de faire adopter son enfant aimait passionnément la lecture. Trouver un homme ne l'intéressait pas, elle voulait rencontrer d'autres lecteurs et était prête à laisser derrière elle sa vie passée, enfant compris.

Mais une chance unique de quitter la Lituanie pour qui ? Pour elle ? Pour son enfant ? Parfois, les choses tournent mal, en cours d'adoption, Juan Diego le savait, et pas que dans les romans.

Juan Diego adorait *La Passion*, le roman de Jeanette Winterson. Il l'avait lu deux ou trois fois, et il n'y était nullement question d'une congrégation de nonnes lesbiennes. L'œuvre alliait l'histoire et la magie, on y découvrait les mœurs alimentaires de Napoléon, ainsi qu'une fille-soldat affligée de pieds palmés ; c'était le roman de l'amour inassouvi et du chagrin.

Il y avait entouré une de ses phrases favorites : « La religion se situe quelque part entre le sexe et la peur. » Cette phrase-là aurait fait bondir son ancien élève.

Ce vendredi 31 décembre 2010 à Bohol, il était cinq heures de l'après-midi quand Juan Diego quitta l'aéroport se résumant à quelques bicoques pour plonger dans le capharnaüm de Tagbilaran City, laquelle lui fit l'effet d'une métropole sordide envahie par les motos et les mobylettes. Il y avait une foule de noms de lieux difficiles à retenir, aux Philippines. Les îles avaient un nom, les villes aussi, sans compter les quartiers – de quoi s'y perdre. À Tagbilaran aussi roulaient ces Jeepneys désormais familiers avec leurs slogans chrétiens, mais ils côtoyaient des véhicules bricolés maison – on aurait dit des tondeuses à gazon recyclées et des voiturettes de golf suralimentées – au milieu de troupeaux de vélos, sans parler d'armées de piétons.

D'un geste viril, Clark French avait hissé sur ses épaules le sac-mastodonte, par égard pour les femmes et les enfants qui ne lui arrivaient pas à la poitrine. C'était un écrase-piétons, ce sac orange, un rouleau compresseur. En revanche, Clark n'hésitait pas à foncer comme un demi de mêlée dans le tas des petits gars basanés – ils n'avaient qu'à se pousser, faute de quoi il passait en force. Un taureau.

Le Dr Josefa Quintana savait suivre son mari dans une foule. Elle posait l'une de ses petites mains à plat contre son vaste dos, et, de l'autre, elle tenait Juan Diego.

– Ne vous inquiétez pas, nous avons un chauffeur quelque part. Contrairement à ce qu'il croit, Clark n'est pas obligé de tout faire.

Juan Diego était charmé ; il la trouvait authentique. Dans le couple, ce devait être elle le cerveau et le bon sens. Clark représentait la moitié plus instinctive, ce qui était une qualité, mais un danger aussi.

Le chauffeur était un jeune fauve qui, s'il n'avait peut-être pas encore l'âge de conduire, était déjà un fou du volant. Sitôt quitté la ville, les foules se firent moins denses le long de la chaussée, mais les véhicules fonçaient comme sur une autoroute. Sur le bas-côté, des chèvres et des vaches étaient attachées, mais leur licol était trop long, de sorte que de temps en temps la tête de l'une d'entre elles apparaissait sur le macadam, contraignant les véhicules à donner un coup de volant.

Quant aux chiens enchaînés près des bicoques ou dans les cours encombrées d'un bazar hétéroclite, ils tiraient sur leur chaîne pour se jeter sur tous ceux qui passaient à leur portée. Si bien qu'outre des têtes de chèvres et de vaches, on voyait déborder sur la chaussée un certain nombre de spécimens humains. Le jeune chauffeur du SUV de l'hôtel se frayait un chemin à coups de klaxon.

Une telle pagaille rappelait à Juan Diego le Mexique. Outre ce flot de gens sur la route, la présence d'animaux sur la voie publique constituait selon lui l'indice le plus évident d'un problème de surpopulation. La nécessité du contrôle des naissances à Bohol lui sembla une priorité.

Il est vrai que sa sensibilité à ce problème s'aiguisait quand il était avec Clark. Ils avaient échangé des mails musclés sur la question de la douleur fœtale. Leur dialogue avait été inspiré par une loi passée récemment dans le Nebraska, qui interdisait l'avortement au-delà de vingt semaines de grossesse. Ils s'étaient également affrontés sur l'encyclique papale de 1995 et sa réception en Amérique latine, où les catholiques conservateurs l'avaient instrumentalisée pour assimiler la contraception à ce que Jean-Paul II avait appelé «la culture de la mort», selon sa formule favorite. Ce pape polonais était d'ailleurs une pierre d'achoppement entre eux. Clark French aurait-il par hasard un parapluie dans le cul en matière de sexualité ? Un parapluie *catholique* ?

Difficile à dire, car il faisait partie des catholiques libéraux sur les questions sociétales. Tout en se déclarant personnellement hostile à l'avortement – «C'est dégoûtant», l'avait entendu dire Juan Diego –, il était pour le laisser-faire politique et considérait que les femmes devaient avoir le droit d'avorter si tel était leur souhait.

Il avait toujours soutenu les droits des gays, aussi. Et pourtant, il cautionnait la position d'arrière-garde de l'Église qu'il vénérait, jugeant qu'elle était sur le chapitre de l'IVG comme sur celui du mariage, réservé aux seuls hétérosexuels, «cohérente et prévisible». Il allait jusqu'à dire que l'Église devait « tenir bon » sur ces questions. Il ne voyait aucune contradiction dans le fait que ses opinions personnelles sur les sujets de société se démarquaient de celles de son Église vénérée. Ce qui exaspérait Juan Diego au-delà de tout.

Mais à l'heure où le crépuscule s'épaississait et où leur chauffeur juvénile slalomait entre des obstacles qui s'évanouissaient aussi brusquement qu'ils surgissaient, il n'était pas question de contraception. Clark French, comme il convenait à son zèle oblatif, avait pris la « place du mort » aux côtés du conducteur, tandis que Juan Diego et Josefa attachaient leurs ceintures sur le siège arrière du SUV, qui faisait l'effet d'une forteresse.

L'hôtel sur la plage, dans l'île de Panglao, s'appelait l'Encantador ; pour s'y rendre, ils traversèrent un petit village de pêcheurs, le long de la baie. La nuit était tombée. Les lumières qui se reflétaient sur l'eau, l'odeur d'iode dans l'air lourd étaient les seuls indices trahissant la proximité de la mer. Et à chaque tournant de cette route sinueuse se reflétaient dans les phares les yeux aux aguets de chiens et de chèvres, ainsi que, un peu plus haut, ceux de vaches et de gens – du moins Juan Diego le supposait-il. La nuit avait une myriade d'yeux. À la place du jeune chauffeur, il n'aurait pas traîné en route non plus.

– L'écrivain que voici est le maître du télescopage, disait Clark à sa femme en se donnant des airs d'expert sur les romans de Juan Diego. Il n'y a pas de hasard, l'inéluctable nous attend au tournant.

– C'est vrai que même vos accidents ne doivent rien au hasard, ils étaient prévus, dit le Dr Quintana en interrompant son mari, qui pontifiait sur le siège avant. Le monde semble se liguer contre vos malheureux personnages.

– L'écrivain que voici est le maître de la fatalité ! affirma Clark.

Cette façon qu'il avait de parler de lui à la troisième personne en sa présence et de disserter – non sans pertinence, au demeurant – sur son œuvre agaçait Juan Diego.

Le jeune chauffeur donna un coup de volant pour éviter une forme fantomatique pourvue d'yeux surpris et d'une multitude de bras et de pattes, mais Clark continua son topo imperturbablement comme s'il se trouvait dans un amphi.

– Il ne faut surtout pas lui poser de questions sur le caractère autobiographique de ce qu'il écrit, Josefa.

– Ce n'était pas mon intention, protesta celle-ci.

– L'Inde n'est pas le Mexique, ce qui arrive à ces enfants n'est pas ce qui est arrivé à Juan Diego et à sa sœur au cirque. N'est-ce pas ?

– Tout à fait, Clark.

Juan Diego avait entendu Clark défendre son « roman sur l'avortement », comme l'avaient étiqueté pas mal de critiques, en le qualifiant de « plaidoyer décisif pour le droit des femmes à l'IVG ». À quoi son élève d'hier ajoutait immanquablement : « Mais il faut reconnaître que la démarche est subtile pour un ancien catholique. » L'auteur objectait alors, non moins immanquablement : « Je ne suis pas un *ancien* catholique. Je n'ai *jamais* été catholique. J'ai été embobiné par les jésuites, je n'ai pas eu mon mot à dire, mais on ne m'a pas fait violence non plus. Quand on a quatorze ans, comment avoir voix au chapitre ? »

– J'essaie seulement de dire, poursuivit Clark dans les virages en épingle à cheveux sur cette route étroite et obscure constellée d'yeux brillants qui ne cillaient pas, que dans le monde de Juan Diego on voit toujours venir la collision. De quelle nature elle sera, là est la surprise. Mais on sait très bien qu'il va s'en produire une. Dans ce roman sur l'avortement, dès l'instant que l'orphelin apprend ce qu'est une dilatation-curetage, on sait qu'il finira médecin, et qu'il en pratiquera, n'est-ce pas, Josefa ?

– Tout à fait, opina celle-ci, depuis la banquette arrière de la voiture.

Elle adressa à Juan Diego un sourire difficile à interpréter. Il faisait sombre à l'arrière du SUV, et il n'aurait su dire si elle s'excusait pour son mari et ses assertions péremptoires, son terrorisme littéraire, ou si elle souriait d'un air penaud pour éviter d'admettre qu'elle en savait un peu plus long sur la dilatation-curetage que tous les occupants du véhicule roulant à tombeau ouvert.

« Je ne parle pas de moi », avait dit et répété à longueur d'interview Juan Diego, et il l'avait dit à Clark French, aussi. Il avait de même expliqué à cet amateur de casuistique qu'en tant qu'ancien charognard des décharges, il avait tiré le plus grand parti de l'éducation jésuite dans son jeune temps. Il avait adoré Edward Bonshaw et Frère Pepe ; il lui était même arrivé de souhaiter engager le dialogue avec le Père Alfonso et le Père Octavio dans son âge adulte, quand il s'était senti un peu mieux armé pour croiser le fer avec ces deux redoutables conservateurs. Et puis les religieuses des Enfants perdus ne les avaient jamais maltraités, ni lui ni Lupe ; elles ne leur avaient posé aucun problème.

Quant à Sœur Gloria, cette peau de vache, c'était surtout Esperanza qui avait le don de se la mettre à dos.

Pourtant, Juan Diego avait vu juste en prévoyant que se retrouver avec Clark, élève au demeurant tout dévoué à son maître, impliquerait d'être soupçonné d'anticatholicisme. Car ce qui chiffonnait ce bon catho de Clark, ce n'était pas que son vieux professeur ne croie pas. Juan Diego n'était pas athée, d'ailleurs, il avait maille à partir avec l'Église, c'était tout, et Clark French était frustré par ce casse-tête. Il lui aurait été plus facile d'ignorer un mécréant, ou de le traiter par-dessus la jambe.

La remarque négligemment faite par Clark sur la dilatation-curetage n'était pas le sujet de conversation le plus relaxant pour une gynécologue obstétricienne en exercice, de sorte qu'elle se désintéressa de toute discussion littéraire. Il était clair qu'elle voulait changer de sujet, au grand soulagement de Juan Diego, sinon de son mari.

– L'endroit où nous sommes descendus est lié à ma famille, à une tradition familiale, commença-t-elle avec un sourire plus indécis que désolé. L'Encantador lui-même, je le recommande. Je suis sûre qu'il va vous plaire. Mais les membres de ma famille, c'est une autre affaire, continua-t-elle avec circonspection. Les uns et les autres, les pièces rapportées, ceux qui n'étaient pas faits pour le mariage, les nuées d'enfants…

Sa petite voix se perdit.

– Tu n'as pas à t'excuser pour qui que ce soit dans ta famille, Josefa, objecta Clark depuis la place du mort. Nous ne pouvons pas nous engager pour l'invité surprise, qui n'a d'ailleurs pas été invité, nous ne savons même pas qui c'est, ajouta-t-il.

– En général, ma famille occupe tout l'hôtel, nous réservons toutes les chambres. Mais cette année, ils en ont loué une à quelqu'un de l'extérieur.

Sentant son cœur s'accélérer, Juan Diego regarda par la fenêtre de la voiture-bolide les myriades d'yeux qui lui rendaient son regard, le long de cette route. Oh mon Dieu, se mit-il à prier, faites que ce soit Miriam ou Dorothy.

« Oh, pour nous revoir, vous allez nous revoir », avait confirmé Miriam. « Oui, tu peux y compter », avait renchéri Dorothy, occupée à se curer le nombril. « Nous nous retrouverons à Manille tôt ou tard. Tôt sans doute », lui avait expliqué Miriam avec une pointe d'impatience. « Tôt sans doute », avait répété Dorothy.

Pourvu que ce soit Miriam, et Miriam toute seule, songeait-il, comme si les yeux aguichants qui luisaient dans le noir pouvaient être les siens.

– Je suppose, dit-il au Dr Quintana, que cet invité sans invitation avait loué sa chambre avant que votre famille n'ait fait ses réservations habituelles ?

– Mais pas du tout ! s'écria Clark French.

– On ne sait pas très bien ce qui s'est passé… commença sa femme.

– Ta famille loue tout l'hôtel chaque année, cette personne savait pertinemment que ce serait un événement privé. Elle s'est obstinée et l'hôtel a accepté sa réservation tout en sachant qu'il serait complet. Il faut tout de même être un drôle de numéro pour s'imposer dans une fête privée. Elle savait qu'elle y serait absolument isolée !

– Elle ?

Juan Diego sentit de nouveau son cœur s'emballer.

Dehors, dans le noir, plus la moindre paire d'yeux, à présent. La route rétrécie s'était faite piste de gravier, puis chemin de terre. Peut-être l'Encantador était-il loin du monde, mais cette personne ne serait pas tout à fait isolée ; car elle serait avec lui. Si Miriam était cet hôte clandestin, elle ne risquerait pas d'être seule bien longtemps.

C'est alors que le jeune chauffeur dut apercevoir quelque chose dans son rétroviseur. Il bredouilla deux ou trois mots en tagalog au Dr Quintana. Clark French n'en comprit qu'une partie, mais l'inquiétude s'entendait dans la voix de l'adolescent. Clark se retourna et observa la banquette arrière, où Josefa, ayant défait sa ceinture, s'était penchée sur Juan Diego.

– Quelque chose qui ne va pas, Josefa ?

– Une seconde, Clark, je crois qu'il s'est simplement endormi.

– Arrête la voiture, stop ! lança Clark au chauffeur, mais Josefa lui parla d'une voix brève en tagalog, et il continua de rouler.

– On y est presque, ça ne vaut pas la peine de s'arrêter. Je suis sûre que ton vieil ami dort, qu'il rêve même sans doute. Mais en tout cas, il dort.

236

Ce fut Flor qui conduisit les jeunes au Circo de La Maravilla. En effet, Frère Pepe, qui se reprochait déjà de leur faire courir un tel risque, était trop contrarié pour les accompagner, même si l'idée du cirque venait de lui – et de Vargas. Flor prit donc le volant de la Coccinelle, avec Edward Bonshaw sur le siège passager, et les adolescents à l'arrière.

Entre ses larmes, Lupe avait lancé un défi à la statue de la Vierge Marie quelques secondes avant de quitter l'église de la Compagnie de Jésus :

– Je te demande un vrai miracle ! Faire mourir de peur une femme de ménage superstitieuse, c'est pas difficile. Tâche d'accomplir quelque chose qui me décide à croire en toi ! Tu veux que je te dise, t'es qu'une grosse brute ! Y a qu'à te voir, tu restes plantée là, c'est tout ce que tu sais faire. T'as même plus de nez !

– Vous n'allez pas lui adresser quelques prières, aussi ? avait demandé Edward Bonshaw à Juan Diego.

Celui-ci n'avait guère envie de lui traduire cette harangue, ni d'ailleurs de lui confier ses craintes les plus noires : s'il lui arrivait quoi que ce soit au cirque, ou si, pour une raison quelconque, lui et Lupe étaient séparés, sa sœur n'aurait aucun avenir puisqu'il était le seul à la comprendre. Il ne faudrait pas compter sur les jésuites pour la garder et prendre soin d'elle. On la mettrait dans une institution pour demeurés, où on l'oublierait, comme on oubliait – si on l'avait jamais su – le nom de cet établissement et où il se trouvait.

En ce temps-là, Los Niños Perdidos était construit de fraîche date, il n'y avait qu'un autre orphelinat à Oaxaca, à la périphérie de la ville et dans la montagne, et celui-là, tout le monde connaissait son nom. Il s'appelait La Ciudad de los Niños, la Cité des Enfants.

– La Cité des Garçons, oui, rectifiait Lupe, car les filles n'y étaient pas admises.

Quant aux garçons, ils avaient pour la plupart entre six et dix ans, l'âge couperet étant de douze ans, ce qui en excluait Juan Diego d'emblée.

La Cité des Enfants, fondée en 1958, était plus ancienne que l'orphelinat des jésuites, et elle lui survivrait.

Frère Pepe n'en disait pas de mal, peut-être parce que, pour lui, tout orphelinat était un don de Dieu. Le Père Alfonso et le Père Octavio se bornaient à faire observer que l'instruction n'était pas la priorité de cette Cité. Quant à Juan Diego et Lupe, ils avaient simplement observé qu'un bus scolaire convoyait les pensionnaires jusqu'à une école située près de la basilique de la Vierge de la Solitude. Avec le haussement d'épaules qui la caractérisait, Lupe avait déclaré que le bus en question était aussi déglingué que ceux qui servaient au transport des garçons d'une manière générale.

L'un de leurs camarades aux Enfants perdus venait de la Cité. Il ne reprochait rien à cette institution, où il n'avait jamais été maltraité. Il y avait des boîtes à chaussures empilées dans le réfectoire, et tous les garçons, soit une vingtaine, partageaient le même dortoir, Juan Diego s'en souviendrait plus tard. Il n'y avait pas de draps sur les matelas, les couvertures et les animaux en peluche se transmettaient de génération en génération. Le terrain de foot était plein de pierres, il valait mieux ne pas tomber ; on faisait cuire la viande dehors, au feu de bois.

Ces observations n'étaient pas des critiques, mais elles contribuaient à donner à Juan Diego et à Lupe l'impression qu'ils ne s'y plairaient pas, quand bien même ils auraient eu l'âge – et, pour Lupe, le sexe – requis.

Ce que Lupe redoutait plus que tout, c'est qu'ils soient envoyés dans une institution pour demeurés, où elle avait entendu dire que les pensionnaires se cognaient la tête contre les murs et qu'on leur attachait parfois les mains derrière le dos pour les empêcher d'arracher les yeux de leurs camarades, ou les leurs. Elle n'avait pas voulu citer ses sources.

Curieusement, les deux gamins de la décharge en étaient venus à conclure qu'à défaut de retourner à Guerrero, le Circo de La Maravilla était une option plus avantageuse que de poursuivre leur éducation chez les jésuites. Rivera, qui aurait été trop heureux de les reprendre, était notoirement absent le jour où Flor les conduisit à La Maravilla avec leur Señor Eduardo. Il aurait d'ailleurs eu du mal à caser sa carcasse dans la Coccinelle. Quant aux enfants, ils trouvaient tout à fait approprié d'être emmenés au cirque par un tapin travesti.

Flor, qui fumait en conduisant, tenait sa cigarette au niveau du rétroviseur latéral. Edward Bonshaw, nerveux – il savait qu'elle se prostituait mais ignorait qu'elle fût travestie –, jeta, l'air de rien :

– Moi aussi, je fumais. Mauvaise habitude, j'ai arrêté.

– Et la chasteté, c'est pas une mauvaise habitude ? lança Flor.

Il fut surpris qu'elle parle si bien anglais, ne sachant rien de son inavouable épisode à Houston, et pas davantage qu'elle était née garçon et en avait conservé les attributs.

Flor louvoyait entre les piétons, une noce venant de sortir de l'église : les mariés, leurs invités et l'orchestre mariachi en tintamarre de fond.

– Les imbéciles habituels, quoi ! commenta-t-elle.

– Je m'inquiète pour les niños, au cirque, confia Edward Bonshaw au travesti avec lequel il ne souhaitait pas aborder le sujet du célibat, du moins pour l'instant – question de tact.

– Ils ont presque l'âge de se marier, dit Flor, cigarette au bec, tout en adressant des gestes menaçants aux gens de la noce, enfants compris. Si on les mariait, là oui, je m'inquiéterais. Mais au cirque, le pire qui puisse arriver, c'est de se faire déchiqueter par un lion. Tandis que, dans le mariage, il y a toute une palette de désagréments qui vous guettent.

– Mais, si tel est votre sentiment sur le mariage, vous ne devriez pas être tellement hostile au célibat… insinua Bonshaw en bon jésuite.

– En fait, il n'y a qu'un seul lion, au cirque, les autres fauves sont des lionnes, intervint Juan Diego.

– Alors ce connard d'Ignacio n'est jamais qu'un dompteur de lionnes, c'est ça que tu dis ?

La Coccinelle venait enfin de contourner la foule de la noce lorsqu'elle se retrouva nez à nez avec une carriole tirée par un âne. Celle-ci était bourrée de melons, mais les fruits avaient roulé vers l'arrière et fait basculer la carriole. Le pauvre animal, tiré par son harnais, avait subi le contrepoids et il battait l'air de ses sabots.

– Encore un âne volant, constata Flor.

Avec une délicatesse étonnante, de son long index fin qui tenait la cigarette avec son pouce un instant plus tôt, elle adressa un doigt d'honneur à celui qui conduisait la carriole. Une douzaine de melons avaient roulé sur la voie publique, et l'homme avait abandonné son âne en suspension parce que les gamins des rues lui chapardaient sa marchandise.

– Je le connais, ce type, lança Flor négligemment, de sorte qu'aucun passager de la voiture ne sut si elle voulait dire en tant que client.

Lorsqu'elle arriva dans l'enceinte du cirque, à Cinco Señores, le public de l'après-midi était déjà rentré chez lui, et celui du soir pas encore arrivé : le parc de stationnement était presque désert.

– Faites gaffe à la bouse d'éléphant, les prévint-elle au moment où ils s'engageaient dans l'allée des tentes de la troupe avec les affaires des niños.

Edward Bonshaw s'empressa de mettre le pied dans un gros tas tout frais. Il s'enfonça jusqu'à la cheville.

– La merde d'éléphant, c'est mortel pour les sandales, chéri, lui dit Flor. Tu t'en sortiras mieux pieds nus quand on aura trouvé un tuyau d'arrosage.

– Miséricorde ! s'exclama Edward.

Il se remit à marcher, mais en boitant ; sa claudication n'était pas aussi marquée que celle de Juan Diego, mais elle suffit à lui inspirer la comparaison.

– Maintenant, tout le monde va croire que nous sommes liés par le sang, dit-il avec gentillesse à l'adolescent.

– Je voudrais bien ! lâcha Juan Diego, façon cri du cœur.

– Vous resterez liés, tous les deux, jusqu'à la fin de vos jours, prédit Lupe.

Mais Juan Diego fut incapable de traduire car ses yeux s'étaient remplis de larmes. Il n'était pas en mesure de parler, ni de se douter qu'en l'occurrence Lupe ne se trompait pas sur l'avenir. Edward Bonshaw avait la gorge nouée, lui aussi.

– C'est très gentil de me dire ça, souffla-t-il, je serais fier d'être ton père.

– Eh ben, c'est magnifique ! reprit Flor. Vous êtes trop mignons, tous les deux. Puis-je me permettre de vous rappeler tout de même que les prêtres n'ont pas d'enfants ? Un des menus inconvénients du célibat...

Le crépuscule descendait sur le Circo de La Maravilla, et les divers artistes se préparaient pour la seconde représentation. Quant aux nouveaux venus, ils formaient un quatuor bizarre, entre le jésuite flagellant, le travesti prostitué au passé inavouable à Houston et les deux gamins de la décharge. Par les ouvertures des tentes, ces derniers apercevaient des artistes occupés à se farder ou à mettre la dernière main à leurs costumes, dont un gros nain travesti, qui se passait du rouge à lèvres devant un miroir en pied.

– ¡ Holà, Flor ! lança-t-il en tanguant de la hanche et en lui soufflant un baiser à distance.

– Saludos, Paco, répondit Flor avec un geste du bout de ses longs doigts.

– Je ne savais pas que Paco pouvait être un nom de femme, dit poliment Edward Bonshaw.

– Non, non. C'est un nom d'homme, Paco est un mec, comme toi et moi.

– Mais vous…

– Si, coupa Flor. Je fais mieux illusion, c'est tout, chéri. Paco ne cherche pas à tromper son monde. Il est clown, lui.

Ils avancèrent car on les attendait dans la tente du dompteur. Edward Bonshaw ne disait plus rien, il ne quittait pas Flor des yeux.

– Flor a un truc, un truc de garçon, quoi, dit Lupe, serviable. Il a compris, l'homme perroquet, que Flor a un zizi ? demanda-t-elle à son frère, qui ne traduisit pas cette précieuse information à leur Señor Eduardo.

– El Hombre Papagayo, c'est moi, non ? demanda l'intéressé à Juan Diego. Elle parle de moi, là ?

– Je trouve que tu es un homme perroquet tout à fait charmant, lui dit Flor.

Et quand elle le vit rougir, elle en profita pour pousser le flirt un peu plus loin.

– Merci, répondit Bonshaw au travesti.

Il boitait plus bas. Telle de la glaise, la merde pachydermique était en train de se solidifier sur sa sandale irrécupérable et entre ses orteils, mais ce n'était pas ce qui le plombait. On aurait dit qu'il charriait un fardeau ; un fardeau bien plus lourd encore que de la merde d'éléphant et qu'aucune flagellation n'aurait su alléger. Cette mystérieuse croix, qu'il portait depuis un certain temps, l'empêchait de faire un pas de plus. Il bataillait, et pas seulement pour marcher.

– C'est au-dessus de mes forces, soupira-t-il.

– Quoi donc ? demanda Flor.

Mais le missionnaire se contenta de secouer la tête ; il ne boitait plus, il chancelait.

Quelque part retentissaient les flonflons du cirque, le début d'un morceau, qui s'arrêtait sitôt entamé et reprenait ensuite. L'orchestre achoppait sur un passage difficile. Lui aussi, il bataillait.

Devant l'ouverture de sa tente se tenait un couple d'Argentins superbes. C'étaient des acrobates, qui vérifiaient mutuellement leur harnais, testant la solidité des mousquetons en métal où viendraient se fixer les câbles. Vêtus de justaucorps chamarrés d'or, ils n'arrêtaient pas de se peloter tout en passant leurs accessoires de sécurité en revue.

– Il paraît qu'ils baisent tout le temps. Ils sont mariés, pourtant, mais ils empêchent leurs voisins de tente de dormir, confia Flor à Edward Bonshaw. C'est peut-être un comportement normal en Argentine. Je crois pas que ce soit normal entre gens mariés.

Devant l'une des tentes, une fille à peu près de l'âge de Lupe s'entraînait au hula-hoop, vêtue d'un justaucorps bleu-vert, un masque à bec d'oiseau sur le visage. D'autres, un peu plus vieilles, costumées en flamants avec des tutus roses, les dépassèrent en courant. Elles portaient leur tête de flamant à la main et faisaient tinter leurs bracelets de cheville en argent.

– C'est les jeunes de la basura, dit l'une d'entre elles.

Juan Diego et Lupe ne se doutaient pas qu'ils seraient reconnus au cirque. Mais Oaxaca était une petite ville.

– Petites connes à moitié à poil... observa sobrement Flor.

Elle-même en avait entendu d'autres à titre personnel.

Dans les années 1970, il y avait un bar gay sur la calle Bustamante, à proximité de la calle Zaragoza. Il se nommait La China. Il a changé de nom il y a une trentaine d'années, mais il est toujours au même endroit, et c'est toujours un bar gay.

Flor y était à l'aise ; elle pouvait y être naturelle. Mais même là, on la surnommait La Loca, la Folle. Un travesti habillé en femme en toutes circonstances comme Flor, ce n'était pas alors chose courante. Et le surnom de La Loca avait des connotations gays.

Déjà, à l'époque, les travestis avaient leur bar, La Coronita, ou La Petite Couronne, à l'angle des calles Bustamante et Xochitl. La Coronita n'était pas un lieu de prostitution, mais un lieu de fêtes pour une clientèle essentiellement homo, où tout le monde s'amusait bien. Si les travestis y arboraient leurs robes les plus extravagantes, ils arrivaient habillés en homme et se changeaient une fois à l'abri des regards.

Sauf Flor. Où qu'elle aille, elle se présentait en femme ; que ce soit pour travailler calle Zaragoza, ou pour faire la fête calle Bustamante, elle était elle-même. C'est pourquoi on l'appelait la Queen ; c'est pourquoi on la surnommait La Loca.

Elle était célèbre même au cirque, car les gens du cirque savent reconnaître les vedettes, celles qui sont stars à temps complet.

Edward Bonshaw découvrait tout juste la vraie nature de Flor – pour lui, la Merveille, c'était elle –, lorsqu'il marcha de nouveau dans de la merde d'éléphant.

Un jongleur s'exerçait devant l'une des tentes, et le contorsionniste nommé Pyjama se mettait en jambes. On l'appelait ainsi parce qu'il était mou et flasque comme un pyjama sans corps à l'intérieur ; il marchait comme le linge flotte sur la corde.

Le cirque, ce n'est peut-être pas l'endroit idéal pour un infirme, se disait Juan Diego.

– N'oublie pas que tu es un lecteur, lui rappela Edward Bonshaw, surprenant sa mine inquiète. Il y a une vie dans les livres, et dans le monde de ton imagination. Davantage que dans le monde matériel, même ici.

– Dommage que je t'aie pas rencontré quand j'étais gosse, dit Flor au missionnaire. On se serait aidés à traverser les emmerdements.

Dans l'allée des tentes, on fit place au dompteur d'éléphants accompagné de deux de ses bêtes. C'est alors qu'Edward Bonshaw enfonça son pied, le propre, dans une énorme bouse.

– Miséricorde ! s'écria-t-il de nouveau.

– Ça vaut peut-être mieux que ce soit pas toi qui t'installes au cirque, conclut Flor.

– Une merde d'éléphant, c'est pas une crotte de mouche quand même, babillait Lupe. Comment il fait, l'homme perroquet, pour pas la voir ?

– Encore mon nom, dit Bonshaw avec enjouement. Ça sonne bien, El Hombre Papagayo, hein ?

– C'est pas une femme qu'il te faut, pour s'occuper de toi, c'est toute une famille ! résuma Flor.

Ils arrivèrent devant la cage des trois lionnes. L'une de ces dames leur jeta un œil languide, les autres dormaient.

– Vous voyez comme elles s'entendent bien, les femelles, dit Flor, qui semblait connaître La Maravilla comme sa poche. Lui, c'est pas la même chose, ajouta-t-elle en s'arrêtant devant la cage du lion solitaire.

Celui qu'on nomme le roi des animaux avait en effet une cage pour lui tout seul, et il en paraissait bien fâché.

– ¡Holà, Hombre ! lui lança Flor. Il s'appelle Hombre, poursuivit-elle. Mâtez un peu ses couilles, elles sont maousses, hein ?

– Seigneur, ayez pitié, ponctua Bonshaw.

Lupe s'indigna.

– C'est pas sa faute, à ce pauvre lion, on lui a pas demandé s'il voulait des couilles. Il aime pas ça, Hombre, quand on se moque de lui.

– Tu lis dans ses pensées à lui aussi, sans doute ? persifla Juan Diego.

– C'est à la portée de tout le monde, dans son cas, répondit sa sœur.

Elle regardait le fauve avec attention, son énorme tête, sa lourde crinière – mais pas ses couilles. Tout à coup, il parut énervé par son attitude. Sentant peut-être son agitation, les deux lionnes endormies se réveillèrent ; toutes trois regardaient maintenant Lupe comme une rivale potentielle dans le cœur de Hombre ; Juan Diego avait l'impression que sa sœur et les lionnes plaignaient le lion ; elles le plaignaient tout autant qu'elles le redoutaient.

– Ça va aller, Hombre, lui dit Lupe tout bas. C'est pas ta faute, tout ça.

– De quoi tu parles ? lui demanda Juan Diego.

– Allez, niños, leur dit Flor. Vous avez rendez-vous avec le dompteur et sa femme. C'est pas avec les lions que vous allez traiter.

À voir Lupe médusée devant lui, cependant, et à voir comment il tournait en rond dans sa cage tout en lui rendant son regard, on aurait cru que ce serait exclusivement avec ce mâle solitaire qu'elle allait traiter, au contraire.

– Ça va aller, lui répéta-t-elle, comme une promesse.

– Qu'est-ce qui va aller ? lui demanda Juan Diego.

– Hombre est le dernier des chiens. C'est le roi des chiens des toits, et le dernier, aussi, se borna-t-elle à dire avec un haussement d'épaules.

Quand elle ne prenait pas la peine de s'expliquer, ça horripilait Juan Diego.

L'orchestre était enfin venu à bout du passage difficile dans le morceau qu'il répétait. La nuit tombait, on allumait les lumières à l'intérieur des tentes. Dans l'allée, les gamins aperçurent Ignacio, le dompteur, qui enroulait son long fouet.

– Je me suis laissé dire que tu aimes le fouet, susurra Flor au missionnaire qui traînait la patte.

– Vous aviez parlé d'une lance d'arrosage, tout à l'heure, répondit celui-ci avec une certaine raideur. Ça ferait mieux mon affaire, pour l'instant.

– Dis à l'homme perroquet de mater le fouet du dompteur, il est de taille, parodia Lupe.

Ignacio les regardait s'approcher avec la même sérénité qu'il aurait mise à jauger le courage et la fiabilité de nouveaux lions. Il portait des culottes moulantes de toréador, et un simple gilet à encolure en V sur son torse, pour mettre ses muscles en valeur. Le gilet était blanc, non seulement pour faire ressortir sa peau sombre, mais pour montrer à la foule comme son sang était rouge si jamais il était attaqué par un fauve. Le sang se voit mieux sur fond blanc. Il emporterait sa vanité dans la tombe !

– Son fouet, c'est rien. Regardez-le, lui ! Plaire à la foule, il a ça dans la peau.

– Et quel homme à femmes, baragouina Lupe.

Elle n'avait même pas besoin d'entendre ce qui se disait puisqu'elle lisait dans les pensées. Mais l'homme perroquet, tout comme Rivera, lui donnait du fil à retordre en la matière.

– Ignacio aime les lionnes. Il aime la gent féminine en général, dit-elle.

Ils étaient arrivés à la tente du dompteur et Soledad, sa femme, venait de rejoindre son sémillant mari, qui dégageait une telle puissance.

– Tu crois que tu as vu le roi des animaux dans sa cage, chuchotait toujours Flor à Edward Bonshaw, mais tu te trompes. C'est maintenant que tu vas faire sa connaissance. Le roi des animaux, c'est Ignacio.

– Dis plutôt le roi des porcs ! s'exclama Lupe, mais bien sûr, Juan Diego fut le seul à la comprendre.

Encore ne la comprendrait-il jamais tout à fait.

17

Réveillon à l'Encantador

– J'ai d'abord cru qu'il était perdu dans ses pensées, on aurait dit qu'il était en transe, expliqua le Dr Quintana.

– Il va bien ? demanda son mari.

– Il dort, tout simplement. C'est peut-être le décalage horaire, ou la mauvaise nuit qu'il a passée à cause de ta malencontreuse idée d'aquarium.

– Pour sombrer dans le sommeil de cette façon au milieu d'une phrase, tu ne crois pas qu'il pourrait souffrir de narcolepsie ?

– Ne le secoue pas, Clark ! entendit Juan Diego sans ouvrir les yeux pour autant.

– Un écrivain affligé de ce mal, ce serait inédit, reprit Clark. Et si ça venait de ses médicaments ?

– Les bêtabloquants peuvent affecter le sommeil, dit le Dr Quintana à son mari.

– C'est plutôt au Viagra que je pensais.

– Le Viagra n'a qu'un seul effet, Clark.

Juan Diego jugea le moment venu d'ouvrir les yeux.

– Nous y sommes ? demanda-t-il.

Josefa était restée auprès de lui sur le siège arrière, Clark avait ouvert leur portière et observait son professeur.

– C'est l'Encantador ? s'enquit celui-ci d'un air innocent. La mystérieuse pensionnaire est arrivée ?

Elle était arrivée, mais personne ne l'avait vue. Peut-être se reposait-elle dans sa chambre après un long voyage. Cette chambre située à côté de la bibliothèque, au premier étage du bâtiment principal, elle la connaissait apparemment puisqu'elle l'avait réservée. Soit la dame était déjà descendue à l'hôtel, soit elle avait estimé que cette situation lui assurerait le calme.

– Personnellement, je ne fais jamais de sieste, dit Clark.

Il venait d'arracher de haute lutte le sac mammouth à leur jeune chauffeur et le traînait le long de la coursive du joli hôtel ; celui-ci se dressait en un assemblage disparate et enchanteur d'annexes et de dépendances sur une colline au bord de l'eau. Les palmiers cachaient la plage, même depuis le premier et le second étage, mais on apercevait la mer.

– Une bonne nuit me suffit, poursuivit Clark.

– Il y avait des poissons dans ma chambre, hier soir, et une murène, rappela Juan Diego à son ancien élève.

– Pour ce qui est des poissons, ne faites pas attention à ce que pourra dire Tante Carmen, conseilla Clark. Votre chambre est au premier étage mais assez loin de la piscine, comme ça les enfants qui y vont de bonne heure le matin ne vous dérangeront pas.

– Tante Carmen préfère ses poissons aux humains, glissa Josefa.

– Encore heureux que la murène ait survécu ! ajouta Clark. Je suis convaincu qu'elle partage la vie de la tante.

– Elle est bien la seule, dit Josefa. Les autres déclarent forfait.

En contrebas, les enfants jouaient dans la piscine.

– Il y a des tas d'ados dans cette famille, les grands s'occupent des plus petits, fit observer Clark.

– Bref, on fait des enfants à tour de bras, chez nous, ajouta Josefa. Nous ne sommes pas tous comme Tante Carmen.

– Je suis un traitement, et ça joue des tours à mon sommeil, dit Juan Diego. Je prends des bêtabloquants. Et comme vous le savez, docteur, ils peuvent avoir un effet déprimant, ou donner le sentiment d'être diminué dans la vie diurne. Alors que sur l'activité onirique, leur incidence est imprévisible.

Il se garda bien d'avouer qu'il avait triché avec ses doses de Lopressor. Il devait paraître tout à fait sincère, en tout cas aux yeux de Clark et de sa femme.

Sa chambre était un vrai bonheur : les fenêtres donnaient sur la mer, derrière leurs stores ; un ventilateur de plafond rendait la climatisation superflue. La grande salle de bains était ravissante et se prolongeait par une douche extérieure avec un toit de bambou évoquant celui d'une pagode.

– Prenez le temps de vous rafraîchir avant le dîner, suggéra Josefa à Juan Diego. Il se peut que le décalage horaire modifie l'effet des cachets de Lopressor sur vous.

Il ne se souvenait pas d'avoir précisé quel bêtabloquant il prenait, et pourtant elle avait deviné juste. Une maligne, cette gynéco.

– Quand les grands auront mis les petits au lit, on pourra parler pour de bon à table, dit Clark en serrant l'épaule de son ancien professeur.

Fallait-il comprendre cette remarque comme une mise en garde le priant de ne pas aborder certains sujets devant les enfants et les ados ? Derrière son aisance de façade, Clark était coincé ; à quarante ans passés, il était resté pudibond. Ses camarades de fac l'auraient mis en boîte aujourd'hui comme hier.

L'avortement était illégal aux Philippines, Juan Diego le savait ; il était curieux d'entendre ce que le Dr Quintana en pensait, et si elle et son mari, en bons catholiques, étaient d'accord sur le chapitre. Mais pas question d'en parler avant que les enfants et les ados soient couchés. Pour tout dire, il espérait avoir l'occasion d'en discuter avec le Dr Quintana après que son mari serait couché.

L'idée l'agita tellement qu'il faillit en oublier Miriam. L'oublier, allons donc – pas une minute ! Il résista à l'envie de prendre une douche en plein air, non seulement parce qu'il faisait nuit (et qu'il y aurait donc des myriades d'insectes dans cette douche) mais parce qu'il risquait de ne pas entendre sonner son téléphone. Il n'était pas en mesure d'appeler Miriam, ignorant son nom de famille et renonçant à passer par la réception pour avoir sa chambre. Mais si c'était elle, la pensionnaire mystérieuse, n'allait-elle pas se manifester ?

Il résolut de prendre un bain – il n'y aurait pas d'insectes à l'intérieur, et puis il pourrait laisser la porte ouverte, au cas où elle téléphonerait. Naturellement, il précipita ses ablutions et le téléphone demeura muet. Il essayait de garder son calme et mijotait la suite de sa stratégie en matière de médicaments. Pour ne pas s'embrouiller, il remit le coupe-comprimé dans sa trousse de toilette. Le Viagra et le Lopressor étaient côte à côte, sur le bord de la vasque.

Pas de demi-doses ! Après dîner, il prendrait la posologie normale, un Lopressor entier, SAUF s'il était avec Miriam. Sauter une prise ne lui avait fait aucun mal précédemment, une poussée d'adrénaline pourrait avoir des effets bénéfiques, voire nécessaires, en sa compagnie.

Le Viagra le mettait devant un choix plus délicat. Pour son

rendez-vous avec Dorothy, il avait troqué sa demi-dose habituelle contre une entière. Il en irait de même avec Miriam, car la demi-pilule ne suffirait pas. Restait à savoir quand l'absorber. Le Viagra met environ une heure à agir. Mais combien de temps ses effets durent-ils pour une dose normale, soit 100 mg ?

Dire que c'était le réveillon, en plus ! Les adolescents, sinon les enfants eux-mêmes, veilleraient au-delà de minuit, c'était couru d'avance. Quant à la plupart des adultes, ils voudraient aussi saluer le passage au Nouvel An.

Et si Miriam l'invitait dans sa chambre à elle ? Ne ferait-il pas mieux d'emporter le Viagra à table, puisqu'il était trop tôt pour l'avaler tout de suite ?

Il s'habilla lentement, en essayant d'imaginer comment s'habiller pour lui plaire. Ses romans présentaient des relations plus durables, plus complexes et plus variées que sa vie. Ses lecteurs, du moins ceux qui ne l'avaient jamais rencontré, auraient pu croire qu'il menait une vie sexuelle très émancipée ; ses livres mettaient en scène des expériences homosexuelles et bisexuelles, ainsi que des tas de liaisons hétérosexuelles à l'ancienne. C'était pour lui une démarche politique que de décrire ces choses de façon explicite. Mais pour sa part, il n'avait jamais vécu avec personne, et l'hétérosexualité à l'ancienne était bien son créneau.

Il se doutait qu'il était un amant plutôt pépère et aurait été le premier à reconnaître que sa vie sexuelle se passait presque entièrement dans sa tête. Comme à présent, songea-t-il avec regret. Il ne faisait qu'imaginer Miriam, sans même savoir si elle était bien la mystérieuse pensionnaire descendue à l'Encantador.

Cette conviction que sa vie sexuelle existait surtout dans ses fantasmes le démoralisa, et pourtant il n'avait encore pris qu'un demi-Lopressor. Cette fois, s'il se sentait diminué, il ne pourrait pas mettre la chose sur le compte des bêtabloquants. Il décida de glisser un Viagra dans sa poche de pantalon, de façon à voir venir, avec ou sans Miriam.

Il glissait souvent sa main dans sa poche autrefois. Il n'avait nul besoin de voir la jolie tuile de mah-jong, mais il aimait la sentir sous son doigt : elle était si lisse ! C'était le petit rectangle qui avait laissé une encoche parfaite sur le front pâle d'Edward Bonshaw, son Señor Eduardo, qui l'avait gardé comme porte-bonheur. Quand le cher homme fut à l'article de la mort, qu'il ne s'habillait plus, et n'avait plus de poches, il la lui avait donnée. C'est ainsi que la pièce de bambou et d'ivoire jadis incrustée entre les sourcils blonds d'Edward Bonshaw était devenue son talisman à lui.

Le comprimé carré de couleur gris-bleu n'était pas aussi lisse, et il était deux fois plus petit – mais c'était sa pilule de sauvetage. Et si Miriam était bien cette étrangère du premier étage, ayant élu domicile à côté de la bibliothèque, le Viagra constituait son second talisman.

Comme de juste, la personne qui frappa à sa porte lui fit une fausse joie : ce n'était que Clark, qui l'emmenait dîner. Lorsque Juan Diego éteignit la lumière dans sa chambre et dans la salle de bains, son ancien élève lui conseilla d'enclencher le ventilateur et de le laisser tourner.

– Vous avez vu le gecko ?

Il désignait le plafond. Un gecko gros comme le petit doigt y était perché, à l'aplomb de la tête de lit.

Juan Diego n'était pas nostalgique du Mexique ; il n'y était jamais retourné. Mais les geckos lui manquaient. Le petit spécimen au-dessus du lit fila sur le plafond grâce aux patins de ses pattes – à l'instant même où Juan Diego actionnait le ventilateur.

– Quand les pales auront tourné un moment, les geckos se calmeront, expliqua Clark. Il ne faudrait pas qu'ils fassent la sarabande quand vous voudrez fermer l'œil.

Juan Diego fut déçu de ne pas avoir repéré les geckos avant Clark. Comme il fermait la porte de sa chambre, il en vit un second se carapater, vif comme l'éclair, sur le mur de la salle de bains et disparaître derrière le miroir.

– Les geckos me manquent, avoua-t-il à Clark.

Sur la coursive leur parvenait de la plage la musique d'un night-club bruyant fréquenté par les gens du cru.

– Pourquoi ne retournez-vous pas au Mexique ? En touriste, je veux dire ?

Décidément, Clark n'avait pas changé. Il aurait voulu que Juan Diego règle ses comptes avec son enfance et son adolescence. Il aurait aimé que toute souffrance se solde de façon exaltante, comme dans ses romans. Chacun avait droit au salut ; à tout péché miséricorde. Chez lui, la bonté finissait par devenir un pensum.

Sur quoi ne s'étaient-ils pas affrontés, tous deux ?

Leurs échanges sur Jean-Paul II, mort en 2005, avaient été sans fin.

L'homme, cardinal polonais encore jeune lors de son élection, était devenu un pape très populaire. Mais ses efforts pour revenir «à la normale» en Pologne, c'est-à-dire pour interdire de nouveau l'avortement, exaspéraient Juan Diego.

Clark French avait exprimé sa sympathie pour l'idée énoncée par le pape, d'une «culture de la vie» – la formule recouvrait son hostilité à l'avortement et à la contraception. Il s'agissait de défendre les fœtus sans défense contre la «culture de la mort».

«Comment se fait-il que vous, après ce que vous avez connu, choisissiez la culture de la mort contre celle de la vie ?» lui avait demandé son élève à l'époque. Et voilà qu'il lui suggérait pour la énième fois de retourner au Mexique. En touriste !

– Tu veux savoir pourquoi je n'y retourne pas, Clark ? lui répondit-il pour la énième fois aussi, en claudiquant le long de la coursive.

En d'autres temps, un jour qu'il avait trop bu, il lui avait déclaré : «Le Mexique est aux mains des cartels – et des catholiques !»

– Ne me dites pas que vous tenez l'Église pour responsable de l'épidémie de sida ; vous n'allez pas prétendre que les rapports protégés sont la réponse à tout ?

Il y avait là une allusion à peine voilée, mais peut-être Clark se souciait-il peu de voiler ses références.

Juan Diego se souvenait que son ancien élève considérait l'usage du préservatif comme relevant de la propagande. Sans doute paraphrasait-il le pape Benoît XVI, qui avait prétendu que le préservatif ne faisait qu'exacerber le problème du sida ?

Et voilà que faute d'avoir répondu à la question de Clark sur le fait que les rapports protégés résolvaient tout, celui-ci cautionnait la théorie de Benoît XVI !

– Sa position, plutôt, à savoir que la seule façon efficace de combattre une épidémie, c'est la régénération spirituelle.

– Clark ! s'écria Juan Diego, ces mots de régénération spirituelle ne renvoient qu'aux bonnes vieilles valeurs traditionnelles de la famille, avec mariage hétérosexuel et obligation d'abstinence jusque-là !

– Eh bien moi, j'y vois le moyen de freiner une épidémie, lui opposa ce doctrinaire d'un air rusé. Entre votre Église qui prescrit des règles impossibles à suivre et la nature humaine, je parie sur la nature humaine. Prenons la chasteté, par exemple.

– On en reparle quand les enfants et les ados seront couchés, peut-être...

Ils étaient seuls sur la coursive en ce soir de 31 décembre ; convaincu que les ados veilleraient plus tard que les adultes, Juan Diego dit simplement :

– Prenons la pédophilie, Clark.

– Je le savais, je la voyais venir, celle-là ! répliqua Clark, survolté.

Dans son discours de Noël à Rome, il n'y avait pas deux semaines, le pape Benoît XVI avait déclaré que la pédophilie était considérée comme normale jusque dans les années 1970. Clark se doutait que cela ferait grimper Juan Diego aux rideaux. Bien entendu, son professeur était retombé dans ses travers, il citait le pape comme si l'idée qu'il n'y ait pas de bien ou de mal en soi était imputable à toute la théologie catholique.

– Benoît XVI prétend qu'on ne peut parler que du meilleur et du pire, voilà ce qu'il dit, votre pape.

– Permettez-moi de vous rappeler que les statistiques montrent qu'il n'y a pas plus de pédophiles dans le clergé que dans la population en général.

– Benoît XVI a dit «rien n'est bien ou mal en soi», il a bien dit «rien», Clark. La pédophilie, ce n'est pas rien. Elle est mauvaise en soi, tout de même !

– Attendons que les enfants...

– Il n'y a pas d'enfants, ici, Clark ! Nous sommes seuls, sur cette coursive.

On entendait des voix enfantines quelque part, mais en effet il n'y avait ni enfants ni adolescents en vue, pas davantage d'adultes.

– L'épiscopat croit que s'embrasser mène au péché, chuchota Juan Diego. Votre Église est contre la contraception, contre l'avortement, contre le mariage des homosexuels, votre Église voudrait interdire aux gens de s'embrasser, Clark !

Tout à coup, un essaim de petits enfants les dépassa en courant, cheveux encore mouillés, tongs claquant sur le sol.

– Quand les petits seront au lit, reprit Clark French.

Il concevait la conversation comme une joute, un sport de combat. Il aurait fait un missionnaire infatigable. Il y avait du jésuite, en lui : le côté «je sais tout», l'importance accordée à l'étude, le prosélytisme.

La seule pensée de son propre martyre devait l'exalter. Il souffrirait allégrement s'il arrivait à prouver quelque chose d'impossible. Il subirait toutes les avanies avec le sourire, il s'y accomplirait.

— Vous allez bien ? demanda-t-il à Juan Diego.

— Je suis un peu essoufflé, c'est tout. Je n'ai pas l'habitude de marcher si vite avec ma patte folle. Ni de parler en marchant.

Ils ralentirent pour descendre les marches et se dirigèrent vers le hall d'entrée de l'hôtel, qui donnait accès à la salle à manger. Le restaurant avait été installé sous un auvent, avec un store de bambou qu'on baissait pour protéger les tables en cas d'intempéries. Largement ouverte sur les palmiers et la vue sur la mer, cette salle à manger évoquait une vaste galerie. Des chapeaux de cotillon étaient disposés sur toutes les tables.

La belle-famille de Clark était une vraie smala ! Josefa avait une parentèle de trente ou quarante personnes, des enfants et des jeunes gens pour plus de la moitié.

— Vous n'êtes pas tenu de vous rappeler le nom de chacun, lui souffla Clark à l'oreille.

— Cette mystérieuse pensionnaire, dit soudain Juan Diego, il faut la mettre à côté de moi.

— À côté de vous ?

— Bien sûr. Vous l'avez tous prise en grippe, moi au moins, je suis neutre.

— Je ne l'ai pas prise en grippe, personne ne la connaît ! Elle s'impose à une famille…

— Je sais, je sais, Clark. Il faut la mettre à côté de moi. Nous sommes des étrangers l'un comme l'autre, alors que vous, vous vous connaissez tous.

— Je me disais qu'on devrait l'installer à l'une des tables des enfants, celle des plus turbulents, par exemple.

— Tu vois bien que tu l'as prise en grippe !

— Je plaisante. Ou alors à une table d'adolescents, celle des plus boudeurs…

Miriam serait bien capable de corrompre les adolescents, se dit Juan Diego.

— Oncle Clark ! cria un petit gamin au visage tout rond en se pendant à la main de celui-ci.

— Oui, Pedro, qu'est-ce qu'il y a ?

254

– C'est le gros gecko derrière le tableau, dans la bibliothèque, il est sorti.

– Pas le gecko géant, au moins, pas celui-là ? demanda Clark en feignant l'inquiétude.

– Si, le géant !

– Eh bien, écoute, Pedro, le hasard a voulu que ce monsieur sache tout sur les geckos. C'est un expert. Non seulement il aime les geckos, mais ils lui manquent, expliqua Clark. Je te présente Mr Guerrero, ajouta-t-il en s'éclipsant.

Juan Diego resta seul avec l'enfant, qui le prit aussitôt par la main.

– Vous les aimez, les geckos ? Et sans laisser à Juan Diego le temps de répondre, il ajouta : Pourquoi ils vous manquent, Mister ?

– Bah, c'est-à-dire…

Juan Diego s'interrompit pour gagner du temps. Quand il reprit la direction de l'escalier qui menait à la bibliothèque, sa claudication attira une douzaine d'enfants autour de lui. Ils pouvaient avoir cinq-six ans, comme Pedro lui-même.

– Il sait tout sur les geckos, dit Pedro aux autres. Il les aime, et ils lui manquent. Pourquoi, Mister ?

– Qu'est-ce que vous vous êtes fait au pied ? demanda une petite fille avec des nattes.

– Quand j'étais gosse, je travaillais sur une décharge. J'habitais une baraque près de Oaxaca, au Mexique. Notre baraque, à ma sœur et moi, n'avait qu'une porte. Tous les matins, quand je me levais, il y avait un gecko sur cette porte moustiquaire. Il était tellement rapide qu'il disparaissait en un clin d'œil.

Il claqua dans ses mains pour souligner son propos. Il boitait plus bas quand il lui fallait monter des marches.

– Un matin, un pick-up m'est passé sur le pied droit en reculant. Le rétroviseur latéral était cassé du côté conducteur ; ce n'était pas sa faute, c'était un brave homme. Il est mort, aujourd'hui, et il me manque. La décharge aussi me manque, avec les geckos, dit Juan Diego aux enfants.

Il ne s'était pas rendu compte qu'il y avait désormais des adultes dans le cortège qui le suivait à la bibliothèque. Clark French était du nombre ; et, au fond, c'était son histoire qu'ils étaient en train de suivre.

Cet homme à la patte folle avait-il bien dit que la décharge lui manquait ? se demandaient les gosses les uns aux autres.

– Si j'avais grandi au basurero, je crois pas qu'il me manquerait, dit la petite aux nattes à Pedro. Peut-être que c'est sa sœur qui lui manque.

– Moi ça m'étonne pas que les geckos lui manquent, répondit Pedro.

– Les geckos sont des animaux essentiellement nocturnes ; ils sont plus actifs la nuit parce qu'il y a plus d'insectes. Or ils se nourrissent d'insectes. Ils ne peuvent pas vous faire de mal.

– Où elle est, votre sœur ? demanda la fillette.

– Elle est morte, répondit Juan Diego.

Il ne voulait pas lui donner de cauchemars en lui racontant comment elle était morte.

– Regardez ! s'écria Pedro en désignant le grand tableau accroché au-dessus d'un canapé aux allures confortables, dans la bibliothèque.

Le gecko était si énorme qu'on le voyait aussi bien que le tableau, à cette distance. Il s'accrochait au mur près du cadre et, à l'approche de Juan Diego et des enfants, il grimpa plus haut. Il attendit, en les tenant à l'œil, à mi-hauteur entre le plafond et le tableau. Il avait la taille d'un chat domestique.

– L'homme dont vous voyez le portrait est un saint, expliqua Juan Diego aux enfants. Il a étudié à la Sorbonne, il a été soldat, aussi. C'était un soldat basque, il a été blessé.

– Blessé comment ? demanda Pedro.

– Par un boulet de canon.

– Et ça vous tue pas, un boulet de canon ?

– Il faut croire que ça ne tue pas un futur saint.

– Comment il s'appelait ? C'était qui, ce saint ? s'enquit la petite fille aux nattes qui bourdonnait de questions.

– Votre Oncle Clark sait qui il était, assura Juan Diego.

Il sentait que Clark le regardait et l'écoutait en étudiant passionné qu'il était resté. Il avait l'air d'un gaillard qui survivrait à un boulet de canon.

– Oncle Clark ! crièrent les enfants.

– Comment il s'appelait, le saint ? répéta la petite fille aux nattes, et Juan Diego entendit Clark répondre :

– Saint Ignace de Loyola.

Le gecko géant était aussi vif que les petits. Soit que Clark ait parlé avec trop d'aplomb, soit qu'il ait parlé trop fort, l'animal s'aplatit et parvint à se glisser derrière le tableau – un prodige ! Il avait légèrement déporté le cadre, mais cela mis à part, on n'y voyait que du feu. Saint Ignace lui-même ne s'était aperçu de rien. Il faut dire qu'il ne regardait pas les humains, enfants ou adultes.

Bien qu'il ait vu beaucoup de portraits de lui, à l'église de la Compagnie de Jésus, aux Enfants perdus et ailleurs à Oaxaca, sans oublier Mexico, Juan Diego ne se rappelait pas que le saint chauve et barbu lui eût une seule fois rendu son regard. Il avait les yeux tournés vers le haut. Il regardait le ciel, dans une imploration permanente.

– Le dîner est servi ! lança une voix d'adulte.

– Merci pour l'histoire, Mister, dit Pedro à Juan Diego. Dommage pour toutes les choses qui vous manquent.

Pedro et la petite aux nattes voulurent tous deux lui donner la main au moment de descendre l'escalier, mais il était trop étroit pour qu'un infirme l'emprunte sans s'accrocher à la rampe.

Clark commenta avec enthousiasme :

– J'adore vous écouter raconter !

Tu n'aimerais pas forcément m'écouter raconter mon histoire de Vierge Marie, pensa Juan Diego, mais il se sentait bizarrement fatigué, surtout pour quelqu'un qui avait dormi dans l'avion et somnolé dans la voiture. Le petit Pedro avait raison de dire « dommage » pour toutes les choses qui lui manquaient, et à y penser, elles lui manquaient davantage encore, alors même qu'il n'avait fait qu'effleurer sa vie à la décharge auprès des enfants.

Le plan de table avait été pensé avec le plus grand soin. On avait placé les enfants vers l'extérieur de la salle, dont les adultes occupaient le centre. Josefa, la femme de Clark, prendrait place à la droite de Juan Diego, qui vit que le siège à sa gauche était vide. Clark s'était assis en face de son professeur, un peu de biais.

Juan Diego découvrit sans étonnement que sa table était essentiellement composée de femmes d'un certain âge à la présence desquelles il s'attendait. Elles lui souriaient d'un air entendu, comme des lectrices qui se figurent que leur auteur de chevet n'a pas de secrets pour elles. Toutes avaient le sourire sauf une.

Vous savez ce qu'on dit des gens qui ressemblent à leur animal favori. Avant même que Clark ait réclamé le silence en faisant tinter sa cuillère contre son verre, avant même qu'il ait achevé la présentation volubile de son ancien professeur à sa belle-famille, Juan Diego avait repéré Tante Carmen. Car personne d'autre n'évoquait aussi bien, par les couleurs vives de sa parure et par ses dents pointues, une murène vorace. Et dans la lumière flatteuse qui baignait la table, on aurait pu prendre ses bajoues pour des ouïes frémissantes. Telle une anguille, Tante Carmen diffusait une aura de distance et de méfiance. Son dédain masquait l'attitude meurtrière de la murène qui va se jeter sur sa proie.

– J'ai quelque chose à vous dire, annonça le Dr Quintana à Juan Diego et Clark lorsque le silence se fit (Clark avait fini sa présentation fleuve ; on venait de servir l'entrée, un ceviche). On ne parle pas de religion ni de politique à table, pas un mot sur l'avortement ou la contraception.

– Pas tant que les enfants ne sont pas… commença son mari.

– Pas tant que les adultes ne sont pas…, Clark. Vous attendrez d'être en tête à tête !

– Et pas de *sexe*, ajouta Tante Carmen.

Elle regarda Juan Diego, car c'était un sujet que Clark n'abordait pas dans ses romans. Elle prononçait le mot comme s'il laissait un goût désagréable entre ses lèvres parcheminées, à croire que si le vocable était tabou, la chose l'était bien davantage.

– Alors, il nous reste la littérature, dit Clark avec une pointe d'agressivité.

– Et encore, répondit Juan Diego.

Sitôt assis, il sentit la tête lui tourner un peu. Il voyait trouble. C'était un effet secondaire possible du Viagra, mais qui passait très vite en général. Quand il tâta la poche de son pantalon, il se souvint qu'il n'avait pas pris son comprimé. Il le sentait à travers le tissu, avec la tuile de mah-jong fétiche.

Il y avait des fruits de mer dans le ceviche, bien sûr, des crevettes ou une espèce d'écrevisse, de la mangue, aussi. Il avait à peine goûté la marinade sur les pointes de sa fourchette. Des agrumes, du citron vert, sans doute.

Tante Carmen l'avait vu goûter en douce. Elle empoigna ses couverts pour montrer qu'elle s'était retenue assez longtemps.

– Je ne vois pas de raisons de l'attendre, *celle-là*, elle ne fait pas partie de la famille.

Elle désigna la chaise vide, à côté de Juan Diego.

L'écrivain sentit qu'on lui touchait les chevilles et il aperçut un petit visage qui le regardait, sous la table. La fillette aux nattes s'était assise à ses pieds.

– Coucou, Mister, la dame vous fait dire qu'elle arrive.

– Quelle dame ? demanda-t-il.

Le reste de la tablée à l'exception de Josefa, assise à côté de lui, dut croire qu'il parlait à ses propres genoux.

– Consuelo, dit Josefa à la petite, tu as une place ; va t'asseoir, je te prie.

– Oui, obtempéra Consuelo.

– Quelle dame ? répéta Juan Diego.

La petite fille, sortie de sous la table, dut essuyer le regard impitoyable de Tante Carmen.

– La dame qui apparaît comme par enchantement.

L'enfant tirait sur ses nattes, ce qui faisait pencher sa tête à droite et à gauche. Elle décampa.

Parmi les serveurs en train de verser le vin, il repéra le jeune chauffeur qui les avait ramenés de l'aéroport.

– Vous avez dû aller la chercher à l'avion, cette inconnue ? lui demanda Juan Diego en déclinant le vin d'un geste de la main.

Le jeune homme n'eut pas l'air de comprendre. Josefa lui parla en tagalog, mais même alors, il parut désorienté. Il fit une réponse qui semblait excessivement longue.

– Il dit qu'il ne l'a pas ramenée, elle a surgi comme ça dans l'allée. Personne n'a vu ni son chauffeur ni sa voiture.

– Le mystère s'épaissit, déclara Clark French. Pas de vin pour monsieur, il ne boit que de la bière, expliqua-t-il au jeune homme, qui paraissait beaucoup moins à l'aise au service qu'au volant.

– Vous n'auriez pas dû proposer toute cette bière à votre vieux professeur, dit brusquement Tante Carmen à Clark. Et vous, demanda-t-elle à Juan Diego, vous étiez ivre ? Qu'est-ce qui vous a pris de couper l'air conditionné ? Personne ne l'arrête jamais à Manille.

– Ça suffit, Carmen, avertit Josefa. Ton précieux aquarium est interdit de conversation. Toi tu dis pas de sexe, moi je dis pas de poisson. C'est vu ?

– C'est ma faute, Tante, commença Clark, c'est moi qui ai eu cette idée.

– Il faisait glacial, expliqua Juan Diego à la murène en jupons. J'ai horreur de l'air conditionné, précisa-t-il à la cantonade. Et j'avais sans doute bu trop de bière, en effet.

– Ne vous excusez pas, lui dit Josefa, quelle histoire, pour des poissons !

– Pour des poissons ! s'écria Tante Carmen.

Sa nièce se pencha sur la table pour saisir sa vieille main rugueuse.

– Tu veux que je raconte combien de vagins j'ai examinés la semaine dernière ? Le mois dernier ?

– Josefa ! s'écria son mari.

– Pas de poisson, pas de sexe. Alors si tu veux causer poisson, Carmen, fais gaffe.

– J'espère que Morales va bien, dit Juan Diego, pour tenter d'apaiser la tante.

– Morales n'est plus la même. Cet épisode l'a changée, répondit-elle avec hauteur.

– Pas de murène à table non plus, Carmen, dit Josefa. Attention !

Ah, les femmes médecins, comme il les aimait ! Il avait adoré le Dr Marisol Gomez ; il était très attaché à son amie Rosemary Stein. Et voilà qu'il découvrait la merveilleuse Josefa Quintana. Il aimait bien Clark, mais l'homme méritait-il vraiment une femme pareille ?

Elle apparaît comme par enchantement, avait dit la petite fille aux nattes de la dame mystérieuse. Et le chauffeur n'avait-il pas confirmé qu'elle avait « surgi comme ça » ?

Pendant l'échange tendu au sujet de l'aquarium, tout le monde, Juan Diego compris, avait oublié l'intruse. C'est alors que le petit gecko chuta, dégringola plutôt, du plafond. Il atterrit au beau milieu de la conversation dans la salade qui n'avait pas été touchée, à la seule place vide, comme s'il savait que personne n'y défendrait son assiette.

Il était aussi mince qu'un stylo-bille, et moitié moins long. Deux femmes poussèrent des cris perçants, l'une élégante, assise en face du siège inoccupé, et dont les lunettes avaient été éclaboussées de marinade. Un quartier de mangue s'était échappé de la salade pour fuser vers un homme d'âge mûr qu'on avait présenté à Juan Diego comme étant un chirurgien à la retraite. Sa femme, une de ces lectrices d'un certain âge, avait hurlé plus fort que la dame élégante, laquelle nettoyait posément ses lunettes.

– Saleté de bestiole ! lâcha cette dernière.

– Et toi, qui t'a invité ? demanda le chirurgien à la retraite au petit gecko tapi, immobile, dans le biotope pour lui inconnu de ce ceviche. Tout le monde rit, sauf Tante Carmen.

Un petit gecko traumatisé n'était pas un sujet de rigolade pour elle. Il avait l'air prêt à bondir, mais où ?

Par la suite, tous confirmèrent que cet incident qui mobilisait leur attention les avait empêchés de voir arriver une femme mince en robe de soie beige. Elle était apparue comme par enchantement, personne ne l'avait vue s'approcher de la table ; elle valait pourtant le coup d'œil dans cette robe sans manches, admirablement ajustée. Il faut croire qu'elle s'était glissée sans qu'on s'en aperçoive jusqu'à la chaise qui l'attendait. Le gecko lui-même ne l'avait pas vue venir, alors que ces petits animaux sont généralement sur le qui-vive car ils tiennent à leur peau.

Juan Diego se souviendrait seulement d'avoir vu jaillir en un éclair le mince poignet de la dame ; le temps qu'il s'aperçoive qu'elle avait saisi sa fourchette, le gecko était embroché dessus, avec le quartier de mangue.

– Ch't'ai eu ! dit Miriam.

Cette fois, Tante Carmen fut la seule à pousser un cri. À croire que c'était elle qui venait d'être embrochée. On peut toujours compter sur les enfants pour tout voir, et peut-être avaient-ils vu Miriam arriver.

– J'aurais pas cru que les humains pouvaient être aussi rapides que les geckos, dirait quelques jours plus tard Pedro à Juan Diego.

Ils se trouvaient alors dans la bibliothèque, à scruter le portrait de saint Ignace de Loyola pour guetter le gecko géant qu'ils ne revirent jamais.

– Les geckos sont en effet très très rapides, on ne peut pas les attraper.

– Mais cette dame…

– C'est vrai qu'elle a été vive, devait simplement convenir Juan Diego.

Dans le silence de la salle à manger, Miriam tenait la fourchette entre le pouce et l'index comme Flor jadis sa cigarette, à la façon d'un joint. Le gecko pendait tout mou à son extrémité.

– Garçon ! appela-t-elle.

Le jeune chauffeur-serveur se précipita pour lui retirer l'arme du crime.

– Vous m'apporterez un autre ceviche, lui intima-t-elle en prenant place. Ne vous levez pas, chéri, ajouta-t-elle en posant la main sur l'épaule de Juan Diego. Je sais que nous nous sommes quittés il n'y a pas si longtemps, mais vous m'avez manqué terriblement.

Dans le silence ambiant, tout le monde l'avait entendue.

– Vous aussi, vous m'avez manqué.

– Eh bien, me voici.

Alors, ils se connaissaient, se disaient les autres. Cette inconnue ne l'était pas pour tout le monde. Tout à coup, ce n'était plus une intruse. Et Juan Diego n'était plus si « neutre » à son égard.

– Je vous présente Miriam, annonça-t-il. Miriam, voici Clark French, l'écrivain, qui fut mon élève.

– Bien sûr, dit Miriam d'un petit air comme il faut.

– Et la femme de Clark, Josefa, le Dr Quintana.

– Je suis ravie qu'il y ait un médecin parmi vous, dit Miriam à Josefa. Du coup, l'Encantador me paraît moins coupé du monde.

Ces mots déclenchèrent une ovation, les autres médecins présents levant la main pour se faire connaître – des hommes surtout, bien sûr, mais des femmes aussi.

– Oh, magnifique, une famille de médecins ! dit Miriam, qui leur sourit à tous.

Seule Tante Carmen demeurait insensible à son charme ; elle avait sans doute pris le parti du gecko.

Et les enfants ? se demandait Juan Diego. Qu'avaient-ils pensé de cette mystérieuse inconnue ?

Il sentit la main de Miriam passer sur ses genoux et se poser sur sa cuisse. « Heureuse année, chéri ! » lui chuchota la belle. Il eut l'impression que son pied gauche lui caressait le mollet, puis le genou.

– Coucou, Mister, dit Consuelo sous la table.

Cette fois, elle n'y était pas venue toute seule. Pedro s'y était glissé avec elle. Juan Diego baissa les yeux vers eux.

Josefa ne les avait pas vus. Penchée par-dessus la table, elle échangeait des signes cabalistiques avec Clark.

Miriam regarda sous la table à son tour et découvrit les enfants.

– La dame, je crois qu'elle aime pas les geckos, Mister, avança Pedro.

– Je crois qu'ils lui manquent pas, à elle, dit Consuelo.

– Je ne les aime pas dans mon ceviche, leur répondit Miriam. Ils ne me manquent pas dans ma salade.

– Qu'est-ce que vous en pensez, Mister ? Qu'est-ce qu'elle en aurait pensé, votre sœur ? demanda Consuelo.

Ouais, qu'est-ce que… ? allait dire Pedro, mais Miriam se pencha vers eux pour que son visage soit au niveau du leur.

– Écoutez-moi, vous deux, ne lui demandez pas ce que pense sa sœur. Sa sœur a été tuée par un lion.

Les enfants détalèrent sans demander leur reste.

Je ne voulais pas qu'ils fassent des cauchemars, aurait voulu expliquer Juan Diego à Miriam, je ne voulais pas leur faire peur, mais les mots s'étranglaient dans sa gorge. C'était comme s'il avait vu le visage de Lupe sous la table. Pourtant la petite fille aux nattes était bien plus jeune qu'elle à sa mort.

Ses yeux s'embuèrent de nouveau. Mais cette fois, il savait que le Viagra n'y était pour rien.

– J'ai la larme à l'œil, dit-il à Miriam. Puis, se tournant vers Josefa qui venait de lui prendre le bras : Je vais bien, je n'ai aucun problème ; je pleure, c'est tout.

– Mais bien sûr, chéri, naturellement, lui dit Miriam en lui prenant l'autre bras ; elle lui embrassa la main. Où est cette mignonne enfant avec des nattes ? Faites-la venir, intima-t-elle à Josefa.

– Consuelo ! appela celle-ci.

La fillette accourut, Pedro sur ses talons.

– Vous voilà, vous deux ! s'écria Miriam.

Elle lâcha le bras de Juan Diego pour attirer les enfants à elle.

– N'ayez pas peur, leur dit-elle. Mr Guerrero est triste à cause de sa sœur. Il pense tout le temps à elle. Ça vous ferait pleurer, vous aussi, si votre sœur avait été tuée par un lion.

– Oui ! s'exclama Consuelo.

– Sûrement, déclara Pedro, qui semblait pouvoir s'en remettre le cas échéant.

– Eh bien voilà, c'est ce qu'éprouve Mr Guerrero. Elle lui manque.

– Elle me manque, oui, réussit-il à dire aux enfants. Elle s'appelait Lupe.

Le jeune chauffeur-serveur lui avait apporté une bière et restait planté là, ne sachant qu'en faire.

– Posez-moi ça ici, lui dit Miriam, et il s'exécuta.

Consuelo était grimpée sur les genoux de Juan Diego.

– Ça va aller, lui disait-elle en tirant sur ses nattes alors qu'il n'en finissait pas de pleurer. C'est rien, c'est rien.

Miriam prit Pedro dans ses bras ; il la regardait d'un air mi-figue mi-raisin, mais elle vint vite à bout de ses hésitations.

– Et toi, Pedro ? Qui aimes-tu ? Qui te manquerait ? lui demanda-t-elle.

Qui est cette femme ? D'où vient-elle ? s'interrogeaient les adultes, et Juan Diego avec eux. Il la désirait, il était troublé de la revoir. Mais qui était-elle, et que faisait-elle ici ? Et pourquoi les magnétisait-elle tous, enfants compris, alors même qu'elle leur faisait peur ?

– Moi, dit Pedro les sourcils froncés par la concentration, mon père me manquerait. Il me manquera un jour, de toute façon.

– Oui, bien sûr. C'est exactement ce que je veux dire, lui expliqua Miriam.

L'enfant parut pris de mélancolie ; il se blottit sur Miriam, qui le nicha contre son sein. «Tu es un petit garçon intelligent», lui chuchota-t-elle. Il ferma les yeux dans un soupir. Cette scène de séduction avait quelque chose de quasi obscène.

La table, et toute la salle, semblait muette.

– Ça me fait de la peine pour vous, Mister, dit Consuelo à Juan Diego.

– Ça va aller, lui répondit-il.

Le jeune chauffeur, celui qui semblait si peu sûr de lui, murmura quelques mots en tagalog à Josefa.

– Oui, bien sûr, servez le plat principal, quelle question ! lui assura-t-elle.

Personne n'avait encore coiffé son chapeau de cotillon, il était trop tôt.

– Regardez Pedro, dit Consuelo en riant, il s'est endormi.

– Oh, c'est trop mignon ! dit Miriam en souriant à Juan Diego.

Le petit dormait à poings fermés, tête contre son sein. C'était tellement inhabituel, pour un enfant de cet âge, de s'endormir sur les genoux d'une parfaite inconnue – inquiétante, de surcroît.

Qui est-elle ? se demanda une fois de plus Juan Diego, sans pouvoir s'empêcher de lui rendre son sourire. Peut-être se posaient-ils tous la même question ? N'empêche que personne ne dit ni ne fit quoi que ce soit pour mettre un terme à son jeu.

18

Le pouvoir du désir

Longtemps après avoir quitté Oaxaca, Juan Diego était resté en contact avec Frère Pepe. Tout ce qu'il savait de sa ville natale depuis le début des années 1970 était en grande partie le fruit de leur fidèle correspondance.

Malheureusement, il ne se souvenait pas toujours du moment où Pepe lui avait transmis telle ou telle information importante. Pour celui-ci, chaque événement en lui-même, chaque changement comptait, ainsi que ce qui ne changeait pas, et ne changerait jamais.

Durant l'épidémie de sida, Frère Pepe avait évoqué dans un courrier le bar gay sur Bustamante ; mais était-ce à la fin des années 1980 ou au début des années 1990, Juan Diego était incapable de s'en souvenir. « Oui, ce bar existe toujours, et c'est toujours un bar gay », avait écrit Pepe. Il faut croire que Juan Diego lui avait posé la question. « Mais ce n'est plus La China, il s'appelle désormais Chinampa. »

À peu près à la même époque, Pepe avait écrit que le Dr Vargas partageait « le sentiment d'impuissance de la communauté médicale ». Ça ne servait pas à grand-chose d'être orthopédiste en pleine épidémie de sida. « Les médecins ne sont pas formés pour assister leurs patients jusqu'à leur décès, la calinothérapie n'est pas notre affaire », disait-il, et d'ailleurs il n'était même pas concerné par les maladies infectieuses.

Cela lui ressemblait bien, à lui, l'éternel exclu qui avait échappé à l'accident d'avion dans lequel ses parents avaient trouvé la mort.

La lettre de Pepe concernant La Coronita était arrivée dans les années 1990, si Juan Diego avait bonne mémoire. Le « rendez-vous des travestis » avait fermé quand son propriétaire homo était mort. Et lorsque La Petite Couronne avait rouvert, l'endroit s'était agrandi et doté d'un étage. La Coronita était à présent le lieu de prédilection des prostitués travestis et de leurs clients. Plus question d'attendre d'être au bar pour se changer : les travestis étaient déjà femmes en entrant dans les lieux, sous-entendait Pepe.

À cette période, Pepe se consacrait aux soins palliatifs. Contrairement au Dr Vargas, il était doué pour la calinothérapie, et l'orphelinat des Enfants perdus avait depuis longtemps mis la clé sous la porte.

Hogar de la Niña, le « Foyer de la Jeune Fille », qui avait ouvert en 1979, était situé dans les environs de Cuauhtémoc, pas très loin de Viguera. C'était le pendant féminin de la Cité des Enfants, que Lupe appelait la Cité des Garçons. Pepe avait travaillé au Foyer de la Jeune Fille pendant toutes les années 1980 et au début des années 1990.

Pepe n'avait pas l'habitude de dire du mal d'un orphelinat, mais il avait trouvé les filles ingérables. Il s'était plaint à Juan Diego de leur cruauté les unes envers les autres. Le culte qu'elles vouaient à *La Petite Sirène*, de Walt Disney, l'agaçait. Il y avait des décalcomanies grandeur nature de la Petite Sirène dans le dortoir – « elles étaient plus grandes que le portrait de Notre Dame de Guadalupe », déplorait-il. C'était le genre de grief que Lupe aurait formulé.

Il avait joint à sa lettre la photo d'un groupe de filles dont les robes, trouvées au décrochez-moi-ça, se boutonnaient par-derrière. Il se plaignait que les filles n'avaient pas jugé bon de les boutonner, ces robes, ce que Juan Diego ne pouvait pas voir sur le cliché.

En dépit de ses petites récriminations, Frère Pepe persistait à se dire « soldat du Christ », titre que Señor Eduardo aimait revendiquer pour lui et ses frères jésuites. À vrai dire, il était au service des enfants. C'était sa vocation depuis toujours.

D'autres orphelinats s'étaient établis en ville. Après le départ des Enfants perdus, il y en eut de nouveaux – certes, sans les exigences du Père Alfonso et du Père Octavio en matière de pédagogie, mais des orphelinats tout de même. Oaxaca en compta bientôt un certain nombre.

À la fin des années 1990, Frère Pepe proposa ses services à l'Albergue Josefino de Santa Lucia del Camino. L'établissement avait ouvert ses portes en 1993 et les religieuses accueillaient les filles mais aussi les garçons, à condition que ces derniers aient moins de douze ans. Juan Diego n'avait pas très bien compris qui étaient ces religieuses, et Frère Pepe ne prit pas la peine de lui expliquer. Elles portaient le nom de Madres de los Desamparados – « Mères des Délaissés », aurait traduit Juan Diego, qui trouvait que *délaissés* sonnait mieux qu'*abandonnés* –, mais Pepe les appelait «Mères de Ceux qui n'ont nulle part où aller». De tous les orphelinats, le jésuite pensait que l'Albergue Josefino était le meilleur. «Là-bas, les enfants te donnent la main», écrivit-il à Juan Diego.

Il y avait une statue de la Vierge de Guadalupe dans la chapelle, une autre dans la salle de classe, et même une pendule à l'effigie de la sainte, disait Pepe. Les filles pouvaient rester dans l'établissement aussi longtemps qu'elles le voulaient, certaines pensionnaires avaient déjà plus de vingt ans. Mais Juan Diego n'y aurait pas été admis, dans la mesure où l'Albergue Josefino écartait les garçons de plus de douze ans.

«Ne meurs pas, surtout», avait écrit d'Iowa City Juan Diego à Frère Pepe. Ce qu'il voulait dire, c'était qu'il mourrait lui-même s'il le perdait.

En cette soirée de réveillon à l'hôtel Encantador, au bord de la mer, combien y avait-il de médecins dans l'assemblée? Dix, douze? Peut-être davantage. Aucun d'eux – et en particulier la propre femme de Clark, le Dr Josefa Quintana – n'aurait conseillé à Juan Diego de sauter une prise de ses bêtabloquants.

Les médecins *hommes* – ceux qui avaient remarqué Miriam, et qui l'avaient vue embrocher le gecko à la vitesse de l'éclair – auraient peut-être accepté de lui prescrire du Viagra dosé à 100 mg.

Quant à alterner une fois rien, une fois double dose, une fois demi-dose de Lopressor, il n'en était pas question! Même les médecins hommes le lui auraient déconseillé.

Lorsque, durant le dîner, Miriam avait évoqué la mort de Lupe, Juan Diego s'était remémoré la façon dont sa petite sœur avait houspillé la statue défigurée de la Vierge Marie: «Je te demande un vrai miracle! avait crié Lupe à la géante pour la mettre au défi. Tâche d'accomplir quelque chose qui me décide à croire en toi. Tu veux que je te dise, t'es qu'une grosse brute!» Était-ce ce souvenir qui lui suggérait une ressemblance de plus en plus troublante entre Miriam et l'imposante Vierge Marie du Templo de la Compañía de Jesús?

À cet instant indécis, Miriam passa la main sous la table et lui palpa, sur la cuisse, les petites proéminences dans la poche de son pantalon.

– Qu'est-ce que c'est ? murmura-t-elle.

Il extirpa la tuile de mah-jong, la briquette historique, mais avant qu'il se lance dans une explication, Miriam lui dit à voix basse :

– Oh non, pas ça. Je sais bien que tu trimbales toujours avec toi ce fétiche. Non, je veux dire, qu'est-ce qu'il y a d'autre dans ta poche ?

Miriam avait-elle appris l'existence de la tuile de mah-jong à l'occasion d'une interview de l'écrivain ? Aurait-il donné ce souvenir chéri en pâture à la vulgarité des médias ? En outre, elle semblait subodorer la présence du Viagra. Dorothy avait-elle révélé à sa mère que Juan Diego en prenait ? Il n'en avait tout de même pas parlé dans une interview. Ou alors…

Son ignorance de ce que Miriam savait, ou ne savait pas, à propos du Viagra rappela à Juan Diego un bref dialogue à son arrivée au cirque – au moment où Edward Bonshaw, qui savait que Flor était une prostituée, avait appris qu'elle était un travesti.

Un épisode tout à fait fortuit : à travers l'embrasure d'une tente, ils avaient aperçu Paco, le nain travesti. Flor avait dit alors à l'homme de l'Iowa : « Je fais mieux illusion, c'est tout, chéri. » Puis Lupe avait demandé : « Il a compris, l'homme perroquet, que Flor a un zizi ? », ce que Juan Diego s'était abstenu de traduire.

El Hombre Papagayo pensait bel et bien au pénis de Flor. Celle-ci, qui n'ignorait pas ce que Señor Eduardo avait dans la tête, roucoulait à qui mieux mieux avec lui.

Le destin est partout, en toute chose, se dit Juan Diego. Il songeait à Consuelo, la petite fille aux nattes, à sa manière de dire « Salut, Mister ». Incroyable comme elle lui faisait penser à Lupe !

La façon dont Lupe avait répété à Hombre « C'est rien ».

« Je me suis laissé dire que tu aimes le fouet », avait murmuré Flor au missionnaire qui boitillait, simplement parce qu'il avait de la merde d'éléphant sur ses sandales.

« Le roi des porcs ! » avait déclaré Lupe à la vue d'Ignacio, le dompteur.

Pourquoi cet épisode lui revenait-il subitement en mémoire ? Ça ne pouvait pas être seulement parce que Consuelo, la petite fille aux nattes, lui avait dit « Salut, Mister ». Et que disait-elle de Miriam, déjà ? « C'est la dame qui apparaît comme par enchantement. »

« Ça vous ferait pleurer, vous aussi, si votre sœur avait été tuée par un lion », avait lancé Miriam aux enfants. Plus tard Pedro s'était endormi, comme ensorcelé, la tête sur sa poitrine.

Juan Diego avait longuement regardé ses genoux, et la main de Miriam qui palpait le comprimé de Viagra contre sa cuisse droite. Mais quand il leva les yeux, il vit qu'autour de lui tout le monde s'était mis un chapeau en papier sur la tête. Miriam arborait une couronne royale, en version rose. Les cotillons étaient la plupart dans des tons pastel. Il porta la main sur le haut de son crâne et toucha la couronne qui ceignait sa tête.

– La mienne est… commença-t-il.

– Bleu layette, lui dit Miriam.

Quand il tapota la poche droite de son pantalon, il sentit la tuile de mah-jong mais plus le comprimé de Viagra. La main de Miriam se posa sur la sienne.

– Tu l'as pris, chuchota-t-elle.

– Tu crois ?

La table avait été débarrassée, pourtant il n'avait pas le souvenir d'avoir avalé quoi que ce soit, même pas le ceviche.

– Tu as l'air fatigué, lui fit remarquer Miriam.

S'il avait eu un peu plus d'expérience avec les femmes, Juan Diego se serait peut-être douté qu'il y avait quelque chose d'étrange, voire un peu « limite », chez Miriam. Ce qu'il savait des femmes, il l'avait appris en lisant et en écrivant des romans. Dans les romans, elles sont souvent séduisantes, mystérieuses. Dans les siens, elles étaient aussi intimidantes. Faut-il s'étonner que les femmes de fiction soient un peu dangereuses ?

Dans la vraie vie de Juan Diego, les femmes n'arrivaient pas à la cheville de celles qu'il avait imaginées, et cela expliquait sans doute pourquoi Miriam et Dorothy, bien supérieures à toutes les femmes qu'il avait connues, lui semblaient si attirantes et familières. Peut-être faisaient-elles partie de son monde imaginaire ? Ce qui expliquait son impression de déjà-vu.

Si les cotillons étaient apparus comme par enchantement sur les têtes des joyeux convives du Nouvel An à l'Encantador, il n'aurait pas davantage été capable d'expliquer l'apparition, elle aussi spontanée, des musiciens, avec tout d'abord trois jeunes gens à l'allure débraillée, la barbe capricieuse, faméliques, l'air de n'avoir rien mangé depuis des lustres. Le guitariste arborait sur le cou un tatouage qui ressemblait à une brûlure. Quant au joueur d'harmonica et au batteur, leurs débardeurs leur permettaient d'exhiber leurs bras tatoués : le batteur dans la thématique insectes, et le joueur d'harmonica dans celle des reptiles – des vertébrés à écailles, serpents et lézards, rampaient sur les bras nus du musicien.

– Maximum de testostérone, minimum d'avenir, résuma Miriam, cinglante.

Le groupe s'appelait les Nocturnal Monkeys, les Singes de la Nuit. Sa réputation, strictement locale, reposait sur les épaules décharnées de la chanteuse, orpheline des rues squelettique, affublée d'une robe bustier qui glissait sur sa poitrine menue. Ses cheveux noirs et ternes, grossièrement ratiboisés au niveau du lobe de l'oreille, offraient un contraste saisissant avec la pâleur cadavérique de son teint. Sa peau était d'une blancheur maladive – pas très philippine, se dit Juan Diego. Avec sa tête de déterrée, elle aurait peut-être gagné à se parer d'un ou deux tatouages… Un insecte ou un reptile, sans aller jusqu'aux barbouillages grotesques visibles sur le cou du guitariste, aurait fait l'affaire.

Quant à la dénomination du groupe, les Singes de la Nuit, Clark en devinait sans peine l'origine. Les Chocolate Hills, toutes proches, étaient un site emblématique de la région. Et les singes abondaient dans les Chocolate Hills.

– Il est vrai que les singes vivent plutôt la nuit, remarqua Miriam.

– Parfaitement, lui répondit Clark, d'un ton mal assuré. Si ça vous tente, et s'il ne pleut pas, on pourra organiser une excursion dans les Chocolate Hills. Avec des amis, nous y allons presque chaque année.

– Mais s'ils vivent vraiment la nuit, on ne pourra pas voir les singes dans la journée, fit observer Miriam.

– Vous avez raison, on ne les voit jamais, marmonna Clark, qui osait à peine la regarder dans les yeux.

– À défaut, nous avons ceux-ci, dit Miriam, montrant d'un geste nonchalant les malheureux musiciens.

Ils ressemblaient effectivement à des singes de la nuit.

– Tous les ans, un soir, certains d'entre nous entreprennent une croisière sur la rivière, hasarda Clark, de plus en plus agacé par les reparties de Miriam. On prend l'autocar jusqu'à l'embarcadère.

Il y a un petit port, avec des gargotes où l'on peut manger. Après le dîner, on remonte la rivière en bateau. Une sorte de vedette pour touristes.

– La nuit? demanda Miriam, mais on n'y voit rien, la nuit!

– Si, on y voit des lucioles. Il doit y en avoir des myriades. C'est très spectaculaire.

– Qu'est-ce qu'elles font, les lucioles, à part… luire?

– Elles luisent de façon spectaculaire, insista Clark.

Miriam haussa les épaules.

– Les mâles luisent pour éblouir les femelles, c'est un rituel de séduction. Comme des clins d'œil. Imaginez ce qui se passerait si nous n'avions que cette manière de nous faire des avances!

Là-dessus, elle se mit à faire une succession de clins d'œil à Juan Diego, auxquels celui-ci répondit en l'imitant, et tous deux éclatèrent de rire.

Le Dr Josefa Quintana se mit à rire, elle aussi. Elle envoya des clins d'œil à son mari de l'autre côté de la table, mais Clark French n'était guère d'humeur.

– Les lucioles sont spectaculaires, insista-t-il, tel un prof chahuté par sa classe.

Les clins d'œil de Miriam avaient fait de l'effet à Juan Diego: il bandait. Il devait avoir pris le comprimé de Viagra, et la main de Miriam, posée sur sa cuisse, y avait sans doute contribué. Soudain il eut la nette et désagréable impression que quelqu'un respirait au niveau de ses genoux, pas très loin de la main de Miriam. Il se pencha et découvrit Consuelo, la petite fille aux nattes, qui le regardait.

– Bonsoir, Mister, il est l'heure que j'aille au lit.

– Bonsoir, Consuelo, lui répondit Juan Diego.

Josefa et Miriam regardèrent à leur tour sous la table.

– D'habitude, ma mère défait mes nattes avant que j'aille me coucher, expliqua l'enfant. Mais ce soir, c'est une jeune fille qui me garde et je vais être obligée de dormir sans les défaire.

– Ce n'est pas si grave, Consuelo, lui dit le Dr Quintana. Tes nattes survivront à la nuit.

– Mais mes cheveux vont être tout entortillés, se plaignit la fillette.

– Viens ici, lui dit Miriam. Moi je sais défaire les nattes.

Consuelo hésitait à aller vers elle, mais Miriam lui tendit la main en souriant. Elle grimpa sur ses genoux et s'y tint bien droite, les mains jointes.

– Normalement, on les brosse après, et vous n'avez pas de brosse, dit-elle, dépitée.

– Quand j'aurai défait tes nattes, je lisserai tes cheveux avec mes doigts, dit Miriam.

– S'il vous plaît, n'allez pas m'endormir, comme Pedro.

– Je vais essayer, dit Miriam, d'un air faussement sérieux, genre «je ne promets rien»…

Tandis que Miriam s'occupait des nattes de Consuelo, Juan Diego cherchait Pedro des yeux sous la table, mais l'enfant s'était glissé en catimini sur la chaise à côté de lui. Le Dr Quintana avait quitté sa place, et il l'aperçut debout auprès de Clark. La plupart des adultes s'étaient levés. On tirait les tables pour ménager une piste de danse au milieu de la salle. Juan Diego n'aimait pas regarder les gens danser, la danse n'est pas un plaisir pour les éclopés. Même par procuration.

On alla coucher les autres enfants de l'âge de Pedro et Consuelo. Les adolescents avaient quitté leurs tables et quelques adultes y avaient pris leur place. Dès les premières notes de musique, les jeunes seraient de retour, Juan Diego en était sûr, mais pour le moment ils avaient disparu, et faisaient ce que font les jeunes de leur âge.

– À votre avis, qu'est-ce qui est arrivé au gecko derrière ce tableau, Mister ? demanda furtivement Pedro à Juan Diego.

– Eh bien…

– J'ai regardé. Il n'est plus là.

– Il a dû partir chasser quelque part.

– Il n'est plus là. Peut-être que la dame l'a tué aussi, murmura le petit garçon.

– Non, ça m'étonnerait, Pedro.

Mais l'enfant avait l'air convaincu que le gecko avait disparu pour toujours.

Miriam avait défait les nattes de Consuelo et passait une main experte dans la chevelure noire et épaisse de la petite fille.

– Tu as de très beaux cheveux, Consuelo.

L'enfant se tenait moins raide sur ses genoux, elle luttait contre le sommeil et réprima un bâillement.

LE POUVOIR DU DÉSIR

– C'est vrai que j'ai de beaux cheveux. Si un jour je me fais enlever, mes ravisseurs me les couperont pour les vendre.

– Qu'est-ce que tu racontes ? Ça ne risque pas de t'arriver.

– Est-ce que vous savez tout ce qui va arriver ?

Juan Diego, Dieu sait pourquoi, retenait sa respiration. Il attendait la réponse de Miriam. Il ne voulait pas en rater un seul mot.

– Moi je pense que la dame, elle sait tout, lui murmura Pedro à l'oreille.

Soudain Juan Diego eut la certitude que Miriam savait prédire l'avenir, même s'il doutait, contrairement à Pedro, qu'elle ait trucidé le gros gecko. Il lui aurait fallu une arme plus redoutable que la fourchette à hors-d'œuvre.

Et tandis que Juan Diego retenait son souffle, Pedro et lui contemplaient Miriam en train de masser le cuir chevelu de Consuelo. Plus le moindre nœud dans la chevelure luxuriante de la fillette, plongée dans un état de profonde léthargie. Les yeux mi-clos, elle semblait avoir oublié qu'elle avait posé une question à Miriam.

Pedro, lui, n'avait pas oublié.

– Allez-y, Mister, vous devriez lui demander, dit-il à voix basse. Elle est en train d'endormir Consuelo, c'est peut-être ce qu'elle a fait au gros gecko.

– Est-ce que tu... commença Juan Diego, mais sa bouche était pâteuse et sa parole embarrassée.

Est-ce que tu sais vraiment tout ce qui va se passer ? avait-il l'intention de demander à Miriam, mais celle-ci posa un doigt sur ses lèvres pour le faire taire.

– Chuuut ! La pauvre enfant devrait être au lit, murmura-t-elle.

– Mais vous... entreprit Pedro.

Il n'alla pas plus loin.

Juan Diego vit le gecko chuter du plafond. C'était un petit spécimen, cette fois, qui atterrit sur la tête de Pedro. L'animal effarouché était tombé exactement sur l'occiput du garçon, au centre de sa couronne en papier. Quand Pedro se rendit compte qu'il avait le gecko dans les cheveux, il se mit à hurler. Le bruit fit sortir Consuelo de sa torpeur et elle se mit, elle aussi, à hurler.

Juan Diego comprit plus tard que ce n'était pas le gecko qui les avait mis dans cet état. Les deux petits Philippins étaient terrifiés à l'idée que Miriam allait de nouveau embrocher l'animal, cette fois directement sur la tête de Pedro.

Juan Diego tendait le bras pour attraper le lézard quand l'enfant, pris de panique, envoya promener l'animal et la couronne au beau milieu de la piste de danse. Le batteur, celui avec des tatouages d'insectes sur les bras, écrasa l'animal d'un coup de pied, faisant gicler ses intestins sur le bas de son jean.

– Oh merde ! Dur, dur ! lança le joueur d'harmonica, celui aux serpents et aux lézards tatoués sur les bras.

Le jeune guitariste au tatouage en forme de brûlure ne remarqua pas le gecko écrasé ; il était occupé à régler les amplis et les enceintes, et à ajuster le son.

Mais Consuelo et Pedro avaient vu ce qui était arrivé au petit gecko, leurs cris s'étaient transformés en plaintes de protestation, qui ne tarirent pas quand les baby-sitters les mirent au lit.

Les hurlements avaient ramené les ados dans la salle, où ils avaient sans doute confondu les pleurs des enfants avec le premier morceau du concert.

Quant à la chanteuse à l'allure cadavérique, elle contemplait avec philosophie le plafond au-dessus de la piste, s'attendant sans doute à voir d'autres geckos tomber.

– J'ai horreur de ces saletés, dit-elle d'un ton détaché.

Elle semblait ne s'adresser à personne en particulier.

Elle vit que le batteur tentait d'essuyer les restes du reptile sur le bas de son jean.

– C'est dégueulasse.

Sa façon de prononcer ce dernier mot faisait penser qu'il s'agissait du titre de sa chanson.

– Je parie que ma chambre est plus proche d'ici que la tienne, dit Miriam à Juan Diego, tandis qu'on éloignait les enfants horrifiés. Ce que je veux dire, mon chéri, c'est que le choix du lieu où nous allons dormir va dépendre du niveau sonore que nous allons y subir.

– Oui… fut tout ce que Juan Diego put lui répondre.

Il s'aperçut que Tante Carmen ne se trouvait plus parmi les adultes restés à proximité de la piste de danse. Soit elle avait été emportée en même temps que les tables, soit elle était partie se coucher avant le départ des enfants. Elle devait être moins sensible au charme des Nocturnal Monkeys qu'à celui de sa murène apprivoisée.

Il était vraiment l'heure de s'éclipser. Juan Diego se leva de table comme s'il ne boitait pas ni n'avait jamais boité. De fait, comme Miriam lui prenait le bras, il avança en traînant à peine la jambe.

– Vous ne restez pas jusqu'aux douze coups de minuit pour arroser le Nouvel An ? lança Clark French à son ancien professeur.

– Oh, on va l'arroser, faites-nous confiance, répliqua Miriam, esquissant un geste nonchalant de la main.

– Fiche-leur la paix, Clark, dit Josefa.

Juan Diego avait l'air à côté de la plaque, boitillant, la main sur le sommet de sa tête. Il se demandait où était passée sa couronne en papier, ayant oublié que Miriam la lui avait retirée, de même que la sienne, d'un mouvement discret.

Arrivés à l'étage, ils entendirent la musique du karaoké provenant du night-club de la plage ; elle était à peine audible depuis la terrasse de l'Encantador, et ne risquait pas de concurrencer le son cataclysmique des Nocturnal Monkeys – le rythme puissant de la batterie, l'agressivité pugnace de la guitare et le gémissement pathétique de l'harmonica, telle la plainte d'un fauve blessé.

Quittant la terrasse avec Miriam, Juan Diego ouvrit la porte de sa chambre au moment où la gamine à l'allure de morte vivante entamait sa première chanson. Dès qu'il eut refermé derrière eux, les Nocturnal Monkeys se fondirent dans le doux ronronnement du ventilateur de plafond. On n'entendait plus qu'un bruit indistinct : à travers les fenêtres ouvertes, le vent venait de la terre. Seule la chanson insipide du karaoké accompagnait le bruissement du ventilateur.

– Pauvre fille, dit Miriam, parlant de la chanteuse des Singes de la Nuit. On croirait qu'elle est en train d'accoucher ou de se faire éventrer.

C'était exactement ce qu'il allait dire. Comment était-ce possible ? Écrivait-elle, elle aussi ? Qu'importe, le désir n'a pas son pareil pour nous distraire des mystères qui nous entourent.

Miriam avait glissé la main dans la poche du pantalon de Juan Diego. Elle savait qu'il avait déjà pris le comprimé de Viagra, et elle ne s'intéressait pas à la tuile de mah-jong, qui ne représentait rien pour elle.

– Chéri, commença-t-elle, comme si personne n'avait jamais employé cette marque d'affection démodée avant elle, comme si personne avant elle n'avait jamais touché le sexe d'un homme depuis l'intérieur de sa poche de pantalon.

En l'occurrence, personne ne lui avait jamais touché le sexe de cette façon, même s'il avait raconté une situation similaire dans l'un de ses romans. Cela le perturbait, de l'avoir d'ores et déjà imaginée, exactement telle qu'elle lui arrivait à présent.

Il s'inquiétait également d'avoir oublié une partie de la conversation qu'il avait eue avec Clark, peu de temps avant l'arrivée de Miriam et l'embrochage du gecko. Clark parlait avec moult détails d'une étudiante en littérature appliquée – une future protégée, sans doute, même si Josefa ne semblait pas convaincue de ses réelles capacités. L'écrivaine en herbe était une certaine «pauvre Leslie», une jeune femme qui avait souffert, d'une manière ou d'une autre, le tout dans un contexte *catholique*, naturellement.

Mais le désir sait aussi nous distraire de nos appréhensions, et tout à coup Juan Diego fut avec Miriam.

19

Merveille au masculin

Sous la tente où s'exerçaient les jeunes acrobates, une échelle était disposée horizontalement au plafond, fixée de part et d'autre à deux madriers. Les échelons, seize en tout, étaient en corde. C'était dans cette tente, qui ne dépassait pas trois mètres cinquante de hauteur, que les marcheuses célestes s'entraînaient. Suspendues par les pieds, la tête en bas… Ici, un décrochage n'était jamais mortel.

Dans le vaste espace du cirque où le spectacle avait lieu, c'était une autre histoire. L'échelle aux seize échelons de corde était fixée tout en haut du chapiteau et là, si on décrochait, on chutait de près de vingt-cinq mètres. Sans filet de sécurité, on n'y survivait pas. Or il n'y avait pas de filet pour les marcheuses célestes du Circo de La Maravilla.

On l'appelait le Cirque de la Merveille, ou tout simplement La Merveille : La Maravilla était à la fois le nom du cirque lui-même et celui de l'artiste. Et ce qu'il y avait de plus merveilleux, dans ce cirque, c'était précisément l'absence de filet.

Ignacio en avait décidé ainsi. Dans sa jeunesse, le dompteur avait voyagé en Inde. C'était là qu'il avait pour la première fois assisté à un spectacle de marcheurs célestes, et trouvé judicieuse l'idée de prendre des enfants comme acrobates. Quant à l'absence de filet, il en avait eu un avant-goût dans un cirque de Junagadh, puis dans un autre, à Rajkot. Pas de filet, des enfants suspendus par les pieds à plus de vingt mètres, un numéro à haut risque : le spectacle avait connu d'emblée le même succès auprès du public mexicain. Et comme Juan Diego *haïssait* Ignacio, lui aussi avait, à l'âge adulte, voyagé en Inde, pour y voir de ses propres yeux un numéro de marcheurs célestes comme en avait vu le dompteur ; il lui fallait découvrir la source de ses idées.

Cette recherche avait pris une place importante dans la vie littéraire de Juan Diego. *Une histoire déclenchée par la Vierge Marie*, son roman «indien», traitait en grande partie de la recherche de l'origine des choses, et l'inspiration lui venait essentiellement de son expérience des jésuites ou du cirque. Et pourtant aucun roman de Juan Diego Guerrero ne se passe au Mexique. Les personnages mexicains ou chicanos sont absents de son œuvre. «La vie est un modèle trop bordélique pour un roman, disait-il. Les personnages fictifs sont plus cohérents, plus consistants, plus prévisibles. Les bons romans ne sont jamais des fourre-tout, alors que le désordre fait bel et bien partie de la vie, enfin, de ce qu'on désigne sous ce vocable. Dans un bon roman, la substance de l'histoire procède toujours d'un lieu ou d'une circonstance.»

Il est incontestable que ses romans avaient pour trame commune son enfance et son adolescence. De cette période lui venaient ses hantises, et son imaginaire s'était ancré sur tout ce qui l'inquiétait. Non qu'il racontât sa propre vie, le contexte de son enfance : il ne le faisait jamais. Juan Diego Guerrero était écrivain : il avait donc imaginé ce qui lui faisait peur.

L'Inde ne pouvait en aucun cas servir d'alibi à la perversité du dompteur. Ignacio avait assurément acquis ses compétences de dressage dans les cirques du sous-continent, mais le dressage n'est pas du ressort de la performance athlétique. Rien d'acrobatique dans ce numéro ! C'est avant tout une affaire de domination, que l'on constate d'ailleurs en observant comment travaillent les dompteurs hommes et femmes. Ignacio maîtrisait la technique d'intimidation, aptitude qu'il avait peut-être acquise avant même de se rendre en Inde. Avec les lions, bien sûr, l'intimidation tient de l'illusion. Son effet varie selon la personnalité du lion lui-même. Quand Ignacio travaillait avec les lionnes, c'était le facteur *féminin* qui l'emportait.

Marcher la tête en bas sur une échelle de corde était surtout une question de technique. Pour les marcheuses célestes, celle-ci consistait à maîtriser un système spécifique, et il y avait une façon et une seule de procéder. Ignacio l'avait bien compris, mais il était dompteur, pas acrobate ; en revanche, il en avait épousé une. Ancienne artiste du trapèze volant, sa femme Soledad savait tout faire, du moins sur le plan physique.

Ignacio s'était contenté de décrire le numéro de marche céleste. Soledad, pour sa part, s'était d'abord exercée en toute sécurité sur l'échelle de corde de la tente d'entraînement ; puis, quand elle avait maîtrisé le numéro, elle avait entrepris l'apprentissage des petites funambules.

Au Cirque de la Merveille, seules les jeunes filles, les Merveilles elles-mêmes, étaient formées aux exercices de haut vol et à la marche céleste. Une décision expresse d'Ignacio. Le dompteur, porté sur les adolescentes, avait décidé que les filles prépubères étaient les plus aptes à exécuter ce numéro. Il fallait que le public frissonne à l'idée qu'elles tombent, pas qu'il fantasme sur elles.

Bien entendu, Lupe n'en ignorait rien puisqu'elle lisait dans ses pensées, qu'elle avait découvertes lors de leur rencontre à La Maravilla.

— Je vous présente Lupe, la nouvelle diseuse de bonne aventure, avait dit Soledad aux jeunes acrobates réunies dans leur tente d'entraînement.

— Lupe préfère qu'on la désigne comme liseuse de pensée, plutôt que diseuse de bonne aventure : elle sait ce que vous pensez, pas nécessairement ce qui va se passer dans l'avenir, précisa Juan Diego.

— Et voici le frère de Lupe, Juan Diego. Lui seul comprend ce qu'elle raconte, continua Soledad.

Juan Diego se trouvait dans une tente remplie de filles de son âge, certaines étaient aussi jeunes que Lupe, voire plus jeunes, pas plus de dix ou douze ans ; il y en avait deux de quinze-seize ans, et la plupart en avaient treize ou quatorze. Il ne s'était jamais senti aussi mal à l'aise.

Une jeune fille était suspendue à l'échelle horizontale accrochée au plafond de la tente. Le dessus de ses pieds nus, à vif, glissé dans les deux premiers échelons de corde, était maintenu fermement à angle droit de ses tibias dénudés. Elle se balançait d'avant en arrière, dégageant un pied de l'échelon de corde, progressant en rythme vers le suivant, puis le suivant, sans changer de cadence. L'échelle en comportait seize en tout. À vingt-cinq mètres de haut, sans filet, une chute pouvait signifier la mort immédiate. Mais ici, dans cette tente d'entraînement, la marcheuse céleste ne semblait pas inquiète ; elle avait plutôt l'air insouciante, aussi détendue que son T-shirt, qu'elle avait remonté sur sa poitrine et maintenait avec ses poignets croisés sur ses petits seins.

– Et celle-ci, déclara Soledad en montrant du doigt la jeune fille à l'envers, c'est Dolores.

Fasciné, Juan Diego regardait Dolores, la Maravilla du moment, la Merveille du Cirque de la Merveille, ne serait-ce que pour un temps fugace car elle serait bientôt une femme. Il retenait son souffle.

La jeune fille, dont le nom signifiait « douleurs », continuait sa progression. Son ample short de gym laissait voir ses longues jambes. Son ventre nu était humide de sueur. Juan Diego était en adoration.

– Dolores a quatorze ans, annonça Soledad.

Elle en paraissait vingt et un, et Juan Diego se souviendrait longtemps d'elle.

Dolores était belle, mais elle semblait indifférente au risque qu'elle courait, voire… au risque en général, ce qui était plus dangereux encore. Déjà, Lupe la détestait.

Mais ce furent les pensées du dompteur que Lupe se mit à traduire.

– Ce porc pense que Dolores devrait baiser au lieu de faire la fille de l'air, cracha-t-elle.

– Qui devrait-elle bais… commença Juan Diego, mais sa sœur n'arrêtait pas de maugréer, les yeux fixés sur Ignacio.

– Lui ! Il veut la baiser, ce porc. Il pense que l'acrobatie, c'est fini pour elle. Seulement voilà, il n'y a pas une seule fille qui soit capable de la remplacer pour l'instant.

Selon elle, le dompteur trouvait problématique que la Merveille le fasse bander. On ne craint pas pour la vie d'une fille qu'on a envie de se faire.

– En principe, dès qu'une fille a ses règles, il faut qu'elle arrête les numéros d'équilibriste, expliqua Lupe.

Ignacio racontait aux filles que les lions savaient quand elles avaient leurs règles. Vrai ou faux, elles le croyaient. Il n'avait aucun mal à le savoir lui-même, car elles devenaient nerveuses en passant devant les lions, ou bien elles les évitaient carrément.

– Il est impatient de baiser cette fille. Il pense qu'elle est à point.

Lupe désigna d'un signe de tête Dolores, toujours à l'envers, toujours aussi sereine.

– Et qu'est-ce qu'elle pense, elle ? demanda Juan Diego.

– Je n'arrive pas à lire ses pensées. La Maravilla ne pense à rien en ce moment. Mais toi aussi, tu rêves de la baiser, hein ? C'est infect !

– Et la femme du dompteur, est-ce qu'elle… ? souffla-t-il.

– Soledad est au courant. Elle sait que son cochon de mari s'envoie les filles quand elles ont l'âge. Ça lui fait de la peine, c'est tout.

Quand Dolores atteignit l'extrémité de l'échelle de corde, elle saisit les montants parallèles et laissa retomber ses longues jambes ; ses pieds nus couverts de cicatrices n'étaient plus qu'à quelques centimètres du sol quand elle lâcha l'échelle et se posa sur la terre battue de la tente.

– Rappelez-moi, demanda Dolores à Soledad. Que va faire le boiteux ? Rien avec ses pieds, je suppose.

Du fiel sortant de la bouche d'une déesse, songea Juan Diego.

– Nénés de souris, petite conne pourrie ! Que le dompteur la mette en cloque ! C'est ce qui peut lui arriver de mieux ! s'exclama Lupe.

Cette vulgarité était plutôt inhabituelle dans sa bouche, mais elle lisait dans les pensées des autres filles. Le langage de Lupe allait se dévoyer à leur contact. Bien sûr, Juan Diego ne traduisit pas ses paroles, il était tombé sous le charme de Dolores.

– Juan Diego est traducteur, c'est lui qui interprète les propos de sa sœur, dit Soledad à l'arrogante.

Dolores haussa les épaules.

– Meurs en couches, chatte de singe ! lança Lupe.

Elle lisait là dans d'autres pensées, celles des filles qui détestaient Dolores.

– Qu'est-ce qu'elle a dit ? demanda Dolores à Juan Diego.

– Lupe se demandait si la corde ne blessait pas trop le dessus de tes pieds, lui répondit Juan Diego, d'un ton embarrassé.

Ses cicatrices ne passaient pas inaperçues.

– Au début. Après, on s'habitue.

– C'est bien qu'ils se parlent, n'est-ce pas ? fit remarquer Edward Bonshaw à Flor.

Dans la tente des acrobates, Flor avait fait le vide autour d'elle. Ignacio se tenait le plus loin possible du travesti, plus grand et plus baraqué que lui.

– J'imagine, oui, répondit Flor au missionnaire, que tout le monde évitait à cause de la merde d'éléphant sur ses sandales.

Flor s'adressa au dompteur, qui lui répondit d'un mot. Ce bref échange fut si rapide qu'Edward Bonshaw n'en capta rien.

– Quoi ? demanda-t-il à Flor.

– Je demandais où on pourrait trouver un tuyau d'arrosage.

– Señor Eduardo est obsédé par le zizi de Flor, dit Lupe à Juan Diego. Il n'arrête pas d'y penser.

– Seigneur ! dit Juan Diego.

Les événements se bousculaient trop à son goût.

– La liseuse de pensée parle du Seigneur ? demanda Dolores.

– Elle dit que tu marches au ciel comme le Seigneur marchait sur l'eau, déclara Juan Diego à la bêcheuse de quatorze ans.

– Quel menteur ! s'exclama Lupe, d'un ton dégoûté.

– Elle se demande comment tu portes ton poids, à l'envers, juste sur le dos des pieds. Ça doit prendre un temps fou de développer les muscles qui maintiennent tes pieds à angle droit, pour qu'ils ne glissent pas de la corde. J'aimerais bien que tu m'expliques ça, dit Juan Diego à la jolie marcheuse céleste.

Il avait enfin repris son souffle.

– Ta sœur est très observatrice, dit Dolores au jeune estropié. C'est en effet ce qu'il y a de plus dur.

– Ce serait moins difficile pour moi de me déplacer sur une corde.

Il retira sa chaussure orthopédique et lui montra son pied déformé. En effet, il n'était pas aligné sur l'axe de son corps, il obliquait vers la droite de trente degrés environ. Mais surtout il était définitivement tordu à angle droit. Nul besoin de développer des muscles sur le pied droit du jeune éclopé : il était bloqué dans une position idéale pour la marche à l'envers.

– Tu vois ? fit remarquer Juan Diego à Dolores. Moi je n'aurais qu'à exercer un seul pied, le gauche. Tu ne penses pas que ça faciliterait mon apprentissage ?

Soledad, l'entraîneuse des funambules, se mit à genoux sur la terre battue, et prit dans sa main le pied mutilé. Juan Diego n'oublierait jamais cet instant. Depuis qu'il était guéri, si l'on peut dire, c'était la première fois que quelqu'un touchait son pied, et c'était la première fois surtout qu'on y voyait un avantage.

– Le gamin a raison, Ignacio, dit Soledad. Pour lui, ce sera deux fois plus facile d'apprendre le numéro. Son pied est un véritable crochet, il sait déjà marcher dans les airs.

– La marche céleste, c'est réservé aux filles, répondit le dompteur. La Maravilla ne peut être qu'une fille.

– Ta puberté à toi, elle n'intéresse pas ce sale porc, expliqua Lupe à Juan Diego, plus irritée par lui qu'elle n'était dégoûtée par Ignacio. Tu peux pas être la Merveille, tu mourras si tu fais ce numéro ! D'ailleurs, tu es censé quitter le Mexique avec Señor Eduardo. Tu restes pas dans ce cirque. La Maravilla, c'est pas un contrat à durée indéterminée, pas pour *toi*. T'as rien d'un acrobate, t'es pas un athlète, tu peux même pas marcher sans traîner la patte ! cria-t-elle, les larmes aux yeux.

– On ne boite pas quand on marche à l'envers. Je peux parfaitement me débrouiller là-haut, lui répliqua Juan Diego en montrant l'échelle horizontale au plafond.

– Le boiteux devrait peut-être jeter un œil à l'échelle dans le chapiteau, dit Dolores à la cantonade. Il faut des couilles pour être la Merveille sur cette échelle-là, continua-t-elle en s'adressant cette fois à Juan Diego. Dans cette tente-ci, n'importe qui peut y arriver.

– J'en ai, des couilles, dit le garçon.

Les petites acrobates et Ignacio éclatèrent de rire, mais pas sa femme ni Dolores.

Soledad avait toujours la main sur le pied du jeune invalide.

– On va voir s'il en a assez pour ça, dit-elle. Ce pied lui donne un avantage, enfin, c'est ce que nous verrons.

– La Maravilla ne peut pas être un garçon, insista Ignacio.

Il enroulait et déroulait son fouet, d'un geste plus nerveux que menaçant.

– Et pourquoi ? C'est moi qui entraîne les marcheuses célestes, oui ou non ?

– Ça ne me plaît pas du tout, cette histoire, dit Edward Bonshaw à Flor. J'espère qu'ils ne sont pas sérieux quand ils parlent de mettre Juan Diego sur cette échelle. Et lui, il plaisante, je suppose ?

– Il a des couilles, vous ne trouvez pas ? rétorqua Flor.

– Non, non, tu montes pas là-haut ! s'exclama Lupe. Tu as un autre avenir ! On devrait retourner aux Enfants perdus. Quitter ce cirque ! Ici, il y a trop de pensées à lire.

Elle prenait soudain conscience de la façon dont le dompteur la regardait. Juan Diego se rendit compte, lui aussi, qu'Ignacio avait les yeux fixés sur Lupe.

– Quoi ? murmura Juan Diego à sa petite sœur. Qu'est-ce qu'il pense, ce porc, en ce moment ?

Lupe détournait ostensiblement les yeux du dompteur.

– Il pense qu'il aimerait bien me baiser, moi aussi, quand je serai à point. Il se demande ce que ça fait de sauter une demeurée que son estropié de frère est le seul à comprendre.

– Tu lis dans mes pensées ? l'interpella soudain Ignacio.

Le dompteur regardait un point situé à égale distance entre Lupe et Juan Diego. S'agissait-il d'une tactique qu'il pratiquait avec les lions ? Ne pas fixer un fauve en particulier, mais leur faire croire qu'on les regarde tous ? Décidément, trop de choses se déroulaient en même temps.

– Lupe sait très bien ce que vous pensez, lança Juan Diego au dompteur. Elle n'est pas débile.

– Ce que j'allais dire, expliqua Ignacio, toujours sans regarder ni Juan Diego ni Lupe, c'est qu'en général ceux qui lisent les pensées ou qui prédisent l'avenir sont des simulateurs. Ceux qui le font à la demande surtout. Les extralucides authentiques sont capables de lire les pensées de *certaines* personnes, mais pas de tout le monde. Ils ne s'intéressent qu'aux pensées les plus marquantes.

– Surtout les choses horribles, précisa Lupe.

– Elle dit que les choses les plus marquantes sont souvent affreuses, traduisit Juan Diego au dompteur.

Décidément, tout allait trop vite.

– Alors elle doit faire partie des authentiques, conclut Ignacio.

Cette fois, il la regarda dans les yeux, elle et personne d'autre.

– Est-ce que tu as déjà lu dans la pensée d'un animal ? Serais-tu capable de comprendre ce qu'un lion a dans la tête ?

– Ça dépend du lion ou de la lionne, dit Lupe, aussitôt traduite par Juan Diego.

Les deux enfants comprirent, à la façon dont les petites acrobates s'écartèrent d'Ignacio en entendant le mot « lionne », qu'il ne supportait pas de passer pour un dompteur de lionnes.

– Mais tu serais capable de comprendre ce que tel ou tel lion ou lionne est en train de penser ? demanda Ignacio.

Ses yeux s'étaient détachés de Lupe, il regardait de nouveau dans le vide, entre la petite extralucide et son frère.

– Surtout les choses horribles, répéta Lupe.

Cette fois, Juan Diego traduisit littéralement ses paroles.

– Intéressant.

Ce fut tout ce que le dompteur déclara, mais l'assistance en conclut que Lupe était effectivement clairvoyante et qu'elle avait lu dans ses pensées sans se tromper.

– Le boiteux peut essayer le numéro, on verra bien s'il a assez de cran pour ça, dit Ignacio avant de quitter la salle.

Il avait déroulé son fouet et le traînait de toute sa longueur derrière lui. Le fouet ondulait sur le sol, comme un serpent apprivoisé suit son maître. Toutes les filles, y compris Dolores, la superstar, avaient les yeux fixés sur Lupe.

– Elles veulent savoir ce qu'Ignacio a dans la tête, s'il a l'intention de les baiser quand elles seront à point, dit Lupe à Juan Diego.

La femme du dompteur, ainsi que les autres personnes présentes, dont le missionnaire, avait entendu le mot «Ignacio». Soledad s'adressa directement à Juan Diego :

– Quoi, Ignacio ?

– Oui, Ignacio s'imagine qu'il va toutes nous baiser. Il pense ça à propos de toutes les filles, mais vous le savez déjà, c'est pas un secret pour vous, dit Lupe, les yeux dans ceux de Soledad. Vous le savez toutes.

Son regard passa sur les jeunes acrobates, et s'attarda plus longtemps sur Dolores.

La traduction fidèle de Juan Diego n'étonna personne, surtout pas Flor, ni Edward Bonshaw, même s'il n'avait compris que des bribes de la conversation.

– On se produit ce soir, annonça Soledad aux nouveaux arrivés. Les filles doivent s'habiller maintenant.

Soledad conduisit Juan Diego et Lupe à la tente où ils allaient demeurer. C'était celle des chiens savants, comme promis. On leur avait aménagé deux lits de camp, et ils disposaient de leur placard personnel et d'un grand miroir sur pied.

Les paniers des chiens et les gamelles d'eau étaient rangés en bon ordre, et le portant avec leurs costumes de scène placé en retrait. Estrella, la dresseuse, était heureuse de rencontrer les enfants. Vu son accoutrement, cette vieille devait se croire encore jeune et jolie. Les enfants la trouvèrent en train d'habiller les chiens pour le spectacle. Elle leur annonça qu'elle avait besoin de dormir ailleurs, de s'éloigner un peu de ses chiens, même s'il était manifeste, à la voir s'activer auprès d'eux, qu'elle les aimait vraiment.

Le refus d'Estrella de s'habiller ou de se comporter comme une personne de son âge la rendait plus «gamine» que les gosses de la décharge. Elle leur plut d'emblée, comme elle plaisait à ses chiens. Lupe avait toujours vu d'un mauvais œil les tenues de pute de sa mère, mais les décolletés que portait Estrella étaient plus ridicules qu'inconvenants. Sa poitrine fanée, avec ses seins rabougris, n'avait rien d'aguichant. Elle avait l'air d'un épouvantail dans ses tenues distendues qui ne moulaient plus son corps comme autrefois.

Estrella avait la boule à zéro. À son grand chagrin, ses cheveux s'étaient clairsemés avec le temps et ils avaient perdu leur lustre noir de jais. C'était elle qui se rasait la tête, quand elle ne trouvait personne pour le faire, et elle avait tendance à se couper. Elle avait une collection de perruques, des perruques pour jeune fille.

La nuit, elle les remplaçait par une casquette de base-ball. Du coup, la visière la forçait à dormir sur le dos. Ce n'était pas sa faute si elle ronflait, disait-elle, mais celle de la casquette. Le bandeau laissait une marque permanente sur son front.

Parfois, quand elle était fatiguée, elle oubliait de remplacer la casquette par une perruque. Et les jours de relâche, elle avait l'air d'une vieille pute déguisée.

Généreuse, elle laissait Lupe essayer les perruques, et elles en affublaient de temps en temps les chiens. Ce jour-là, Estrella n'avait pas mis sa casquette de base-ball. Elle portait la perruque «Rousse Flamboyante», qui serait sans doute mieux allée à l'un des chiens, et sans nul doute à Lupe.

Les enfants et les chiens l'adoraient, c'était clair. Mais, malgré sa générosité, Estrella ne réserva pas un accueil aussi chaleureux au Señor Eduardo. Très ouverte en matière de sexualité, elle ne voyait aucun inconvénient à inviter un travesti prostitué dans la tente des chiens. Mais elle s'était fait un devoir de les gronder s'ils chiaient à l'intérieur, et elle ne tenait pas à ce que l'Américain aux pieds merdeux leur donne de mauvaises idées: le jésuite n'était donc pas bienvenu chez elle.

Pour retirer la crotte d'éléphant qui avait durci sur ses sandales, et pire encore, entre les orteils de ses pieds nus, Flor le conduisit derrière les latrines des hommes, près des douches extérieures, où un long tuyau était fixé à un robinet.

Pendant qu'Estrella apprenait à Lupe les noms des chiens et leurs régimes alimentaires, Soledad prit Juan Diego à part. Il se rendrait compte qu'on n'a pas beaucoup d'intimité sous une tente, pas davantage qu'à l'orphelinat.

– Ta sœur est une fille spéciale, dit-elle d'une voix douce. Mais pourquoi refuse-t-elle que tu deviennes la Merveille ? Les marcheurs célestes sont les stars du cirque.

L'idée même de devenir une star le stupéfia.

– Elle est convaincue que j'ai un autre avenir devant moi.

Il se sentait pris au dépourvu.

– Elle sait aussi prédire l'avenir ?

– Un peu.

À vrai dire, il ne savait pas dans quelle mesure.

– Comme elle ne voit pas la marche céleste dans mon avenir, elle pense que je me tuerai si j'essaye.

– Et qu'est-ce que tu en penses, *toi*, Juan Diego ?

La femme du dompteur ne ressemblait pas aux adultes de sa connaissance.

– Je sais seulement que je ne boiterai pas, là-haut sur l'échelle.

Il voyait bien qu'il allait devoir se décider, et cela l'inquiétait.

– Le teckel est un mâle, il s'appelle Baby, récita Lupe, qui essayait de mémoriser le nom des chiens.

Coiffé d'un bonnet attaché sous le museau, le teckel était assis, droit comme un i, dans une poussette d'enfant.

Soledad poursuivit :

– Ignacio, tout ce qui l'intéresse, c'est de connaître les pensées des *lions*. Qu'est-ce qu'une liseuse de pensée peut faire d'autre dans un cirque ? Tu dis toi-même qu'elle ne sait pas prédire l'avenir, continua-t-elle tout bas.

Les choses ne se passaient pas comme prévu.

Lupe poursuivait son inventaire :

– Le chien de berger est une femelle. Elle s'appelle Pastora, la « bergère ».

Pastora portait une robe. À quatre pattes, elle marchait dessus, mais quand elle se redressait sur les pattes de derrière pour faire rouler la poussette avec Baby dedans, la robe lui allait parfaitement.

– Qu'est-ce que Lupe pourrait révéler aux gens pendant le spectacle ? Quelle femme veut savoir ce que pense son mari ? Quel mec va se réjouir d'entendre ce que sa femme a en tête ? reprit Soledad. Tu crois que les gosses ont envie que leurs copains sachent ce qu'ils pensent ? Réfléchis. Tout ce que veut Ignacio, c'est savoir ce que pensent le vieux lion et ses lionnes. Si ta sœur n'arrive pas à lire dans leurs pensées, elle ne lui sert à rien. Et d'ailleurs, une fois qu'elle aura lu dans la pensée des lions, à quoi sera-t-elle encore utile, dis-moi ? Sauf si les lions changent d'idée…

– Je ne sais pas, admit le garçon, qui commençait à avoir peur.

– Moi non plus, dit Soledad. Je sais seulement que vous avez plus de chances de rester au cirque si toi, tu fais le numéro sur l'échelle de corde. Parce qu'en plus, tu es un garçon. Tu comprends ce que je te dis, Merveille au masculin ?

Tout ça lui paraissait trop précipité.

– Oui, je comprends.

Sa franchise l'avait effrayé. Il avait du mal à imaginer qu'elle avait été jolie, mais il devinait qu'elle était maligne ; elle comprenait son mari, sans doute assez pour lui survivre. Elle savait qu'il était homme à prendre des décisions intéressées, dictées par l'instinct de conservation. Quant à elle, une chose était sûre. C'était une femme puissante.

Elle en avait bavé au niveau des articulations, comme l'avait observé le Dr Vargas. Ses doigts, ses poignets, ses coudes avaient beaucoup souffert, mais cela mis à part, elle était encore solide. Au trapèze volant, elle avait terminé sa carrière dans le rôle de l'attrapeur, tenu par les hommes, en principe. Mais Soledad avait du muscle dans les bras, et assez de poigne pour attraper.

– Le bâtard est un mâle. C'est pas juste de l'appeler Bâtard. C'est pas un nom pour un chien ! proclama Lupe.

Le pauvre Perro Mestizo, le « bâtard » en question, ne portait pas de costume de scène. Dans le numéro de chiens savants, il jouait le rôle du voleur de bébé. Il essayait de se carapater avec la poussette dans laquelle Baby, le teckel coiffé de son bonnet, poussait des cris d'orfraie.

– Perro Mestizo joue toujours le rôle du méchant, s'indigna Lupe, c'est pas normal, ça non plus.

Juan Diego savait ce que sa sœur allait ajouter ; il connaissait la musique.

– C'est pas sa faute, s'il est né bâtard, dit-elle, comme de juste.

Bien entendu, Estrella ne comprenait pas un traître mot de ce que jargonnait Lupe.

– J'imagine qu'Ignacio a un petit peu peur des lions, suggéra Juan Diego, prudemment, à Soledad.

Ce n'était pas une question. Il gagnait du temps.

– Ignacio *devrait* avoir peur des lions, répondit-elle. Il devrait en avoir très peur.

– Le berger allemand est une femelle. Elle s'appelle Alemania, baragouina Lupe.

Juan Diego se dit qu'il ne fallait pas se creuser les méninges pour appeler Allemagne un berger allemand et, qui plus est, l'habiller en policière. Et naturellement, Lupe affirmait qu'il était humiliant pour Bâtard, chien mâle, d'être appréhendé par un berger allemand femelle. Dans le numéro, Perro Mestizo est arrêté au moment où il enlève le bébé chien dans sa poussette ; Alemania, dans son uniforme de flic, vient l'attraper par la peau du cou. Baby, le teckel, est alors rendu à sa maman Pastora, le chien de berger…

Alors que Juan Diego évaluait leurs maigres chances de succès au cirque, son destin problématique de marcheur céleste ainsi que les difficultés qu'aurait Lupe à lire les pensées des lions, Edward Bonshaw entra en clopinant, pieds nus, dans la tente des chiens. Ce fut sans doute sa façon de marcher sur la pointe des pieds qui déclencha l'ire des chiens, à moins que ce ne fût la pure et simple cocasserie du spectacle du petit Señor Eduardo au bras du grand travelo.

Baby se mit à aboyer le premier. Il bondit de la poussette. Ce comportement inédit dans le numéro de chiens savants perturba le pauvre Perro Mestizo, qui se mit à s'agiter et alla mordre un des pieds nus d'Edward Bonshaw. Baby s'empressa de lever la patte et de pisser sur l'autre. Flor balança un coup de tatane au teckel et au bâtard. Ce qui ne fut pas du goût d'Alemania. Il s'ensuivit une confrontation tendue entre le berger allemand et le travesti, grognement menaçant côté chien, maintien sur ses positions de Flor, à qui le combat ne faisait pas peur. Estrella, la perruque rousse de travers, essayait de calmer ses toutous.

Lupe était tellement contrariée par ce qu'elle lisait dans les pensées de Juan Diego qu'elle ne fit pas attention à l'agitation des chiens.

– Je suis censée lire dans les pensées des lions, c'est ça ? demanda-t-elle à son grand frère.

– Je fais confiance à Soledad, répondit-il, pas toi ?

– Pour eux, on est indispensables si tu vas marcher là-haut, sinon, ils ont pas besoin de nous, c'est bien ça ? Oh, je comprends, ça te plaît, l'idée de devenir une Merveille au masculin, n'est-ce pas ?

– Soledad et moi, on ne sait pas si les lions changent d'idées, et on suppose que tu pourras lire dans leurs pensées.

Juan Diego essayait de paraître désintéressé, mais devenir la Merveille au masculin le tentait fichtrement.

– Je sais ce que Hombre a dans la tête...

– Ce que je dis, c'est qu'on peut toujours essayer. Rien qu'une semaine, pour voir...

– Une semaine ! s'écria Lupe. Tu n'as rien d'une Merveille, au masculin ou pas, tu peux me croire.

– D'accord, d'accord. On leur donne deux jours. Un simple essai, Lupe. Quel infirme ne rêve pas une fois d'avancer sans boiter ? Et si cet infirme peut avancer sous un chapiteau, alors ? Les marcheuses célestes ont du succès, elles sont admirées, adulées même, pour un parcours de seize malheureux échelons !

– C'est une question de vie ou de mort, c'est comme ça. Deux jours ou une semaine, qu'est-ce que ça change ?

Pour elle aussi, tout allait trop vite.

– Tu te la joues trop.

– Ah, c'est moi qui me la joue ?

Et pendant ce temps-là, où étaient les adultes responsables ?

L'Américain, pieds nus, pensait à autre chose. Les outrages que les chiens avaient fait subir à ses orteils n'avaient pas réussi à le distraire de ses pensées, et il n'était guère en état de comprendre la situation critique dans laquelle se trouvaient les gosses de la décharge. Quant à Flor, tout à son flirt avec l'homme de l'Iowa, comment lui reprocher d'être inconsciente de leur dilemme, qui se résumait à partir ou mourir ? Les adultes présents ne pensaient qu'à eux.

– Tu as vraiment de la poitrine *et* un sexe d'homme ? lâcha Edward

Bonshaw à Flor, dont la mystérieuse expérience à Houston lui permettait de comprendre assez bien l'anglais.

Si Edward présumait qu'elle le comprenait, il ne se doutait pas qu'Estrella, la dresseuse de chiens, et Soledad, la femme du dompteur, comprenaient elles aussi l'anglais, sans oublier Juan Diego et Lupe.

Comme un fait exprès, au moment où Señor Eduardo avait posé la question, les chiens avaient cessé d'aboyer. Tout le monde avait entendu et semblait avoir compris. Une préoccupation qui n'avait rien à voir avec les gosses de la décharge !

– Mon Dieu, dit Juan Diego.

Lupe saisit sa petite statue de Coatlicue et la pressa contre son semblant de poitrine. On aurait dit que la terrifiante déesse aux seins faits de serpents à sonnettes avait elle aussi compris la problématique *poitrine et sexe d'homme*.

– Bah, je ne vais pas vous montrer mon sexe, pas ici, dit Flor à Edward Bonshaw.

Elle déboutonna son chemisier et le dégagea de sa jupe.

Livrés à eux-mêmes, les enfants prennent parfois des décisions précipitées.

– Tu ne vois pas ? demanda Lupe à Juan Diego. C'est elle, la femme de sa vie ! Flor et le Señor Eduardo vont pouvoir t'adopter. Il faut qu'ils soient ensemble pour t'emmener.

Flor avait maintenant ôté son chemisier. A priori, nul besoin de retirer aussi son soutien-gorge : elle avait une poitrine menue, ce que les hormones pouvaient faire de mieux en la matière, comme elle le dirait plus tard. Flor était contre toute intervention chirurgicale. Pour qu'il n'y eût pas d'ambiguïté, elle ôta aussi son soutien-gorge. Même s'ils étaient petits, elle voulait qu'Edward Bonshaw n'ait pas le moindre doute sur la réalité de ses seins.

– Ce sont pas des serpents à sonnettes, tu vois ? lança Flor à Lupe, dès que toute l'assistance eut découvert sa poitrine et ses mamelons.

– Partir ou mourir, répéta Lupe à Juan Diego. Señor Eduardo et Flor sont ta seule chance de salut.

– À présent, côté bite, il faudra me croire sur parole, dit Flor.

Elle avait remis son soutien-gorge et reboutonnait son chemisier quand Ignacio pénétra dans la tente. Les enfants eurent le sentiment que le dompteur ne prévenait jamais avant d'entrer quelque part.

– Viens voir les lions, ordonna-t-il à Lupe. Et toi, amène-toi aussi, ajouta-t-il à l'adresse du boiteux, l'aspirant Merveille au masculin.

Le discours était sans équivoque : le travail d'extralucide concernait bel et bien les lions. Et si ceux-ci s'avisaient de changer d'avis, ce serait à Lupe d'en informer le dompteur.

Quant au missionnaire aux pieds nus, mordus et trempés de pisse de chien, sa vocation en avait pris un coup. L'association seins-et-bite de Flor lui avait fait reconsidérer le célibat d'une telle façon qu'une autoflagellation prolongée n'aurait même pas pu le faire douter.

« Les soldats du Christ », avait dit Señor Eduardo au Père Alfonso et au Père Octavio, avec l'assentiment muet de Frère Pepe.

Les deux vieux prêtres ne voulaient assurément pas que Lupe et Juan Diego restent aux Enfants perdus. Leurs craintes exprimées du bout des lèvres à propos de la sécurité au cirque relevaient plus d'une posture sacerdotale que d'une authentique préoccupation.

– Ces enfants sont tellement incontrôlables, ça ne m'étonnerait pas qu'ils soient dévorés par des bêtes sauvages ! avait dit le Père Alfonso en levant les bras vers le ciel, comme si telle était la destinée des gosses de la décharge.

– Ils ne savent pas se tenir, ils pourraient aussi tomber de ces espèces de balançoires volantes ! avait renchéri le Père Octavio.

– Des trapèzes volants, avait précisé Pepe, avec obligeance.

– Oui, des trapèzes ! s'était exclamé le Père Octavio, comme si cette idée lui plaisait beaucoup.

– Pas question qu'il monte là-haut, avait assuré Edward Bonshaw aux deux prêtres. Il sera traducteur ; au moins il ne sera pas un petit chenapan de la décharge.

– Et la gamine lira dans les pensées, avait ajouté Pepe, elle prédira l'avenir. Elle non plus ne montera pas sur le trapèze volant. Au moins, elle ne finira pas sur le trottoir.

Il les connaissait bien, les deux vieux, le mot « trottoir » était l'argument décisif.

– Mieux vaut être dévoré par des fauves, avait dit le Père Alfonso.

– Mieux vaut s'écraser au bas des trapèzes volants, avait bien sûr corroboré le Père Octavio.

– J'étais sûr que vous comprendriez, avait dit Edward Bonshaw aux deux vénérables prêtres.

Et pourtant, en ce moment où il semblait indécis, il avait l'air de se demander pourquoi il avait insisté. L'idée du cirque était-elle si brillante, après tout ?

Et maintenant, repassant dans l'allée des tentes d'entraînement, Edward Bonshaw veillait à ne pas marcher dans la bouse d'éléphant. Clopinant tant bien que mal sur son délicat pied nu. Il était blotti contre Flor, accroché au bras de ce travesti plus grand et plus fort que lui. La courte distance jusqu'aux cages aux lions, deux minutes de marche à peine, devait lui paraître une éternité. Sa rencontre avec Flor, l'idée même de ses seins et de son sexe, avait altéré le cours de son existence.

Pour lui, le trajet vers les cages avait des airs de marche céleste. Elle avait tout d'une pérégrination, à vingt-cinq mètres au-dessus du sol et sans filet. Et même s'il boitait très bas, chacun de ses pas le menait inexorablement vers une autre vie.

Il glissa sa petite main dans la pogne de Flor, et faillit tomber quand elle la lui pressa.

– En vérité, tenta-t-il de dire, je tombe, enfin je tombe amoureux de toi.

Les larmes perlaient sur son visage ; la vie qu'il avait si longtemps endurée, cette vie d'autoflagellation, voici qu'elle prenait fin.

– Ça n'a pas l'air de te faire tellement plaisir, remarqua Flor.

– Si, si, je suis vraiment très heureux !

Il entreprit d'expliquer à Flor comment saint Ignace de Loyola avait fondé un hospice pour les filles perdues.

– C'était à Rome. Le saint a déclaré qu'il sacrifierait sa vie s'il pouvait empêcher ne serait-ce qu'une seule fille de se prostituer, ne serait-ce qu'une nuit, dit-il, toujours en larmes.

– J'ai pas envie que tu sacrifies ta vie, espèce d'idiot. Je veux pas que tu me viennes en aide. Tu ferais mieux de commencer par me baiser. Oui, commençons là, on verra bien après.

– D'accord.

Edward Bonshaw manqua tomber de nouveau. Ah, le pouvoir du désir...

Les petites acrobates couraient à côté d'eux dans l'allée. Les paillettes vertes et bleues de leurs maillots scintillaient à la lueur des lanternes. Dolores les dépassa, mais elle ne courait pas, elle marchait d'un pas rapide, réservant la course à son entraînement de marcheuse céleste. Les paillettes de son maillot étaient argentées et dorées ; à ses anneaux de cheville, des clochettes tintaient à chaque pas.

– Sale pute, tu cherches encore à attirer l'attention ! lança Lupe à la jolie trapéziste. Ce n'est pas ton avenir, oublie tout ça, ajouta-t-elle à l'intention de Juan Diego.

Ils arrivaient à proximité des cages. Les lions étaient éveillés, tous les quatre. Les yeux des trois lionnes suivaient attentivement la petite foule qui déambulait dans l'allée des tentes. Le mâle à l'allure maussade, Hombre, plissait les yeux sur le dompteur en approche.

Les passants auraient pu croire que le jeune infirme trébuchait, et que sa petite sœur l'avait pris par le bras pour éviter qu'il tombe. Ils auraient pu imaginer que le boiteux se penchait vers sa sœur pour déposer un baiser sur sa tempe.

En réalité, Juan Diego murmurait à l'oreille de Lupe :

– Si tu arrives à savoir ce que les lions ont dans la tête…

– J'arrive à savoir ce que toi, tu as dans la tête.

– Pour l'amour du ciel, fais gaffe en déchiffrant leurs intentions !

– Mais c'est à toi de faire gaffe ! Personne ne comprend ce que je dis, sauf si tu traduis.

– Admets seulement que je ne suis pas ton plan de sauvetage, dit Flor à Edward Bonshaw.

Celui-ci était en larmes, larmes de joie, larmes de désarroi, larmes tout court. Il semblait inconsolable… Le pouvoir du désir, là encore.

La petite troupe s'était arrêtée devant la cage aux fauves.

– ¡Holà, Hombre ! dit Lupe au lion.

Le grand fauve regardait Lupe, et rien qu'elle.

Sans doute Juan Diego rassemblait-il le courage nécessaire pour devenir marcheur céleste, sans doute se disait-il à ce moment-là qu'il avait assez de cran pour ça. En fait, devenir une Merveille au masculin lui semblait parfaitement possible.

– Vous pensez toujours qu'elle est retardée mentale ? demanda-t-il au dompteur. Vous voyez bien que Hombre a compris qu'elle lit dans les pensées, n'est-ce pas ? C'est une vraie extralucide.

Mais il n'était pas aussi sûr de lui qu'il en avait l'air.

– N'essaye pas de m'avoir, marcheur au plafond, dit Ignacio à Juan Diego. Ne t'avise pas de me mentir quand tu traduis ta sœur. Je saurai si tu mens, acrobate de mes deux. Moi, je lis dans tes pensées, enfin, un peu.

Quand Juan Diego se tourna vers Lupe, celle-ci ne fit aucun commentaire, elle ne haussa même pas les épaules. Elle se concentrait sur le lion. N'importe quel passant anonyme dans l'allée des tentes aurait compris que Lupe et Hombre étaient en phase. Plus personne n'existait, tant pour le vieux fauve que pour la petite fille.

20

Casa Vargas

Dans son rêve, Juan Diego entendait de la musique, sans savoir d'où elle venait. Rien à voir avec le son criard d'un groupe de mariachis, passant de table en table à la terrasse du Marquès del Valle – un de ces groupes assommants qui jouaient un peu partout dans le Zócalo. Ce n'était pas davantage la version cirque de *Streets of Laredo*, avec cuivres et percussions.

Ce qu'il percevait, c'était une voix. Au milieu de son rêve, il discernait les paroles – certes pas aussi agréables à entendre que lorsque le brave gringo entonnait la chanson. Oh, il l'aimait tellement, *The Streets of Laredo*, El Gringo Bueno ! Il pouvait même la fredonner dans son sommeil ! Lupe, elle aussi, savait bien la chanter. Même avec son timbre cassé et son élocution sibylline, Lupe avait une voix de petite fille, une voix « innocente ».

Le chanteur amateur qui vocalisait sur la plage s'était tu. Ce que percevait Juan Diego ne pouvait donc être la musique rebattue du karaoké. Les joyeux réveillonneurs du beach-club de l'île Panglao étaient allés se coucher, ou alors ils s'étaient noyés pendant leur bain de minuit. Aucun son ne provenait plus de l'Encantador, les Nocturnal Monkeys, Dieu merci, s'étaient tus.

L'obscurité était totale dans la chambre d'hôtel. Juan Diego retenait sa respiration parce qu'il n'entendait pas celle de Miriam, mais une voix qu'il ne reconnaissait pas, et qui chantait cette funèbre chanson de western. Enfin, vraiment ? Bizarre, *The Streets of Laredo* chanté par une femme mûre ; ça ne collait pas. La voix ne cadrait pas avec cette chanson.

– I see, by your outfit, that you are a cowboy, chantait la femme d'une voix basse et rauque. These words he did say, as I slowly walked by.

Était-ce la voix de Miriam ? Comment pouvait-elle chanter alors qu'il n'entendait pas sa respiration ? Dans le noir, il n'était même pas sûr qu'elle soit là.

– Miriam ? murmura-t-il. Il répéta son nom un peu plus fort : Miriam.

La chanteuse s'était tue. Il retint sa respiration. Il guettait le moindre souffle. Peut-être Miriam était-elle retournée dans sa chambre. Avait-il ronflé, parlé dans son sommeil ? Cela lui arrivait parfois, quand il rêvait.

Je devrais tendre le bras, pour savoir si elle est là. Mais il n'osait pas. Il mit la main sur son sexe, puis porta ses doigts à ses narines. L'odeur ne devait pas l'étonner, il se souvenait tout de même d'avoir fait l'amour avec Miriam. Quoique... Il avait parlé en effet de l'impression que ça lui faisait d'être en elle. Il avait dit que son contact était « soyeux » ou « très doux », c'était tout ce dont il se souvenait. Des mots. Et Miriam avait dit : « Tu es marrant, tu as toujours besoin de trouver le mot juste. »

Un coq se mit à chanter, en pleine nuit ! Les coqs étaient-ils devenus fous aux Philippines ? Celui-ci avait-il perdu la boussole à cause du karaoké ? Ce stupide gallinacé avait-il confondu les Singes de la nuit et les *poules* de la nuit ?

– Mais tuez-le, ce coq ! dit Miriam de sa voix grave et rauque.

Il sentit ses seins contre sa poitrine et son épaule, puis les doigts de Miriam, qui se refermaient sur son sexe. Peut-être voyait-elle dans le noir.

– Ah te voilà, chéri, lui dit-elle, comme s'il avait besoin d'être rassuré sur sa propre existence, de savoir qu'il était bien là, avec elle, alors qu'un instant auparavant il se demandait si elle était réelle.

Le coq maboul recommença à chanter dans le noir.

– J'ai appris à nager dans l'Iowa, dit-il.

Drôle de réflexion à l'adresse de qui vous tient la quéquette, mais pour Juan Diego, et pas seulement dans ses rêves, le temps faisait des sauts, en avant ou en arrière... Sa mémoire était plutôt associative que linéaire.

– L'Iowa. Ce n'est pas particulièrement la patrie des nageurs.

– Je ne boite pas dans l'eau.

Miriam le faisait à nouveau bander. Loin d'Iowa City, Juan Diego avait peu de chances de rencontrer des gens passionnés par l'Iowa.

– Tu n'es probablement jamais allée dans le Midwest, remarqua-t-il.

– Oh, je suis allée partout, répondit Miriam, laconique.

Partout ? Comment était-ce possible ?

Mais chacun peut avoir son point de vue sur un lieu précis, ne serait-ce qu'au niveau des sensations ! Rares étaient les gosses de quatorze ans qui, découvrant Iowa City pour la première fois, auraient trouvé exaltant de quitter le Mexique pour s'y installer. Pour Juan Diego, l'Iowa était une aventure. Lui qui n'avait jamais été en émulation avec les jeunes gens qu'il côtoyait se voyait du jour au lendemain entouré d'étudiants. Iowa City était une ville universitaire. Le campus était en plein centre-ville, la ville et l'université ne faisaient qu'un. Pourquoi un lecteur de décharge publique ne trouverait-il pas merveilleuse une ville étudiante ?

Les dieux du campus étaient ses champions sportifs. Ce qui était naturel pour n'importe quel garçon de quatorze ans. Et cela correspondait bien à ce que Juan Diego avait imaginé des États-Unis. Pour un petit Mexicain, les stars de l'écran et les champions sportifs devaient représenter le nec plus ultra de la culture américaine.

Pour Flor, passer de Oaxaca à Iowa City avait dû être plus difficile, même si cela n'avait rien à voir avec la mésaventure qu'elle avait connue à Houston. Dans une ville hébergeant une des dix meilleures équipes universitaires du pays, quelles opportunités s'offraient à un ancien travesti prostitué ? Après Houston, elle était peu disposée à prendre des risques. Se fondre dans la foule, faire profil bas… ce n'était pas son genre. C'était une personnalité affirmée.

Quand le coq maboul s'avisa de vocaliser une troisième fois, son chant fut brusquement interrompu à mi-course.

– Voilà une bonne chose de faite, dit Miriam. Il ne nous annoncera plus l'aube en plein milieu de la nuit ; fini, les porteurs de fausses nouvelles !

Tandis que Juan Diego s'ingéniait à comprendre ce qu'elle voulait dire – elle semblait si catégorique –, un chien se mit à aboyer, bientôt suivi par d'autres.

– Ne fais pas de mal aux chiens, rien n'est de leur faute.

C'était ce que Lupe aurait dit. En ce Nouvel An, sa chère petite sœur lui manquait terriblement.

– Aucun mal ne sera fait aux chiens, chéri, murmura Miriam.

Par la fenêtre ouverte s'insinuait une légère brise venant de l'océan. Juan Diego croyait en sentir l'odeur iodée, mais il n'entendait pas les vagues, si tant est qu'il y en eût. Il se rendit compte à cet instant qu'il avait tout loisir de se baigner à Bohol : il y avait une plage et une piscine à l'Encantador. Son voyage aux Philippines ayant été inspiré par le brave gringo, il n'avait pas songé à la baignade.

– Dis-moi comment tu as appris à nager dans l'Iowa, lui souffla Miriam à l'oreille.

Elle était à califourchon sur lui et il sentit qu'il la pénétrait de nouveau. Une parfaite suavité l'envahit ; c'était comme nager, pensa-t-il, avant de deviner qu'elle avait lu dans ses pensées.

Certes, ça remontait loin, mais Lupe avait ce don, et il n'avait pas oublié l'effet que ça faisait.

– J'allais dans une piscine couverte, à l'université, commença-t-il, essoufflé.

– Oui, mais qui, chéri, qui t'a appris, qui t'a emmené à la piscine ?

– Ah !

Même dans le noir, Juan Diego ne pouvait pas répondre à cette question.

Señor Eduardo lui avait appris à nager dans la piscine de l'ancien complexe sportif de l'Iowa, à proximité de l'hôpital universitaire. Edward Bonshaw, qui avait quitté l'enseignement pour se vouer au sacerdoce, avait été accueilli à bras ouverts au département d'anglais de l'université, son département d'origine. Flor adorait dire, en exagérant son accent mexicain, « d'origine ».

Flor ne savait pas nager, mais dès que Juan Diego sut tenir dans l'eau, elle l'accompagna de temps en temps à la piscine, qui était ouverte au personnel, aux enseignants et à leurs enfants, et très appréciée des habitants du quartier. Señor Eduardo et Juan Diego aimaient beaucoup l'ancien complexe. Au début des années 1970, avant la construction de la Carver-Hawkeye Arena, c'était là qu'on pratiquait la plupart des sports d'intérieur. Ils venaient donc assister aux matchs de basket et aux compétitions de lutte.

Quant à Flor, elle appréciait la piscine, mais pas le complexe en lui-même : trop de sportifs qui couraient partout. Les femmes qui amenaient leurs enfants près du bassin prenaient un air gêné en sa présence, mais au moins elles ne la dévisageaient pas. Les jeunes hommes, eux, ne s'en privaient pas. Flor était grande et large d'épaules, hommasse d'allure : 1,89 m et 77 kg. Et avec sa poitrine menue, elle était aussi attirante et féminine.

À la piscine, elle portait un maillot une pièce, mais elle s'enveloppait la taille d'une grande serviette de bain qui en cachait le bas. D'ailleurs, elle ne se risquait jamais dans l'eau.

Juan Diego ne savait pas comment elle se débrouillait pour la séquence déshabillage-rhabillage, qui avait lieu dans le vestiaire des femmes. Peut-être n'enlevait-elle pas son maillot de bain, puisqu'il n'était jamais mouillé.

– Ne t'en fais pas pour ça, lui avait-elle dit. Mon bazar, je ne le montre qu'à Señor Eduardo.

C'était vrai à Iowa City, comme Juan Diego s'en rendrait compte un jour. De même qu'il comprendrait pourquoi Flor avait besoin de s'échapper de l'Iowa de temps en temps.

Quand il croisait Flor à Oaxaca, Frère Pepe écrivait à Juan Diego : « Elle est ici, vous le savez sûrement, "de passage", comme elle dit. Je la rencontre là où elle a ses habitudes, enfin, pas *partout* où elle a ses habitudes ! »

Pepe voulait dire qu'il avait vu Flor à La China, le bar gay sur Bustamante, celui qui deviendrait Chinampa. Il voyait sans doute aussi La Loca à La Coronita, où la clientèle était principalement homo et où les travelos se pavanaient en tenue de tombeuse.

Pepe n'insinuait pas que Flor passait son temps à l'hôtel de passe. Ce n'était pas l'hôtel Somega, ni le fait d'être une prostituée, qui lui manquait. Mais que pouvait bien fréquenter une personne comme elle à Iowa City ? Elle aimait faire la fête, à l'occasion. On ne trouvait pas l'équivalent de La China – et encore moins de La Coronita – à Iowa City dans les années 70 ou 80. Quel mal y avait-il à ce qu'elle retourne à Oaxaca de loin en loin ?

Frère Pepe ne la jugeait pas. Et apparemment, Señor Eduardo était accommodant.

Quand Juan Diego avait quitté Oaxaca, Frère Pepe avait laissé échapper :

– Ne deviens pas comme ces Mexicains qui…

Il n'avait pas terminé sa phrase.

– Qui quoi ? avait demandé Flor.

– … qui détestent le Mexique.

– Vous voulez dire ces *Américains* !

– Mon cher enfant ! s'était exclamé Frère Pepe en prenant Juan Diego dans ses bras. Il ne faut pas que tu deviennes non plus comme ces Mexicains qui reviennent sans cesse au pays, qui ne peuvent pas en rester éloignés très longtemps, faute de savoir couper le cordon.

Flor s'était contentée de regarder Frère Pepe.

– Et puis quoi encore ? Vous en avez beaucoup comme ça ? lui avait-elle ensuite demandé. La liste est longue ?

Pepe n'avait pas jugé bon de répondre, il avait murmuré à l'oreille de Juan Diego :

– Cher enfant, deviens ce que tu veux, mais donne de tes nouvelles !

– Tu ferais mieux de ne *rien* devenir du tout, Juan Diego, avait alors conseillé Flor à l'adolescent, tandis que Pepe pleurait à chaudes larmes. Tu peux nous faire confiance, Pepe, Edward et moi on ne voudrait pas qu'il rate sa vie. On fera en sorte qu'il devienne un Mexicain lambda.

Edward Bonshaw, qui suivait la conversation d'une oreille distraite, n'avait perçu que l'énoncé de son nom. « Eduardo », avait-il corrigé. Flor lui avait souri d'un air bienveillant.

« C'étaient mes parents, enfin, ils essayaient de l'être ! » C'est ce que Juan Diego aurait voulu répondre à voix haute, mais dans l'obscurité les mots ne parvenaient pas à franchir ses lèvres.

– Oh ! fut tout ce qu'il put articuler.

Avec Miriam qui allait et venait au-dessus de lui, il aurait eu du mal à en dire davantage.

Perro Mestizo, alias Bâtard, fut mis en quarantaine et sous observation pendant deux jours. Quand on veut détecter la rage, c'est la procédure habituelle pour des animaux agressifs qui ne semblent pas en être atteints. Bâtard ne l'avait pas, mais après avoir examiné la morsure sur le pied d'Edward Bonshaw, le Dr Vargas n'avait pas voulu prendre de risque. Pendant dix jours, il n'y eut pas de numéro de chiens savants au Circo de La Maravilla. La quarantaine du voleur de bébé bouleversa la routine dans la tente où vivaient Lupe et Juan Diego.

Baby, le teckel, se mit à pisser par terre toutes les nuits. Pastora, le chien de berger femelle, gémissait sans arrêt. Estrella dut revenir dormir dans la tente pour la calmer. La présence de la dresseuse ronflant sur le dos, visage recouvert par la visière de sa casquette de base-ball, donnait des cauchemars à Lupe. Mais Estrella affirmait qu'elle ne pouvait pas dormir tête nue ; les moustiques allaient piquer son crâne chauve, sa tête allait la démanger et elle ne pourrait pas se gratter sans retirer sa perruque, ce qui risquait de traumatiser les chiens. Pendant la quarantaine de Perro Mestizo, Alemania restait plantée devant le lit de camp de Juan Diego et haletait frénétiquement au-dessus de son visage. Lupe reprochait au Dr Vargas de «diaboliser» Bâtard. Le pauvre Perro Mestizo, «toujours cantonné dans son rôle de mauvais garçon», était une fois de plus une victime désignée.

– Ce connard de chien a mordu Señor Eduardo, lui avait rappelé Juan Diego.

L'appellation «connard de chien» émanait de Rivera. Lupe ne croyait pas qu'il y eût des connards parmi les chiens.

– Señor Eduardo était en train de tomber amoureux du zizi de Flor ! pleurnicha Lupe, comme si cette péripétie justifiait l'attaque de Perro Mestizo.

Mais, dans ce cas, Bâtard était homophobe, et cela ne faisait-il pas de lui un connard ?

Juan Diego persuada Lupe de rester à La Maravilla, du moins jusqu'à la tournée de Mexico. Ce voyage importait plus à sa sœur qu'à lui : disperser les cendres de leur mère, avec celles du brave gringo et de Blanc Sale, sans oublier les restes de l'énorme nez de la Vierge Marie, était primordial pour elle, qui était persuadée que Notre Dame de Guadalupe avait été marginalisée dans les églises de Oaxaca, cantonnée aux seconds rôles.

Esperanza, quelles qu'aient été ses fautes, avait été «liquidée» par la Vierge Monstre. La petite extralucide croyait que l'imposture de la religion serait réparée seulement si les cendres de sa pécheresse de mère étaient dispersées dans la basilique de Nuestra Señora de Guadalupe à Mexico. Car c'était le seul sanctuaire où la Vierge à la peau sombre, la Virgen Morena, attirait des cars entiers de pèlerins sur les lieux de son sanctuaire. Lupe attendait avec impatience de voir la Chapelle du Petit Puits, où Notre Dame de Guadalupe repose sur son lit de mort, dans un cercueil de verre.

Malgré son infirmité, Juan Diego attendait lui aussi de pouvoir effectuer la longue ascension des escaliers sans fin menant à l'église où

Guadalupe n'était pas reléguée dans une chapelle latérale. Elle trônait dans le chœur de «La Petite Colline des Roses», que Lupe préférait appeler «L'Église des Roses», plus solennel. C'était là, devant le lit de mort de la Virgen Morena, dans la Chapelle du Petit Puits, que les deux enfants disperseraient les cendres conservées dans une boîte à café trouvée par Rivera sur le basurero.

Le contenu de la boîte ne rappelait en rien le parfum d'Esperanza. Les cendres avaient une odeur indéfinissable. Flor les avait senties, et en avait conclu qu'elles n'avaient pas davantage l'odeur du brave gringo.

– Ça sent le café, avait déclaré Edward Bonshaw, après avoir lui aussi humé la boîte.

Quoi qu'il en soit, les chiens de la tente, eux, y étaient indifférents. Peut-être s'y mêlait-il un relent pharmaceutique. Ils ont horreur de tout ce qui sent le médicament, disait Estrella. À moins que cette odeur indéfinissable ne fût celle du nez de la Vierge Marie.

– En tout cas, ce n'est pas celle de Blanc Sale, avait toujours affirmé Lupe, qui reniflait les cendres tous les soirs avant de se coucher.

Sans doute aimait-elle humer le contenu de la boîte parce qu'elle le disperserait bientôt à jamais, et qu'elle tenait à garder son odeur en mémoire.

Peu de temps avant que le Cirque de la Merveille ne prenne la route de Mexico – c'était un long voyage pour une caravane de camions et d'autocars –, elle emporta la boîte à café à un dîner auquel ils étaient invités, chez le Dr Vargas à Oaxaca. Elle attendait un «avis scientifique» sur l'odeur des cendres, confia-t-elle à Juan Diego.

– Mais c'est une soirée, Lupe, lui rétorqua-t-il.

C'était le premier dîner auquel ils étaient conviés. De toute évidence, ils ne devaient pas leur invitation au Dr Vargas. Frère Pepe avait abordé avec lui ce qu'il appelait «l'épreuve spirituelle» d'Edward Bonshaw. Quant au médecin, l'idée ne l'effleurait pas. Il avait même vexé Flor en suggérant à Señor Eduardo que la seule raison de s'inquiéter, dans une relation avec un travesti prostitué, était d'ordre médical.

Il parlait des maladies sexuellement transmissibles. En multipliant les partenaires, Flor aurait pu en attraper de toutes sortes à leur contact. Le Dr Vargas se fichait pas mal qu'Edward Bonshaw ait dû renoncer à sa vocation ecclésiastique et ait rompu ses vœux de chasteté. «La seule chose qui m'importe, c'est que votre bite reste en place et qu'elle ne prenne pas une couleur vert pomme, ou je ne sais quoi. » Cette réflexion avait offensé Flor, qui avait refusé de se rendre au dîner à la Casa Vargas.

À Oaxaca, ceux qui avaient une dent contre Vargas appelaient sa maison la *Casa Vargas* : certains le jalousaient pour sa fortune, d'autres lui reprochaient de s'être installé dans la demeure de ses parents trop vite après leur mort dans un accident d'avion. Depuis le temps, tout le monde connaissait l'histoire de l'accident, et le fait qu'il aurait dû lui aussi se trouver dans cet avion. Enfin, il y avait ceux à qui déplaisait son côté *cassant*. Maniant la science comme une matraque, il n'avait pas son pareil pour vous démolir avec une remarque strictement médicale, tout comme il avait réduit Flor à une maladie sexuellement transmissible.

Eh oui, tel était Vargas. Frère Pepe le connaissait bien : il savait à quel point le docteur pouvait être cynique sur tout et n'importe quoi. Mais il considérait que les deux enfants et Edward Bonshaw pouvaient tirer parti de ce cynisme. C'était la raison pour laquelle il avait réussi à persuader Vargas de les inviter à dîner.

Des séminaristes rompant leurs vœux de chasteté, Pepe en avait connu d'autres. La route menant au sacerdoce était faite de doutes et de détours. Quand les plus zélés abandonnaient leurs études théologiques, les conséquences émotionnelles et psychologiques de la « reconversion » étaient, selon lui, parfois brutales.

Bien sûr, Edward Bonshaw s'était posé la question de savoir s'il était ou non homosexuel, ou s'il était amoureux d'une personne dotée d'une poitrine de femme et d'un sexe d'homme. Ne dit-on pas que les homos sont rarement attirés par les travestis ? Pourtant, certains gays étaient attirés par les travelos. En conséquence, faisait-il partie d'une minorité sexuelle au sein d'une minorité ?

Frère Pepe n'avait que faire de ces arguties. L'amour, il le trouvait au fond de lui-même. Et les préférences sexuelles d'Edward Bonshaw ne regardaient que lui.

Il se fichait qu'il ait tardivement découvert son penchant homosexuel, qu'il abandonne le sacerdoce ou qu'il soit obsédé par un travelo bien membré. D'ailleurs il aimait bien Flor, quoique son statut de prostituée lui posât problème – pas nécessairement pour des raisons cliniques, contrairement au Dr Vargas. Il savait qu'elle avait toujours eu des ennuis. C'était une «femme à histoires». Houston avait bon dos, alors qu'Edward Bonshaw avait à peine vécu. Qu'est-ce qu'un couple aussi mal assorti pourrait bien faire dans l'Iowa ? Là, Edward Bonshaw allait trop loin, Flor ne se connaissait pas de limites.

Quant à Flor, Dieu sait ce qu'elle en pensait. «Je trouve que tu es un homme perroquet adorable, avait-elle déclaré à l'homme de l'Iowa. J'aurais dû te rencontrer quand j'étais môme, on se serait aidés à surmonter les emmerdes.»

Eh oui, Frère Pepe aurait été d'accord avec ça. Mais n'était-il pas trop tard aujourd'hui pour eux deux ? Quant au Dr Vargas, et la façon dont il avait «vexé» Flor, Pepe aurait pu le mettre au parfum. Il fallait plus qu'une maladie sexuellement transmissible pour effrayer Edward Bonshaw : l'attirance sexuelle n'est pas une donnée strictement scientifique.

Frère Pepe espérait que le scepticisme de Vargas aurait plus de prise sur Juan Diego et sur Lupe. Ils étaient déçus par La Maravilla, enfin, Lupe surtout. Le Dr Vargas, à l'instar de Pepe, voyait d'un mauvais œil l'idée de lire dans la pensée des lions. Il avait examiné quelques-unes des petites acrobates, il les avait reçues dans son cabinet avant et après qu'Ignacio avait mis la main sur elles. Jouer les «Merveilles» c'était risquer la mort, personne n'avait survécu à une chute de vingt-cinq mètres sans filet de protection. Mais passer dans le lit d'Ignacio donnait envie de mourir.

Vargas, sur la défensive, avait reconnu devant Pepe qu'il avait d'abord pensé que le cirque serait une opportunité pour les deux enfants : Lupe, en qualité d'extralucide, n'aurait pas de contact avec Ignacio, et il n'était pas question d'en faire une acrobate. Mais il avait à présent changé d'avis ; que Lupe soit capable de lire les pensées des lions mettait la gamine de treize ans en contact direct avec le dompteur. Et ça, il n'aimait pas.

Pour sa part, Pepe avait effectué un virage à cent quatre-vingts degrés. Il voulait ramener Juan Diego et Lupe aux Enfants perdus. Là, au moins, ils seraient en sécurité. Quant aux ambitions «acrobatiques» de Juan Diego, Pepe avait le soutien de Vargas. Certes, le pied mutilé était parfaitement positionné pour l'exercice, mais Juan Diego n'était pas un athlète et son pied valide était, dans ce cas particulier, son véritable handicap.

Il s'était exercé dans la tente d'entraînement. Son pied valide avait dérapé de nombreuses fois sur la corde, et il s'était retrouvé par terre. Heureusement, ici, on ne risquait rien en tombant de l'échelle.

Enfin, les enfants attendaient beaucoup du voyage à Mexico. Ce pèlerinage avec les cendres d'Esperanza inquiétait Pepe, lui qui était originaire de Mexico. Il savait quel choc ce serait pour les enfants de découvrir pour la première fois le sanctuaire de Guadalupe. Il connaissait leur intransigeance : ils avaient horreur des démonstrations de foi sur la voix publique. Et ils avaient leur propre religion : une religion infiniment personnelle.

L'orphelinat n'aurait jamais accepté qu'Edward Bonshaw et Frère Pepe accompagnent les gosses de la décharge à Mexico. Il ne pouvait pas laisser s'absenter ses deux meilleurs enseignants en même temps. Et Señor Eduardo tenait autant que les enfants à voir la basilique de Guadalupe. Quant à Pepe, il risquait autant qu'eux d'être scandalisé et écœuré par ce qui se passait autour de la Basílica de Nuestra Señora de Guadalupe. Les foules qui se pressaient au sanctuaire le samedi matin avaient de quoi vous ravager le credo.

Ce tableau, Vargas le connaissait bien : ces adorateurs stupides, ces dévots frénétiques étaient l'incarnation de tout ce qu'il détestait. Mais Pepe se trompait s'il se figurait que le Dr Vargas avait le pouvoir de préparer les deux enfants et Edward Bonshaw aux foules de pèlerins. À ces hordes convergeant vers la Basílica sur l'avenue des Mystères – « l'avenue des Misères », disait le Dr Vargas, dans son anglais sans détour. Le spectacle, les deux enfants et le missionnaire devaient le voir de leurs yeux.

Tout autre fut le spectacle du dîner à la Casa Vargas. Les statues grandeur nature des conquistadors, dans le hall et à l'étage, étaient criantes de vérité et bien plus intimidantes que les affriolantes poupées et toute la statuaire bigote en vente dans les boutiques de la calle Independencia.

Très réalistes, les redoutables guerriers espagnols montaient la garde sur les deux niveaux de la maison, telle une armée en campagne. Vargas n'avait rien changé dans la demeure de ses parents. Il avait vécu toute sa jeunesse en conflit avec eux, tant sur le plan religieux que politique, mais il n'avait pas touché à leurs tableaux, à leurs statues ni à leurs photos de famille.

Vargas était socialiste et athée. Il soignait les nécessiteux pour rien, ou presque. Mais il vivait dans une maison où tout, jusqu'au moindre détail, rappelait les valeurs familiales qu'il avait rejetées. Tout ce que ses parents représentaient, et qu'il leur reprochait, était placé en évidence, davantage pour le tourner en ridicule que pour le célébrer. C'était l'impression que ressentait Pepe. Il avait d'ailleurs dit à Edward Bonshaw : « Vargas aurait aussi bien pu empailler ses parents et leur faire monter la garde dans la maison de famille ! » Mais l'Américain n'écoutait pas, il était soucieux avant même d'arriver au dîner.

Il n'avait pas confessé au Père Alfonso ni au Père Octavio sa transgression avec Flor. Il persistait à considérer les gens qu'il aimait comme des projets : ils devaient être récupérés ou sauvés, jamais abandonnés. Flor, Juan Diego et Lupe constituaient *ses* projets de vie. Il les voyait avec les yeux d'un réformateur-né, mais il les aimait et s'occupait d'eux à sa façon. Or ce travers ne faisait que compliquer son processus de « reconversion ».

Frère Pepe partageait toujours sa salle de bains avec Edward Bonshaw. Il savait qu'il ne se flagellait plus, mais il l'entendait pleurer, ou fouetter la cuvette des chiottes, le lavabo et la baignoire. Il était en larmes parce qu'il ne savait pas comment quitter son poste aux Enfants perdus pour enfin se consacrer à ses chers projets.

Quant à Lupe, elle n'était pas d'humeur à apprécier la soirée. Elle avait passé beaucoup de temps avec Hombre et les lionnes – les Señoritas, « les jeunes ladies », comme disait Ignacio, qui leur avait donné des noms de parties du corps : Cara « visage », Garra « patte », Oreja « oreille ». Cara fronçait le museau quand elle était agitée ou en colère, Garra semblait pétrir du pain entre ses pattes, ses griffes labourant le sol, Oreja avait soit une oreille de guingois, soit les deux oreilles aplaties.

– Elles ne peuvent pas m'avoir, je sais ce qu'elles pensent. Ça saute aux yeux quand on les voit. Je n'ai pas besoin d'extralucide pour las Señoritas, mais les pensées de Hombre restent un mystère pour moi.

Pas pour Lupe, pensait Juan Diego. Lui non plus n'était pas d'humeur à goûter cette soirée. Il doutait que Lupe lui ait dit tout ce qu'elle avait compris.

– Qu'est-ce qu'il pense, Hombre ? avait-il demandé.

– Pas grand-chose, comme tous les mecs. Il pense aux lionnes, à se les envoyer. Cara, la plupart du temps. Parfois Garra. Rarement Oreja, sauf quand il se souvient subitement qu'elle existe, et qu'il veut se la faire aussitôt. Hombre pense au sexe et à rien d'autre. Sauf à la bouffe.

Juan Diego trouvait étrange que Hombre pense au sexe. Il était convaincu qu'il était incapable de s'accoupler.

– Mais est-ce qu'il est dangereux ?

– Si tu l'enquiquines quand il mange, ou si tu le touches quand il pense à s'envoyer une des lionnes. Hombre ne veut pas que ça bouge. Il n'aime pas le changement. Je ne sais pas si ces lions s'accouplent, en fait, admit Lupe.

– Qu'est-ce qu'il pense du dompteur ? C'est ça qu'il veut savoir, Ignacio !

Lupe haussa les épaules, le même haussement d'épaules que celui de sa mère.

– Hombre adore Ignacio, sauf quand il le hait. Et ça lui embrouille les idées. Il sait qu'il n'a pas le droit de haïr Ignacio, son dompteur.

– Tu me caches quelque chose.

– Ignacio croit que les lionnes sont des connes. Ce qu'elles pensent, il en a rien à foutre.

Avec les pensées d'Ignacio et celles des petites acrobates, le vocabulaire de Lupe devenait chaque jour plus trivial.

– Ignacio est obsédé par ce que pense Hombre, c'est une histoire de mecs. Le dompteur des lionnes se fiche de ce que les lionnes ont en tête.

Quel était le sens de ses paroles ? Elle n'avait pas dit *el domador de leones* – le dompteur de lions – mais *el domador de leonas*, « le dompteur des lionnes ». C'est cela qu'elle avait dit.

– Et alors ? Qu'est-ce qu'elles ont dans la tête, les lionnes ?

Juan Diego ne parlait pas de sexe, apparemment.

– Les lionnes, elles détestent Ignacio, en permanence. C'est vrai qu'elles sont connes. Elles sont jalouses d'Ignacio parce qu'elles s'imaginent que ce salopard de Hombre l'aime plus qu'elles ! Et pourtant, si Ignacio s'avise de faire du mal à Hombre, elles le tueront. Les lionnes sont encore plus connes que les petites bêcheuses ! Elles aiment Hombre, alors qu'il n'en a rien à foutre d'elles, sauf quand il se souvient qu'il veut en sauter une, et encore il a du mal à se rappeler laquelle il veut sauter.

– Les lionnes veulent tuer Ignacio ?

– Elles vont le tuer. Ignacio n'a rien à craindre de Hombre, c'est des lionnes qu'il devrait avoir peur.

– Le problème, c'est ce que tu vas dire à Ignacio, ou ce que tu ne vas pas lui dire.

– C'est ton problème. Moi, je suis seulement celle qui lit dans les pensées. C'est toi que le dompteur écoute, marcheur au plafond.

C'est exactement ce que je suis, songea Juan Diego. Même Soledad ne croyait plus en son avenir de marcheur céleste. Le pied valide lui posait des problèmes, il glissait sur les échelons de corde, et le bon pied n'était pas assez fort pour supporter son poids dans cette position anormale, à angle droit de son mollet.

La plupart du temps, Juan Diego ne voyait Dolores qu'à l'envers. Soit c'était elle qui était la tête en bas, soit c'était lui. Dans la tente d'entraînement, il ne pouvait y avoir qu'un seul marcheur céleste en action. Dolores ne croyait pas qu'il pouvait réussir cet exercice. Elle pensait, comme Ignacio, qu'il n'avait pas le cran nécessaire. Mais pour ce qui était d'avoir du cran, seul le numéro dans le chapiteau, à vingt-cinq mètres de haut, constituait un véritable test.

Lupe avait dit que Hombre aimait ceux qui avaient peur de lui. C'était peut-être pour cela qu'Ignacio avait affirmé aux petites acrobates que Hombre savait quand elles avaient leurs règles. Par conséquent elles avaient peur de lui. Mais depuis qu'Ignacio leur avait demandé de nourrir les fauves, peut-être étaient-elles davantage en sécurité.

C'est malsain que Hombre aime les filles parce qu'elles le craignent, pensait Juan Diego. Mais cela n'avait aucun sens, selon Lupe. Ignacio voulait seulement qu'elles aient peur, et qu'elles se chargent de nourrir les lions. Il pensait que si c'était lui qui leur donnait à manger, les fauves le tiendraient pour un pleutre.

Juan Diego avait peur de Dolores, mais celle-ci ne l'aimait pas pour autant. Sa cruauté envers lui était naturelle. Elle ne lui avait dit qu'une seule chose utile à propos de la marche céleste :

– Si tu penses que tu vas tomber, tu tomberas.

Il était la tête en bas dans la tente d'entraînement, son pied dans les deux premiers échelons de l'échelle. Les cordes creusaient la chair du dessus de ses pieds.

– Ce n'est pas en lui disant ça que tu vas l'aider, avait fait remarquer Soledad à la Merveille, mais en fait cette réflexion lui avait été profitable.

Sur le moment, toutefois, incapable d'arrêter de penser qu'il allait tomber, il était tombé.

– Tu vois ? avait lâché Dolores en montant à son tour sur l'échelle.

La tête en bas, elle était particulièrement désirable.

On avait interdit à Juan Diego d'apporter la statue grandeur nature de Guadalupe dans la tente des chiens. Il n'y avait pas assez de place et quand il avait essayé de la décrire à Estrella, elle avait objecté que les mâles, Baby le teckel et Perro Mestizo, lui pisseraient dessus.

Désormais, quand Juan Diego se masturbait, il pensait à Dolores, à Dolores la tête en bas. Mais Lupe le lut dans ses pensées.

– Dégueulasse ! Tu imagines Dolores la tête en bas avec ta bite dans sa bouche, c'est à ça que tu penses ?

– Qu'est-ce que tu veux que je te dise ? Tu sais déjà ce que je pense !

C'était une époque douloureuse pour eux : leur arrivée à La Maravilla et leurs âges respectifs n'arrangeaient rien. Lupe ne voulait pas savoir ce que son frère pensait, et Juan Diego ne voulait pas qu'elle sache ce qu'il pensait. Pour la première fois de leur vie, leur complicité était mise à l'épreuve.

Et c'est dans cet état d'esprit singulier qu'ils arrivèrent, avec Frère Pepe et Señor Eduardo, à la Casa Vargas. La présence des statues de conquistadors fit chanceler Edward Bonshaw dans l'escalier, à moins que ce ne fût l'immensité du vestibule qui lui fit perdre l'équilibre. Frère Pepe le prit par le bras. Señor Eduardo se permettait à présent beaucoup plus de choses qu'auparavant. En plus de faire l'amour avec Flor, il s'autorisait la consommation de bière : il était presque impossible d'accompagner Flor quelque part sans boire. Mais deux verres suffisaient à lui donner le tournis.

Pour ne rien arranger, ce fut la petite amie de Vargas, celle qu'il s'était choisie pour la soirée, qui les accueillit en haut des marches. Le Dr Vargas n'avait pas d'amie à demeure, il vivait seul, enfin, presque :

les statues des conquistadors pouvaient passer pour une petite armée d'occupation.

Lors de ses dîners, il s'arrangeait toujours pour inviter une amie bonne cuisinière. Celle-ci se nommait Alejandra. Une beauté aux seins généreux, présence à haut risque devant les fourneaux ! Aussitôt Lupe la prit en grippe. Selon elle, les pensées lubriques de Vargas envers le Dr Gomez lui imposaient d'être fidèle à l'otorhinolaryngologiste.

– Lupe, sois un peu réaliste, murmura Juan Diego à l'oreille de sa boudeuse de sœur.

Celle-ci avait jeté un regard noir à Alejandra et refusé de lui serrer la main de peur de laisser tomber la boîte à café.

– Vargas n'a pas à lui être fidèle, il n'a même pas couché avec elle ! Il n'a fait qu'y penser, Lupe !

– Ça revient au même, répondit-elle d'un ton sentencieux.

Naturellement, elle détesta la proximité de l'armée espagnole en faction dans l'escalier.

– Alejandra, Alejandra... répétait la petite amie d'un soir, se présentant ainsi à Frère Pepe et au titubant Señor Eduardo en haut du périlleux escalier.

– Haleine de suceuse ! dit Lupe à son frère.

Pour parler d'Alejandra, elle utilisait le qualificatif préféré de Dolores. C'était ce qu'elle disait des petites acrobates qui couchaient ou avaient couché avec Ignacio. C'était aussi sa façon de parler des lionnes. Lupe affirmait que les lionnes haïssaient Dolores, mais c'était elle qui haïssait Dolores et prétendait qu'elle avait une haleine de suceuse.

Ce soir-là, c'était Alejandra qui se voyait ainsi cataloguée, simplement parce qu'elle était amie du Dr Vargas. Edward Bonshaw, à bout de souffle, aperçut le médecin tout sourire en haut des marches, le bras sur l'épaule d'un soldat barbu coiffé d'un casque à plumes.

– C'est qui, ce sauvage ? demanda-t-il, montrant du doigt l'épée et la cuirasse.

– Un de vos évangélisateurs en armure, pardi.

Bonshaw jeta un regard méfiant à l'Espagnol.

Était-ce l'anxiété qui le taraudait vis-à-vis de sa sœur ? Toujours est-il que Juan Diego crut voir les yeux sans vie de la statue s'animer quand Lupe se trouva dans l'axe de son visage.

– Me regarde pas, violeur, pillard ! lança-t-elle à l'Espagnol. Je vais te couper la bite avec ton épée – et je connais des lions qui seraient ravis de te bouffer, toi et toute ta racaille bondieusarde !

– Seigneur, Lupe ! s'exclama Juan Diego.

– Laisse le Seigneur tranquille ! Ce sont les Vierges qui sont aux commandes. Même si elles ne sont pas vraiment vierges, même si elles savent pas qui elles sont.

– Quoi ?

– Les Vierges sont comme les lionnes. C'est d'elles qu'il faut se méfier. C'est elles qui mènent la danse.

La tête de Lupe atteignait la garde de l'épée. Elle posa sa petite main sur le fourreau.

– Tiens-la bien aiguisée, tueur, dit-elle au conquistador.

– Ils étaient vraiment terrifiants, n'est-ce pas ? dit Edward Bonshaw, les yeux toujours fixés sur le soldat.

– C'est ce qu'ils voulaient faire croire, confirma Vargas.

Ils suivaient la marche chaloupée d'Alejandra dans un long corridor somptueusement décoré. Bien sûr, ils ne pouvaient pas passer devant une représentation de Jésus sans faire un commentaire.

– Bénis soient… commença Edward Bonshaw.

Le tableau était celui du sermon sur la montagne.

– Oh, ces délicieuses Béatitudes ! l'interrompit Vargas. C'est ce que je préfère dans la Bible, même si tout le monde s'en fout. Les Béatitudes, ça n'intéresse pas l'Église. Vous avez vraiment l'intention de conduire ces deux innocents au sanctuaire de Guadalupe ? Ce n'est qu'une foire à touristes cathos, si vous voulez mon avis, poursuivit-il, assez haut pour que tout le monde puisse l'entendre. Aucune trace des Béatitudes dans la moins sacrée des basiliques !

– Un peu de tolérance, Vargas, plaida Frère Pepe. Tolérez nos croyances, nous tolérerons vos incroyances…

– Le protocole des Vierges, les coupa Lupe, tenant fermement dans ses mains la boîte à café. Tout le monde se fiche des Béatitudes. Personne ne fait attention à Jésus, ce n'était qu'un bébé. Les Vierges, ce sont elles qui tirent les ficelles.

– Je préférerais que tu ne traduises pas ce que dit Lupe, quoi qu'elle ait dit, conseilla Pepe à Juan Diego, trop captivé par les hanches d'Alejandra pour avoir fait attention aux propos mystiques de sa sœur, comme si le contenu de la boîte à café contribuait aux exaspérants pouvoirs de Lupe.

– La tolérance n'est jamais une mauvaise idée, déclara Edward Bonshaw.

Devant eux, Juan Diego vit un autre soldat espagnol ; la statue était au garde-à-vous près d'une double porte.

– C'est une vraie manie chez les jésuites, dit Vargas à l'homme de l'Iowa. Depuis quand vous, les catholiques, laissez-vous les incroyants tranquilles ?

Pour preuve, il désigna d'un geste le conquistador qui montait solennellement la garde devant la porte de la cuisine. Il posa la main sur la cuirasse du soldat, au niveau du cœur, si tant est que celui-ci eût un cœur.

– Essayez de parler de tolérance à ce type-là, ajouta-t-il, mais l'Espagnol ne sembla pas remarquer le contact trop familier du médecin.

De nouveau, Juan Diego vit le regard de la statue prendre vie. Le soldat avait les yeux braqués sur Lupe.

Juan Diego se pencha vers elle et lui dit à l'oreille :

– Je sais que tu me caches des choses.

– Tu ne me croirais pas.

– Ces enfants sont adorables, n'est-ce pas ? dit Alejandra à Vargas.

– Grands dieux, Haleine de Suceuse veut avoir des enfants ! Ça va me couper l'appétit, susurra Lupe à son frère.

– Tu as apporté ton café ? lui demanda soudain Alejandra. Ou est-ce que ce sont tes jouets. C'est...

– C'est pour lui, répondit Lupe en désignant le Dr Vargas. Ce sont les cendres de notre mère. Elles ont une drôle d'odeur. Il y a aussi les cendres d'un petit chien et d'un hippie. Il y a quelque chose de sacré dans les cendres, ajouta-t-elle dans un souffle. Mais l'odeur est différente. On n'arrive pas à l'identifier. On a besoin d'un avis scientifique.

Elle tendit la boîte à café à Vargas.

– Allez-y, sentez.

– À mon avis, ça sent le café, risqua Edward Bonshaw, qui ne savait pas si Vargas était au courant du contenu de la boîte.

– Ce sont les cendres d'Esperanza ! laissa échapper Frère Pepe.

– Je t'écoute, traducteur, dit Vargas à Juan Diego.

316

Le docteur avait pris la boîte que lui tendait Lupe, mais n'avait pas encore soulevé le couvercle.

– On a incinéré notre mère au basurero, commença Juan Diego. On a aussi brûlé un objecteur de conscience américain avec elle – il était mort, expliqua péniblement l'adolescent.

– Il y avait aussi un chien, un petit chien, précisa Pepe.

– Ça a dû être une sacrée flambée, dit Vargas.

– Le feu avait déjà pris quand on a mis les corps, précisa Juan Diego. Rivera l'avait lancé, avec ce qu'il avait trouvé autour de lui.

– Juste un feu de décharge habituel, je suppose, dit Vargas.

Il avait le doigt sur le couvercle, mais ne l'avait toujours pas soulevé.

Juan Diego n'oublierait jamais le geste de Lupe. Elle appuya son index contre son nez et annonça :

– Y la nariz. (Et le nez.)

Juan Diego se demanda s'il devait traduire, mais Lupe répéta sa phrase, le doigt toujours pointé sur le bout de son petit nez :

– Y la nariz.

– Le nez ? devina Vargas. Quel nez ? Le nez de qui ?

– Pas le nez, petite païenne ! hurla Frère Pepe.

– Le nez de Marie ? s'exclama Edward Bonshaw. Tu as jeté le nez de la Vierge dans le feu ?

– C'est lui qui l'a fait, dit Lupe en désignant son frère. Il l'avait mis dans sa poche, même si c'était trop grand pour son pantalon, c'était un gros nez.

Personne n'avait parlé à Alejandra, la petite amie d'un soir, de la statue géante de la Vierge Marie, qui avait perdu son nez lors de l'accident qui avait tué la femme de ménage dans la mission jésuite. La pauvre fille avait dû imaginer, pendant un moment, le nez de la vraie Vierge Marie mère de Dieu brûlant dans l'abominable calcination du basurero.

– Aidez-la, se borna à dire Lupe en la montrant du doigt.

Frère Pepe et Edward Bonshaw se précipitèrent pour conduire Alejandra jusqu'à l'évier de la cuisine.

Vargas souleva le couvercle de la boîte à café. Tout le monde se tut, malgré le bruit que faisait la jeune femme, qui inspirait par le nez et expirait par la bouche pour stopper son envie pressante de vomir.

Le Dr Vargas plongea le nez et la bouche dans l'ouverture de la boîte.

On l'entendit prendre une profonde inspiration. On ne percevait rien d'autre que la respiration soigneusement cadencée de la petite amie d'un soir, luttant pour ne pas dégueuler dans l'évier.

La première des épées de conquistador sortit de son fourreau et s'abattit à grand bruit sur le sol en pierre du hall d'entrée, en bas de l'escalier. Un bruit métallique sonore, mais assez éloigné de la cuisine, où se tenaient les convives.

Frère Pepe sursauta, de même que Señor Eduardo et les deux enfants, mais pas Vargas ni Alejandra. La seconde épée tomba plus près d'eux ; c'était celle de l'Espagnol au garde-à-vous en haut des marches. Tout le monde entendit le bruit qu'elle fit en sortant de son fourreau, puis en rebondissant sur les marches de pierre, jusqu'à l'arrêt de sa glissade, en bas de l'escalier.

– Ces soldats espagnols… commença Edward Bonshaw.

– C'est pas les conquistadors qui font ça, le coupa Lupe, pas les statues. (Juan Diego n'hésita pas à traduire.) C'est vos parents, hein ? Vous vivez dans leur maison parce qu'ils sont là, pas vrai ? (Juan Diego traduisait toujours.)

– Les cendres sont des cendres, elles ne sentent pas grand-chose, dit Vargas. Mais c'était un feu de déchets. Il y a de la peinture là-dedans, peut-être de la térébenthine, aussi, ou une sorte de diluant… Un colorant, une teinte à bois, je veux dire. Quelque chose d'inflammable.

– De l'essence ? suggéra Juan Diego.

Il avait vu plus d'une fois Rivera démarrer des feux avec de l'essence.

– Peut-être, admit Vargas. Beaucoup de produits chimiques, en tout cas. Ce que vous sentez, ce sont des produits chimiques.

– Le nez de la Marie géante n'était pas chimique ! s'insurgea Lupe, Juan Diego lui saisit la main avant qu'elle n'écrase de nouveau son nez avec.

Le troisième bruit métallique fut cette fois très proche. Tous sur-sautèrent, excepté Vargas.

– Laissez-moi deviner, dit joyeusement Frère Pepe. C'est l'épée du gardien de la porte de la cuisine, juste là, dans le couloir.

– Non, c'est son casque, annonça Alejandra. Je ne vais pas passer la nuit ici. Je ne sais pas ce qu'ils veulent, ses parents.

La jolie cuisinière semblait avoir recouvré tous ses esprits.

– Ils veulent seulement être ici, expliqua Lupe. Ils veulent que

Vargas sache qu'ils vont bien. Ils sont très contents que vous n'ayez pas embarqué dans cet avion, dit-elle à l'adresse du docteur.

Dès que Juan Diego eut traduit ce que venait de dire sa sœur, Vargas fit un signe d'acquiescement à Lupe. Pas de doute, il savait parfaitement qui était à l'origine de ces phénomènes. Il referma la boîte à café et la rendit à la gamine.

– Si tu touches ces cendres, ne mets pas tes doigts dans ta bouche ou dans tes yeux après, la prévint-il. Lave-toi les mains ; la peinture, la térébenthine, les colorants, ce sont des poisons.

L'épée glissa sur le sol de la cuisine, où ils se tenaient ; le bruit fut assourdi par le sol en bois.

– Ça, c'est la troisième épée. Celle du planton à la porte, dit Alejandra. Ils la déposent toujours dans la cuisine.

Frère Pepe et Edward Bonshaw étaient allés jeter un coup d'œil dans le couloir. Le tableau du sermon sur la montagne était de travers sur le mur. Pepe le remit d'équerre.

Sans même les regarder, Vargas dit :

– Ils veulent attirer mon attention sur les Béatitudes.

Dans le hall, l'Américain s'était mis à réciter :

– Bénis soient… etc. etc.

– On peut croire aux fantômes sans croire en Dieu, dit Vargas, sur la défensive, aux deux enfants.

– Ça va, lui dit Lupe. Vous êtes plus sympa que je ne pensais. Et vous, vous n'avez pas une haleine de suceuse, concéda-t-elle à Alejandra. Ça sent bon, on devrait se mettre à table.

Juan Diego décida de ne traduire que la dernière phrase.

– « Bénis soient les cœurs purs/Car ils verront Dieu », continuait Señor Eduardo.

Celui-ci n'était pas d'accord avec le Dr Vargas. Il était persuadé que croire aux fantômes impliquait de croire en Dieu. Pour lui, ça revenait au même.

Et Juan Diego, à quoi croyait-il, alors et maintenant ? Il avait vu ce que les fantômes étaient capables de faire. Avait-il été témoin d'un mouvement perceptible de la Vierge géante, ou l'avait-il seulement imaginé ? Sans parler de ce qui s'était passé avec le nez. Il y a des choses qu'on n'explique pas, et qui sont pourtant bien réelles.

21

Mister va se baigner

– Croire aux fantômes et croire en Dieu, c'est pas la même chose !
avait clamé l'ancien lecteur-de-la-décharge.

Juan Diego était bien plus explicite que le Dr Vargas ne l'avait jamais
été au sujet des fantômes de ses parents. Mais l'écrivain rêvait qu'il
se disputait avec Clark French – et là, plus question de fantômes ni
de croyance en Dieu. Le pape polonais faisait une fois de plus l'objet de
leur chamaillerie. Il assimilait en effet l'avortement et la contraception
à une décadence morale, ce qui exaspérait Juan Diego. Au demeurant,
ce pape qui leur avait déclaré une guerre sans trêve voyait encore
en eux les «ennemis contemporains de la famille» jusque dans les
années 80. « Vous sortez toujours les choses de leur contexte», avait
maintes fois répété Clark French à son professeur.

À la fin des années 1980, Jean-Paul II avait qualifié le port du
préservatif de «moralement illicite», même pour prévenir le sida.
«Le contexte, c'était l'épidémie de sida, Clark !» s'était insurgé Juan
Diego – durant leur discussion, mais aussi dans son sommeil.

Et voilà qu'il se réveillait en clamant que croire aux fantômes et
croire en Dieu, ce n'était pas la même chose. C'était bien embarrassant,
ces transitions entre le rêve et la réalité.

– Les fantômes… continua-t-il.

Puis il s'assit dans le lit et se tut.

Il était seul dans sa chambre à l'Encantador. Cette fois, Miriam
avait bel et bien disparu. Elle n'était pas dans le lit avec lui, à retenir
mystérieusement sa respiration.

– Miriam ? risqua-t-il, au cas où elle aurait été dans la salle de
bains.

Mais la porte était ouverte et personne ne répondit. Un autre coq chanta. Au moins, celui-ci n'était-il pas maboul ; la lumière du matin inondait la chambre, et c'était le Nouvel An à Bohol.

Par la fenêtre ouverte, Juan Diego entendait les enfants jouer dans la piscine. Quand il entra dans la salle de bains, il eut la surprise de découvrir ses médicaments éparpillés sur la tablette du lavabo. S'était-il levé durant la nuit et, dans un demi-sommeil ou dans l'ivresse d'une extase sexuelle accomplie, avait-il englouti une poignée de pilules ? Si c'était le cas, combien en avait-il avalé – et lesquelles ? Les flacons de Viagra et de Lopressor étaient ouverts, les pilules répandues, y compris par terre.

Miriam était-elle accro aux médicaments ? Mais quand bien même, quelle stimulation pouvait-elle attendre des bêtabloquants ? Et le Viagra ? Il n'avait aucun effet connu chez les femmes…

Juan Diego fit un peu de ménage. Il prit une douche à l'extérieur, s'amusant des chats qui faisaient des apparitions furtives sur les tuiles du toit et lui miaulaient des choses désagréables ; c'était peut-être l'un d'eux qui, sous le couvert de la nuit, avait estourbi le coq dérangé. Les chats ne sont-ils pas des tueurs-nés ?

Il finissait de s'habiller quand il entendit des sirènes, ou ce qui y ressemblait. Peut-être un corps apporté par la marée, un des participants au karaoké de la nuit précédente au beach-club de l'île Panglao, un adepte des bains de minuit qui avait dansé toute la soirée et qui, pris de crampes, s'était noyé. À moins que les Nocturnal Monkeys n'aient décidé de se baigner à poil, et que l'aventure se soit mal terminée. Juan Diego, en écrivain qu'il était, laissait vagabonder son imagination sur d'infernales scènes de mort.

Mais au moment où il descendait vers la salle à manger, il vit l'ambulance et la voiture de police garées dans l'allée de l'hôtel. Toujours prêt à donner un coup de main, Clark French montait la garde en bas de l'escalier menant à la bibliothèque du premier étage.

– Je fais en sorte d'éloigner les enfants.

– Les éloigner de quoi, Clark ?

– Josefa est là-haut, avec le médecin et la police. Tante Carmen était dans la chambre en face de celle de votre amie. Je ne savais pas qu'elle partait si tôt !

– Qui ça, Clark ? Qui est parti ?

– Votre amie. Je sais bien que c'était le réveillon, mais dire qu'elle a fait tout ce chemin pour une seule nuit !

Juan Diego ignorait que Miriam devait partir. Il avait l'air décontenancé.

– Elle ne vous a pas prévenu ? Moi qui pensais que vous la connaissiez ! D'après la réception, elle avait un vol très tôt dans la matinée, une voiture est venue la chercher avant le lever du soleil. Toutes les portes de l'étage étaient grandes ouvertes après son départ. C'est comme ça qu'ils ont trouvé Tante Carmen.

– Qu'ils l'ont trouvée… trouvée où, Clark ?

Pour l'ancien professeur de littérature, la chronologie du récit n'était pas claire, comme dans les romans de Clark French.

– Par terre dans sa chambre, entre son lit et la salle de bains. Tante Carmen est morte !

– Quelle horreur, Clark ! Est-ce qu'elle était malade ? Est-ce qu'elle était…

Clark French l'interrompit et lui désigna la réception.

– Elle a laissé une lettre pour vous. À l'accueil.

– Tante Carmen m'a écrit ?…

– Mais non ! C'est votre amie qui a laissé une lettre pour vous, pas Tante Carmen !

– Salut, Mister, lança Consuelo.

La petite fille aux nattes s'était glissée à côté de lui, flanquée de Pedro.

– Les enfants, vous ne montez pas ! leur signifia Clark French, mais ils avaient décidé d'emboîter le pas de Juan Diego qui clopinait vers la réception.

– La tante, celle qui avait tous les poissons, elle est morte, Mister, annonça Pedro.

– Elle s'est brisé le cou, continua Consuelo.

– Comment on fait pour se briser le cou en sortant de son lit, Mister ? demanda Pedro.

– Aucune idée.

– La dame qui apparaît comme par enchantement vient de disparaître, Mister, dit Consuelo.

Juan Diego rejoignit la réception. D'un air à la fois empressé et anxieux, le préposé lui tendit la lettre.

– Madame Miriam a laissé ceci pour vous, monsieur, elle a dû prendre un vol très tôt.

Ainsi, personne ne connaissait son nom de famille ?

Clark French avait rejoint la petite troupe.

– Est-ce que madame Miriam est une habituée de l'Encantador ? Est-ce qu'il y a un monsieur Miriam ? demanda-t-il au réceptionniste.

Juan Diego connaissait bien cette réprobation dans le timbre de sa voix ; cette fièvre qu'il retrouvait aussi dans son timbre d'écriture.

– Elle est déjà venue, mais pas très souvent. Elle a une fille, monsieur.

– Dorothy ? demanda Juan Diego.

– Oui, monsieur. Dorothy, c'est comme ça qu'elle s'appelle, précisa l'employé.

– Vous connaissez la mère et la fille ? demanda Clark French à son professeur.

Sa voix était en mode *alerte morale maximale*.

– J'étais d'abord plus proche de la fille, Clark, mais je venais de les rencontrer, sur le vol New York - Hong Kong. Elles ont une grande expérience des voyages, c'est tout ce que je sais d'elles. Elles…

– En effet, elles ont l'air d'avoir de l'expérience, Miriam en particulier, le coupa Clark.

Le mot « expérience » n'était pas bien vu par des catholiques pratiquants comme Clark.

– Vous ne lisez pas la lettre de la dame, Mister ? s'enquit Consuelo.

Mais le souvenir du contenu de la « lettre » de Dorothy l'avait retenu d'ouvrir celle de Miriam devant les enfants. Cette fois, il ne pouvait plus y échapper. Ils étaient tous là à attendre.

– Votre amie a peut-être remarqué quelque chose, je veux dire… chez Tante Carmen, précisa Clark.

Il disait « votre amie » comme s'il s'agissait d'un démon qui aurait pris l'apparence d'une femme. Ils portaient un nom, ces démons-là ? Oui, c'étaient des *succubes* ! Clark French le savait forcément. Les succubes apparaissent pour séduire les hommes durant leur sommeil. Ça doit venir du latin, se dit Juan Diego, mais il fut interrompu dans ses pensées par Pedro qui lui tirait le bras.

– J'ai jamais vu quelqu'un d'aussi rapide… votre amie.

– Elle disparaît aussi vite qu'elle apparaît, compléta Consuelo, qui tripotait ses nattes.

Ils étaient si fascinés par Miriam que Juan Diego ne put faire autrement qu'ouvrir la lettre. « Rendez-vous à Manille », avait-elle écrit sur l'enveloppe. « Voir le fax de D. », avait-elle également griffonné, en toute hâte ou avec agacement. Clark prit l'enveloppe des mains de Juan Diego et lut à haute voix : « Rendez-vous à Manille. »

– On dirait un titre de bouquin. Vous devez la revoir à Manille ?

– Il faut croire.

Le haussement d'épaules de Lupe, marque d'insouciance chez leur mère, n'avait plus de secret pour Juan Diego. Il n'était pas peu fier de constater que Clark le prenait pour quelqu'un d'« expérimenté », au point de fréquenter les succubes.

– J'imagine que D. est la fille. Le fax me semble assez long, poursuivit Clark.

– D. est l'initiale de Dorothy, Clark. Oui, il s'agit de la fille.

C'était un fax très long, difficile à comprendre dans son intégralité. Il y était question de buffles d'eau et de choses qui piquaient ; d'une foule de mésaventures arrivées à des enfants que Dorothy avait rencontrés durant ses voyages. Elle invitait Juan Diego à la rejoindre à l'hôtel El Nido, situé sur l'île de Lagen, à Palawan, une autre province des Philippines. Des billets d'avion étaient glissés dans l'enveloppe, ce qui n'avait pas échappé à Clark. D'évidence, il connaissait El Nido et ne voyait pas l'établissement d'un bon œil. *Nido* signifie nid, repaire, tanière, ou encore lieu de prédilection ; inutile de dire que Clark ne voyait pas D. d'un bon œil non plus.

Un bruit de roulettes résonna dans le hall de l'Encantador. Juan Diego sentit aussitôt ses cheveux se dresser sur la nuque. C'était le brancard de l'ambulance. Les infirmiers le poussaient vers l'ascenseur de service. Pedro et Consuelo coururent derrière. L'épouse de Clark, le Dr Josefa Quintana, descendait l'escalier de la bibliothèque, accompagnée du médecin légiste.

– C'est bien ce que je te disais, Clark, Tante Carmen a dû faire une mauvaise chute, elle s'est brisé la nuque, annonça-t-elle.

– Tu ne crois pas plutôt qu'*on* lui a brisé la nuque ?

Clark jeta un regard vers Juan Diego, comme s'il attendait son approbation.

– Ah ces romanciers ! lança Josefa au légiste. Quelle imagination !

– Votre tante est tombée de tout son poids, le sol est en pierre, elle s'est tordu le cou, expliqua le médecin légiste.

– Elle s'est aussi cogné le haut de la tête, fit remarquer le Dr Quintana.

– Ou quelqu'un l'a *frappée*, Josefa !

– Cet hôtel est… commença Josefa à l'adresse de Juan Diego.

Elle s'interrompit pour regarder les enfants. Pedro et Consuelo suivaient d'un air grave le brancard sur lequel reposait le corps de Tante Carmen. Le légiste prit congé, il devait suivre l'ambulance.

– Cet hôtel est… quoi donc ? demanda Juan Diego à Josefa.

– Enchanté, répondit-elle.

– Elle veut dire « hanté », traduisit Clark.

– Casa Vargas, dit simplement Juan Diego.

Qu'il ait quelques instants auparavant rêvé de fantômes n'avait rien d'étonnant.

– Ni siquiera una sorpresa, poursuivit-il en espagnol. Même pas une surprise.

– Juan Diego a d'abord connu la fille de son amie, il les a rencontrées dans l'avion, expliqua Clark à sa femme. J'imagine que vous ne les connaissez pas très bien, continua-t-il en s'adressant à Juan Diego.

– Pas bien du tout, admit celui-ci. J'ai couché avec l'une et l'autre, mais elles restent de vrais mystères pour moi.

– Vous avez couché avec la mère… et avec la fille ? reprit Clark, comme pour bien s'en assurer. Vous avez entendu parler des succubes ?

Mais sans le laisser répondre, il continua :

– *Succuba* veut dire amant ou maîtresse, un succube est un démon qui prend l'aspect d'une femme…

– On raconte qu'elles font l'amour avec les hommes pendant leur sommeil ! se dépêcha de préciser Juan Diego.

– Ça vient du latin *succubare*, « coucher sous ».

– Miriam et Dorothy sont vraiment des mystères pour moi.

– Des mystères.

Clark n'avait que ce mot à la bouche.

– En parlant de mystères, avez-vous entendu un coq chanter en pleine nuit ?

Pour empêcher son mari de répéter le mot « mystère », le Dr Quintana lui assura que non, ils n'avaient pas entendu le coq maboul dont le chant avait été interrompu à jamais en pleines vocalises.

– Salut, Mister ! dit Consuelo.

Elle était revenue dans le dos de Juan Diego.

– Qu'est-ce que vous faites aujourd'hui ? chuchota-t-elle.

Avant qu'il ait pu lui répondre, elle lui prit la main. Il sentit Pedro lui prendre l'autre main.

– Je vais me baigner, dit-il à voix basse aux deux enfants.

L'air surpris, malgré l'omniprésence de l'eau autour d'eux, ils échangèrent un regard anxieux.

– Et votre pied, Mister ? susurra Consuelo.

Pedro hochait gravement la tête. Les deux enfants regardaient le pied droit de Juan Diego, qui faisait un angle de trente degrés sur le côté.

– Je ne boite pas dans l'eau. Je ne suis pas infirme quand je nage.

C'était rigolo de parler à voix basse.

Pourquoi se sentait-il aussi euphorique en pensant à la journée qui l'attendait ? Plus que l'appel de la baignade, c'était parler tout bas avec les enfants qui l'amusait. Consuelo et Pedro étaient heureux de faire un jeu de son futur bain de mer… Et lui, il aimait leur compagnie.

Il n'éprouvait plus le besoin de poursuivre la sempiternelle discussion sur l'Église catholique, cette Église que Clark French prisait tant. Et le fait que Miriam ne lui ait pas dit qu'elle partait ne le tracassait pas outre mesure. À dire vrai, il était même soulagé qu'elle soit partie.

Avait-il *peur* de Miriam, une peur diffuse ? Y avait-il un rapport inquiétant entre la présence de Miriam et son rêve de fantômes la nuit du Nouvel An ? Pour être honnête, il était content d'être seul désormais. Plus de Miriam. Enfin… « Jusqu'à Manille ».

Mais Dorothy ? Il avait adoré faire l'amour avec elle. Avec Miriam aussi, d'ailleurs. Mais alors, pourquoi les détails de ces moments étaient-ils si flous dans sa mémoire ? Elles s'étaient si bien glissées dans la trame de ses rêves qu'il ne savait plus si elles étaient réelles. Sauf qu'elles existaient bel et bien puisqu'il n'était pas seul à les avoir vues ! Ce couple de Chinois, dans la gare de Kowloon : le jeune homme l'avait pris en photo en leur compagnie. « Je peux vous prendre tous les trois », avait-il proposé. Et il était hors de doute que tout le monde avait vu Miriam lors du réveillon. Seul le petit gecko, embroché par sa fourchette, n'avait pas eu le temps de la voir, pour son malheur.

Et pourtant, Juan Diego se demandait s'il arriverait à reconnaître Dorothy. Il avait même du mal à se la représenter. Certes, Miriam attirait davantage le regard.

– On va prendre le petit déjeuner ? suggéra Clark French.

Lui et sa femme avaient l'air perplexe. Étaient-ils agacés par ces messes basses, ou par l'attachement que semblait manifester Juan Diego envers les deux enfants ?

– Consuelo, tu as déjà pris ton petit déjeuner ? demanda le Dr Quintana à la fillette, qui tenait toujours la main de Juan Diego.

– Oui, mais je n'ai rien mangé, j'attendais Mister.

– Mr Guerrero, corrigea Clark.

– En fait, Clark, je préfère Mister tout court, dit Juan Diego.

– C'est un matin à deux geckos, Mister, enfin, pour l'instant, annonça Pedro.

Le petit garçon était allé regarder derrière les tableaux. Juan Diego l'avait vu soulever les coins de tapis et inspecter l'intérieur des abat-jour.

– Pas de trace du gros. Il a disparu.

Le mot « disparu » lui fit un pincement au cœur. Ceux qu'il aimait avaient disparu, ceux qui lui étaient les plus chers, ceux qui l'avaient marqué.

– On va se revoir à Manille, lança Clark.

Juan Diego devait cependant rester encore deux jours entiers à Bohol.

– Je sais que vous allez revoir D., je sais aussi où vous allez ensuite. On parlera de la fille une autre fois, précisa-t-il, comme si ce chapitre ne pouvait être évoqué en présence des enfants.

Consuelo tenait fermement la main de Juan Diego. Pedro avait lâché la sienne, mais ne s'était pas éloigné pour autant.

– Eh bien quoi, la fille ? demanda Juan Diego à Clark.

Ce n'était pas une question innocente : il savait que la relation mère et fille le tarabustait.

– Et tu dis que je dois la revoir… Dans quelle île, déjà ? Avant que Clark ait pu répondre, il se tourna vers Josefa : Quand on ne fait pas soi-même le programme, c'est pas facile de se souvenir des points de chute.

– Ces médicaments que vous prenez… commença-t-elle. Vous prenez toujours les bêtabloquants ? Vous n'avez pas arrêté le traitement, j'espère !

C'est alors que Juan Diego se rendit compte qu'il avait dû cesser de les prendre. Toutes ces pilules éparpillées dans la salle de bains l'avaient forcément induit en erreur. Il était en pleine forme ce matin. S'il avait pris les bêtabloquants, ça n'aurait pas été le cas.

Il mentit au Dr Quintana :

– Bien sûr que je les prends. Il ne faut jamais arrêter, ou alors très progressivement.

– Gardez-vous bien d'arrêter sans consulter votre médecin.

– Je sais.

– Vous allez d'ici à l'île de Lagen, à Palawan, intervint Clark French. L'hôtel s'appelle El Nido. Ça ne ressemble pas du tout à celui-ci. C'est plutôt chic, vous allez voir la différence, continua-t-il d'un ton réprobateur.

– Il y a des geckos sur l'île de Lagen ? demanda Pedro à Clark French. Ils sont comment, les lézards, là-bas ?

– Il y a des varans, d'énormes lézards carnivores, gros comme des chiens.

– Ils courent ou ils nagent ? demanda Consuelo.

– Les deux, et ils sont très véloces.

– Attention, tu vas leur donner des cauchemars, Clark, lui fit remarquer Josefa.

– C'est l'idée de cette mère et de sa fille qui me donne des cauchemars.

– Tu ne devrais pas en parler devant les gosses.

Juan Diego haussa les épaules. Il ignorait la présence de varans, mais l'idée de voir Dorothy dans une île plutôt chic… Ça changeait tout ! Il se sentait un peu coupable et ne détestait pas les reproches de son ancien élève ; sa condamnation morale avait un côté gratifiant.

Il s'apercevait que Clark, Miriam et Dorothy étaient, chacun à leur manière, des manipulateurs. Alors il ne lui déplaisait pas de les manipuler un peu à son tour.

Brusquement, il se rendit compte que Josefa tenait son autre main. Celle qui n'était pas prise par Consuelo.

– Vous boitez moins aujourd'hui, lui dit-elle. Vous semblez avoir rattrapé le sommeil en retard.

Il devrait se montrer prudent avec le Dr Quintana. S'il ne prenait pas le Lopressor, il faudrait qu'il fasse attention. En sa compagnie, il lui faudrait afficher un air plus abattu qu'il ne l'était réellement, car elle était très observatrice.

– Oh, je me sens en pleine forme aujourd'hui – en pleine forme, à ma mesure, précisa-t-il. Pas trop fatigué, pas trop diminué.

– Je vois ça.

Josefa pressa un peu plus sa main dans la sienne.

– Vous allez détester El Nido, c'est bourré de touristes, de touristes étrangers, annonça Clark French.

– Vous savez ce que je vais faire, aujourd'hui ? Quelque chose que j'adore ! dit Juan Diego à Josefa.

Mais avant qu'il lui ait fait part de ses intentions, la fillette le devança.

– Mister va se baigner ! s'écria-t-elle.

Clark French s'efforçait de contenir sa réprobation devant l'idée même de *bain de mer*. Et ça se voyait.

Edward Bonshaw, Juan Diego et Lupe tenaient compagnie à Estrella et à ses chiens dans l'autocar du cirque où les clowns nains, Gras Bidon et Paco, sa partenaire pas très féminine, avaient également embarqué. Sitôt que Bonshaw s'était endormi, Paco lui avait peinturluré le visage et celui des deux enfants de boutons de « rougeole éléphantine » avec son fard à joues. Il avait barbouillé de même sa trogne et celle de Gras Bidon.

Les voltigeurs argentins s'étaient quant à eux endormis tendrement enlacés, mais les nains avaient renoncé à les grimer, au cas où ils auraient pris la rougeole éléphantine pour une maladie sexuellement transmissible.

Les jeunes acrobates qui papotaient sans trêve dans le fond de l'autocar étaient trop pimbêches pour s'intéresser à la blague de la rougeole. Juan Diego soupçonnait fort les clowns nains de la faire systématiquement aux voyageurs sans méfiance lors des tournées de La Maravilla.

Pendant toute la route jusqu'à Mexico, le contorsionniste, alias l'homme pyjama, avait dormi allongé sur le plancher de l'autocar, dans l'allée centrale. Les enfants, qui ne l'avaient jamais vu déplié jusque-là, s'étonnèrent de sa grande taille. Il n'était en rien dérangé par les chiens qui circulaient dans l'allée en le piétinant et en le reniflant au passage.

330

Dolores – la Merveille en personne – était assise à l'écart des petites acrobates. Elle regardait par la fenêtre, à moins qu'elle ne se soit endormie le front contre la vitre, confirmant ainsi son statut de «petite conne pourrie», attribué par Lupe, insulte concomitante à celle de «nénés de souris». Si ses grelots de cheville lui avaient valu l'épithète de «pute bruyante, qui cherche à attirer l'attention», Juan Diego estimait que son attitude distante vis-à-vis des passagers du car en faisait le contraire d'une fille qui cherche à se faire remarquer.

Il la trouvait triste, et même tragique. Ce qui, selon lui, la menaçait le plus, ce n'était pas de lâcher prise pendant son numéro. Ce qui assombrissait son avenir, c'était Ignacio, comme Lupe l'avait prédit. «Que le dompteur la mette en cloque! s'était-elle écriée. Meurs en couches, chatte de singe!» Lupe avait certes proféré ces invectives sous le coup de la colère, mais dans l'esprit de Juan Diego, cela revenait à une malédiction impossible à rompre.

Il désirait Dolores, il admirait aussi son courage: il avait suffisamment testé la marche céleste pour savoir que l'idée même de la pratiquer à vingt-cinq mètres au-dessus du sol était proprement terrifiante.

Ignacio, pour sa part, était au volant du semi-remorque qui transportait les cages des fauves. Il voyageait toujours avec ses lions, leur avait expliqué Soledad. Hombre, que Lupe avait surnommé «le dernier chien, le dernier» – *el último perro, el último* –, faisait cage à part. Les Señoritas, les femelles aux noms évocateurs, partageaient la même. Flor avait d'ailleurs observé qu'elles vivaient en bonne intelligence.

L'endroit où allait s'établir le cirque était situé au nord de Mexico, non loin du Cerro del Tepeyac, la colline où l'Indien à qui Juan Diego devait son nom avait, selon la légende, rencontré la Virgen Morena en 1531. Assez éloigné du centre-ville, il était relativement proche de la Basílica de Nuestra Señora de Guadalupe. Avant de s'y rendre, l'autocar où se trouvaient les enfants et Edward Bonshaw se désolidarisa de la caravane et fit un détour impromptu par le centre, à l'initiative des deux clowns nains.

Paco et Gras Bidon tenaient à montrer leur quartier d'origine à leurs «partenaires» de La Maravilla. Et ce fut au moment où l'autocar ralentissait dans les embouteillages, près de l'intersection de la calle Anillo de Circunvalación et de la calle San Pablo, que Señor Eduardo se réveilla.

Perro Mestizo, le bâtard voleur de bébé, désormais appelé Bouffe-tout par Juan Diego, avait dormi sur les genoux de Lupe, et trouvé moyen de pisser sur la cuisse de Señor Eduardo. Du coup, celui-ci crut avoir lui-même uriné dans son pantalon.

Lupe, qui avait lu dans ses pensées, comprit sa confusion.

– Dis à l'homme perroquet que Perro Mestizo lui a pissé dessus, demanda-t-elle à Juan Diego, mais à ce moment-là l'Américain découvrit les boutons de rougeole éléphantine sur le visage des enfants.

– Vous êtes couverts de boutons, vous avez attrapé une saloperie ! s'écria-t-il.

Gras Bidon et Paco tentaient d'organiser une excursion dans la calle San Pablo – l'autocar était à présent garé – quand il vit avec horreur que les deux clowns nains étaient eux aussi couverts de boutons.

– C'est une épidémie ! s'exclama-t-il.

Paco tendit au futur défroqué le petit miroir de son fard à joues, qu'il conservait toujours dans son sac à main.

– Vous aussi vous en avez, c'est la rougeole éléphantine. C'est très courant dans les cirques. En général, on n'en meurt pas.

– La rougeole éléphantine ! s'alarma Señor Eduardo. On n'en meurt pas, *en général* !

Juan Diego vint aussitôt le rassurer en lui murmurant à l'oreille :

– C'est une blague, rappelez-vous que ce sont des clowns C'est du maquillage.

– Mon rouge bourgogne, Eduardo, annonça Paco en lui montrant son petit poudrier.

– Du coup, j'ai pissé dans mon froc ! lança Bonshaw, indigné, au nain travesti, mais Juan Diego était seul à comprendre son anglais quand il s'énervait.

– C'est le bâtard qui a pissé sur votre pantalon, le même connard de chien qui vous a mordu, lui expliqua-t-il.

– Ça ne ressemble pas à un emplacement de cirque, constata Edward Bonshaw en descendant de l'autocar derrière les enfants.

L'excursion dans le quartier d'enfance de Paco et de Gras Bidon ne passionnait pas grand monde, mais c'était la première fois que Juan Diego et Lupe se trouvaient dans le centre-ville de Mexico, et ils tenaient à voir la foule se presser dans les rues.

– Des marchands ambulants, des manifestants, des putains, des touristes, des voleurs, des vendeurs de bicyclettes… énumérait Gras Bidon, qui conduisait la petite troupe.

Et, en effet, il y avait un magasin de vélos près du carrefour de San Pablo et de Roldán. Il y avait aussi des prostituées sur le trottoir d'en face, et d'autres dans la cour d'un hôtel de passe sur la calle Topacio. Les filles qui tapinaient là ne semblaient guère plus âgées que Lupe.

– Je veux retourner à l'autocar, dit Lupe. Je veux retourner aux Enfants perdus, même si nous…

Elle interrompit sa phrase si brusquement que Juan Diego se demanda si elle n'avait pas changé d'avis… ou si elle venait de lire dans l'avenir quelque chose qui rendait hautement improbable leur retour à l'orphelinat.

Edward Bonshaw avait-il compris la réflexion de Lupe avant que Juan Diego n'eût traduit la demande de sa sœur ? À moins que celle-ci, qui avait saisi la main de l'Américain, ne lui eût fait comprendre ce qu'elle voulait sans l'exprimer. La petite fille et le jésuite retournèrent vers l'autocar.

– Y a-t-il quelque chose d'héréditaire, quelque chose dans leur sang, qui fait d'elles des putains ? demanda Juan Diego à Gras Bidon.

Il songeait à sa défunte mère, Esperanza.

– Vaut mieux pas savoir ce qu'elles ont dans le sang, répondit le nain.

– Qui donc ? Qu'est-ce que c'est que cette histoire de sang ? s'inquiéta Paco.

Sa perruque était de travers, la barbe naissante sur son visage contrastait étrangement avec le rouge à lèvres mauve, l'ombre à paupières assortie et les marques de rougeole éléphantine.

Juan Diego voulut retourner dans l'autocar. Réintégrer l'orphelinat des Enfants perdus n'était pas loin de le tenter, lui aussi. « Les emmerdements, ça n'a rien à voir avec la géographie », avait-il entendu Flor déclarer à Señor Eduardo. De quoi parlait-elle ? Ses misères à Houston n'avaient-elles pas un rapport avec la géographie, justement ?

Peut-être était-ce le réconfort de la boîte à café et de son contenu hétéroclite que Juan Diego désirait. Ils l'avaient laissée dans l'autocar. Quant à revenir aux Enfants perdus, sentait-il en lui-même que ce serait un constat d'échec ?

Il avait entendu Edward Bonshaw dire à Vargas :

– Je vous regarde avec envie. Votre aptitude à soulager la douleur, à changer des vies…

Mais le docteur l'avait aussitôt coupé :

– Un jésuite envieux est un jésuite tourmenté. Ne me dites pas que vous êtes pris de « doutes », l'homme perroquet ?

– Le doute fait partie intégrante de la foi, Vargas. La certitude vous appartient, à vous les scientifiques qui avez fermé l'autre porte.

– L'autre porte !

De retour dans l'autocar, Juan Diego repéra tous ceux qui avaient boudé l'excursion. Pas seulement Dolores, toujours aussi maussade ; la Merveille en personne n'avait pas quitté son siège. Les petites acrobates étaient également restées à leur place. Mexico, et plus précisément cet endroit du centre-ville, avec ses jeunes prostituées, était perturbant pour elles. Le cirque leur avait-il épargné d'autres choix plus difficiles ? Ignacio leur réservait-il un sort peu enviable dans l'avenir ? La vie de ces gamines vendant leur corps sur San Pablo ou Topacio n'avait rien à voir avec ce qu'elles vivaient à La Maravilla, du moins pour le moment.

Les voltigeurs argentins étaient restés dans l'autocar, eux aussi, pelotonnés l'un contre l'autre, comme figés en pleine étreinte : leur vie sexuelle épanouie semblait les protéger d'une chute éventuelle, aussi sûrement que les fils de retenue qu'ils attachaient, scrupuleux, à leurs harnais de sécurité.

Le contorsionniste faisait des étirements dans l'allée centrale. Il ne tenait pas à se ridiculiser avec son corps désarticulé.

Estrella était elle aussi demeurée dans l'autocar avec ses chers toutous.

Lupe était endormie à cheval sur deux sièges, la tête sur les genoux d'Edward Bonshaw, indifférente à l'odeur de pisse canine.

– Je crois que Lupe a peur. Vous devriez retourner aux Enfants perdus, dit ce dernier en voyant Juan Diego.

– Mais vous allez repartir, n'est-ce pas ?

– Oui, avec Flor, répondit l'Américain doucement.

– J'ai entendu votre conversation avec Vargas, la fois où vous avez parlé du poney, sur la carte postale.

– Tu n'aurais pas dû écouter cette conversation, Juan Diego. J'oublie parfois que tu comprends parfaitement l'anglais.

– Le porno, je sais ce que c'est. C'était bien une photo porno, n'est-ce pas ? Une carte postale avec la photo d'un poney, et une jeune femme qui a le sexe du poney dans la bouche, c'est bien ça ?

Edward Bonshaw acquiesça d'un air coupable.

– J'avais ton âge quand je l'ai vue.

– Je comprends pourquoi ça vous a fait un choc, je suis sûr que ça me ferait le même effet. Mais je ne comprends pas pourquoi ça vous turlupine encore ! Les adultes finissent par surmonter ces choses-là, non ?

Edward Bonshaw était allé à une fête foraine.

– Les fêtes foraines n'étaient pas très *convenables*, à l'époque, avait-il dit au Dr Vargas.

– Ouais, ouais, les chevaux à cinq pattes, les vaches à deux têtes. Les animaux monstrueux, les mutants, c'est ça ?

– Et les strip-teases dans des tentes, les peep shows, on appelait ça.

– Dans l'Iowa, vous m'en direz tant ! s'était exclamé Vargas en riant.

– Dans une de ces tentes, quelqu'un m'a vendu une carte postale porno, ça m'a coûté un dollar, avait confessé Edward Bonshaw.

– La fille qui suce le poney ?

Señor Eduardo avait été choqué.

– Vous êtes au courant ?

– Tout le monde l'a vue tôt ou tard, cette fichue carte… Éditée au Texas, hein ? Elle était connue par ici parce que la fille avait le type mexicain…

Mais Bonshaw avait interrompu le docteur :

– Il y avait un homme en arrière-plan. On ne voyait pas son visage, il portait des bottes de cow-boy et tenait un fouet à la main. On avait l'impression qu'il avait forcé la fille à faire ça…

Ce fut au tour de Vargas de l'interrompre :

– Sans blague ! Vous ne pensiez tout de même pas qu'elle avait trouvé ça toute seule ? Ou que c'était le poney ?

– Cette carte postale m'a hanté. Je ne pouvais pas m'arrêter de la regarder… J'étais tombé amoureux de cette pauvre fille.

– C'est comme ça que ça marche, les images porno, non ? On n'arrive pas à s'en détacher les yeux !

335

– C'était surtout le fouet qui me dérangeait.

– Pepe m'a confié que vous avez un faible pour les fouets…

– Un jour, j'ai apporté la carte postale à confesse. J'ai avoué mon addiction au prêtre. Il m'a dit « Donne-moi la photo. » Naturellement, j'ai pensé qu'il la voulait pour les mêmes raisons que moi. Mais il m'a dit : « Je te propose de la détruire, si tu es assez fort pour y renoncer. Il est temps de laisser cette pauvre fille en paix. »

– Je doute que cette pauvre fille ait un jour connu la paix, avait fait remarquer Vargas.

– C'est à ce moment-là que j'ai décidé d'entrer dans les ordres. Je voulais faire pour les autres ce que ce prêtre avait fait pour moi. Il m'avait sauvé. Qui sait ? Peut-être cette carte postale a-t-elle détruit ce prêtre-là.

– Je présume que l'expérience a dû être pire pour la fille, avait conclu Vargas.

Edward Bonshaw s'était tu. Mais Juan Diego ne comprenait pas pourquoi la carte le tourmentait *encore*.

– Vous ne croyez pas que Vargas avait raison ? Que cette photo porno était pire pour la pauvre fille ?

– Cette pauvre fille n'était pas une fille. (Bonshaw jeta un coup d'œil vers Lupe, qui dormait la tête sur ses genoux.) Cette pauvre fille, c'était Flor, murmura-t-il. Voilà ce qui lui est arrivé, à Houston. Elle a rencontré… un poney, la pauvre.

Cela faisait des années que Juan Diego pleurait Flor et Señor Eduardo. C'était plus fort que lui. Mais il se trouvait déjà loin de la plage, et personne ne pouvait le voir sangloter. Et d'ailleurs l'eau salée ne fait-elle pas pleurer ? On peut se laisser flotter dans l'eau salée, pensait-il, c'est si facile de faire du surplace dans une mer calme et tiède.

– Ohé, Mister ! cria Consuelo.

Juan Diego la voyait sur la plage, elle lui faisait de grands signes, auxquels il répondit par un petit salut de la main.

Il se laissait porter par la mer presque sans effort, et semblait à peine bouger. Il pleurait toujours, les larmes venaient toutes seules, aussi spontanément que ses mouvements dans l'eau.

« Tu vois, je l'ai *toujours* aimée, avant même de la connaître ! » lui avait dit Edward Bonshaw.

Il n'avait pas fait le rapport avec la fille au poney, enfin, pas au moment de leur première rencontre. Et quand il l'avait reconnue, quand il avait compris que c'était elle, la fille de la carte postale, qui avait pris de l'âge depuis, il avait été incapable de lui dire qu'il connaissait «l'épisode poney».

– Vous devriez lui en parler, lui conseilla Juan Diego.

Malgré ses quatorze ans, il en était convaincu.

– Quand Flor voudra me parler de Houston, elle le fera. C'est son histoire, la pauvre.

Cela, Edward Bonshaw allait le lui répéter des années durant.

«Parlez-lui en!» persistait Juan Diego, au fil de leur vie commune.

Mais ce qui était arrivé à Flor à Houston, c'était à elle d'en parler.

– Parlez-lui en! criait-il dans la tiédeur de la mer de Bohol.

Il regardait vers le large, face à l'horizon infini.

– Ohé, Mister! cria Pedro. Faites attention aux…

La phrase était suivie par «ne marchez pas sur les…» et un mot incompréhensible qui ressemblait à «oursons». Mais Juan Diego n'avait pas pied, il n'y avait pas de danger qu'il marche sur des oursons aquatiques, ou autres bestioles bizarres contre lesquelles Pedro le mettait en garde.

Il pouvait flotter longtemps, mais il n'était pas bon nageur. Il aimait nager en chien, c'était sa nage favorite, qu'il pratiquait très lentement. Il était d'ailleurs assez rare d'y battre des records de vitesse.

Dans la piscine de l'ancien complexe sportif d'Iowa City, il nageait si lentement qu'il gênait les bons nageurs; il était connu pour être le nageur en chien du couloir le plus lent.

Pourtant, il en avait pris, des leçons de natation! Cette façon de nager lui plaisait, voilà tout. Si elle convenait aux chiens, elle était bonne pour lui.

«Fichez-lui la paix, avait dit Flor à l'un des maîtres-nageurs. Vous avez vu comment il marche? Son pied mutilé pèse des tonnes! Il est bourré de métal. Je voudrais vous y voir, vous, avec une ancre qui vous plombe la jambe!

– Il n'y a pas de métal dans mon pied, avait objecté Juan Diego sur le chemin du retour.

– Oui, mais ça a donné un côté dramatique qui a fait son effet, tu ne trouves pas?» s'était-elle contentée de répondre.

Mais son drame à elle, elle n'en aurait jamais parlé. Cette carte postale avec le poney n'était qu'un mince aperçu de son histoire, le seul qu'aurait jamais Edward Bonshaw de l'épisode de Houston.

– Ohé, Mister ! l'interpella de nouveau Consuelo depuis la plage.

Pedro pataugeait dans l'eau peu profonde, faisant très attention où il mettait les pieds. Il semblait montrer du doigt des choses dangereuses au fond de l'eau.

– Là, il y en a un ! cria-t-il à Consuelo. Et là, plein d'autres !

La petite fille aux nattes n'avait aucune envie de s'aventurer dans l'eau.

La mer de Bohol ne paraissait pourtant pas dangereuse. Juan Diego nageait lentement en chien vers le rivage. Il ne craignait pas les oursons menaçants, ou ce qui inquiétait Pedro. Il était fatigué de se laisser porter par la mer, ce qui équivalait, dans son esprit, à nager. Mais il ne voulait pas toucher la terre ferme avant d'avoir cessé de pleurer.

Non qu'il ait cessé, d'ailleurs. Mais il était épuisé d'avoir attendu si longtemps que ses larmes tarissent. Dans l'eau tiède, dès qu'il eut pied, il décida de marcher jusqu'à la plage, quitte à boiter.

– Faites attention, Mister, il y en a partout ! le mit en garde Pedro.

Mais il ne vit pas le premier oursin sur lequel il posa le pied – ni le deuxième, ni celui qui suivit. Les petites boules rigides et couvertes de piquants, mieux valait ne pas marcher dessus, que l'on boite ou pas.

– C'est trop bête, que vous ayez marché sur des oursins, Mister, dit Consuelo tandis que Juan Diego se traînait sur la plage, sur les mains et les genoux, les deux pieds douloureusement meurtris par les piquants.

Pedro avait couru chercher le Dr Quintana.

– Ah vous pouvez pleurer, Mister, les piquants des oursins ça fait vraiment très mal, dit Consuelo.

Elle s'assit à côté de lui sur le sable. Les pleurs de Juan Diego, sans doute accentués par le séjour prolongé dans l'eau salée, continuaient de plus belle.

Josefa et Pedro se hâtaient vers lui le long de la plage, Clark French loin derrière eux : il faisait penser à un train de marchandises, long au démarrage mais qui montait en puissance.

Juan Diego sentit ses épaules frissonner, à force de faire du surplace

338

dans l'eau, sans doute ; la nage en chien demande un effort soutenu des bras et des épaules. La petite fille passa son bras menu autour de ses épaules.

– Vous en faites pas, Mister, lui dit-elle pour le réconforter, le docteur arrive, ça va aller.

C'était quoi, ce faible pour les femmes médecins ? Il aurait dû en épouser une, il le savait.

– Mister a marché sur des oursins, expliqua Consuelo au Dr Quintana, qui posa un genou sur le sable près de Juan Diego. Sans compter ses autres raisons de pleurer, ajouta la petite fille.

– Il y a plein de choses qui lui manquent, les geckos, la décharge… commença à énumérer Pedro à Josefa.

– Sans oublier sa petite sœur, souligna Consuelo. Un lion a tué la sœur de Mister, expliqua-t-elle au Dr Quintana.

Comme si celle-ci ne connaissait pas les calamités que Juan Diego avait endurées ! Et voilà que maintenant, comble de malheur, il avait marché sur des oursins !

Le Dr Quintana palpait avec précaution les pieds de Juan Diego.

– Le problème avec les oursins, c'est que leurs piquants circulent dans le corps, ils ne vous blessent pas qu'une seule fois, fit-elle remarquer.

– Ça n'a rien à voir avec mes pieds, ou avec les oursins, tenta de dire Juan Diego d'une voix à peine perceptible.

– Pardon ? demanda Josefa.

Elle pencha la tête vers lui, pour l'entendre.

– J'aurais dû épouser une femme médecin, murmura-t-il.

Clark et les enfants n'étaient pas à portée de voix.

– Et qu'est-ce qui vous en a empêché ? s'enquit le Dr Quintana, tout sourire.

– Je ne lui ai pas demandé à temps. Elle a dit « oui » à quelqu'un d'autre.

Il lui était impossible de dire à la femme de Clark French pourquoi il ne s'était jamais marié, pourquoi une partenaire, une compagne à vie, était cette amitié à côté de laquelle il était passé. Et même si Clark et les enfants n'avaient pas été là, sur la plage, Juan Diego se serait bien gardé d'avouer à Josefa pourquoi il n'aurait jamais pu reproduire le couple que formaient Edward Bonshaw et Flor.

Ses relations occasionnelles, ses collègues et ses amis, souvent des étudiants devenus des amis, estimaient que ses parents adoptifs constituaient un couple inimitable. Ils étaient tellement «singuliers», dans tous les sens du terme. Voilà pourquoi, à l'évidence, il ne s'était jamais marié; voilà pourquoi il n'avait pas fait l'effort de trouver la compagne de sa vie, comme la plupart des gens. Assurément, c'était ce que Clark French avait raconté à sa femme : à ses yeux, son ancien professeur humaniste laïque et athée était un célibataire endurci.

Selon Juan Diego, seul le Dr Stein – la chère Dr Rosemary – avait compris. Elle ne connaissait certes pas toute la vie de son patient et ami. L'épisode de la décharge lui était étranger. Elle ne l'avait pas connu dans son enfance et son adolescence. Mais elle était déjà dans sa vie quand il avait perdu Señor Eduardo et Flor. Parce qu'elle les avait soignés.

Le «Dr Rosemary», comme il l'appelait avec affection, savait pourquoi il ne s'était jamais marié : non parce que Edward Bonshaw et Flor étaient un couple «singulier», mais parce que ces deux-là s'étaient tellement aimés qu'il ne pouvait imaginer trouver un partenaire à leur hauteur. Oui, ils étaient inimitables. Certes, il les avait aimés comme ses parents, d'ailleurs adoptifs, mais surtout parce qu'ils formaient le couple le plus fantastique qu'il ait connu.

– Il y a plein de choses qui lui manquent, avait dit Pedro, citant les geckos et la décharge.

– Sans oublier sa petite sœur, avait ajouté Consuelo.

Ce qui avait tué Lupe, ce n'était pas seulement le lion, Juan Diego en était conscient. Mais il lui était impossible de révéler, à aucun de ceux qui l'entouraient sur la plage, qu'il avait voulu devenir un marcheur céleste. Et qu'il n'avait pas pu réussir à sauver sa petite sœur ni à devenir la Merveille.

Et s'il avait demandé au Dr Rosemary Stein de l'épouser, c'est-à-dire avant qu'elle ait dit oui à un autre, qui sait si elle aurait accepté?

– C'était comment, la baignade? demanda Clark French à son ex-professeur. Je veux dire, avant que vous ne marchiez sur les oursins.

– Mister aime danser dans l'eau, sans avancer, répondit Consuelo. N'est-ce pas, Mister?

– Tu as raison, Consuelo. Le surplace, l'eau qui vous porte, la nage en chien, c'est un peu comme écrire un roman, Clark, fit remarquer

Juan Diego à son ancien élève. On a l'impression de faire un long parcours, parce que cela représente beaucoup de travail, mais en réalité, on revient sur d'anciens sujets, on se traîne en terrain familier.

– Je vois, dit Clark, sans se compromettre.

Mais il ne voyait rien, Juan Diego l'aurait parié. Clark était désireux de changer le monde ; en écrivant, il avait toujours une mission, un projet en tête. Il n'aurait su que penser du surplace et de la nage en chien, notions passéistes qui pour lui ne menaient nulle part.

Or le passé était le vrai domicile de Juan Diego. Il revivait, encore et toujours, les pertes qui l'avaient si profondément marqué.

22

Mañana

« Si votre vie va de travers ou si vous êtes à la croisée des chemins, Mexico a peu de chances de répondre à vos rêves, avait écrit Juan Diego dans un de ses premiers romans. Il faut savoir où on en est pour s'y établir. » Le personnage féminin qui s'exprime ainsi n'est pas mexicain, on ne sait pas ce qui lui arrive à Mexico. Le roman ne s'y transporte pas.

L'emplacement où le cirque devait s'installer, au nord de la ville, jouxtait un cimetière. Le pré à l'herbe clairsemée et pierreuse où on faisait trotter les chevaux et marcher les éléphants était gris de suie. Le smog était tellement épais dans l'atmosphère que les yeux des lions larmoyaient quand Lupe venait leur donner à manger.

Contrairement aux petites acrobates qui redoutaient de saigner en présence des lions, Lupe n'avait pas peur et aimait nourrir les fauves. Elle qui lisait dans leurs pensées savait en outre que Hombre et les lionnes se fichaient pas mal des menstruations des filles.

– C'est Ignacio que ça obsède, avait-elle affirmé à Juan Diego. Les lions, eux, ils sont obnubilés par la viande, ce n'est rien de le dire, expliqua-t-elle à Edward Bonshaw, qui voulut la voir opérer pour s'assurer qu'elle ne risquait rien.

Elle lui montra comment on ouvrait et fermait le sas dans lequel on plaçait la nourriture. Le plateau était introduit à même le sol. Hombre avançait la patte à l'intérieur du sas et la posait sur le morceau de viande. Mais c'était plus un geste de convoitise qu'une réelle tentative pour s'emparer de la nourriture.

Quand elle glissait le plateau à l'intérieur de la cage, il retirait systématiquement sa patte et attendait son repas assis, sa queue balayant le sol derrière lui.

343

Les lionnes ne passaient jamais la patte à l'intérieur du sas. Elles attendaient, assises, leurs queues astiquant également le sol de la cage.

Une fois le repas englouti, on retirait le plateau par le sas. Même quand le portillon était ouvert, aucun des fauves ne pouvait s'y glisser pour s'échapper, leur tête était trop grosse.

— Pas de danger, avait dit Edward Bonshaw à Juan Diego. Je voulais juste m'assurer de la taille de l'ouverture.

Il dormit avec les enfants dans la tente des chiens durant tout le long week-end à Mexico. La première nuit, quand les enfants furent certains qu'il dormait – il ronflait –, Lupe confia à son frère :

— Moi je peux passer par le sas. Je peux très bien me glisser dans l'ouverture.

Dans l'obscurité, Juan Diego réfléchissait à la signification de ces paroles. Entre ce qu'elle exprimait et ce qu'elle suggérait, il lui fallait souvent saisir les nuances.

— Tu veux dire que tu pourrais entrer dans la cage de Hombre, ou dans celle des lionnes, à travers le sas à nourriture ?

— À condition qu'on retire le plateau, oui.

— Si je comprends bien, tu as déjà essayé.

— Pourquoi j'aurais essayé ?

— Je ne sais pas. Je te le demande…

Elle ne répondit pas mais, même dans le noir, il perçut son haussement d'épaules, sa parfaite indifférence vis-à-vis de la question.

Quelqu'un venait de péter. Un des chiens, a priori.

— C'est Bouffe-tout ? demanda Juan Diego.

Perro Mestizo dormait avec Lupe, sur son lit de camp. Pastora avec Juan Diego. Ce n'était pas elle qui avait pété, il en était sûr.

— C'est l'homme perroquet, répondit Lupe.

Les deux enfants s'esclaffèrent et leur rire mit un chien en joie : on entendit le battement de sa queue qui frétillait.

— C'est Alemania, dit Lupe.

La chienne qui venait d'agiter la queue dormait à même le sol de la tente, près du rabat. Elle gardait l'entrée, en bonne policière qu'elle était.

— Je me demande si les lions attrapent la rage, dit Lupe, comme si elle sentait venir le sommeil et craignait d'avoir oublié le lendemain.

— Pourquoi ?

— Je me posais juste la question.

344

Quelques minutes plus tard, elle reprit :

– Tu trouves pas que le nouveau numéro de chiens savants est complètement idiot ?

Il n'était pas dupe, quand elle détournait la conversation. En outre, elle savait qu'il était en train d'y penser. C'était lui qui avait eu l'idée de ce nouveau numéro, mais les chiens ne s'étaient pas montrés très coopératifs, de sorte que les clowns nains avaient pris la relève en s'inspirant de son concept. Aux yeux de Lupe, il s'agissait désormais du numéro de Gras Bidon et de Paco, lesquels avaient pourtant déjà un nombre appréciable de numéros idiots à leur passif.

Ah comme le temps passe... Un jour qu'il nageait en chien dans la piscine d'Iowa City, Juan Diego s'était rendu compte que le numéro de chiens savants était pour lui l'équivalent d'un premier roman : une histoire qu'il n'avait pas su terminer. Et l'idée que les lions pouvaient attraper la rage ? N'était-ce pas aussi une histoire que Lupe n'avait pu mener à son terme ?

Comme dans ses romans, le numéro commençait par une formule du type : « Et si... ? » Et si un chien était dressé à monter en haut d'un escabeau ? Un escabeau muni d'une plateforme métallique pour poser un pot de peinture ou des outils, que son imagination transformait en plongeoir pour chien. Et si... un des chiens gravissait les marches de l'escabeau et s'élançait du plongeoir pour atterrir dans une bâche que tendraient les deux clowns nains en contrebas ?

– Le public va adorer, avait-il assuré à Estrella.

– Faudra pas compter sur Alemania. Elle est incapable de faire ça, avait-elle répondu.

– C'est vrai, j'imagine qu'un berger allemand est trop grand pour monter sur un escabeau.

– Non, c'est qu'elle est trop futée pour faire ça.

– Perro Mestizo, le bouffe-tout, est une vraie couille molle, lui.

– Tu as horreur des petits chiens, tu détestais Blanc Sale, lui avait dit Lupe.

– Absolument pas ! D'abord Perro Mestizo n'est pas si petit que ça. Et ensuite je déteste les pétochards et les chiens qui mordent.

– On oublie Perro Mestizo, c'est pas un numéro pour lui, affirma Estrella.

Ils firent un premier essai avec Pastora, la femelle chien de berger.

Pastora réussit à monter jusqu'en haut – les chiens de berger sont agiles et tenaces. Mais elle se coucha aussitôt sur la plateforme, le museau entre les pattes avant. Les deux clowns nains avaient beau danser en bas de l'escabeau, la chienne refusait de se remettre debout sur la plaque métallique. Quand Paco et Gras Bidon l'appelèrent par son nom, elle remua la queue sans changer de position.

– Elle ne sait pas sauter, observa Estrella.

– Baby a des couilles, dit Juan Diego.

Restait Baby, mais ils s'étaient dit que les pattes du teckel étaient trop courtes pour grimper en haut d'un escabeau – il n'aurait même pas atteint la première marche.

Cependant, les teckels sont courageux, malgré leur petite taille. Ils peuvent même être sacrément féroces, et Baby semblait prêt à tenter l'aventure, pourvu qu'on l'encourage un peu.

Ça sera rigolo, le public va se marrer, décidèrent Paco et Gras Bidon. Le spectacle des deux clowns nains aidant le teckel à grimper les marches ne manquerait pas de drôlerie. Comme d'habitude, Paco était habillé ou plutôt fagoté en femme, et tandis qu'il poussait l'arrière-train du teckel pour l'aider à passer d'une marche à l'autre, derrière lui Gras Bidon poussait les fesses de son partenaire.

– Jusqu'ici, tout va bien, constata Estrella.

Sauf que Baby, tout couillu qu'il était, avait le vertige. Une fois sur la plateforme, il fut tétanisé. Il avait même peur de se coucher. Immobile, rigide, il se mit à trembler. Et avec lui l'escabeau tout entier. Paco et Gras Bidon l'imploraient en tendant la bâche. Le teckel se mit à pisser sur la plateforme, sans même lever la patte, à la manière des chiens mâles.

– Baby est humilié, il ne peut même pas pisser comme il faut, fit remarquer Estrella.

Mais les clowns insistaient, le numéro ferait rire. Peu importait dès lors que Baby ne sache pas sauter.

Pour Estrella, il n'était pas question que Baby saute en public. Ce numéro, c'était de la cruauté mentale, à ses yeux. Juan Diego n'avait pas pensé si loin. Mais cette nuit-là, dans l'obscurité de la tente, il déclara à Lupe :

– Le numéro se défend. Ce qu'il nous faut, c'est un chien qui sache sauter.

Il mettrait des années à comprendre qu'il avait été manipulé pour en arriver à cette conclusion. Dans la tente pleine de ronflements et de flatulences, il se passa un certain temps avant que Lupe ne reprenne la parole. Juan Diego dormait à moitié quand il entendit sa voix dans la nuit, une voix ensommeillée :

– Pauvre cheval.

– Quel cheval ?

– Celui du cimetière.

Le lendemain matin, c'est un coup de feu qui les réveilla. Un des chevaux du cirque s'était échappé du pré couvert de suie industrielle. Il avait sauté la clôture donnant sur le cimetière et s'était brisé une jambe sur une pierre tombale. Ignacio l'avait abattu. Il avait toujours son revolver calibre .45 à portée de main, en cas de problème avec un fauve.

– C'est de celui-ci que je te parlais, dit Lupe en entendant la détonation.

La Maravilla était arrivée à Mexico un jeudi. Les techniciens avaient monté les tentes de la troupe le jour même. Le lendemain, il leur avait fallu la journée entière pour dresser le chapiteau et sécuriser les barrières des enclos. Les longs déplacements déconcentrent les animaux de cirque, il leur fallait le vendredi pour récupérer.

Le cheval s'appelait Mañana. C'était un hongre qui avait beaucoup de mal à mémoriser ses numéros sur la piste. Ils avaient beau répéter une figure des semaines durant, le dresseur disait qu'il la maîtriserait peut-être « le lendemain », d'où son nom. Mais elle était nouvelle pour Mañana, la figure qui consistait à sauter la barrière et à se briser la jambe sur une pierre tombale.

Ignacio avait mis fin à ses souffrances le vendredi. Le portail du cimetière était fermé à clé. Sortir la dépouille du cheval présentait de toute évidence des difficultés insurmontables. Bien entendu, le coup de feu n'était pas passé inaperçu et la police fit bientôt irruption sur le site du cirque. Au lieu de résoudre le problème, elle eut tôt fait de le compliquer.

Pourquoi le dompteur possédait-il une arme de gros calibre ? demandèrent les policiers. Bah… il se trouvait tous les jours face à des lions ! Pourquoi Ignacio avait-il abattu le cheval ? Eh bien, Mañana avait la jambe cassée, et dans ce cas… Et ainsi de suite.

Il lui était formellement interdit de se débarrasser de la dépouille du cheval à Mexico. D'abord parce que c'était le week-end, et ensuite parce qu'il n'était pas «originaire» de la ville. Et sortir Mañana du cimetière fermé à clé n'était que le début des difficultés.

Il y avait un spectacle le vendredi soir, et deux séances le samedi, en matinée et en soirée. La dernière représentation avait lieu le dimanche en début d'après-midi. Les techniciens devaient démonter le chapiteau et retirer les barrières avant la tombée de la nuit. La Maravilla allait reprendre la route et retourner à Oaxaca le lundi à la mi-journée. Les enfants et Edward Bonshaw projetaient de se rendre sur le site de Guadalupe le samedi matin.

Juan Diego assista au repas des lions, servi par Lupe. Une tourterelle pleureuse barbotait dans la gadoue juste à côté de la cage de Hombre. Le lion détestait les oiseaux, et peut-être craignait-il que la tourterelle veuille lui chiper un bout de viande. Quelle qu'en soit la raison, Hombre était plus nerveux que d'habitude quand il lança sa patte dans le sas et, du coup, une de ses griffes écorcha la main de Lupe. La blessure était superficielle, Lupe mit sa main dans sa bouche et Hombre retira sa patte. Il partit se terrer au fond de la cage, l'air coupable.

– C'est pas ta faute, lança-t-elle au grand fauve.

Il se produisit un changement soudain dans les yeux ambrés du lion. Son regard se fit plus intense; était-ce à cause de la tourterelle ou du sang de Lupe? Sentant le vent tourner, l'oiseau prit son envol.

Très vite, les yeux du lion retrouvèrent leur expression naturelle, une expression de profond ennui. Il vit passer Paco et Gras Bidon avec un désintérêt total. En route vers les douches extérieures, les deux clowns nains s'avançaient, serviette nouée autour de la taille, leurs sandales claquant sous leurs pas.

– ¡Holà, Hombre! lança Gras Bidon.

– ¡Holà, Lupe! ¡Holà, frère de Lupe! continua Paco.

La poitrine du travesti était si menue qu'il ne prenait pas la peine de la couvrir quand il se rendait aux douches et, le matin, il avait la barbe en broussaille. Incontestablement, les hormones qu'il prenait n'étaient pas aussi efficaces que celles prescrites à Flor par le Dr Vargas.

Mais, Flor l'avait expliqué, Paco était clown. Il ne cherchait pas à passer pour une femme vingt-quatre heures sur vingt-quatre. Dans la vraie vie, c'était un nain homo, pas un travesti.

Il était vêtu en homme lorsqu'il fréquentait La China, le bar gay sur Bustamante. Et quand il allait à La Coronita, où les travelos s'habillaient en femme, c'était un mec parmi d'autres, dans la clientèle gay de l'établissement.

Flor disait qu'il se faisait beaucoup de « novices », ces hommes qui tentaient leur première expérience homosexuelle, et qui préféraient peut-être débuter avec un modèle réduit...

Mais avec la famille du cirque, à La Maravilla, Paco se sentait plus en confiance en tant que femme. Auprès de Gras Bidon, il était parfaitement à l'aise en travesti. Dans leurs numéros, ils se comportaient comme un couple, alors que, dans la vraie vie, Gras Bidon était un pur hétéro. Il était marié, et pas à une naine.

Mais sa femme avait peur de tomber enceinte et d'accoucher d'un nain. Elle exigeait qu'il porte deux préservatifs superposés. À La Maravilla, tout le monde était au courant et connaissait les problèmes inhérents au port d'un préservatif supplémentaire.

– Ça ne s'est jamais vu. Personne ne met deux capotes, tu sais, disait Paco à son ami.

Mais Gras Bidon continuait ses superpositions, selon le vœu de sa femme.

Les douches extérieures étaient protégées par des panneaux de contreplaqué qu'on installait et démontait très rapidement. Ces cloisons avaient tendance à s'effondrer, douche occupée ou pas. À La Maravilla, on racontait autant d'histoires embarrassantes sur les douches que sur les doubles capotes de Gras Bidon.

Les petites acrobates s'étaient plaintes à Soledad qu'Ignacio les matait dans les douches, mais son mari était un porc lubrique, et elle n'y pouvait rien.

Le matin où Mañana avait été abattu dans le cimetière, Dolores prenait sa douche. Gras Bidon et Paco avaient mis au point leur arrivée sur place, espérant la voir nue.

Les deux clowns nains n'étaient pas particulièrement concupiscents, et surtout pas envers la belle et inaccessible marcheuse céleste, la Merveille en personne. Paco, qui était gay, n'avait que faire de mater Dolores à poil. Quant à Gras Bidon, il avait de quoi s'occuper avec sa femme et ses doubles capotes. Pas plus que son compère, il ne mourait d'envie de voir Dolores nue.

Mais ils avaient un contentieux à régler. Paco avait affirmé que ses seins étaient plus gros que ceux de Dolores. Gras Bidon avait parié le contraire. Voilà pourquoi ils essayaient systématiquement de la mater dans les douches extérieures. Dolores était au courant de ce pari, qui d'ailleurs l'exaspérait. Juan Diego avait imaginé l'effondrement soudain des panneaux, la Merveille exposée aux regards, les deux clowns discutant de la taille de ses seins. Lupe, qui les traitait de «nénés de souris», pensait comme Paco que le nain avait l'avantage.

Et c'est pourquoi Juan Diego avait suivi les clowns dans l'espoir de voir lui aussi Dolores nue. Pour sa part il la trouvait belle, même avec ses petits lolos. En arrivant, ils découvrirent sa tête et ses épaules par-dessus le contreplaqué.

Au même instant, au bout de l'allée des tentes, apparut un éléphant traînant derrière lui la dépouille du cheval, enchaîné par l'encolure. La police suivait l'attelage : dix policiers pour un seul cheval, il faut croire que la discussion avec Ignacio était tendue.

Les yeux fermés, Dolores se lavait les cheveux. On voyait ses chevilles et ses pieds couverts de mousse au-dessous des panneaux. Juan Diego se disait que le shampooing devait irriter les plaies creusées sur ses pieds par les entraînements et les numéros.

Le dompteur se tut quand il aperçut Dolores dans la douche. Les regards des policiers convergèrent aussitôt vers la Merveille.

– Bon, c'est peut-être pas le bon moment, dit Gras Bidon à son partenaire.

– Au contraire, y en aura pas de meilleur, dit Paco en se dandinant de plus en plus vite.

Les deux clowns coururent vers la douche. Comme ils ne pouvaient pas regarder par-dessus les panneaux sans que l'un monte sur les épaules de l'autre, ils passèrent la tête entre le bas des cloisons et le sol, et regardèrent vers le haut une seconde ou deux, ce qui leur valut aussitôt une pluie d'eau et de shampooing sur la figure. Trempés et pleins de mousse, ils se relevèrent et s'éloignèrent discrètement. Toute à ses ablutions, Dolores ne s'était pas aperçue que les nains la lorgnaient par en dessous. Mais quand Juan Diego se décida à jeter un œil, il dut se suspendre carrément à la cloison, les deux mains agrippées sur le haut du panneau.

Plus tard, Gras Bidon devait dire que la scène aurait pu inspirer un numéro comique des plus savoureux. La plus improbable galerie de personnages était réunie sur une scène exiguë, à savoir l'allée des tentes de la troupe. Les clowns nains, trempés et couverts de shampooing, n'étaient là qu'en spectateurs. Mais c'est parfois quand ils ne font rien que les clowns sont les plus drôles.

Plus tard, le dresseur d'éléphants expliquerait que ce qui se passe dans la vision périphérique de l'animal l'impressionne davantage que ce qu'il a devant lui. Au moment où les cloisons s'effondrèrent, Dolores se mit à hurler ; malgré le shampooing qui l'aveuglait, elle avait compris qu'elle était exposée aux regards de tous.

Plus tard, Juan Diego raconterait que, coincé sous un panneau de contreplaqué, il avait senti le sol trembler quand l'éléphant avait pris le trot, ou le galop, bref l'allure d'un pachyderme paniqué.

Le dresseur se lança à la poursuite de l'éléphant ; la chaîne, toujours attachée à l'encolure du cheval mort, s'était cassée net au moment où Mañana, propulsé en avant, était tombé à genoux, comme en prière.

Dolores, nue à quatre pattes sur le caillebotis, mit la tête sous le jet de la douche pour se rincer les cheveux et enlever le savon de ses yeux. Juan Diego, qui avait réussi à se dégager en rampant, lui tendit une serviette de bain.

– C'est moi, c'est ma faute, je suis désolé, lui dit-il.

Elle accepta la serviette sans se draper aussitôt dedans et prit le temps de s'essorer d'abord les cheveux. C'est seulement lorsqu'elle repéra la présence d'Ignacio et des dix policiers qu'elle se couvrit.

– Tu as plus de couilles que je ne pensais – enfin, tu en as, dit-elle à Juan Diego.

Les deux clowns nains étaient toujours là, à regarder ce qui se passait dans l'allée des tentes, leurs serviettes autour de la taille. La poitrine de Paco était si menue qu'aucun policier n'alla y regarder à deux fois. Pour eux, c'était un homme et rien d'autre.

– Je te l'avais bien dit, ceux de Dolores sont plus gros, déclara Gras Bidon.

– Tu te fous de moi ? Les miens sont bien plus gros !

– Pas du tout, ils sont plus petits.

– Plus gros, je te dis ! Qu'est-ce que tu en penses, toi, le frère de Lupe ? Ils sont plus gros ou plus petits, ceux de Dolores ?

– Ils sont surtout plus beaux, répondit l'adolescent.

– Tu as vraiment des couilles, répéta Dolores.

Au sortir de la douche elle s'engagea dans l'allée, où elle se prit les pieds dans le cheval mort, dont elle ignorait la présence. La plaie occasionnée par la balle saignait encore sur la tempe de l'animal, entre l'oreille et l'œil grand ouvert.

Plus tard, Paco devait exprimer son désaccord avec Gras Bidon, non seulement sur la taille des seins de Dolores, mais aussi sur la pertinence de transformer l'épisode de la douche en numéro de clowns : « Le truc du cheval, c'était pas drôle. »

Dolores, à plat ventre sur le cheval mort au milieu de l'allée, poussait des hurlements en agitant frénétiquement ses membres nus. Cette fois, Ignacio l'ignora. Il continuait d'avancer, accompagné des dix policiers, mais avant de leur réitérer ses arguments, il prit le temps de s'adresser à Juan Diego :

– Si tu as tellement de couilles, toi, le marcheur au plafond, qu'est-ce que tu attends ? C'est pour quand, le numéro à vingt-cinq mètres du sol ? Je pense qu'on devrait t'appeler P'tites Couilles. Ou pourquoi pas Mañana ? C'est un nom à prendre, dit-il en montrant le cheval mort. Il va t'aller comme un gant, à toi qui remets sans cesse la marche céleste *à demain.*

Dolores s'était remise sur pied, sa serviette de bain tachée par le sang du cheval. Avant de retourner à la tente des acrobates, elle balança deux claques sur la tête de Paco et de Gras Bidon, les traitant de « petits dégueulasses ».

– Plus gros que les tiens, marmonna Gras Bidon, une fois qu'elle les eut plantés là.

– Plus petits, insista Paco, imperturbable.

Ignacio et les dix policiers s'étaient éloignés en pleine algarade, le dompteur monopolisant la parole :

– Si j'ai besoin d'un permis pour me débarrasser d'un cheval mort, je n'aurai pas à en réclamer un pour dépecer l'animal et le donner à manger à mes lions, hein ?

Sans attendre leur réponse, il poursuivit :

– Vous n'allez tout de même pas m'ordonner de trimballer ce cheval mort jusqu'à Oaxaca ! J'aurais très bien pu le laisser agoniser dans le cimetière. Vous n'auriez pas apprécié, j'imagine.

– Oublie la marche céleste, frère de Lupe, dit Paco à Juan Diego.

– Lupe a besoin de toi, tu dois veiller sur elle, renchérit Gras Bidon.

Les deux nains s'éloignèrent en se dandinant. Il y avait encore des douches intactes, ils allèrent s'y laver.

Juan Diego pensait être seul, avec Mañana, dans l'allée des tentes. Il n'avait pas remarqué Lupe auprès de lui. Il devina qu'elle était présente depuis le début.

– Tu as vu… ? lui demanda-t-il.

– J'ai tout vu.

Juan Diego acquiesça.

– Pour le nouveau numéro de chiens savants… commença Lupe, avant de s'interrompre, comme si elle attendait qu'il saisisse où elle voulait en venir.

Elle avait toujours une ou deux longueurs d'avance sur lui.

– Oui, quoi ?

– Je sais où tu peux trouver ton chien. Celui qui n'aura pas peur de sauter.

Ils avaient ressurgi et l'avaient submergé, les rêves et les souvenirs que les bêtabloquants avaient rayés de sa mémoire ; durant ses deux derniers jours à l'Encantador, Juan Diego avait pris ses comprimés de Lopressor, en respectant la prescription médicale.

Le Dr Quintana dut se rendre compte qu'il ne faisait pas semblant. Le retour d'une certaine torpeur, d'une baisse de vigilance et d'activité physiologique n'avait échappé à personne. Il nageait en chien dans la piscine (où il ne risquait pas de marcher sur des oursins) et prenait ses repas à la table des enfants. Il s'entourait de Consuelo et de Pedro, ses compagnons de messes basses.

Tôt le matin, en buvant son café près de la piscine, Juan Diego relisait ses notes (ou en prenait de nouvelles) sur *Une chance unique de quitter la Lituanie*.

Il était retourné à Vilnius deux fois depuis son premier séjour en 2008. Rasa, son éditrice, avait trouvé une informatrice au Service national de protection des droits de l'enfant et de l'adoption. Lors de leur premier entretien, il était venu avec Daiva, son interprète, mais la femme parlait un anglais parfait et se montra très coopérative. Elle s'appelait Odeta – comme cette femme mystérieuse qui avait mis une annonce sur le panneau d'affichage de la librairie, et qui n'était pas une fiancée en vente par correspondance. La photo et le numéro de téléphone avaient disparu du panneau des «liseuses», mais cette Odeta hantait toujours Juan Diego – son mal de vivre refoulé et pourtant perceptible, les cernes sous ses yeux de lectrice nocturne, sa coiffure négligée. N'y avait-il toujours personne autour d'elle pour échanger ses impressions sur les beaux romans qu'elle avait lus?

Une chance unique de quitter la Lituanie avait bien sûr évolué dans le temps. La lectrice n'était plus une fiancée en VPC. Elle avait placé son enfant dans un centre d'adoption, mais le processus, long et complexe, n'avait pas abouti. Dans le roman, la femme souhaite que son bébé soit adopté par des Américains. Elle qui a toujours rêvé d'aller aux États-Unis, elle veut bien faire don de son bébé pourvu qu'il soit heureux en Amérique.

Odeta, du Service des droits de l'enfant, avait expliqué à Juan Diego que les enfants lituaniens étaient rarement adoptés par des étrangers. On avait mis en place une période de latence particulièrement longue, afin de laisser aux mères biologiques le temps de changer d'avis. La législation était très stricte: au moins six mois pour une décision «internationale», sachant que la période d'attente pouvait durer quatre ans. Les étrangers ne pouvaient donc plus adopter des nourrissons.

Dans *Une chance unique de quitter la Lituanie*, le couple américain qui attend la fin de la procédure d'adoption d'un enfant lituanien vit une tragédie personnelle: alors qu'elle circule à vélo, la jeune femme est tuée par un chauffard qui prend la fuite. Veuf, le mari n'est pas en état d'adopter l'enfant tout seul.

Dans les romans de Juan Diego, les personnages sont des marginaux, chacun à sa manière: ils se sentent étrangers dans leur propre pays. La jeune Lituanienne, qui a eu par deux fois la possibilité de se raviser, se voit offrir un troisième sursis: l'adoption est en suspens. Elle se trouve désormais face à une nouvelle et douloureuse «période d'attente». Elle dépose une annonce avec sa photo et son numéro de téléphone sur le panneau d'affichage de la librairie; elle prend des cafés ou des bières avec d'autres lectrices, elles parlent des romans qu'elles ont lus, des chagrins innombrables qui sont les leurs.

La rencontre décisive, on la voit venir, pensait Juan Diego. Le mari veuf se rend à Vilnius; il ne s'attend pas à voir l'enfant que lui et sa défunte femme se préparaient à adopter. Il ne connaît même pas le nom de la fille-mère qui a entrepris la procédure d'abandon. Il n'est pas censé rencontrer qui que ce soit. Il espère cependant s'imprégner de l'atmosphère, de cette « âme » que leur enfant adoptif aurait pu emporter avec lui en Amérique. À moins que ce séjour à Vilnius ne soit pour lui une manière de renouer avec la disparue, de la faire vivre encore un peu.

Évidemment, il se rend à la librairie ; en proie au décalage horaire, il pense que la lecture d'un roman l'aidera à dormir. Et là, sur le panneau d'affichage, il découvre la photo de la jeune Lituanienne – un visage qui veut cacher sa tristesse et la trahit tout à la fois. Sa mise négligée l'attire, et d'ailleurs l'écrivain qu'elle dit préférer est aussi celui que préférait sa femme ! Ne sachant pas si elle parle anglais, il demande au libraire de l'aider à l'appeler.

Et après ? Voici que se pose de nouveau la question première : une chance de quitter la Lituanie, mais pour qui ? La coïncidence a quelque chose de prévisible. Ils se rencontrent, ils se découvrent, ils deviennent amants. Mais que font-ils de leur destinée ? Restent-ils ensemble ? Récupère-t-elle son enfant ? Partent-ils tous les trois en Amérique, ou bien le veuf reste-t-il au contraire à Vilnius, avec cette mère et son enfant ?

Couché dans l'obscurité du petit appartement de la jeune femme – elle dort dans ses bras, elle n'a jamais dormi aussi profondément depuis des années –, il réfléchit. S'il doit quitter cette femme et repartir seul aux États-Unis, il doit le faire sans plus attendre.

Ce que le lecteur ne doit pas voir venir, c'est que cette chance unique de quitter la Lituanie, qui donne son titre au roman, est peut-être celle de l'Américain, sa dernière chance de changer d'avis, et de repartir.

– Vous êtes en train d'écrire ? demanda Clark French à son ex-professeur.

Il était encore tôt, et il l'avait surpris un cahier et un stylo dans les mains, à la piscine de l'Encantador.

– Vous me connaissez, ce sont seulement des notes préparatoires.

– J'appelle ça écrire, dit Clark d'un ton catégorique.

Il trouvait naturel de demander à Juan Diego où en était son prochain roman, et celui-ci ne voyait pas d'inconvénient à lui parler d'*Une chance unique de quitter la Lituanie*, de l'idée qui avait fait naître le roman et de son évolution.

– Il s'agit d'un pays catholique, déclara soudain Clark. Oserai-je vous demander quel rôle scélérat joue l'Église dans cette histoire ?

Juan Diego ne parlait pas du rôle de l'Église, il n'y avait même pas pensé – pas encore. Mais bien sûr, l'Église aurait sa place dans le roman. Le professeur et son ancien élève le savaient parfaitement.

– Tu connais aussi bien que moi le rôle que joue l'Église dans la question des enfants non désirés. Et d'abord sur la cause des naissances d'enfants non désirés…

Il s'interrompit, il voyait que Clark avait fermé les yeux. Il fit de même.

Chaque fois qu'ils parlaient de religion, ils se retrouvaient dans une même impasse démoralisante. Autrefois, lorsque Clark employait le pronom « nous », cela ne voulait jamais dire « vous et moi ». Il disait « nous », en particulier quand il essayait de se montrer progressiste ou tolérant. « Nous ne devrions pas être aussi rigides sur des problèmes comme l'avortement, les méthodes de contraception ou le mariage gay. L'enseignement de l'Église… » Et là, il hésitait toujours avant de poursuivre : «… est clair ». Il concluait généralement ainsi : « Mais il ne faut pas remettre ces questions sur le tapis sans arrêt, ni en parler avec une telle véhémence. »

Oh bien sûr, Clark savait se donner des airs progressistes ; il n'était pas aussi intraitable que Jean-Paul II.

Quant à Juan Diego, au fil des années, il avait su lui aussi se montrer de mauvaise foi. Et il n'y était pas allé de main morte ! Il avait bien souvent fait marcher Clark en lui citant Chesterton : « Ce qui distingue une religion ouverte, c'est qu'on peut en plaisanter. » Évidemment, Clark avait écarté cet argument d'un ricanement.

Juan Diego regrettait d'avoir galvaudé une des prières favorites de son cher Frère Pepe dans ses discussions avec Clark, même s'il était incapable de se reconnaître dans cette prière de sainte Thérèse d'Ávila, que Pepe avait fidèlement reprise dans ses oraisons quotidiennes : « Des dévotions ineptes et des saints à face de carême, délivre-nous, Seigneur. »

Mais pourquoi se remémorer cette correspondance avec Frère Pepe, comme si celui-ci venait de lui écrire ? C'étaient des années auparavant, quand le Père Alfonso et le Père Octavio étaient morts dans leur sommeil, à quelques jours d'intervalle. Pepe avait été surpris que les deux vieux prêtres soient « partis sur la pointe des pieds ». Ces deux hommes tellement dogmatiques, tellement vindicatifs – comment avaient-ils pu mourir sans un dernier baroud d'honneur ?

Pepe avait trouvé tout aussi frustrante la façon dont Rivera s'était fait la belle. Depuis que l'ancienne décharge avait été déplacée et qu'on en avait aménagé une nouvelle, El Jefe n'était plus lui-même. Les dix premières familles de la colonie de Guerrero étaient parties depuis longtemps.

Ce qui avait été le coup de grâce, c'était l'interdiction de faire des feux dans la décharge. Comment pouvait-on interdire les feux ? Ce serait quoi, une décharge qui ne brûlerait pas les déchets ?

Pepe avait insisté pour qu'El Jefe lui en dise plus. Il se fichait bien, lui, de l'interdiction des feux. Il était surtout préoccupé par l'ascendance paternelle de Juan Diego.

À en croire une ouvrière qui travaillait sur le basurero, le patron de la décharge n'était pas le père du lecteur, mais c'était « tout comme » ; Juan Diego lui-même avait toujours été persuadé qu'El Jefe n'était « probablement pas » son père.

Mais Lupe avait dit : « Rivera sait quelque chose… il le garde pour lui, c'est tout. »

De fait, tout ce qu'il leur avait confié, c'était que le père « le plus probable » de Juan Diego était mort le cœur *brisé*. « Tu veux dire d'une crise cardiaque ? » avait alors demandé Juan Diego – c'était en effet ce qu'Esperanza prétendait. « Si c'est le mot qui convient quand un cœur se brise pour toujours… » s'était contenté de répondre Rivera.

Mais Frère Pepe avait fini par convaincre Rivera de lui en dire plus.

Or le patron de la décharge était bel et bien certain d'être le père biologique de Juan Diego ; à l'époque de sa conception, Esperanza ne couchait avec personne d'autre, à l'en croire. Mais elle lui avait opposé qu'il était bien trop stupide pour avoir engendré un génie comme le petit lecteur. « Quand ce serait vrai, il ne faut pas que Juan Diego le sache, avait-elle exigé. S'il l'apprend, il va perdre toute confiance en lui. » Voilà qui devait avoir fait disparaître le peu de confiance qu'El Jefe avait en lui.

Rivera avait demandé à Pepe de ne pas en parler à Juan Diego – du moins d'attendre qu'il soit mort pour le lui dire. Qui sait si son cœur ne s'était pas brisé ?

Personne n'a jamais su où vivait réellement Rivera. Il était mort dans la cabine de son pick-up, où il avait toujours aimé dormir ; après la disparition de Diablo, son chien lui manquait et il dormait rarement ailleurs.

El Jefe était « parti sur la pointe des pieds », comme le Père Alfonso et le Père Octavio, mais il avait eu le temps de se confesser à Frère Pepe.

La mort de Rivera et sa confession préalable constituaient une part essentielle de la correspondance de Frère Pepe, que Juan Diego devait revivre tant et tant de fois.

Comment Pepe s'était-il arrangé pour vivre l'épilogue de sa propre vie aussi allègrement ? s'était demandé Juan Diego.

À l'Encantador, la nuit ne fut pas troublée par un cocorico intempestif. Juan Diego dormit d'un trait jusqu'au matin, sans se soucier du karaoké du beach-club. Aucune femme ne dormit à ses côtés, ni ne disparut, mais au matin, à son réveil, il découvrit ce qui ressemblait à un titre de roman, écrit de sa propre main, sur un bloc-notes posé sur la table de nuit.

Le Dernier Acte, avait-il écrit sur le bloc. C'était la nuit où il avait rêvé de l'ultime orphelinat de Pepe. Celui-ci avait posé sa candidature à Hijos de la Luna, Enfants de la Lune, peu après 2001. Ses lettres étaient plus toniques que jamais, et il allait gaillardement sur ses quatre-vingts ans.

L'orphelinat se trouvait à Guadalupe Victoria et accueillait les enfants des prostituées. Pepe expliquait que celles-ci étaient autorisées à visiter leurs enfants et même accueillies à bras ouverts. Juan Diego se souvenait qu'aux Enfants perdus les bonnes sœurs refusaient l'accès aux mères biologiques ; c'était une des raisons pour lesquelles Esperanza, sa mère, n'avait jamais été la bienvenue chez les nonnes.

Aux Enfants de la Lune, les orphelins appelaient Pepe « Papá ». Il disait que ça n'avait pas beaucoup d'importance. Ils faisaient de même avec les autres bénévoles de l'orphelinat.

« Notre cher Edward n'aurait pas vu d'un bon œil qu'on gare les motocyclettes dans la classe, avait-il écrit, mais les motos disparaissent très vite si on les laisse dans la rue. » Señor Eduardo les traitait d'engins de mort.

Le Dr Vargas aurait trouvé à redire à la présence des chiens. Hijos de la Luna ne les empêchait pas d'entrer : les enfants les aimaient.

Il y avait un grand trampoline dans la cour – les chiens n'avaient pas le droit de s'en approcher, avait indiqué Pepe – et un immense grenadier. Les branches supérieures de l'arbre étaient festonnées de poupées de chiffon et autres jouets que les enfants avaient jetés en l'air et qui étaient restés accrochés aux branches. Les dortoirs des filles et ceux des garçons étaient situés dans des bâtiments séparés, mais ils partageaient les vêtements, qui constituaient une sorte de propriété commune.

« Je ne conduis plus ma Coccinelle Volkswagen, avait écrit Pepe, je ne tiens pas à tuer quelqu'un. J'ai une petite motocyclette, qui ne va pas assez vite pour que je risque de faire du mal à qui que ce soit. »

Ce fut sa dernière lettre. Elle allait faire partie du *Dernier Acte*, dont Juan Diego avait écrit le titre dans son demi-sommeil.

Le matin de son départ de l'Encantador, seuls Consuelo et Pedro s'étaient levés pour lui dire au revoir. Il faisait encore nuit. Le conducteur de la voiture était ce garçon au visage farouche, le fou du klaxon qui paraissait trop jeune pour conduire, mais qui était meilleur au volant qu'au service.

– Faites attention aux varans, Mister ! lança Pedro.

– Et marchez pas sur les oursins, poursuivit Consuelo.

Clark French avait laissé un mot à la réception de l'hôtel. Il avait dû trouver très drôle – pour lui, tout au moins – d'écrire « Rendez-vous à Manille ».

Durant tout le trajet jusqu'à l'aéroport de Tagbilaran City, Juan Diego n'eut pas l'occasion d'adresser la parole au jeune conducteur. Il se remémorait la lettre qu'il avait reçue de la directrice des Enfants de la Lune, à Guadalupe Victoria. Frère Pepe s'était tué sur sa petite motocyclette. Il avait fait une embardée pour éviter un chien et heurté un autobus de plein fouet. « Il avait tous vos livres, ceux que vous lui aviez dédicacés. Il était si fier de vous ! » avait écrit la directrice. Elle avait signé sa lettre « Mamá ».

Juan Diego s'était demandé s'il n'y avait qu'une seule « Mamá » aux Enfants de la Lune et, de fait, il n'y en avait qu'une. Le Dr Vargas avait lui aussi écrit pour la circonstance. La directrice se nommait Coco, mais les enfants l'appelaient « Mamá ».

Pepe s'était trompé sur l'usage du vocable *Papá*, avait écrit Vargas. « Il était un peu dur d'oreille, voilà pourquoi il n'a pas entendu l'autobus », avait-il conclu.

Les enfants ne l'appelaient pas « Papá », il avait mal entendu. Il n'y avait qu'un seul homme que les enfants appelaient Papá, à Hijos de la Luna. C'était le fils de Coco, le fils de Mamá.

On pouvait compter sur Vargas pour dissiper les illusions à coups de vérités scientifiques.

La route était bien longue jusqu'à Tagbilaran City. Et ce n'était que le début d'un long voyage, Juan Diego ne l'ignorait pas. Il avait devant lui deux avions et trois bateaux à prendre, sans parler des varans, et de D.

23

Ni animal, ni végétal, ni minéral

«Le passé l'entourait comme des visages dans une foule», avait écrit Juan Diego.

Ce lundi 3 janvier 2011, la jeune femme assise à côté de lui commençait à se faire du souci. Le vol Philippine Airlines 174 de Tagbilaran à Manille avait des airs de cacophonie aérienne, malgré son départ matinal, à 7 h 30. C'est sans doute pourquoi la jeune femme prit l'initiative de prévenir l'hôtesse que le monsieur s'était endormi dès le décollage, malgré les jacasseries ambiantes.

– Il s'est écroulé de fatigue, confia-t-elle à l'hôtesse.

Mais peu après s'être assoupi, Juan Diego s'était mis à parler.

– Au début, j'ai cru que c'était à moi qu'il s'adressait, ajouta la jeune passagère.

À l'entendre, on n'aurait pas cru qu'il dormait. Son élocution était parfaite, sa pensée incisive, quoique professorale :

– Au xvie siècle, quand l'ordre des jésuites a été fondé, rares étaient les gens qui savaient lire, et plus rares encore ceux qui savaient le latin, indispensable pour dire la messe…

– Je vous demande pardon ?

– Mais il y avait quelques esprits dévoués, des âmes qui ne pensaient qu'à faire le bien, et désiraient ardemment entrer dans les ordres.

– Mais pourquoi ? demanda la jeune femme, avant de se rendre compte que Juan Diego avait les yeux fermés.

Elle avait l'impression que l'ancien professeur d'université lui faisait un cours dans son sommeil.

– Ces hommes de devoir étaient appelés frères lais, parce qu'ils n'avaient pas été ordonnés. Aujourd'hui, ils exercent des métiers de caissiers ou de cuisiniers, ou encore d'écrivains, continua Juan Diego en riant sous cape.

Puis, toujours profondément endormi, il se mit à pleurer.

– Mais Frère Pepe avait consacré sa vie aux enfants, il était éducateur dans l'âme, continua-t-il, la voix brisée.

Il ouvrit les yeux, fixant sans la voir la jeune femme assise à côté de lui. Aucun doute, il était «cané», comme elle aurait dit.

– Pepe ne pensait pas avoir la vocation, il ne se sentait pas «appelé», même s'il avait prononcé ses vœux et ne pouvait donc se marier…

Juan Diego avait refermé les yeux et des larmes ruisselaient sur son visage.

– Je comprends, lui dit la jeune femme à voix basse, en se glissant hors de son siège pour aller voir l'hôtesse.

Elle tenta de lui expliquer que l'homme ne l'importunait pas, il avait l'air gentil, inoffensif, seulement il était triste.

– Triste ? s'étonna l'hôtesse.

Celle-ci ne savait plus où donner de la tête : une bande de soiffards avait pris ce vol matinal, des jeunes qui avaient fait la nouba toute la nuit. Il y avait aussi une femme enceinte, dont la grossesse était peut-être trop avancée, selon les normes de sécurité aérienne. Elle ressentait des contractions, ou alors son petit déjeuner ne passait pas, lui avait-elle confié.

– Il pleure, il pleure à chaudes larmes dans son sommeil, expliqua la voisine de siège de Juan Diego. Mais sa conversation est d'un très haut niveau, comme s'il dispensait un cours à des étudiants, vous voyez ?

– Ça ne me paraît pas dangereux, fit remarquer l'hôtesse.

De toute évidence, elles s'étaient engagées dans un dialogue de sourdes.

– Je vous dis qu'il a l'air gentil. Il n'est pas dangereux ! Le pauvre homme a des problèmes, il est très malheureux !

– Malheureux ?

L'hôtesse avait autre chose à faire que gérer les états d'âme ! Malgré tout, ne serait-ce que pour fausser compagnie aux ivrognes et à la femme enceinte, elle accompagna la passagère. Juan Diego semblait cette fois dormir paisiblement dans son siège côté hublot.

Le sommeil le faisait paraître plus jeune que son âge, avec sa peau sombre, ses cheveux à peine grisonnants…

– Ce type n'a pas de problème, il ne pleure pas, voyons, il dort ! certifia l'hôtesse à la jeune femme.

– Regardez ses mains, on dirait qu'il tient quelque chose.

En effet, les avant-bras de Juan Diego étaient tendus, rigides, à angle droit de son corps, les doigts écartés, comme s'il cramponnait un objet cylindrique… une boîte à café ?

L'hôtesse se pencha vers lui.

– Monsieur ?

Elle lui effleura le poignet et perçut la tension des muscles de ses avant-bras.

– Monsieur… ça va ? lui demanda-t-elle d'une voix plus ferme.

– Calzada de los Misterios ! clama Juan Diego, comme s'il essayait de se faire entendre dans le tumulte d'une foule.

Dans son esprit, ses souvenirs ou son rêve, il se trouvait en effet au milieu d'une foule… assis sur le siège arrière d'un taxi qui se frayait un passage dans les encombrements matinaux de l'avenue des Mystères.

– Excusez-moi… dit l'hôtesse.

– Vous voyez ? C'est comme ça depuis tout à l'heure. Il ne s'adresse pas vraiment à vous, insista la jeune femme.

– Une *calzada*, c'est une rue assez large, généralement pavée, très mexicaine, grandiose, datant des temps impériaux, expliqua Juan Diego. Une *avenida* est moins impressionnante. Calzada de los Misterios, avenida de los Misterios… c'est la même chose.

– Demandez-lui ce qu'il tient dans les mains, dit la jeune femme.

– Monsieur ? reprit l'hôtesse d'une voix douce. Qu'est-ce que vous tenez dans les mains ?

Mais quand elle effleura de nouveau son avant-bras, Juan Diego étreignit la boîte à café imaginaire contre sa poitrine.

– Des cendres, murmura-t-il.

– Des cendres ?

– « Tu es poussière et à la poussière tu retourneras. » C'est de cet ordre-là, devina la jeune passagère.

– Il s'agit de quelles cendres ? souffla l'hôtesse à l'oreille de Juan Diego.

– De celles de ma mère, et puis de celles d'un hippie et d'un chien, enfin, d'un chiot.

Les deux femmes restèrent bouche bée. Juan Diego se remit à pleurer.

– Avec le nez de la Vierge Marie… cendres que tout ça, murmura-t-il dans un sanglot.

Les jeunes poivrots entonnaient une chanson paillarde à tue-tête. Il y avait des enfants à bord du vol Philippine Airlines 174, et une dame âgée s'approcha de l'hôtesse.

– Je pense que la femme enceinte est en travail, dit-elle. Du moins, elle en est persuadée. C'est son premier enfant, notez bien, alors qu'est-ce qu'elle en sait…

– Je suis désolée, mais il faut vous rasseoir, dit l'hôtesse à la voisine de siège de Juan Diego. Le dormeur a l'air tout à fait inoffensif avec ses cendres, et nous atterrissons dans trente ou quarante minutes.

– Jésus Marie Joseph, fit la jeune femme.

Juan Diego s'était remis à pleurer. Pleurait-il sa mère, le hippie ou le chien, pleurait-il le nez de la Vierge Marie ?… Allez savoir !

Le vol de Tagbilaran à Manille était bref, mais trente à quarante minutes à rêver de cendres, ça peut paraître long…

Les hordes de pèlerins marchaient au milieu de la vaste chaussée. Beaucoup d'entre eux avaient débarqué sur l'avenue des Mystères par cars entiers, et s'étaient ensuite rassemblés pour poursuivre à pied leur chemin vers le sanctuaire. Le taxi avançait lentement, s'arrêtait, puis reprenait sa route, à la vitesse de l'escargot. La foule des piétons bloquait complètement la circulation. Les pèlerins s'étaient regroupés par collectifs autonomes, homogènes et déterminés, qui avançaient sans se soucier des véhicules surchargés qu'ils immobilisaient et dépassaient. Ils progressaient bien plus sûrement que le taxi, où l'on étouffait.

Certes les deux enfants n'étaient pas les seuls à faire leur pèlerinage sur le lieu saint de Guadalupe, ce samedi matin à Mexico. Les week-ends, la Virgen Morena attirait les foules.

Assis à l'arrière du taxi étuve, Juan Diego tenait la précieuse boîte à café contre sa poitrine. Lupe avait voulu la lui prendre, mais ses mains étaient trop petites. Elle risquait de laisser échapper les cendres si un pèlerin la bousculait.

Le taxi freina une fois de plus. Ils étaient encalminés dans une mer de marcheurs. La vaste avenue menant à la Basílica de Nuestra Señora de Guadalupe était noire de monde.

– Tout ça pour une salope d'Indienne, «l'éleveuse de coyotes», c'est ça que son nom veut dire en nahuatl, ou je ne sais quelle autre langue indienne, commenta le chauffeur de taxi, plein de vindicte.

– Tu sais pas de quoi tu parles, face de rat, haleine puante! lui lança Lupe.

– Qu'est-ce qu'elle vient de dire? Elle parle nahuatl ou quoi? demanda le chauffeur, à qui il manquait, entre autres, les deux dents de devant.

– Pas la peine de faire le guide, on n'est pas des touristes. Roulez, c'est tout ce qu'on vous demande, répondit Juan Diego.

Un groupe de nonnes contourna le taxi immobilisé. La cordelette d'un chapelet se rompit et les perles roulèrent et rebondirent sur le capot de la voiture.

– Allez voir le tableau du baptême des Indiens, c'est à ne pas rater, insista le chauffeur.

– Les Indiens ont dû renoncer à leurs noms d'origine! s'écria Lupe. On leur a imposé des noms espagnols... C'est ça, la fameuse Conversión de los Indios, espèce de bite de souris, vendu, enculeur de poules!

– C'est pas du nahuatl? On dirait vraiment un dialecte indien, était en train de dire le chauffeur quand un visage masqué vint se plaquer devant lui sur le pare-brise.

Il klaxonna, mais les marcheurs masqués se contentèrent de regarder dans le taxi. Ils portaient des masques d'animaux de la ferme : vaches, chevaux, ânes, chèvres et poulets.

– Les pèlerins de la Nativité – connards de malades de la crèche, marmonna le chauffeur dans sa barbe.

Ses canines du haut et du bas étaient elles aussi démanchées, ce qui ne l'empêchait pas d'afficher une imperturbable assurance.

Des cantiques à la Virgen Morena jaillissaient des haut-parleurs ; des écoliers en uniforme tapaient sur des tambours. Le taxi avança de quelques mètres, puis s'arrêta de nouveau. Des hommes aux yeux bandés, en costume-cravate, liés les uns aux autres par une corde, étaient menés par un prêtre qui débitait des incantations, largement couvertes par la musique ambiante.

La mine renfrognée, Lupe était assise sur la banquette arrière, entre son frère et Edward Bonshaw. Ce dernier ne pouvait s'empêcher de regarder avec anxiété la boîte à café, et n'était pas moins stressé par les pèlerins pittoresques qui entouraient le taxi. À présent, on voyait se glisser dans la foule quelques petits vendeurs à la sauvette, les bras remplis d'icônes religieuses bon marché : des statuettes de Guadalupe, des Christs pas plus grands que le doigt, en proie à toutes les affres de la crucifixion, et même la hideuse Coatlicue avec sa jupe de serpents et son collier si seyant de cœurs, de mains et de crânes humains.

Lupe était mortifiée de voir autant d'exemplaires de la grotesque figurine que le brave gringo lui avait offerte. Un des petits camelots à la voix de crécelle devait avoir une centaine de statuettes de Coatlicue, toutes vêtues de serpents qui se tordaient, toutes arborant une poitrine flasque et des tétons-crotales. Chaque figurine, comme celle de Lupe, avait des mains et des pieds griffus.

– La tienne est unique, Lupe, parce que c'est celle qu'El Gringo Bueno t'a donnée, dit Juan Diego.

– Tu lis trop dans les pensées.

– Ah je sais, se réjouit le chauffeur du taxi. Si elle parle pas en nahuatl, c'est qu'elle a un problème d'élocution. Et vous l'emmenez à « l'éleveuse de coyotes » pour qu'elle la guérisse !

– Laissez-nous descendre de votre taxi puant, on ira plus vite à pied, espèce de bite de tortue, lança Juan Diego.

– Je t'ai vu marcher, chico, dit le chauffeur. Tu crois que Guadalupe va guérir ta boiterie, hein ?

– On s'arrête là ? demanda Edward Bonshaw aux enfants.

– Ça n'avance pas ! s'écria Lupe. Notre chauffeur a baisé tellement de putes qu'il a le cerveau aussi ratatiné que ses couilles !

Lorsque Señor Eduardo mit la main au portefeuille pour payer le taxi, Juan Diego lui recommanda, en anglais, de ne pas donner de pourboire.

– ¡ Hijo de la chingada ! lui lança le chauffeur.

Ce qui, selon Juan Diego, voulait dire « fils de pute » et qui correspondait plus ou moins à ce que Sœur Gloria pensait de lui. Lupe n'était pas sûre que le mot « chingada » veuille dire « pute ». Elle avait maintes fois entendu les petites acrobates l'employer. Pour elle, il signifiait plutôt « enculée ».

– ¡ Pinche pendejo chimuelo ! cria-t-elle au chauffeur.

– Qu'est-ce qu'elle baragouine, l'Indienne ? s'enquit celui-ci.

– Elle dit que vous êtes un « sale trou du cul édenté », on voit bien que vous vous êtes fait démolir la gueule.

– Quelle belle langue ! soupira Edward Bonshaw – c'était son refrain habituel. J'espère que j'arriverai à l'apprendre, mais je n'ai pas l'impression de faire beaucoup de progrès.

Aussitôt, tous trois furent emportés par la foule. Devant eux un groupe de bonnes sœurs avançait à genoux, habit troussé à mi-cuisse, genoux meurtris par les pavés. Puis les enfants et le missionnaire apostat furent retardés par les moines flagellants d'un obscur monastère. Leur robe de bure empêchait de voir le sang couler, mais au claquement sec des fouets, Señor Eduardo eut un mouvement de recul. Et partout, des enfants en uniforme tapaient sur des tambours.

– Seigneur ! se borna à dire Edward Bonshaw.

Il ne faisait plus attention à la boîte à café de Juan Diego. Trop de choses abominables s'offraient alentour. Et dire qu'ils n'étaient même pas encore arrivés au sanctuaire.

Dans la Chapelle du Petit Puits, ils durent jouer des coudes parmi les flagellants qui se donnaient en spectacle. Une femme se labourait le visage avec une pince à ongles. Un homme s'était martelé le front avec la pointe d'un stylo, le sang et l'encre mêlés lui ruisselaient dans les yeux. Il battait sans répit des paupières. On aurait dit qu'il pleurait des larmes purpurines.

Lupe voulait voir les hommes en costume-cravate. Bonshaw la fit monter sur ses épaules. Les businessmen avaient retiré leurs bandeaux pour contempler Notre Dame de Guadalupe sur son lit de mort. La Virgen Morena reposait dans son écrin de verre, mais les hommes encordés n'étaient pas désireux de quitter les lieux et de laisser les autres pèlerins approcher.

Le prêtre qui les avait conduits jusque-là poursuivait ses incantations. Les bandeaux à la main, il avait l'air d'un serveur mal fagoté qui aurait par étourderie ramassé les serviettes de table d'un restaurant évacué lors d'une alerte à la bombe.

Heureusement que la musique couvre les incantations du prêtre, se disait Juan Diego : il répétait comme un disque rayé les paroles fameuses de Guadalupe : « ¿ No estoy aquí, que soy tu madre ? » (Ne suis-je pas là, moi qui suis ta mère ?)… Propos incohérents dans la bouche d'un homme qui tenait à la main une douzaine de bandeaux.

– Laissez-moi descendre, je veux pas voir ça, dit Lupe, mais l'Américain ne comprit pas et Juan Diego dut traduire. Ces têtes de biroute de banquiers ont pas besoin de bandeau, ils sont miros, même *sans*, ajouta Lupe.

Phrase que Juan Diego ne traduisit pas : les techniciens du cirque appelaient les mâts du chapiteau « les biroutes de rêve » !

Ce qui les attendait maintenant était la montée interminable menant à El Cerrito de las Rosas, véritable épreuve de dévotion et d'endurance. Edward Bonshaw entama courageusement l'ascension en prenant cette fois l'infirme sur son dos, mais il y avait trop de marches, la côte était trop longue et trop pentue

– Je peux marcher, vous savez, lui dit Juan Diego, ça ne change rien que je boite, j'ai toujours boité !

Mais Señor Eduardo persévérait dans cet effort surhumain ; il cherchait sa respiration, le fond de la boîte à café cognait sur le haut de son crâne, au rythme de ses pas. Pour tous ceux qu'ils croisaient, le jésuite à bout de souffle ressemblait à n'importe quel pèlerin suicidaire – il aurait pu tout aussi bien transporter des parpaings ou des sacs de sable qu'un infirme sur ses épaules.

– Tu sais ce qui va se passer si l'homme perroquet tombe raide mort ? demanda Lupe à son frère. Tu pourras plus sortir de ce pétrin, et de ce pays de fous !

Les deux enfants songeaient à ce qui pourrait leur arriver si Edward Bonshaw périssait en gravissant la montée d'El Cerrito. Ils avaient fait le rapprochement avec les complications auxquelles conduisait la mort d'un cheval. Mañana n'était-il pas étranger à la ville ? Le jésuite n'était-il pas, lui aussi, étranger à la ville ? Qu'est-ce qu'on pourrait faire, Lupe et moi ? se demandait Juan Diego.

Naturellement, Lupe avait la réponse :

– Faudra prendre des sous dans ses poches, de quoi payer un taxi pour rentrer au cirque. Sinon, on se fera enlever et vendre aux bordels de la ville !

– D'accord, d'accord ! cria Juan Diego. Puis il s'adressa à Bonshaw, en nage et hors d'haleine : Faites-moi descendre, laissez-moi me débrouiller tout seul. J'irai plus vite, même à quatre pattes ! Si vous mourez, je serai obligé de vendre Lupe à un bordel d'enfants pour pas mourir de faim.

368

– Jésus miséricordieux ! lança Edward Bonshaw en s'agenouillant sur les marches.

Il ne priait pas, il n'avait même plus la force de faire descendre Juan Diego de ses épaules. Il n'aurait pas pu faire un pas de plus.

Les deux enfants à ses côtés, il essayait de reprendre son souffle. Une équipe de télévision s'approcha d'eux.

Des années plus tard, en le voyant mourant – le cher homme avait de nouveau bien du mal à respirer –, Juan Diego se remémorerait ce moment où les gens de la télé les avaient rejoints sur les marches de « L'Église des Roses », comme Lupe l'appelait.

La journaliste, une jeune et jolie femme, faisait un compte rendu sans fioritures du miracle. Elle commentait sans doute un documentaire ou un clip touristique – rien de compliqué ni de sensationnel.

– En 1531, lorsque la Vierge apparut pour la première fois à Juan Diego Cuauhtlatoatzin, un noble aztèque ou un paysan, les avis sont toujours partagés sur ses origines, l'évêque ne voulut pas le croire et lui demanda une preuve.

La journaliste s'interrompit en apercevant l'étranger à genoux. Peut-être était-ce la chemise hawaïenne qui avait attiré son regard, ou encore les deux enfants inquiets à ses côtés. Le cadreur fit pivoter sa caméra : elle lui plaisait bien, cette vision d'Edward Bonshaw à genoux, auprès de deux enfants attendant qu'il se relève.

Ce n'était pas la première fois que Juan Diego entendait parler des « avis partagés », même s'il aimait à penser qu'il portait le nom d'un paysan. Il aurait été contrarié de le devoir à un noble aztèque. Le mot « noble » ne collait pas à l'image qu'il avait de lui-même : celle d'un porte-drapeau des lecteurs de la décharge.

Señor Eduardo avait repris son souffle ; il se releva et entreprit de poursuivre l'ascension. Mais le cadreur avait remarqué l'infirmité de Juan Diego et zoomé sur le garçon qui gravissait les marches vers El Cerrito de las Rosas. L'équipe de télévision emboîta donc le pas à l'Américain et aux enfants, qu'elle suivit dans leur progression.

– Quand Juan Diego retourna sur la colline, la Vierge lui apparut de nouveau : elle lui demanda de cueillir des roses et de les apporter à l'évêque, poursuivit la jeune journaliste.

Au moment où ils parvinrent au sommet, toute la ville de Mexico s'étendait derrière eux. Le cadreur fit un plan du panorama, mais

Edward Bonshaw ne se retourna pas pour le voir, pas plus que les deux enfants. Juan Diego tenait précautionneusement la boîte à café dans ses mains, comme une offrande sacrée qu'ils apporteraient à « La Petite Colline », l'endroit précis où avaient poussé les roses miraculeuses.

— Cette fois, l'évêque le crut… Et l'image de la Vierge s'imprima sur le tissu de sa tunique.

La jolie journaliste poursuivait son récit, mais le cadreur avait délaissé Señor Eduardo et les enfants, reportant maintenant son attention vers quelques couples de Japonais en voyage de noce, auxquels un guide pourvu d'un mégaphone racontait le miracle de Guadalupe dans leur langue.

Lupe était intriguée par les masques chirurgicaux des Japonais. Elle se figurait qu'ils souffraient d'une terrible maladie et qu'ils étaient venus au sanctuaire pour implorer leur guérison.

— Ils sont pas contagieux ? s'enquit-elle. Combien de personnes ils ont contaminé depuis leur départ du Japon ?

La traduction de Juan Diego et l'explication d'Edward Bonshaw se perdirent dans le brouhaha de la foule. Lupe avait-elle saisi la propension des Japonais à se protéger de l'air vicié et des risques d'infection ?

Circonstance aggravante, les touristes et les pèlerins qui avaient entendu le son de sa voix poussaient eux aussi des cris de ferveur mystique. L'un d'eux l'avait montrée du doigt et clamé qu'elle parlait « en langues ». Elle était furieuse d'être prise pour une enfant messianique proférant d'inintelligibles sentences extatiques.

On célébrait la messe dans l'église, mais la cohue vociférante qui se ruait à l'intérieur n'avait pas le recueillement de rigueur avec cette armée de bonnes sœurs et d'enfants des écoles, de moines flagellants et de businessmen encordés qui avaient remis leurs bandeaux au risque de se casser la figure dans l'escalier. Leurs pantalons étaient déjà déchirés au niveau des genoux et deux ou trois d'entre eux boitaient.

Juan Diego était loin d'être le seul infirme : ils étaient tous là, les mutilés, les amputés, les sourds, les aveugles, les nécessiteux, tous espérant la guérison miraculeuse, parmi les touristes anonymes et les Japonais en voyage de noce avec leurs masques chirurgicaux.

Au seuil du sanctuaire, les enfants entendirent la jolie journaliste déclarer :

– Un chercheur allemand a analysé les fibres de la tunique. Il a découvert que les couleurs imprimées n'étaient d'origine ni animale, ni végétale, ni minérale.

– Qu'est-ce que les Allemands viennent faire là-dedans ? demanda Lupe. Soit Guadalupe est un miracle, soit elle l'est pas. Rien à voir avec la tunique !

Ce qu'on appelle la basilique de Guadalupe se compose d'un ensemble d'églises, de chapelles et de lieux saints regroupés sur le flanc de la colline de Tepeyac, où l'on dit que le miracle a eu lieu. Edward Bonshaw et les enfants ne virent finalement que la Chapelle du Petit Puits, où la sainte repose dans son cercueil de verre, et El Cerrito de las Rosas. Ils n'allèrent pas voir la tunique dans son cadre de verre sécurisé.

Il est vrai qu'à l'intérieur du Cerrito, la Vierge de Guadalupe n'était pas reléguée dans une chapelle latérale : elle trônait dans le chœur même de l'église. On lui avait donné la vedette – la belle affaire ! On l'avait assimilée à la Vierge Marie, en une seule et même figure. Et le tour de passe-passe catholique avait fait du sanctuaire une véritable ménagerie. Les cinglés en tous genres y étaient bien plus nombreux que les vrais pèlerins, qui essayaient vainement de suivre la messe. Les prêtres officiaient machinalement. Les mégaphones étaient interdits dans l'enceinte de l'église, mais la guide japonaise braillait la suite de son commentaire à l'intention des jeunes époux masqués. Les businessmen encordés, de nouveau débarrassés de leurs bandeaux, regardaient sans la voir la Vierge Brune, à l'instar de Juan Diego, les yeux ouverts au milieu de ses rêves.

– Ne touche pas les cendres, l'avisa Lupe, mais Juan Diego tenait le couvercle de la boîte bien fermé. Pas un grain ne doit être dispersé ici, ajouta-t-elle.

– Je sais.

– Notre mère préférerait brûler en enfer plutôt que de voir ses cendres dispersées dans ce foutoir. El Gringo Bueno aurait refusé de reposer dans La Petite Colline, il était si beau quand il dormait, dit-elle.

Juan Diego n'avait pas manqué de remarquer qu'elle n'appelait plus le lieu « L'Église des Roses », mais « La Petite Colline ». Pour elle, El Cerrito avait perdu toute connotation sacrée.

371

– Pas besoin de traduire, dit Señor Eduardo aux enfants. Cette église n'est en rien un lieu saint. C'est une imposture, c'est du toc, le contraire de ce qu'elle avait vocation à être.

– Vocation à être… répéta Juan Diego.

– Ni animale, ni végétale, ni minérale, comme a dit l'Allemand ! s'écria Lupe.

Juan Diego devait-il traduire cette phrase à Edward Bonshaw ? Elle lui semblait d'une vérité dérangeante.

– Quel Allemand ? demanda l'homme de l'Iowa, tandis qu'ils entamaient la descente des marches.

Des années plus tard, il devait dire à Juan Diego : « Je me vois quittant la Colline des Roses… Je ressens encore la désillusion, le désenchantement qui m'avaient submergé dans cet escalier… Je n'en finis pas de descendre… »

En chemin, de nouveaux pèlerins ruisselants de sueur les bousculèrent en grimpant vers le site du miracle. Juan Diego marcha sur un objet souple, qui crissa cependant sous son pied. Il s'arrêta pour le regarder, puis il le ramassa.

La statuette était un peu plus grande que celles du Christ en croix qui se vendaient un peu partout alentour… et pas plus épaisse que la figurine de Coatlicue de Lupe, elle aussi en vente dans tout le site de la vaste Basílica de Nuestra Señora de Guadalupe. Elle représentait la sainte elle-même : le corps passif et soumis, les yeux baissés, la poitrine inexistante, le léger renflement de l'abdomen. Les humbles origines de la Vierge y transparaissaient… Elle aurait parlé le nahuatl, si elle avait pu parler.

– Quelqu'un a dû la jeter, dit Lupe à Juan Diego. Quelqu'un d'aussi déçu que nous.

Il fourra la figurine en ébonite dans sa poche. Elle n'était pas aussi volumineuse que le nez de la Vierge Monstre, mais elle y faisait quand même une bosse.

Au bas de l'escalier, ils passèrent sous les fourches caudines de vendeurs de casse-croûte et de boissons. Un petit groupe de religieuses quêtait pour les pauvres de leur paroisse. Elles vendaient des cartes postales. Edward Bonshaw en acheta une.

Juan Diego se demanda s'il pensait encore à la carte postale de Flor avec le poney, mais celle-ci représentait seulement Guadalupe, la Virgen Morena gisant dans son cercueil de verre, au fond de la Chapelle du Petit Puits.

– En souvenir, s'excusa l'homme de l'Iowa en désignant la carte.

Lupe jeta un simple coup d'œil sur la photo de la Vierge Brune, puis elle détourna le regard.

– Je suis tellement furieuse que je préférerais la voir avec une bite de poney dans la bouche, dit-elle. Morte, quoi, mais avec la bite du poney.

Elle dormait, la tête sur les genoux de Bonshaw, la fois où il avait raconté l'histoire de cette monstrueuse carte postale. Mais n'était-elle pas extralucide, jusque dans son sommeil ?

– Qu'est-ce qu'elle a dit ? demanda Edward.

Juan Diego cherchait la meilleure façon de s'échapper de l'immense place dallée et de trouver la station de taxis.

– Elle dit qu'elle est contente que Guadalupe soit morte. C'est ce qui lui plaît le plus sur la carte postale.

– Tu m'as pas parlé du nouveau numéro de chiens savants ?

Lupe s'interrompit, comme la dernière fois, en attendant que son frère rattrape sa pensée. Mais c'était peine perdue.

– Pour l'instant, tu vois, j'essaye de nous sortir de là, répondit-il d'un ton irrité.

Elle tapota la bosse à travers la poche où il avait mis la figurine de Guadalupe.

– Ne lui demande surtout rien, à celle-là, lui conseilla-t-elle.

« Derrière chaque voyage, il y a une raison », devait un jour écrire Juan Diego. Quarante ans s'étaient écoulés depuis le périple des gosses de la décharge au sanctuaire de Guadalupe, mais lui non plus n'en finissait pas de descendre.

24

La pauvre Leslie

«Je passe mon temps à rencontrer des gens dans les aéroports.»
Ainsi débutait, bien innocemment, le fax de Dorothy à Juan Diego.
«Et bon sang, nul doute qu'elle avait besoin d'un coup de main,
cette jeune maman! Pas de mari: le sien l'avait déjà larguée… Et ils
n'étaient même pas partis que la nounou les avait laissés tomber, elle
et ses gosses. Volatilisée dans l'aéroport!»

Pour Juan Diego, qui avait lu et relu le fax, le sort de cette infor-
tunée jeune maman avait des airs de déjà-vu. Un écrivain comme lui
pressentait les tenants et aboutissants de cette histoire. Il devinait le
non-dit, la façon dont «une chose mène à une autre», selon Dorothy,
et la raison pour laquelle elle avait accompagné la «pauvre Leslie»
et ses enfants à l'hôtel El Nido.

Cette «pauvre Leslie». Ce nom-là et son épithète, Juan Diego les
avait déjà entendus quelque part… Mais oui, bien sûr, pas besoin d'en
lire davantage: il se souvenait très bien de ce qu'il avait appris sur la
pauvre Leslie, et par qui.

«Ne t'en fais pas, chéri, elle n'est pas écrivaine! avait écrit Dorothy.
Elle est étudiante en littérature, elle s'essaye à l'écriture. D'ailleurs,
elle connaît ton ami Clark. Elle a fréquenté un de ses ateliers.»

Mais oui, c'était bien d'elle qu'il s'agissait. Elle avait rencontré
Clark avant même de participer à son atelier d'écriture, dans une
vente de charité, une de leurs opérations catholiques favorites. Son
mari venait de la quitter, elle avait deux petits garçons turbulents sur
les bras. Elle était persuadée que les «déceptions accumulées» dans
sa jeune vie pouvaient constituer une trame romanesque.

À l'époque, Juan Diego s'était étonné que Clark le lui ait conseillé:
il détestait les mémoires et toute forme de fiction autobiographique.

Il méprisait ce qu'il appelait «la thérapie par l'écriture» et jugeait que le roman mémoriel «abêtissait la fiction et trahissait l'imagination». Ça ne l'avait pas empêché d'encourager la pauvre Leslie à s'épancher sur le papier !

– Elle a un bon fond, avait-il fait remarquer à Juan Diego. Elle a joué de malchance avec les hommes, voilà tout.

– Pauvre Leslie, avait répété le Dr Quintana.

Il y avait eu un silence. Puis elle avait ajouté :

– Si tu veux mon avis, Leslie préfère les femmes, Clark.

– Tu crois ? Ça m'étonnerait qu'elle soit lesbienne, Josefa. J'imagine qu'elle est désorientée, plutôt.

– Pauvre Leslie, avait ponctué Josefa.

L'absence de conviction dans sa voix avait frappé Juan Diego, qui allait s'en souvenir longtemps.

– Est-ce qu'elle est jolie ? avait-il demandé.

Clark French avait affiché l'indifférence absolue d'un homme incapable de se prononcer sur la question.

– Oui, avait répondu le Dr Quintana, laconique.

Selon Dorothy, c'était Leslie qui l'avait priée de les accompagner au Nido, elle et ses enfants turbulents.

«Je n'ai pas vraiment l'étoffe d'une nounou», avait-elle écrit à Juan Diego. Mais il savait que Leslie était jolie. Et si, lesbienne ou désorientée, Leslie aimait les femmes, Dorothy avait bien sûr cerné le personnage. Chez elle, au moins, on ne percevait pas la moindre trace de désorientation.

Naturellement, Juan Diego s'était bien gardé de révéler à Clark et à Josefa l'éventuelle liaison entre la pauvre Leslie et Dorothy. Dans son fax, celle-ci n'en faisait pas état.

Compte tenu de la façon désobligeante dont Clark réduisait Dorothy à son initiale, de l'air d'écœurement avec lequel il disait «la fille», rejetant par la même occasion en bloc l'épisode mère et fille, pourquoi Juan Diego lui aurait-il retourné le couteau dans la plaie en insinuant que Leslie et «D.» avaient couché ensemble ?

«Ce qui est arrivé à ces enfants, je n'y suis pour rien», avait écrit Dorothy. En bon écrivain, Juan Diego n'était pas dupe de cette façon de brouiller les pistes. Il avait bien compris que Dorothy n'était pas allée au Nido dans l'intention de jouer les nounous.

Elle était du genre à ne pas s'embarrasser de circonlocutions. Elle savait être très explicite à ses heures. Et pourtant elle n'était guère précise concernant la mésaventure des enfants. À dessein ?

Ainsi spéculait-il au moment où son avion atterrit à Manille, ce qui le tira en sursaut de son rêve. Quelle ne fut pas sa surprise de voir que la jeune femme assise à ses côtés – sur le siège côté couloir – lui tenait la main.

– Je vous plains de tout cœur, lui dit-elle, avec le plus grand sérieux.

Il attendit la suite, sourire aux lèvres, espérant qu'elle allait s'expliquer, ou tout au moins lui lâcher la main.

– Votre mère… commença-t-elle.

Puis elle se tut et se cacha le visage dans ses mains.

– Tous ces morts, le hippie, le chien – un petit chiot… laissa-t-elle échapper.

Et pour ne pas dire « le nez de la Vierge Marie », elle effleura son propre nez.

– Ah je vois, fit simplement Juan Diego.

Était-il en train de perdre la tête ? Avait-il parlé durant tout le vol à sa voisine ? Ou était-il voué, pour des raisons mystérieuses, à rencontrer des extralucides ?

La jeune femme se mit à scruter l'écran de son portable, ce qui lui donna l'idée de rallumer le sien. Le petit téléphone le gratifia d'une vibration dans le creux de sa main. Il avait reçu un texto de Clark French, un très long texto.

Les romanciers peinent souvent à s'accoutumer au style télégraphique des textos, mais Clark était du genre patient, et particulièrement tenace quand il était indigné. Même si l'indignation vertueuse passait mal en texto.

« Mon amie Leslie a été séduite par votre amie D. – la fille ! », ainsi commençait le message de Clark. Il avait reçu des nouvelles de Leslie, hélas.

Ses deux fils avaient neuf et dix ans – sept et huit, peut-être, Juan Diego ne se souvenait plus très bien. Il avait beaucoup de mal à se rappeler leurs prénoms, des prénoms à consonance germanique, pensait-il très justement car leur père, ex-mari de Leslie, était allemand. Il travaillait pour un groupe d'hôtellerie international. Juan Diego avait oublié son nom. L'homme possédait des hôtels et rachetait des établissements de luxe en difficulté financière. La base de ses opérations en Asie se trouvait à Manille, s'il avait bien décrypté les sous-entendus de Clark. Leslie avait ainsi vécu un peu partout dans le monde, Philippines comprises, et les enfants avaient suivi leurs parents sur les cinq continents.

Juan Diego lut le texto de Clark alors que l'avion roulait encore sur le tarmac après l'atterrissage. Une sorte d'amertume dévote, un sentiment de dépit, transpirait du message : croyante, catholique comme lui, voilà que Leslie venait de se faire avoir, une fois de plus.

« Méfiez-vous du buffle d'eau à l'aéroport, concluait son ancien élève. Il n'est pas aussi placide qu'il le paraît ! Il a foncé sur Werner, sans le blesser gravement. Le petit Dieter dit que ni lui ni Werner n'avaient fait quoi que ce soit pour l'exciter. La pauvre Leslie affirme que ses deux fils sont "innocents de toute provocation". Et ensuite Dieter a été piqué par des bestioles aquatiques – l'hôtel appelle ça des "pélagos". Votre amie D. se baignait avec Dieter et a dit que les prétendus pélagos étaient gros comme des "capotes pour enfant de trois ans", et qu'il y en avait des centaines. Aucune réaction allergique ne se déclare pour l'instant. "Il ne s'agit absolument pas de pélagos", assure D. »

D. assure, songea Juan Diego. Sur l'épisode du buffle d'eau et des bestioles urticantes, la version de D. était moins précise que celle de Clark. L'image des « capotes pour enfant de trois ans » correspondait, sauf que Dorothy laissait entendre que le buffle d'eau avait été provoqué, sans dire comment.

Pas de buffle irascible à l'aéroport de Manille, où Juan Diego devait changer d'avion pour se rendre à Palawan. Le nouvel appareil était un bimoteur à hélices, de forme oblongue, avec un seul siège de part et d'autre du couloir central. Il ne risquait pas d'y confier à une inconnue l'histoire des cendres que lui et Lupe n'avaient finalement pas dispersées dans le sanctuaire de Guadalupe à Mexico.

Mais avant que l'appareil ne quitte son aire de stationnement, il sentit son portable vibrer de nouveau. Le texto de Clark semblait avoir été écrit de façon plus précipitée, plus exaltée que le précédent : « Werner, qui se remet à peine des blessures causées par le buffle, a été piqué par une méduse rose qui se déplaçait verticalement, comme les hippocampes. Selon D., elle était "semi-translucide et de la taille d'un index". La pauvre Leslie et les enfants doivent quitter l'île immédiatement. Werner fait une réaction allergique… Ses lèvres, sa langue et son pauvre petit sexe ont doublé de volume. Vous serez seul avec D. Elle reste sur place pour s'occuper de l'annulation de la chambre, celle de la pauvre Leslie, pas la vôtre! Évitez d'aller vous baigner dans la mer. J'espère vous revoir à Manille. Méfiez-vous de D.»

L'avion ayant commencé à rouler, Juan Diego éteignit son portable. Dans sa description de l'attaque de la méduse rose se déplaçant verticalement, Dorothy avait adopté un ton plus direct. «On avait bien besoin de ça, quelle saloperie, cette mer de Chine!» avait-elle écrit dans son fax à Juan Diego. Il essayait de se figurer ce séjour en tête à tête avec elle sur une île perdue, où il ne s'aviserait pas d'aller se baigner. Pourquoi risquer de se faire piquer par des capotes pour enfant de trois ans ou par une méduse rose qui faisait ballonner le pénis? Sans parler des varans gros comme des chiens! D'ailleurs, comment les petits diables avaient-ils bien pu échapper à un face-à-face avec le lézard géant?

Je ferais mieux de revenir à Manille… se disait-il. Mais il avait sous les yeux la brochure de la compagnie. Il examina la carte, ce qui le troubla profondément. Palawan était l'île la plus occidentale de l'archipel des Philippines. El Nido, sur l'île de Lagen, au large de la partie nord de Palawan, était à la même latitude que Hô-Chi-Minh-Ville et le delta du Mékong. Le Vietnam était exactement à l'ouest des Philippines, de l'autre côté de la mer de Chine méridionale.

C'était à cause de la guerre du Vietnam que le brave gringo s'était réfugié au Mexique. Son père avait été tué lors d'une guerre précédente et il reposait non loin de l'endroit où son fils aurait pu mourir. Ces concomitances étaient-elles fortuites ou prédéterminées? «Ça, c'est une vraie question!» aurait pu dire Señor Eduardo, même si sa vie n'avait pas suffi à y répondre.

Après la mort d'Edward Bonshaw et de Flor, Juan Diego avait continué d'en discuter avec le Dr Vargas. Il lui avait appris ce que son père adoptif lui avait révélé dans l'autocar du cirque, en route vers Mexico, à savoir qu'il avait reconnu en Flor la fille de la carte postale avec le poney.

– Qu'est-ce que vous pensez de ce concours de circonstances ?
avait-il demandé au Dr Vargas. Diriez-vous que c'est une coïncidence…
ou le destin ?

– Si je vous dis un peu des deux, vous me répondez quoi ?

– Que vous vous défilez, avait répliqué Juan Diego.

Il était en colère. Flor et Señor Eduardo venaient de mourir, ces
incapables de médecins n'avaient pas réussi à les sauver.

Aujourd'hui, sans doute aurait-il été d'accord avec le Dr Vargas :
l'ordre du monde se situait bien quelque part entre le hasard et la
nécessité. Il y avait encore bien des mystères non résolus ; les scientifiques n'avaient pas réponse à tout.

À Lio Airport, dans l'île de Palawan, l'atterrissage fut assez brutal.
La piste, simple bande de terre poussiéreuse, n'était pas goudronnée.
À la sortie du bimoteur, les passagers furent accueillis par une chorale
locale. À distance des chanteurs, comme si ceux-ci l'ennuyaient,
se tenait un buffle d'eau, la mine lasse. On avait du mal à imaginer
qu'un animal aussi maussade ait pu charger et piétiner qui que ce
soit, mais Dieu seul (ou Dorothy) savait ce qu'un des fils de Leslie,
voire les deux, avait pu faire pour le provoquer.

Il fallait prendre trois bateaux successifs pour arriver à destination,
bien que l'hôtel El Nido, sur l'île de Lagen, ne fût pas très éloigné
de la côte de Palawan. Tout ce qu'on voyait de Lagen par la mer,
c'étaient des falaises. L'île était montagneuse, le lagon niché dans une
anse protégée, les bungalows de l'hôtel disposés tout autour.

Un jeune homme sympathique accueillit Juan Diego à son arrivée. On
avait tenu compte de son infirmité : sa chambre, avec vue sur le lagon,
était proche du restaurant. Ils discutèrent un moment des mésaventures
qui avaient conduit Leslie à quitter précipitamment l'hôtel.

– Ils sont un peu turbulents, ces petits, dit le jeune agent d'accueil
avec tact, avant de le conduire à sa chambre.

– Turbulents, d'accord, mais j'ai du mal à croire que ça suffise à
expliquer la présence des bestioles urticantes… fit remarquer Juan
Diego.

– Les clients qui se baignent ici se font rarement piquer. Ces deux
garçons ont été vus en train de traquer un varan. Ils cherchaient les
ennuis.

– Traquer un varan ?

Il essayait d'imaginer les deux petits diables armés de lances en racine de mangrove.

– L'amie de madame Leslie se baignait avec eux. Elle n'a pas été piquée.

– Ah oui, son amie. Est-elle… ?

– Elle est ici, monsieur. Enfin, je pense que vous parlez de madame Dorothy.

– Bien sûr, madame Dorothy.

Les noms de famille étaient-ils bannis ? Juan Diego fut surpris par la splendeur du lieu : certes isolé, El Nido était un établissement de grande classe. Il avait le temps, avant le dîner, de défaire sa valise et d'aller clopiner autour du lagon. Dorothy s'était occupée de tout : elle avait réglé son séjour et ses repas, lui avait annoncé l'agent d'accueil.

Ce qu'il allait faire au Nido, il n'en avait aucune idée, et il commençait à se demander sérieusement si la perspective de s'y retrouver seul avec Dorothy l'emballait.

Le temps de ranger ses affaires, de prendre une douche et de se raser, voilà qu'il entendit frapper à sa porte, d'une main qui n'avait rien de timide.

Ce doit être elle, pensa-t-il. Sans regarder dans l'œilleton, il ouvrit aussitôt.

– Toi, tu m'attendais ! lança Dorothy.

Un grand sourire aux lèvres, elle le bouscula presque en entrant et déposa ses bagages dans sa chambre.

Quel genre de voyage avait-il entrepris ? Y avait-il quelque chose de magique, de surnaturel, dans sa présence ici ? Toutes ces rencontres, étaient-elles plus fatidiques que fortuites ?

Dorothy s'assit sur le lit, ôta ses sandales et tortilla ses orteils. Il trouva ses jambes plus brunes que dans son souvenir – elle avait pris le soleil depuis la dernière fois qu'il l'avait vue.

– Comment l'as-tu rencontrée, Leslie ? lui demanda-t-il.

La façon dont elle haussa les épaules lui parut incroyablement familière. À croire qu'elle avait observé Esperanza et Lupe.

– On rencontre des tas de gens dans les aéroports, tu sais, se borna-t-elle à répondre.

– Qu'est-ce qui s'est passé avec le buffle d'eau ?

– Ah, ces morveux ! dit-elle en soupirant. Je suis bien contente que tu n'aies pas d'enfants.

– Ils l'avaient provoqué ?

– Ils avaient dégoté une grosse chenille vivante, vert et jaune, avec du marron autour des yeux. Werner a mis la chenille sur le museau du buffle et puis il la lui a enfoncée tant qu'il a pu dans une narine.

– Eh bien dis donc, il a dû secouer très fort sa tête et ses cornes. Et ses sabots ont dû faire trembler le sol…

– Je voudrais bien t'y voir, toi, avec une chenille dans le nez ! Tu ruerais dans les brancards ! Werner n'a pas été si amoché que ça, quand on y pense.

Il était clair qu'elle avait pris le parti du buffle d'eau.

– Oui, mais ces capotes urticantes et les doigts transparents qui se déplacent verticalement ?

– Ouais, c'était flippant. Ils ne m'ont pas piquée, moi. Mais l'enflure de son zizi, on ne pouvait pas la prévoir. Va savoir à quoi on est allergique, et comment on va réagir.

– Va savoir… répéta Juan Diego.

Il s'assit sur le lit à côté d'elle. Elle sentait la noix de coco, sans doute sa crème solaire.

– Je t'ai manqué, je suis sûre.

– C'est vrai.

Oui, elle lui avait manqué, mais jusqu'à cet instant il ne s'était pas rendu compte à quel point elle lui rappelait la statue affriolante de Guadalupe, celle que le brave gringo lui avait donnée, et que Sœur Gloria voyait d'un si mauvais œil.

La journée avait été longue, mais était-ce la raison pour laquelle il se sentait soudain si fatigué ? Il était trop fourbu pour lui demander si elle avait fait l'amour avec la pauvre Leslie. Mais la connaissant, ça allait de soi.

– Tu m'as l'air bien triste, murmura-t-elle.

Il aurait voulu lui répondre, mais les mots ne venaient pas.

– Tu devrais manger quelque chose, la cuisine est très bonne ici.

– Le Vietnam.

C'est tout ce qu'il put articuler. Il voulait lui raconter qu'il avait été naturalisé américain, mais qu'il était trop jeune pour la conscription. Et quand il n'y avait plus eu de conscription, les tirages au sort n'y avaient rien fait. Il était infirme, handicapé, et donc non mobilisable. Mais parce qu'il avait connu le brave gringo, mort en essayant d'échapper au Vietnam, Juan Diego s'était senti coupable de ne pas y être allé – ou de ne pas avoir eu besoin de s'automutiler ni de fuir pour s'y soustraire.

Tout ce qui sortit de sa bouche au Nido fut le mot « Vietnam », qu'il balbutia sans autre explication.

Il aurait voulu lui dire qu'il était troublé de se trouver aussi près de ce pays, de l'autre côté de la mer de Chine méridionale. Simplement parce qu'il n'y avait pas été envoyé, et que le Gringo Bueno était mort en essayant de s'exempter lui-même de cette guerre illégitime.

Mais elle lui lança de manière abrupte :

– Pendant la guerre du Vietnam, vos GIs, ils sont venus ici, tu sais… Pas ici, pas sur cette plage, pas à Lagen ou à Palawan. Mais quand ils étaient en permission, quoi, « en repos et récupération », comme on disait.

Juan Diego trouva cette fois les mots pour l'interroger :

– Qu'est-ce que tu sais de tout ça ?

Elle haussa de nouveau les épaules.

– Ces gars avec la peur au ventre, des fois, ils n'avaient pas plus de dix-neuf ans, dit-elle comme si elle se souvenait d'eux, contre toute vraisemblance.

À l'époque du conflit, ces soldats avaient son âge, son âge actuel. Elle n'était pas encore née à la fin de la guerre du Vietnam, terminée depuis plus de trente-cinq ans ! Quand elle évoquait ces jeunes gars qui avaient la peur au ventre, c'était dans un contexte « historique ».

Ils avaient peur de mourir, se figurait Juan Diego, et il y avait de quoi. Mais de nouveau, les mots ne venaient pas et ce fut elle qui poursuivit :

– Ils avaient peur d'être capturés, d'être torturés. Les États-Unis ont caché la cruauté des tortures infligées aux prisonniers américains par les Viets. Tu devrais aller à Laoag, la partie la plus au nord de Luçon. Laoag, Vigan, des endroits comme ça. C'était là que les GIs venaient en permission récupérer. On pourrait y aller ensemble, je connais un coin. El Nido, c'est un hôtel – c'est sympa, mais pas vraiment… authentique.

Juan Diego réussit à dire :

– Hô-Chi-Minh-Ville est juste à l'ouest d'ici.

– On disait Saigon, à l'époque. À la même latitude que Vigan, il y a Da Nang et le golfe du Tonkin. Hanoï est sur le même parallèle que Laoag. À Luçon, tout le monde sait comment les Nord-Vietnamiens torturaient tes jeunes Américains – c'était ça qui leur faisait tellement peur. Les Viets étaient imbattables question torture –, on en parlait à Laoag et à Vigan. Si tu veux, on peut y aller.

C'était la solution de facilité. Il avait pensé évoquer ce vétéran du Vietnam qu'il avait rencontré dans l'Iowa, et qui lui avait raconté des anecdotes du temps de ses permissions aux Philippines.

L'homme lui avait parlé d'Olongapo et de Baguio. De Luçon ? Il n'en était pas sûr. Le vétéran lui avait raconté les bars, les virées nocturnes et les putes. Il n'avait rien dit des tortures, ni du savoir-faire des Nord-Vietnamiens en la matière. Il n'avait pas parlé de Laoag ni de Vigan, pour autant qu'il s'en souvenait.

– Et tes comprimés ? T'en as pas à prendre, là, maintenant ? Elle lui saisit la main : Viens, on va jeter un coup d'œil.

Il était tellement fatigué qu'il n'eut pas l'impression de boiter en l'accompagnant dans la salle de bains pour y chercher le Lopressor et le Viagra.

– J'aime bien celui-ci, pas toi ? Elle tenait au bout des doigts le comprimé de Viagra : Il est parfait tel quel. Pourquoi le couper en deux ? Un entier fait sûrement plus d'effet qu'un demi. Tu ne crois pas ?

– D'accord, soupira Juan Diego.

– T'en fais pas, sois pas triste. Elle lui tendit le Viagra et un verre d'eau : Tout va bien se passer.

Bien se passer… à voir, car il se remémora soudain le cri du cœur qu'elle avait poussé avec Miriam. « La volonté de Dieu, ça va bien ! » Si Clark French les avait entendues, il n'aurait pas manqué d'y entendre des paroles de succubes.

Miriam et Dorothy avaient-elles une dent contre la volonté divine ? se demanda-t-il. Lui en voulaient-elles parce qu'elles étaient chargées de l'exécuter ? Quelle idée insensée ! Miriam et Dorothy envoyées par le Très Haut ? Ça ne cadrait pas avec la présomption de Clark qu'elles étaient des démons femelles ! Non que son ancien élève ait réussi à le convaincre, d'ailleurs. Dans le désir qu'il éprouvait pour ces femmes, Juan Diego devinait qu'elles étaient sensuellement associées au monde des vivants… Qu'elles étaient des femmes de chair et de sang, non pas de purs esprits. Et puis, comment deux mécréantes pouvaient-elles porter la volonté divine ? Hypothèse farfelue, idée saugrenue !

Il n'aurait pas risqué de s'en ouvrir à Dorothy, surtout au moment où elle lui tendait un comprimé de Viagra et un verre d'eau.

— Est-ce que toi et Leslie…

— Elle ne sait plus où elle en est, la pauvre. J'ai voulu l'aider, c'est tout.

— Tu as voulu l'aider.

Ce n'était pas une question. Si jamais il lui arrivait de ne plus savoir où il en était à titre personnel, ce n'était pas la présence de Dorothy qui l'aiderait à y voir clair.

25

Acte V – scène 3

Dans notre mémoire, dans nos rêves, les derniers moments de nos chers disparus prennent malgré nous le pas sur le reste de leur histoire. Dans les rêves, la chronologie n'existe pas, ni l'ordre des événements qui ont marqué les souvenirs des uns et des autres. Dans notre esprit comme dans nos rêves, il n'est pas rare que l'histoire commence par son épilogue.

À Iowa City, la première clinique dédiée aux malades du sida, offrant soins, services sociaux et outils de formation, ouvrit ses portes en juin 1988. Elle avait été aménagée dans la Boyd Tower, qui n'avait rien d'une tour, malgré son nom. C'était un bâtiment récent de cinq étages, accolé à l'ancien hôpital. La Boyd Tower faisait partie des Hôpitaux universitaires de l'Iowa et le service affecté aux patients séropositifs occupait tout le premier étage. Ce service était connu sous le nom de Clinique de virologie. À l'époque, il était préférable d'éviter le terme « sida », pas seulement pour une question de confidentialité, mais plutôt par crainte, légitime, que patients et hôpital ne subissent une forme de discrimination.

Le sida était associé au sexe et à la drogue. La maladie demeurait peu répandue dans l'Iowa et les habitants la considéraient comme un problème exclusivement « urbain ». Dans les zones rurales, certains malades étaient exposés à la fois à l'homophobie et la xénophobie.

Juan Diego se souvenait de la construction de la Boyd Tower au début des années 1970 ; il y avait alors une vraie tour « gothique » sur le flanc nord du vieil Hôpital Général. Juan Diego et ses parents adoptifs avaient commencé par habiter un duplex sur Melrose Avenue, dans une maison victorienne aux allures de pièce montée, dotée en façade d'une galerie délabrée. La chambre et la salle de bains de Juan Diego, ainsi que le bureau d'Edward Bonshaw, se trouvaient au premier étage.

Edward et Flor n'allaient presque jamais dans la galerie, mais Juan Diego l'adorait. On y avait une vue imprenable sur le complexe sportif de l'Iowa avec sa piscine et le Kinnick Stadium. C'était l'endroit idéal pour observer les étudiants, en particulier les samedis d'automne, quand l'équipe de l'Iowa jouait à domicile.

Juan Diego n'était pas passionné de football américain. Par curiosité, d'abord, puis pour accompagner ses amis, il allait de temps en temps voir des matchs au Kinnick Stadium, mais ce qu'il aimait par-dessus tout, c'était s'asseoir dans la galerie de cette vieille maison en bois, pour regarder les jeunes gens aller et venir. « J'aime le son de l'orchestre, au loin… Et j'imagine les pom-pom girls, à côté », disait aussi Flor, à sa manière sibylline. Plus tard elle avouerait qu'elle avait perdu tout plaisir à regarder la vieille tour.

Juan Diego finissait ses études de premier cycle quand la Boyd Tower fut achevée, à la fin des années 1970. Les symptômes se déclarèrent tout d'abord chez Flor. Elle venait d'être diagnostiquée séropositive quand Edward Bonshaw le fut à son tour. On était en 1989. Cette insidieuse pneumopathie, la pneumocystose, fut pour tous deux la première manifestation du sida. La toux, le souffle court, la fièvre… Ils furent mis sous Bactrim, ce qui déclencha aussitôt une éruption cutanée chez Edward.

Flor avait été belle dans son genre ; elle fut rapidement défigurée par le sarcome de Kaposi. Un érythème violet partait de l'un de ses sourcils ; un autre, pourpre celui-là, de son nez. Ce dernier était si prononcé qu'elle le cachait derrière un bandana. « Je suis La Bandida », disait-elle. Mais il y avait pire, Flor allait bientôt perdre tout ce qui avait fait d'elle une femme.

Les hormones ont des effets secondaires, notamment sur le foie, et peuvent causer une forme d'hépatite : la bile s'accumule sans pouvoir s'évacuer. Les démangeaisons la rendant folle, Flor dut arrêter les œstrogènes et sa barbe se remit à pousser.

Quelle injustice, pensait Juan Diego : avoir tant fait pour se féminiser et mourir du sida dans la peau d'un homme ! Quand Edward n'eut plus la main assez sûre pour la raser le matin, ce fut lui qui s'en chargea.

Mais quand il l'embrassait, il sentait encore la barbe sur sa joue et, même après le rasage, il restait comme une ombre.

Couple hors norme, Edward Bonshaw et Flor avaient requis un médecin jeune pour les soins primaires ; Flor avait en outre souhaité que ce soit une femme. Leur joli médecin de famille s'appelait Rosemary Stein. C'était elle qui leur avait fait passer le test du VIH. Elle était du même âge que Juan Diego – soit trente-trois ans en 1989. Flor avait été la première à l'appeler « Dr Rosemary ».

À la Clinique de virologie, elle désignait aussi les médecins par leurs prénoms. Leurs noms de famille étaient un cauchemar pour une Mexicaine. Juan Diego et Edward Bonshaw n'avaient pas le même problème, mais ils appelaient aussi les infectiologues « Dr Jack » et « Dr Abraham », par solidarité avec Flor, histoire qu'elle ne se sente pas trop étrangère.

La salle d'attente de la clinique était neutre, style années 60. Des tapis marron, des chaises ou des banquettes en vinyle de couleur foncée. Le bureau d'accueil était dans les tons orange brûlé, avec un comptoir en formica clair. Lui faisait face un mur de briques. Flor aurait préféré que la Boyd Tower soit toute en briques, à l'intérieur comme à l'extérieur. Elle se désolait de penser que « cette merde de vinyle et de Formica » allait leur survivre, à elle et à son cher Eduardo.

Tout le monde pensait que c'était elle qui avait contaminé son compagnon, mais elle était la seule à le dire. Lui ne la tint jamais pour responsable, ne lui reprocha jamais rien. « Pour le meilleur et pour le pire, jusqu'à ce que la mort nous sépare », lui répétait-il avec dévotion lorsqu'elle confessait des infidélités occasionnelles, les allers-retours à Oaxaca, les fêtes… ne serait-ce qu'en souvenir du bon vieux temps. « La promesse que je m'étais faite, de renoncer à tous les autres, d'être fidèle, l'ai-je tenue ? » disait-elle à son cher Eduardo, comme pour revendiquer sa faute.

C'était son côté rebelle, elle était comme ça ! De son côté, Edward Bonshaw lui était resté fidèle – elle était l'amour de sa vie – de même qu'il resta fidèle à la devise de son clan écossais, *haud ullis labentia ventis*, qu'il rabâchait tel le fou du village, et telle qu'il l'avait lancée de but en blanc à Frère Pepe le jour où il avait débarqué à Oaxaca dans un halo de plumes de poulet.

À la Clinique de virologie, les séropositifs se retrouvaient souvent avec les diabétiques dans la salle d'attente contiguë à l'unité de transfusion sanguine. Les deux groupes se regardaient en chiens de faïence. À la fin des années 1980 et au début des années 1990, le nombre de sidéens augmenta. Ceux qui en mouraient portaient les stigmates de la maladie, qui ne se manifestait pas seulement par leur maigreur squelettique ou par les lésions du sarcome de Kaposi.

Edward Bonshaw était marqué à sa façon : souffrant d'une dermite séborrhéique, il présentait des plaques rouges recouvertes de squames grasses, au niveau des sourcils et du cuir chevelu et sur les ailes du nez. Il avait aussi des plaques de candidose dans la bouche, qui donnaient à sa langue un aspect blanchâtre. À mesure que cette affection se propageait dans sa gorge et tapissait son œsophage, il avait du mal à avaler, et ses lèvres fissurées présentaient des croûtes blanches. À la fin, il pouvait à peine respirer, mais il refusa le respirateur artificiel. Il voulait mourir avec Flor, tous deux ensemble et chez eux, pas à l'hôpital.

Durant ses derniers jours, il fut alimenté par un cathéter de Hickman. Comme la candidose l'empêchait d'avaler, il mourait littéralement de faim et les médecins avaient expliqué à Juan Diego qu'il était indispensable de nourrir par voie intraveineuse les patients incapables de le faire par eux-mêmes. Celui-ci installa donc Mrs Dodge, une infirmière d'âge mûr, dans sa chambre de jeune homme au premier étage, avec pour fonction principale de s'occuper du cathéter et de le remplir d'une solution d'héparine pour éviter la coagulation.

Le cathéter de Hickman, dont l'embout avait été inséré sous la clavicule d'Edward Bonshaw, pendait sur le côté droit de sa poitrine. Le tube passait sous la peau, à quelques centimètres au-dessus du téton et pénétrait dans la veine subclavière. Juan Diego n'arrivait pas à s'habituer à ce dispositif. Il le décrirait plus tard dans un de ses romans où nombre de ses personnages mouraient du sida, certains d'entre eux atteints des mêmes maladies opportunistes que celles dont avaient souffert ses parents adoptifs. Pour autant, ces victimes du sida ne ressemblaient en rien à l'homme de l'Iowa et à La Loca – La Bandida, comme Flor s'était surnommée.

Il s'était inspiré de ce qui leur était arrivé, mais jamais il n'écrivit un seul mot sur les êtres qu'ils étaient. Autodidacte, le lecteur-de-la-décharge avait appris tout seul à faire fonctionner son imagination.

Et cet aspect de son initiation à la littérature se retrouvait dans sa conviction qu'un écrivain crée ses personnages et construit son récit. Il ne suffit pas de raconter l'histoire des gens qu'on a connus, ou la sienne propre, pour qu'un texte mérite le nom de roman.

Quand Juan Diego animait des ateliers d'écriture, jamais au grand jamais il n'enseignait à ses élèves une façon d'écrire. Il ne leur aurait pas davantage suggéré d'imiter la sienne propre, n'ayant rien d'un prosélyte. Pour lui, le problème venait du fait que les écrivains en herbe cherchent une méthode ; ils sont tentés de s'inspirer de tel ou tel procédé d'écriture et en viennent à croire qu'il n'existe qu'une seule manière de concevoir un récit. « Écrivez ce que vous savez ! Laissez parler votre imagination ! Tout est affaire de langage ! »

Clark French en était un exemple caractéristique. Certains étudiants le restent toute leur vie : ils cherchent et trouvent des généralisations qui leur permettent de vivre. Ils entendent que leur façon d'écrire devienne une sorte de code universel, gravé dans le marbre. Les uns clament que construire une fiction à partir de données autobiographiques ne donne qu'un tissu de fadaises ! Les autres, qu'imaginer c'est tricher ! Clark plaçait sans nuance Juan Diego dans le camp des anti-biographes. Il le décrétait tenant de l'imaginaire, conteur, et non mémorialiste.

La vérité, c'est que, sur le fond, Juan Diego n'avait jamais voulu trancher. Clark faisait de la création littéraire un véritable champ de bataille.

Lui, au contraire, avait essayé de déminer le débat ; il voulait parler de la littérature qu'il aimait, des auteurs qui lui avaient donné envie d'écrire, non pour les prendre pour modèles, mais parce qu'il avait adoré l'ensemble de leur œuvre.

La bibliothèque des Enfants perdus contenait très peu de littérature anglaise, ce qui n'étonnera personne. C'étaient surtout des ouvrages datant du XIXe – rien de plus récent –, des romans que le Père Alfonso et le Père Octavio auraient bien condamnés aux bûchers de la décharge et ceux, essentiels, que Frère Pepe et Edward Bonshaw avaient réussi à sauver et qui constituaient leur petite collection romanesque. Ces romans avaient inspiré la vocation littéraire de Juan Diego.

L'injustice flagrante de la vie des chiens l'avait préparé à *La Lettre écarlate* de Hawthorne. Ces matrones confites en dévotions qui se gargarisaient de ce qu'elles infligeaient à Hester si on les laissait faire – marquer son front au fer rouge au lieu de marquer ses vêtements, voire la tuer – lui donnaient un avant-goût des relents de puritanisme américain qu'il devait découvrir dès son arrivée dans l'Iowa.

Dans *Moby Dick*, de Melville, et en particulier dans le détail du « cercueil faisant office de bouée de sauvetage » de Queequeg, Juan Diego découvrirait l'importance stratégique du présage pour le conteur.

Car on n'échappe pas à son destin comme le montre *Le Maire de Casterbridge*, de Thomas Hardy. Dans le premier chapitre, Michael Henchard vend sa femme et sa fille à un marin un jour de beuverie. Il ne parvient jamais à expier ce forfait ; dans son testament, il demande « que personne jamais ne se souvienne de lui ». Il y a mieux comme histoire de rédemption ! Clark French détestait Hardy.

Et puis, il y avait Dickens. Juan Diego connaissait par cœur le chapitre de *David Copperfield* intitulé « La tempête ». À la fin, le corps de Steerforth est rejeté par la mer et Copperfield se trouve face à la dépouille de l'idole de son enfance, son perfide tourmenteur : l'exemple même de l'aîné rencontré à l'école et persécuteur désigné. Il était inutile d'en dire plus sur le corps de Steerforth sur la plage, où il gisait « parmi les ruines de la demeure qu'il avait saccagée ». Mais Dickens, fidèle à lui-même, ajoute · « Je le vis couché, la tête appuyée sur son bras, comme je l'avais vu si souvent dans le dortoir de Salem-House. »

– Qu'aurais-je pu apprendre de plus sur l'écriture que ce que ces quatre-là m'ont enseigné ? demandait Juan Diego à ses étudiants, dont Clark French.

Et quand il leur présentait Hawthorne, Melville, Hardy et Dickens – les quatre en question, ceux qu'il appelait ses maîtres –, il ne manquait pas de citer aussi Shakespeare. Señor Eduardo le lui avait fait remarquer : avant même que le premier roman ait été écrit, Shakespeare avait compris et apprécié à sa juste valeur l'importance de l'intrigue.

Il ne fallait surtout pas prononcer le nom de Shakespeare devant Clark French. Adepte inconditionnel de l'imagination comme seul principe créateur, Clark s'était autopromu garde du corps du Barde d'Avon et vouait aux gémonies ceux qui lui contestaient la paternité de ses œuvres.

Cette évocation de Shakespeare ramenait Juan Diego à Edward Bonshaw, à Flor et à la fin de leur vie.

En 1989, et pendant une bonne partie de l'année 1990, ils étaient encore assez vaillants pour porter des objets, monter les escaliers ; Flor conduisait encore. Ils se rendaient donc par leurs propres moyens au premier étage de la clinique de la Boyd Tower, à moins de cinq cents mètres de la maison de Melrose Avenue. Quand la situation empira, Juan Diego, ou Mrs Dodge, les accompagna ; Flor pouvait encore marcher, mais Señor Eduardo ne se déplaçait plus qu'en chaise roulante.

Au début et au milieu des années 1990, avant que le taux de mortalité ne chute avec l'apparition de nouveaux médicaments et que la quantité de séropositifs soignés à la Clinique de virologie ne commence, elle, à augmenter, le nombre de patients s'était stabilisé aux alentours de deux cents par an.

Beaucoup de malades étaient assis sur les genoux de leur partenaire dans la salle d'attente. On y parlait parfois des bars gays et des spectacles de drag-queens, et on y voyait de temps à autre des travestis flamboyants… Flamboyants à l'échelle de l'Iowa.

Ce n'était plus le cas de Flor. Elle avait perdu presque tout ce qui faisait sa féminité d'antan ; elle continuait à s'habiller en femme, mais sa mise était très discrète. Elle était consciente que ses charmes avaient fané, sauf dans le regard énamouré de Señor Eduardo. Ils se tenaient la main dans la salle d'attente. Pour autant que Juan Diego s'en souvenait, c'était le seul endroit où ils s'autorisaient cette démonstration.

L'un des patients venait d'une famille mennonite qui l'avait renié mais le revendiquerait plus tard. Coiffé d'un stetson rose et chaussé de bottes de cow-boy, il apportait des légumes de son jardin et les proposait au personnel de la clinique.

Un jour que Mrs Dodge avait accompagné Flor et Edward Bonshaw – Juan Diego était absent –, Flor, qui portait toujours son bandana en public, interpella le jeune jardinier au stetson rose :

– Tu sais quoi, cow-boy ? Avec deux chevaux, toi et moi, on a la dégaine pour attaquer un train ou dévaliser une banque.

À en croire Mrs Dodge, toute la salle d'attente avait éclaté de rire. Et le mennonite avait joué le jeu.

– Je connais bien North Liberty, en banlieue, avait-il répliqué. Il y a une bibliothèque facile à braquer. Tu vois où c'est ?

– Pas du tout, répondit Flor, et j'en ai rien à foutre de braquer une bibliothèque, vu que je lis pas.

C'était vrai. Flor ne lisait pas. Son vocabulaire était très affûté – elle savait écouter –, mais elle n'avait pas perdu son accent mexicain après plus de vingt ans passés aux États-Unis et elle ne lisait jamais. Edward Bonshaw ou Juan Diego lui faisaient la lecture à haute voix.

Leur échange avait agréablement fait diversion à la clinique, disait Mrs Dodge, mais Señor Eduardo fut contrarié d'apprendre que sa bien-aimée avait flirté avec le cow-boy jardinier.

– Je ne flirtais pas, je lançais une vanne, se défendit Flor.

Mrs Dodge en était bien convaincue. Plus tard, quand Juan Diego la questionna sur cet épisode, l'infirmière fut catégorique :

– Vous savez, pour elle, le flirt, c'était fini.

Originaire de Coralville, Mrs Dodge avait été recommandée par le Dr Rosemary. Et le jour où Edward Bonshaw lui avait lancé son fameux « Si vous voulez savoir… », elle savait déjà.

– À Coralville, tout le monde – je parle des gens d'un certain âge – est au courant de cette histoire, lui rappela-t-elle. La famille Bonshaw était bien connue, surtout à cause du sort que votre père avait réservé à ce pauvre chien.

Edward fut soulagé de découvrir qu'à Coralville, où tout se savait, sa famille était stigmatisée pour avoir abattu un chien dans l'allée du garage.

– Bien sûr, continua Mrs Dodge, j'étais petite fille quand j'ai entendu parler de cette histoire. Ce qui faisait jaser, c'était pas vous, ni votre cicatrice. C'était Beatrice.

– C'est normal. C'est elle qui a été abattue. Cette histoire est la sienne, confirma Edward Bonshaw.

– Pas pour moi, pas pour tous ceux qui t'aiment, Eduardo ! lui lança Flor.

– Ce qui ne t'a pas empêchée de flirter avec un bouseux au chapeau rose !

– Je ne flirtais pas, se défendit-elle.

Ces accusations de badinage avec le jeune mennonite étaient-elles une façon détournée de lui reprocher ses allers-retours à Oaxaca, et la nature de ses « flirts » là-bas ? se demanda plus tard Juan Diego.

Ce fut à cette époque qu'il se lia d'amitié avec Rosemary Stein, et pas seulement parce qu'elle était jolie. Médecin traitant de ses parents, pourquoi ne serait-elle pas devenue le sien ?

Flor lui suggéra de lui demander sa main, mais il préféra lui demander d'abord d'être son médecin. Plus tard, il se souvint avec un certain embarras que sa première visite au cabinet du Dr Stein avait été motivée par un caprice de son imagination. Il n'avait aucun problème de santé particulier, mais il s'était mis en tête qu'il devait faire un test de dépistage du sida.

Le Dr Stein lui avait assuré qu'il ne risquait guère d'avoir contracté le virus. Il avait du mal à se souvenir de ses derniers rapports sexuels ni à quand ils remontaient, mais il était certain que c'était avec une femme et qu'il avait mis un préservatif.

– Et vous ne vous piquez pas ? lui avait demandé le Dr Rosemary.

– Moi ? Quelle idée !

Et pourtant il avait imaginé les plaques blanches de candidose envahir sa bouche. Il avoua à Rosemary qu'il s'était réveillé la nuit pour examiner son palais et scruter l'intérieur de sa gorge à l'aide d'un miroir et d'une lampe torche. Dans la Clinique de virologie, il avait entendu parler de patients atteints de méningite cryptococcique. Le Dr Abraham lui avait appris que seule une ponction lombaire permettait de diagnostiquer la méningite, qui se manifestait par de la fièvre, des céphalées et un syndrome confusionnel.

Juan Diego était littéralement obsédé par ces symptômes, il en rêvait la nuit et se réveillait persuadé d'avoir attrapé la maladie.

– Mieux vaut que ce soit Mrs Dodge qui accompagne Flor et Edward à la clinique. C'est à elle de le faire, c'est pour cela que je vous l'ai recommandée, lui dit le Dr Stein. Vous avez trop d'imagination, c'est normal, vous êtes écrivain, si je ne me trompe. L'imagination n'est pas un robinet qu'on ferme à la fin de la journée, quand on pose son stylo. Elle continue de fonctionner, n'est-ce pas ?

C'est à cette époque qu'il aurait dû lui demander sa main, avant qu'un autre ne le fasse. Mais le temps qu'il le comprenne, il était trop tard, elle avait dit « oui » à l'autre.

Si Flor avait encore été de ce monde, elle l'aurait tancé : « Qu'est-ce que t'es lent, merde ! J'oublie toujours à quel point. » Elle n'aurait pas manqué de se moquer de la façon dont il nageait.

Vers la fin, le Dr Abraham et le Dr Jack expérimentèrent la morphine en comprimé sublingual pour remplacer le soluté buvable. Edward et Flor s'étaient portés volontaires. Mrs Dodge s'occupait d'eux à plein temps. Juan Diego avait suivi les conseils du Dr Rosemary : il laissait l'infirmière faire son travail.

Flor et Señor Eduardo moururent au début de l'année 1991, à quelques jours d'intervalle. Juan Diego et Rosemary avaient trente-cinq ans.

Le quartier de Melrose Avenue changeait au fil du temps. Au milieu des années 1990, les bicoques victoriennes délirantes disparaissaient du paysage. À l'instar de Flor, Juan Diego avait beaucoup aimé voir la tour gothique depuis la galerie de leur maison en bois, mais comment continuer à aimer cette vieille tour quand on avait vu la Clinique de virologie au premier étage de la Boyd Tower, quand on connaissait l'envers du décor ?

Des années avant l'épidémie de sida, à l'époque où Juan Diego était encore au lycée, il était déjà moins emballé par le quartier de Melrose. Pour un infirme comme lui, West High était relativement loin, à plus de deux kilomètres de la maison. Et, juste après le golf, à proximité de l'intersection avec Mormon Trek Boulevard, il y avait un chien méchant, et aussi quelques caïds qui le harcelaient au lycée, mais pas forcément ceux contre lesquels Flor l'avait mis en garde. Juan Diego avait les cheveux noirs, la peau brune, tout du jeune Mexicain. Les racistes n'étaient pas majoritaires à Iowa City et même si quelques spécimens fréquentaient West High, ce n'étaient pas eux qui lui menaient la vie dure.

La plupart du temps, les quolibets dont on l'accablait concernaient Flor et Señor Eduardo : sa mère à moitié femme et sa tapette de père.

« Les tourtereaux homos pas normaux », comme disait un élève de West High. Le garçon qui le tourmentait était blond, le visage rose et poupin. Juan Diego ignorait son nom. En fin de compte, l'intolérance dont il faisait l'objet était d'ordre sexuel, pas racial, mais il n'osait pas en parler à Flor ou à Edward Bonshaw. Quand les tourtereaux voyaient qu'il était soucieux, quand ils lui demandaient ce qui le tracassait, il leur cachait qu'ils en étaient la cause. Il lui était plus facile de dire qu'il essuyait des propos xénophobes, des vannes sur les émigrés latinos, enfin, toutes ces vilenies contre lesquelles Flor l'avait mis en garde.

Quant au trajet aller et retour du lycée, tout le long de Melrose Avenue, l'infirme ne s'en plaignait pas. Ç'aurait été pire si Flor l'avait conduit en voiture ; sa présence devant l'établissement aurait déclenché de nouvelles railleries. Et puis Juan Diego était déjà un bûcheur, un de ces garçons qui ne lèvent pas les yeux de leur travail et qui traversent le secondaire en serrant les dents avec la ferme intention de se distinguer à la fac, ce qu'il fit d'ailleurs. Pour l'ancien lecteur-de-la-décharge, aller à l'école, réussir, il y avait de quoi s'estimer heureux.

Juan Diego ne conduisait pas et ne conduisit d'ailleurs jamais. Son pied droit était trop déformé pour lui permettre d'actionner les pédales d'accélérateur et de frein. Il tint cependant à apprendre. Mais la première fois qu'il voulut prendre le volant, avec Flor sur le siège passager – elle était la seule de la famille à avoir son permis, Edward Bonshaw avait toujours refusé de le passer –, son pied droit appuya en même temps sur les deux pédales.

– Eh bien voilà, on n'ira pas plus loin ! avait constaté Flor. Ça fera une personne de plus à pas conduire dans la famille.

Et bien sûr, il y avait toujours un crétin ou deux à West High pour trouver inadmissible que Juan Diego n'ait pas son permis. Le fait qu'il ne conduise pas le marginalisait davantage que son infirmité ou ses origines mexicaines. Cela faisait de lui quelqu'un de louche, d'anormal, à l'image de ses parents adoptifs.

– Ta mère, enfin, ce boudin qui t'en tient lieu, elle se rase ? Elle se rase la moustache, cette pute ? lui avait demandé le blondinet.

Flor avait une ombre de duvet. Elle conservait des attributs plus virils, mais cette ombre se voyait. Au lycée, la plupart des ados ne veulent pas se faire remarquer, et ne tiennent pas à ce que leurs parents se fassent remarquer non plus. Mais – c'était tout à son honneur – Juan Diego n'avait jamais eu honte de Señor Eduardo et de Flor.

– C'est ce qu'on peut obtenir de mieux avec les hormones. Tu as dû remarquer qu'elle a une petite poitrine. Question d'hormones, là aussi, on ne peut pas demander la lune aux œstrogènes. C'est tout ce que je sais, avait-il répondu au blondinet.

Cette franchise prit de court son tourmenteur aux joues roses. On aurait pu croire que Juan Diego venait de remporter la première manche, mais les harceleurs sont mauvais perdants.

L'autre n'avait pas dit son dernier mot.

– Moi, ce que je sais, c'est que tes soi-disant parents sont des mecs. Le grand s'habille en femme, mais ils ont tous les deux une bite, c'est tout ce que je sais, moi.

– Ils m'ont adopté. Ils m'aiment, et c'est tout ce que je sais.

Señor Eduardo l'avait toujours encouragé à dire la vérité.

– Et je les aime, c'est tout ce que je sais, poursuivit-il.

Au lycée, on gagne rarement les confrontations avec ce genre d'abrutis, mais si on y survit, on a des chances de finir par avoir le dessus. C'était en tout cas ce que Flor disait à Juan Diego, qui regretta plus tard de ne pas avoir toujours été sincère avec eux : il ne leur avait jamais rapporté les agressions verbales qu'il avait subies, ni pourquoi.

– Elle se rase et elle cache pas bien sa moustache, l'autre folle, avait renchéri le petit con de blondinet.

– Elle ne se rase pas, avait maintenu Juan Diego en passant son doigt au-dessus de sa lèvre supérieure, comme il avait vu Lupe le faire quand elle voulait agacer Rivera. Il lui reste un rien de moustache. Comme je t'ai dit, les œstrogènes, ça marche pas à cent pour cent.

Des années plus tard, alors que Flor était atteinte du sida et avait dû arrêter les œstrogènes, un jour que Juan Diego la rasait, le blondinet au visage poupin lui revint en mémoire. Peut-être que je le reverrai un jour, se dit-il.

– Qui tu veux revoir ? lui avait demandé Flor.

Elle n'était pourtant pas extralucide. Il avait dû penser très fort.

– Oh, tu connais pas. Je ne sais même pas comment il s'appelle. Un copain de classe, c'est tout, un copain du lycée.

– Moi, mes anciens copains, il n'y en a pas un seul que je voudrais revoir.

À la mort de Flor et de Señor Eduardo, il enseignait là où il avait été étudiant, c'est-à-dire à l'atelier d'écriture qui débouchait sur un Master of fine arts. Après avoir quitté Melrose Avenue pour franchir le fleuve, il ne revint jamais vivre sur cette rive de l'Iowa.

Il avait habité un certain nombre d'appartements sans intérêt, près du campus de l'université et du Vieux Capitole, et du centre-ville, parce qu'il n'était pas motorisé. Ses amis, collègues et étudiants le reconnaissaient à sa démarche, même de loin.

Comme la plupart des gens qui ne conduisent pas, il était incapable de retenir un itinéraire vécu en tant que passager.

Et c'était le cas pour le caveau de famille des Bonshaw, où Flor et Señor Eduardo devaient être enterrés, ensemble, comme ils l'avaient souhaité, avec les cendres de Beatrice, la chienne adorée, que la mère d'Edward avait conservées à son intention et qu'il avait déposées au coffre, dans une banque d'Iowa City.

Mrs Dodge, qui avait des relations dans le secteur, avait découvert où se trouvait la concession Bonshaw, c'est-à-dire non pas à Coralville même, mais « quelque part » dans la banlieue d'Iowa City – selon la formule d'Edward Bonshaw qui, lui aussi, ne conduisait pas.

Sans l'aide de Mrs Dodge, Juan Diego n'aurait jamais trouvé l'endroit où ses chers parents adoptifs voulaient être enterrés. Après le décès de l'infirmière, ce fut le Dr Rosemary qui l'emmena jusqu'au mystérieux cimetière. Sur leur demande, Edward et Flor partageaient la même pierre tombale, qui portait gravée une des phrases ultimes de *Roméo et Juliette*. C'était une des tragédies préférées de l'ancien missionnaire, parce que le drame y frappait des jeunes gens. La pierre portait inscrits leurs prénoms suivis du même nom de famille, et de la citation.

FLOR & EDWARD
BONSHAW

« SOMBRE EST LA PAIX
QU'APPORTE CETTE MATINÉE »
ACTE V – SCÈNE 3

– Tu ne veux pas dire que c'est du Shakespeare, à défaut de préciser de quelle pièce il s'agit ? avait demandé Juan Diego.

– Aucune importance. Ceux qui connaissent Shakespeare ne se poseront pas la question. Les autres non plus, d'ailleurs, avait répondu Edward Bonshaw d'un air songeur, tandis que le cathéter de Hickman allait et venait sur sa poitrine nue. Et personne ne doit savoir que les cendres de Beatrice seront enterrées avec nous, je compte sur toi.

Oui, mais Juan Diego le saurait, lui. Et le Dr Rosemary aussi, qui connaissait les raisons de sa réserve en matière d'engagement dans une relation sentimentale durable. Dans tout ce que Juan Diego écrivait, et qu'elle avait lu, c'était l'origine des choses qui primait.

Elle était loin de tout savoir de lui. Elle en connaissait très peu sur son enfance, sa vie à Guerrero, la décharge, son acharnement à lire. Mais elle avait vu à quel point il pouvait être coriace. La première fois, elle en avait été surprise : il n'avait rien d'un grand costaud, et en plus il boitait.

Ce soir-là, Rosemary était avec Pete, son mari, et Juan Diego avait amené un collègue écrivain. Ils dînaient ensemble dans leur restaurant habituel, près du carrefour entre Clinton et Burlington Avenue. Pete était médecin, lui aussi. Quant au collègue de Juan Diego, s'agissait-il de Roy ? Rosemary ne se souvenait plus. Ou peut-être Ralph. Un écrivain itinérant qui buvait sec, ne décrochait pas un mot ou bien vous étourdissait de paroles. Un de ces écrivains en résidence pour l'année qu'elle jugeait bien mal élevés.

On était en 2000 – en 2001, plutôt, puisqu'elle venait de dire : « Dix ans qu'ils sont partis, je n'en reviens pas. Mon Dieu, comme le temps passe. » Elle parlait de Flor et d'Edward Bonshaw, effectivement décédés dix ans auparavant. Elle était un peu pompette, Juan Diego le voyait bien, mais qu'importe : elle n'était pas d'astreinte, et c'était toujours Pete qui prenait le volant quand ils sortaient ensemble.

Durant le dîner, Juan Diego entendit quelqu'un parler à une table. Ce n'était pas ce qu'il disait qui l'avait frappé, mais plutôt sa façon de déclarer : « Moi, c'est tout ce que je sais. » Juan Diego avait reconnu l'intonation. La voix de l'homme était à la fois familière et véhémente, même s'il avait plutôt l'air sur la défensive. Le genre de celui qui veut toujours avoir le dernier mot.

Blond, le visage rubicond, il dînait en famille. Il semblait avoir un différend avec sa fille, une adolescente de seize ou dix-sept ans. Son fils, également présent, était un peu plus âgé que sa sœur, dix-huit ans tout au plus. Il était encore au lycée, Juan Diego l'aurait parié.

– Ce sont les O'Donnell, dit Pete. Ils sont un peu bruyants.

– Lui, c'est Hugh O'Donnell, précisa Rosemary. Il bosse au conseil municipal. Il nous demande toujours si on prévoit de construire un nouvel hôpital, pour pouvoir s'y opposer.

Mais Juan Diego observait le visage de la fille. Il connaissait et comprenait cet air « sous pression ». Elle essayait de justifier sa façon de s'habiller. Juan Diego l'avait entendue protester :

« Ça fait pas mauvais genre, toutes les filles en portent ! »

On avait ensuite entendu l'exclamation méprisante de son père au visage rubicond :

« C'est tout ce que je sais. »

L'ex-blondinet n'avait pas beaucoup changé depuis les années de lycée où il s'en prenait à Juan Diego. Ça remontait à quand ? Vingt-huit, vingt-neuf ans, presque trente ?

– Hugh, je t'en prie, protesta Mrs O'Donnell.

– Ça fait pas mauvais genre, hein ? demanda l'adolescente à son frère.

Elle se tourna vers lui, pour qu'il puisse mieux voir le dessin sur le pull. Mais le garçon ressemblait à son père en moins gros, il avait les mêmes cheveux blond filasse et le visage plus rose que celui de Hugh, à présent franchement rubicond. Le même sourire suffisant. La fille renonça à lui demander son avis et reprit sa position initiale. Visiblement, il n'avait pas le cran de prendre son parti. Juan Diego déchiffra le regard qu'il portait sur sa sœur ; il l'avait déjà vu, ce regard malveillant, méprisant, qui signifiait qu'elle aurait toujours mauvais genre. Qu'elle ferait pute dans n'importe quelle tenue.

– Je vous en prie, tous les deux… répéta Mrs O'Donnell, mais Juan Diego s'était levé.

Naturellement, Hugh O'Donnell le reconnut aussitôt à sa façon de boiter, malgré les trente ans écoulés ou presque.

– Salut, je m'appelle Juan Diego Guerrero. Je suis écrivain. J'étais en classe avec votre père, dit-il aux jeunes gens.

– Salut, répondit la fille, mais le garçon resta de marbre et après avoir jeté un regard à son père, l'adolescente s'arrêta net.

Mrs O'Donnell balbutia quelques mots mais n'alla pas jusqu'au bout de sa phrase. « Oh, je vous connais, j'ai lu… » Elle dut lire dans ses yeux qu'il n'avait pas l'intention de parler de son œuvre littéraire, ni de s'adresser à elle. Ce n'était pas le moment.

– J'avais votre âge, enfin, à peu près, dit-il au fils O'Donnell. Votre père n'était pas très sympathique avec moi non plus, poursuivit-il en s'adressant à l'adolescente, de plus en plus gênée, et pas nécessairement à cause du pull, objet du délit.

– Hé, dites-moi… lança Hugh O'Donnell, mais Juan Diego l'arrêta d'un geste de la main, sans le regarder.

– Je ne te parle pas à toi, j'en ai assez entendu… J'ai entendu tes arguments, dit-il les yeux fixés sur les adolescents. J'ai été adopté par deux hommes qui étaient homosexuels, continua-t-il. Ils vivaient ensemble, mais ne pouvaient pas se marier, ni ici, ni au Mexique, d'où je suis originaire. Ils s'aimaient et ils m'aimaient – ils étaient mes tuteurs, mes parents adoptifs. Et je les aimais, comme les enfants doivent aimer leurs parents. Vous comprenez, n'est-ce pas ?

Les enfants ne bronchèrent pas. La fille acquiesça d'un léger mouvement de tête. Le garçon semblait pétrifié.

– Quoi qu'il en soit, votre père avait pris l'habitude de me harceler. Il disait que ma maman se rasait la barbe. Il pensait qu'elle se donnait du mal pour raser sa moustache, or elle ne se rasait pas. C'était un homme bien sûr, qui s'habillait en femme et qui prenait des hormones. Ces hormones l'aidaient à se féminiser. Ses seins étaient petits, c'est vrai, mais elle en avait et sa barbe ne poussait plus, même s'il lui restait une ombre de duvet au-dessus de la lèvre supérieure. J'ai expliqué à votre père que les hormones ne pouvaient pas tout, mais ça ne l'a pas empêché de continuer à me harceler.

Hugh O'Donnell s'était levé de son siège. Il se taisait, restait planté là, sans rien dire.

– Vous savez ce que votre père m'a dit ? continua Juan Diego. Il m'a dit : « Tes soi-disant parents sont des mecs – ils ont tous les deux une bite. » Voilà ce qu'il a dit. Et puis il a conclu par : « C'est tout ce que je sais. » Pas vrai, Hugh ?

C'était la première fois que Juan Diego le regardait.

– N'est-ce pas ce que tu m'as dit ?

Hugh O'Donnell restait coi, les bras ballants. Juan Diego se tourna de nouveau vers ses enfants.

– Ils sont morts du sida il y a dix ans. Ils sont morts ici, à Iowa City. Celui qui voulait être une femme, j'ai dû lui raser les joues et la moustache quand il était mourant, parce qu'il ne pouvait plus prendre d'œstrogènes et que sa barbe repoussait, et je peux vous dire qu'il était vraiment très malheureux de reprendre des traits masculins. C'est lui qui est parti le premier. Mon « soi-disant » père est mort quelques jours après.

Il marqua un temps. Il n'avait pas besoin de regarder Mrs O'Donnell pour savoir qu'elle pleurait. Sa fille aussi. Contrairement aux hommes, les femmes sont de vraies lectrices, il l'avait toujours su… Elles ont cette aptitude à être touchées au plus profond d'elles-mêmes par une histoire.

En regardant l'implacable père au visage rubicond et son fils, aux joues roses et au corps pétrifié, Juan Diego se demandait : Qu'est-ce qui touche la plupart des hommes ? Putain, qu'est-ce qu'il faut pour les ébranler ?

— Moi, c'est tout ce que je sais, dit-il aux enfants O'Donnell.

Cette fois, tous deux hochèrent imperceptiblement la tête.

Quand il regagna sa table et qu'il s'aperçut que Rosemary et Pete – et même l'écrivain éméché – n'avaient rien perdu de ses paroles, il se rendit compte qu'il boitait un peu plus bas que d'habitude, comme s'il voulait, consciemment ou non, attirer l'attention sur son infirmité. À croire que Señor Eduardo et Flor le regardaient, où qu'ils fussent, et qu'eux non plus n'avaient pas perdu une miette de ce qu'il avait dit.

Dans la voiture, Pete avait pris le volant et le pochetron plumitif s'était installé sur le siège passager. Il était grand et fort, empêtré dans ses gestes par l'alcool, il lui fallait de la place pour caser ses jambes. Juan Diego était donc monté à l'arrière avec le Dr Rosemary. Il avait prévu de rentrer à pied – il n'habitait pas loin du carrefour Clinton-Burlington –, mais Roy ou Ralph n'était pas en état de marcher et Rosemary avait tenu à le raccompagner aussi.

— Belle histoire, pour ce que j'en ai compris, lança l'écrivain alcoolo depuis le siège avant.

— Oui… très intéressante, approuva Pete.

— J'ai pas tout capté dans la partie sida, poursuivit Ralph ou Roy. Il s'agissait de deux hommes, ça, j'ai bien compris, dont un travesti. Maintenant que j'y pense, c'est la partie rasage où j'ai été largué, pas la partie sida.

— Ils sont morts il y a dix ans. C'est tout ce qui compte, dit Juan Diego.

— Non, ce n'est pas tout, intervint Rosemary.

Il avait raison, elle était pompette, et pas qu'un peu. Elle saisit brusquement le visage de Juan Diego entre ses mains.

— Si je t'avais entendu parler comme tu viens de le faire à ce connard d'O'Donnell – avant d'épouser Pete, je veux dire –, je t'aurais demandé en mariage.

La voiture roulait sur Dubuque Street. Plus personne ne soufflait mot. Roy ou Ralph habitait quelque part à l'est de Dubuque Street, peut-être sur Bloomington ou Davenport, il avait oublié. Il faut avouer qu'il était dans un état un peu brumeux. Il triturait le rétroviseur pour localiser le Dr Rosemary sur la banquette arrière et finit par la trouver.

– Waouh ! Je l'avais pas vue arriver, celle-là. La demande en mariage, je veux dire !

– Moi si, dit Pete. Moi je l'avais vue arriver.

Mais Juan Diego, silencieux sur la banquette arrière, était tout aussi stupéfait que Roy ou Ralph. Il ne l'avait pas vue venir, lui non plus.

– On y est, je crois. C'est là. Je devrais quand même savoir où j'habite, nom de Dieu ! s'écria Roy ou Ralph.

– Ça ne signifie pas que je t'aurais épousé, nuança Rosemary, pour rassurer Pete ou Juan Diego, voire les deux. Mais *j'aurais pu* te demander en mariage.

La formule était plus raisonnable.

Juan Diego n'avait pas besoin de la regarder pour savoir qu'elle pleurait – comme il l'avait senti pour la femme et la fille de Hugh O'Donnell.

Tant de choses s'étaient passées. Tout ce qu'il articula, depuis la banquette arrière, fut : «Les femmes sont de vraies lectrices.» Ce qu'il savait aussi déjà, et qui était difficile d'énoncer hors contexte, c'est qu'il est des histoires qui commencent par leur épilogue.

Il se revoyait parfois assis avec Rosemary dans la pénombre, elle et lui sans rien dire, sans se regarder. N'était-ce pas le sens de ce vers de Shakespeare, et la raison pour laquelle Edward Bonshaw y était tellement attaché ? «Sombre est la paix qu'apporte cette matinée», bien sûr, et pourquoi cette noirceur se dissiperait-elle ? Qui peut de gaîté de cœur évoquer les moments heureux de Juliette avec son Roméo, quand on sait ce qui leur advient au terme de leur histoire ?

26

La dispersion

Des parcours chaotiques, on en trouvait beaucoup dans les premiers romans de Juan Diego. Et voici que les démons du chaos le hantaient de nouveau. Il avait du mal à se rappeler combien de jours et de nuits il était resté au Nido avec Dorothy.

Il se souvenait parfaitement d'avoir fait l'amour avec elle, et pas seulement de ses hurlements orgasmiques, qui semblaient proférés en dialecte nahuatl, mais aussi de sa façon d'appeler sans cesse son sexe « le p'tit mec », comme si son membre viril était une présence muette mais envahissante dans une soirée bruyante. Bruyante, Dorothy l'était, elle faisait exploser l'échelle de Richter orgasmique. Les clients du bungalow voisin leur avaient téléphoné pour leur demander si tout allait bien. Mais aucun n'avait prononcé le terme « sale gon », pas plus que l'expression encore plus usuelle de « connard ».

Comme Dorothy l'avait annoncé, la cuisine était plutôt bonne au Nido : nouilles de riz avec sauce crevette ; rouleaux de printemps au porc, champignons ou canard, jambon Serrano avec mangue verte marinée, sardines épicées… Il y avait aussi un condiment à base de poisson fermenté, dont Juan Diego avait appris à se méfier : il était persuadé qu'il provoquait des indigestions ou des brûlures d'estomac. Malgré la présence tentante de flan au dessert – il adorait la crème anglaise –, Dorothy lui avait conseillé d'éviter les produits lactés. Elle n'avait pas confiance dans le lait des « îles extérieures ».

Juan Diego ne savait pas si une « petite » île constituait par elle-même une île « extérieure », ou si, dans l'esprit de Dorothy, toutes les îles entourant Palawan en faisaient partie. Quand il lui posa la question, elle se borna à hausser les épaules, geste torride chez elle.

Étrange comme la compagnie de Dorothy avait effacé Miriam de

405

sa conscience, mais il avait aussi oublié à quel point la compagnie de Miriam et même le désir de sa présence lui avaient précédemment fait oublier celle de Dorothy. Oui, elle l'étonnait, cette aptitude à être obsédé par ces femmes et à s'en désintéresser sitôt quittées.

Le café servi à l'hôtel était très fort, ou peut-être le paraissait-il parce que Juan Diego le buvait noir. «Prends du thé vert», lui avait conseillé Dorothy. Mais le thé était trop amer, alors il y avait ajouté un peu de miel. Du miel australien, avait-il remarqué.

– C'est tout près, l'Australie, non? demanda-t-il à Dorothy. Je suis sûr que le miel est de bonne qualité.

– Ils doivent le diluer avec quelque chose, il est trop liquide. Et tu sais d'où vient l'eau?

Elle revenait sur la thématique «îles extérieures».

Dorothy était une madame je-sais-tout. Il commençait à se rendre compte que de plus en plus souvent, quand il était avec elle ou avec sa mère, elles décidaient... et il obtempérait.

Ainsi, il laissait Dorothy lui administrer ses médicaments. Elle avait carrément pris le contrôle de son traitement. C'était elle qui décidait à quel moment il devait prendre le Viagra – un comprimé entier, jamais un demi – et quand il devait prendre, ou non, ses bêtabloquants.

À marée basse, elle l'amenait sur la terrasse dominant le lagon. Les aigrettes à gorge blanche y venaient picorer dans la vase.

– Qu'est-ce qu'elles cherchent, les aigrettes? avait demandé Juan Diego.

– Aucune importance. Ces oiseaux sont magnifiques, n'est-ce pas?

À marée haute, elle lui prenait le bras quand ils s'aventuraient sur la plage de l'anse en fer à cheval. Les varans se prélassaient sur le sable, certains longs comme le bras.

– Ne t'approche pas d'eux, ils peuvent te mordre et ils puent comme des charognes, l'avait avisé Dorothy. On dirait des bites, tu trouves pas? Des bites pas très sympathiques.

À quoi pouvaient bien ressembler des bites pas très sympathiques? Et comment une bite pouvait évoquer un varan, de près ou de loin? Il n'en avait aucune idée. Il avait déjà du mal à comprendre son propre pénis. Quand Dorothy l'emmenait plonger au-delà des récifs, il avait une sensation de légère brûlure ou parfois de picotement à cet endroit.

– C'est l'eau salée, et aussi parce que tu t'en sers beaucoup en ce moment, du p'tit mec, lui expliqua-t-elle.

Elle avait l'air d'en savoir beaucoup plus que lui sur l'état de sa bite. Et bientôt cette sensation désagréable disparut. Il n'avait pas été attaqué par ces bestioles urticantes – les pélagos en forme de capote pour enfant de trois ans. Il n'avait pas constaté la présence de ces méduses roses de la taille d'un index qui se déplaçaient verticalement, comme les hippocampes, dont Dorothy et Clark lui avaient parlé.

Avant de quitter, avec Dorothy, El Nido et l'île de Lagen, Juan Diego entreprit de consulter les messages de son ancien étudiant.

« D. est TOUJOURS avec vous, je suppose ? » disait le premier texto.

– Qu'est-ce que je lui réponds ? demanda Juan Diego à Dorothy.

– Oh, Leslie lui envoie aussi des messages ? Celle-là, moi, je ne lui réponds pas. Sinon tu vas croire qu'elle et moi, je ne sais pas, on était en couple !

Mais Clark French continua d'envoyer des textos à son ancien professeur. « D. a purement et simplement DISPARU, la pauvre Leslie n'en sait pas plus. Elle espérait la retrouver à Manille. Mais elle a des doutes – elle sait que vous la connaissez. Qu'est-ce que je lui dis ? »

– Dis à Clark qu'on va à Laoag. Leslie sait où ça se trouve. Tout le monde le sait. Ne précise pas où, à Laoag.

Mais quand il s'exécuta, envoyant à Clark un texto annonçant « Départ à Laoag avec D. », la réponse ne se fit pas attendre : « Vous couchez ensemble, apparemment. Entendez-moi bien : ce n'est pas moi qui veux le savoir, c'est cette pauvre Leslie. Qu'est-ce que je lui dis ? »

Dorothy vit la consternation dans les yeux de Juan Diego.

– Leslie est très possessive, affirma-t-elle, sans même se préoccuper de savoir si le message venait de Clark. Faudra bien qu'elle comprenne qu'on n'est pas sa propriété. Tout ça, c'est parce que ton ancien étudiant est trop cul serré pour se la faire, et qu'elle sait bien que ses nénés ne vont pas rester guillerets à perpète, voilà.

– Tu veux vraiment que j'envoie balader ta copine, celle qui mène tout le monde par le bout du nez ?

– J'imagine que t'as jamais eu à envoyer balader ce genre de copine autoritaire.

Sans attendre que Juan Diego admette qu'il n'avait jamais eu de copine autoritaire – ni beaucoup de copines, d'ailleurs –, elle lui expliqua comment gérer la situation :

– Il faut qu'on montre à Leslie qu'elle n'a pas de prise sur nous. Du point de vue affectif, je veux dire. Tiens, je vais te dicter ce qu'il faut écrire à Clark… Il retransmettra à Leslie. Un : Pourquoi on ne pourrait pas s'envoyer en l'air, D. et moi ? Deux : Leslie et D. se sont bien envoyées en l'air, elles. Trois : Que deviennent les enfants, notamment celui dont le pauvre zizi a souffert ? Quatre : On passe le bonjour au buffle d'eau.

– C'est ça que je dois lui dire ? demanda Juan Diego.

Cette fille est sacrément futée, pensait-il.

– Oui. Faut bien qu'on la remette un peu à sa place, Leslie, d'ailleurs elle l'a bien cherché. Et maintenant, tu pourras dire que tu as eu une copine autoritaire. C'est marrant, tu ne trouves pas ?

Il envoya le texto, tel que Dorothy le lui avait dicté. Il était conscient d'envoyer balader Clark par la même occasion. En effet, il ne se rappelait pas avoir fait quelque chose d'aussi réjouissant depuis longtemps, le picotement passager de son sexe nonobstant.

– Comment ça va, le p'tit mec ? lui demanda Dorothy en posant la main sur le membre en question. Ça pique encore ? Ça le picote encore, je suppose ? Tu as envie qu'il picote pour de bon ?

Il parvint tout juste à acquiescer d'un signe de tête, tant il était fatigué. Les yeux toujours rivés sur le portable, il pensait au message si peu dans sa manière qu'il venait d'envoyer à Clark.

– T'inquiète pas, lui murmura Dorothy à l'oreille ; elle avait toujours la main sur sa bite. Tu as l'air fatigué, mais pas le p'tit mec. Il s'en lasse pas, lui.

Elle lui retira le portable des mains.

– T'inquiète pas, chéri, répéta-t-elle d'un ton plus ferme. (Sa façon de prononcer le mot « chéri » était identique à celle de Miriam.) Leslie ne nous emmerdera plus. Tu peux me faire confiance, elle va recevoir le message. Clark French fait tout ce qu'elle veut, à part la baiser.

Juan Diego voulait lui poser des questions sur leur voyage à Laoag et Vigan, mais les mots ne sortaient pas. Il ne parvenait pas à exprimer ses doutes. Comme il était américain, de la génération de la guerre du Vietnam, il avait décrété qu'il devait voir l'endroit où ses jeunes compatriotes, ces gosses de dix-neuf ans morts de peur à l'idée d'être torturés, allaient se changer les idées le temps d'une permission.

D'où tenait-elle cette autorité naturelle ? Il n'avait pas eu le courage de l'interroger sur ce point.

Dorothy ne voyait pas d'un bon œil les touristes japonais présents au Nido. Elle n'aimait pas la façon dont l'hôtel était aux petits soins pour eux, jusqu'à proposer des plats japonais dans le menu du restaurant.

— Mais on n'est pas loin du Japon, ici, dit-il. Et il n'y a pas qu'eux qui aiment la cuisine de leur pays.

— Après ce que les Japonais ont fait aux Philippins ?

— Bah, c'était la guerre…

— Attends de voir le Mémorial américain de Manille, à supposer que tu puisses le voir, lui lança-t-elle pour clore le chapitre. Ils devraient être interdits de séjour, les Japs.

Elle lui fit remarquer que les Blancs les plus nombreux dans la salle de restaurant étaient les Australiens.

— Où qu'ils aillent, ils y vont en groupe. Un vrai gang.

— Tu n'aimes pas les Australiens ? Des gens si sympathiques… juste un peu grégaires.

Cette réflexion fut accueillie par un haussement d'épaules à la Lupe, qui signifiait : Si tu ne comprends pas, je vais pas me fatiguer à t'expliquer.

Il y avait deux familles russes et quelques Allemands au Nido.

— Les Allemands sont partout, se borna-t-elle à dire.

— Ce sont de grands voyageurs…

— De grands *occupants*, oui, précisa Dorothy en levant les yeux au ciel.

— Mais tu aimes bien ce qu'on mange ici, au Nido. Tu m'as dit que la cuisine était bonne, lui rappela-t-il.

— Le riz, c'est du riz, marmonna-t-elle, comme si elle n'avait jamais vanté l'ordinaire de l'hôtel.

Pourtant, quand Dorothy était d'humeur « p'tit mec », son degré de concentration était impressionnant.

Durant leur dernière nuit au Nido, il fut réveillé par le clair de lune sur le lagon. Le p'tit mec avait tant monopolisé leur attention qu'ils en avaient oublié de fermer les rideaux. La lumière argentée qui inondait le lit et illuminait le visage de Dorothy avait un côté surnaturel. Quand la jeune femme dormait, on aurait dit un mannequin de cire qui ne s'animerait que de temps à autre.

Il se pencha sur elle dans le clair de lune, mit son oreille à quelques millimètres de ses lèvres : aucun souffle et sa poitrine, à peine recouverte par le drap, ne se soulevait pas.

Un instant, il entendit Sœur Gloria lui dire : « Pas question d'allonger Notre Dame de Guadalupe ! » Un instant, il eut l'impression d'être couché avec l'affriolante statue de Notre Dame de Guadalupe que le brave gringo lui avait achetée dans le magasin de bondieuseries de Oaxaca – et dont il aurait enfin réussi à scier le socle emprisonnant ses pieds.

– Je suis censée te dire quelque chose ? murmura Dorothy à son oreille, ce qui le prit au dépourvu. Ou bien tu avais l'intention de me réveiller en me léchant ?

– Qui es-tu ? lui demanda Juan Diego.

Mais il vit dans le clair de lune argenté qu'elle s'était rendormie, ou qu'elle faisait semblant de dormir. À moins qu'il n'ait imaginé la phrase qu'elle venait de prononcer, et la question qu'il lui avait posée ensuite.

Le soleil se couchait. Il s'attardait assez longtemps au-dessus de l'horizon pour darder des rayons cuivrés sur la mer de Chine. Le petit avion décolla de Palawan pour rejoindre Manille. Juan Diego avait en tête le regard d'adieu de Dorothy au buffle d'eau blasé, à côté de l'aérodrome.

– Il est sous bêtabloquants, ce buffle, avait-il observé. Pauvre vieux.

– Ouais, bah, tu devrais le voir quand il a une chenille dans les naseaux, avait-elle rétorqué, jetant un nouveau regard noir sur le placide ruminant.

Le soleil avait disparu et le ciel était couleur sang. Voyant les petites lumières scintiller sur la côte, éloignées les unes des autres, Juan Diego se rendit compte qu'ils avaient laissé la mer derrière eux et survolaient la terre ferme. Il regardait par le hublot quand il sentit la tête de Dorothy se poser lourdement sur son épaule, au creux du cou. Sa tête était aussi dure qu'un boulet de canon.

– Ce que tu vas voir, dans à peu près un quart d'heure, ce sont les lumières de la ville. Avant, ce sont les ténèbres absolues.

– Les ténèbres absolues ? reprit Juan Diego, une pointe d'inquiétude dans la voix.

– Sauf de temps en temps, quand on survole un bateau. Les ténèbres, c'est la baie de Manille. D'abord la baie, ensuite la ville.

Était-ce la voix de Dorothy ou le poids de sa tête qui le plongeait dans le sommeil ? Ou bien ressentait-il l'appel de ces ténèbres ?

La tête qui reposait sur son épaule était celle de Lupe, pas celle de Dorothy. Il était dans un autocar, pas dans un avion. La route de montagne qui montait en lacets dans la nuit se trouvait quelque part dans la Sierra Madre… Le cirque revenait de Mexico et roulait vers Oaxaca. Lupe dormait profondément contre lui. Ses petits doigts avaient desserré leur étreinte sur les deux figurines avec lesquelles elle jouait avant de s'endormir.

Juan Diego tenait dans ses mains la boîte à café contenant les cendres ; il ne la lui laissait pas quand elle dormait. Lupe avait engagé une guerre sans merci entre deux super héroïnes, la statuette de la hideuse Coatlicue et celle de Guadalupe, qu'il avait trouvée sur les marches du sanctuaire. Elle leur avait entrechoqué les têtes, les avait fait se battre entre elles puis les avait rapprochées pour faire l'amour. Guadalupe, à l'allure sereine, n'avait pas vocation à gagner ce genre de duel ; et d'ailleurs un simple coup d'œil au collier de cœurs et de crânes de Coatlicue, ou à sa jupe de serpents entortillés, ne laissait pas le moindre doute : des deux combattantes, c'était bien elle la championne des enfers.

Juan Diego avait laissé sa sœur mimer toute seule la guerre de religions dans cette bataille épique enfantine. La figurine de la bienheureuse Guadalupe avait d'abord paru débordée, elle avait les mains jointes en prière, sous ses seins à peine esquissés. Ce n'était guère une posture de combat, alors que Coatlicue avait l'air prête à frapper, comme un de ces serpents qui se tordaient sur elle, et sa poitrine flasque inspirait la terreur. Même affamé, un nourrisson aurait été rebuté par ses tétons-crotales !

Cependant, Lupe plongeait les deux figurines dans toutes sortes de situations à forte charge émotionnelle, où alternaient assauts guerriers et érotiques… Et il semblait même y avoir des moments de tendresse entre les adversaires, des baisers.

Juan Diego avait demandé à Lupe s'il fallait y voir une sorte de trêve entre les belligérantes, une façon d'oublier un moment leurs différences théologales. Ces baisers préludaient-ils à une réconciliation ?

– Elles font une pause, c'est tout, avait-elle répondu, en reprenant les hostilités sans fin entre les deux icônes – la bataille des armes et celle du sexe –, jusqu'à ce qu'elle s'écroule de fatigue et sombre dans le sommeil.

Pour Juan Diego, à voir Guadalupe et Coatlicue dans les petits doigts desserrés de Lupe, rien n'avait été réglé entre les deux mégères. Comment une déesse violente de la Terre mère pouvait-elle coexister avec une de ces Vierges je-sais-tout-je-fais-rien ?

Il ignorait que, de l'autre côté de l'allée centrale de l'autocar, Edward Bonshaw l'observait quand il prit délicatement les deux figurines des mains de sa petite sœur endormie.

Quelqu'un avait pété. Peut-être un des chiens, ou alors l'homme perroquet. À tous les coups, c'étaient Paco et Gras Bidon, grands amateurs de bière. Juan Diego avait déjà entrouvert la fenêtre à côté de lui. L'ouverture était suffisante pour y glisser les deux super héroïnes. Quelque part, dans une nuit sans fin – sur une route en lacets de la Sierra Madre –, deux redoutables figures religieuses furent livrées à elles-mêmes dans les ténèbres les plus profondes.

Et maintenant, que va-t-il se passer ? se demandait-il, quand Señor Eduardo l'interpella depuis sa place de l'autre côté du couloir :

– Tu n'es pas seul, Juan Diego. Tu auras beau rejeter une croyance après l'autre, tu ne seras jamais seul. L'univers n'est pas un espace sans Dieu.

– Et maintenant, que va-t-il se passer ?

Un chien, l'œil scrutateur, se glissa dans le couloir entre eux. C'était Pastora, la femelle chien de berger. Elle agita sa queue, comme si Juan Diego lui avait parlé, puis elle poursuivit son chemin.

Edward Bonshaw se mit à discourir sur l'église et le couvent de la Compagnie de Jésus – le Templo de la Compañía de Jesús de Oaxaca. Il voulait que Juan Diego envisage d'y disperser les cendres d'Esperanza aux pieds de la Vierge géante.

– La Vierge Monstre… balbutia Juan Diego.

– D'accord… peut-être pas toutes les cendres, et seulement à ses pieds ! Je sais que toi et Lupe avez un contentieux avec elle, mais ta maman la vénérait.

– C'est elle, la Vierge Monstre, qui a tué notre mère !

– C'était un accident ! Tu l'interprètes de manière dogmatique. Lupe est plus disposée que toi à revoir le cas de la Vierge Monstre, comme tu l'appelles.

Pastora faisait les cent pas, elle repassa devant eux dans l'allée centrale. L'agitation de la chienne lui rappelait la sienne propre, et l'attitude de Lupe ces derniers temps – contrairement à ses habitudes, sa sœur paraissait peu sûre d'elle, mais surtout, elle devenait secrète.

– Couché, Pastora, ordonna-t-il, ce qui n'empêcha pas la chienne de continuer à errer à la dérobée dans l'autocar ; ces chiens sont furtifs de nature.

Juan Diego se sentait déboussolé. En dehors de la marche céleste, tout n'était que mystification. Il savait que Lupe, elle non plus, n'était pas dans son assiette, même si elle ne l'aurait jamais admis. Et si Esperanza avait eu raison de vénérer la Vierge Monstre ? La boîte à café entre ses cuisses, il comprenait que disperser les cendres de sa mère – et le reste – n'était pas forcément une décision raisonnable quels qu'en soient le lieu et le moment. Pourquoi leur mère aurait-elle refusé que ses cendres soient déposées aux pieds de la gigantesque Vierge Marie de l'église des jésuites, où elle était appréciée – du moins en tant que femme de ménage.

Edward Bonshaw et Juan Diego dormaient encore quand le jour se leva. La caravane des camions et des cars entrait dans la vallée nichée entre la Sierra Madre de Oaxaca et la Sierra Madre del Sur. Elle traversait Oaxaca quand Lupe réveilla son grand frère.

– L'homme perroquet a raison, on va disperser les cendres sur la Vierge Monstre.

– Il a dit « à ses pieds ».

Bien entendu, elle avait lu dans les pensées d'Edward Bonshaw, dans son sommeil à elle ou quand il était endormi, ou qu'ils dormaient tous les deux.

– Moi je dis qu'on doit les répandre partout sur elle, pour que cette garce puisse au moins nous montrer ce qu'elle a dans le ventre.

– Señor Eduardo a dit « peut-être pas toutes les cendres », Lupe.

– Et moi je dis toutes les cendres, sur toute sa hauteur. Demande au conducteur de nous déposer à l'église avec l'homme perroquet.

– Jésus Marie Joseph, murmura Juan Diego.

Les chiens étaient tous réveillés, ils allaient et venaient dans l'allée du car.

413

– Il faut que Rivera soit là, il voue un culte à la Vierge, lui, murmura Lupe, comme si elle se parlait à elle-même.

Juan Diego savait qu'au petit matin Rivera se trouverait peut-être à la bicoque de Guerrero, ou dans la cabine de son pick-up ; ou encore qu'il aurait commencé à allumer les feux de l'enfer sur le basurero. Les enfants arriveraient à l'église des jésuites avant l'office du matin. Frère Pepe serait en train d'allumer les cierges. Il n'y aurait probablement personne d'autre dans le secteur.

Le chauffeur dut faire un détour. Un chien mort bloquait la rue étroite. « Je sais où tu peux trouver ton chien. Celui qui n'aura pas peur de sauter », avait dit Lupe à Juan Diego. Elle ne parlait pas d'un chien mort, mais d'un chien des toits, un qui avait l'habitude de sauter, un qui ne s'était pas tué en tombant.

– Un chien des toits, annonça le chauffeur en parlant de l'animal mort sur la chaussée, mais Juan Diego avait compris ce que Lupe voulait dire.

– On ne peut pas apprendre à un chien des toits à grimper sur un escabeau, Lupe. Et Vargas dit qu'ils sont enragés, comme los perros del basurero. Les chiens de la décharge et ceux des toits ont la rage. Vargas dit…

– J'ai autre chose à lui dire. Laisse tomber le chien sauteur. Pas la peine de se prendre la tête pour ce numéro à la con. Le chien des toits, c'était juste une idée. Ils sautent, non ?

– Oui, mais ils se tuent en sautant, et en plus ils mordent.

– Oublie tout ça, coupa Lupe d'un ton agacé. Ce qui m'intéresse, c'est les lions. Est-ce qu'ils peuvent attraper la rage ? Vargas le saura, lui.

L'autocar avait contourné le chien mort ; ils approchaient du carrefour de Flores Magón et de Valerio Trujano. On apercevait déjà l'église de la Compagnie de Jésus.

– Vargas n'est pas un vétérinaire, fit remarquer Juan Diego à sa petite sœur.

– Tu as les cendres, hein ?

Lupe s'était baissée pour saisir Baby, le teckel pétochard, et elle avait enfoncé sa truffe mouillée dans l'oreille de Señor Eduardo pour le réveiller. Cette méthode eut pour effet immédiat de remettre l'Américain sur pied dans l'allée centrale de l'autocar, avec les chiens qui tournaient en rond autour de lui. Voyant Juan Diego serrer la boîte à café dans ses mains, il comprit que le gamin était décidé.

– Ça y est, on va les disperser, c'est ça ?

– On va recouvrir cette garce de la tête aux pieds ! Elle va en prendre plein les yeux, la Vierge Monstre ! explosa Lupe.

Juan Diego ne traduisit pas la sortie de sa sœur.

Au seuil de l'église, qui donnait sur la calle Flores Magón, Edward Bonshaw fut le seul à s'arrêter au niveau du bénitier. Il plongea deux doigts dans la agua de San Ignacio de Loyola, puis les porta à son front, sous le portrait du saint qui levait à jamais les yeux vers le ciel pour qu'il lui montre sa voie.

Pepe avait déjà allumé les cierges. Les enfants ne s'étaient pas arrêtés pour tremper le bout du petit doigt dans l'eau bénite. Dans un coin, non loin du bénitier, ils trouvèrent Pepe en prière devant l'épitaphe de Guadalupe. «¿ No estoy aquí, que soy tu madre ?» La citation que Lupe qualifiait de « couillonnade ».

– Non, t'es pas là ! lança-t-elle à la modeste effigie de Guadalupe. Et puis d'abord t'es pas ma mère.

Quand elle vit Pepe à genoux, elle ajouta à l'intention de son frère :

– Dis-lui d'aller chercher Rivera, il faut qu'il soit là. Faut pas qu'il rate ça.

Juan Diego annonça à Pepe qu'ils allaient disperser les cendres aux pieds de la Vierge géante, et que Lupe souhaitait la présence de Rivera.

– Ah, vous avez changé d'avis, constata Pepe. C'est une autre façon de voir les choses. J'imagine que la visite au sanctuaire a marqué un tournant… ajouta-t-il à l'intention de l'Américain, dont le front dégoulinait d'eau bénite.

– Jamais les choses n'ont été aussi incertaines, commenta Señor Eduardo, du ton de celui qui s'apprête à faire une longue confession.

Pepe s'éclipsa, en s'excusant :

– Je vais chercher Rivera, c'est ma mission, dit-il. À propos, on m'a raconté, pour le cheval ! lança-t-il à Juan Diego, qui se dépêchait de rattraper Lupe, déjà postée devant les horribles anges pétrifiés sur leur piédestal de nuages célestes.

Lupe avait les yeux fixés sur la Vierge Monstre.

– Tu vois ? dit-elle à Juan Diego. On peut pas disperser les cendres à ses pieds. Regarde ce qu'il y a, à ses pieds…

Ils n'étaient pas venus voir la Vierge Monstre depuis un certain temps, mais comment avaient-ils pu oublier le petit Christ en croix qui saignait, tout ratatiné, aux pieds de sa mère ?

– Pas question de disperser les cendres de maman sur lui, déclara-t-elle.

– D'accord, mais où alors ?

– Je pense que vous faites bien, dit Edward Bonshaw. Vous n'aviez pas laissé la moindre chance à la Vierge Marie.

– Monte sur les épaules de l'homme perroquet, comme ça, tu pourras jeter les cendres plus haut, dit Lupe à son frère.

Elle prit la boîte à café tandis que Juan Diego grimpait sur les épaules d'Edward. Celui-ci dut s'agripper à la clôture d'autel pour se remettre debout tant bien que mal. Lupe ouvrit la boîte avant de la tendre à son frère. Dieu seul sait ce qu'elle fit du couvercle.

Même dans cette position élevée, les yeux de Juan Diego arrivaient à peine au niveau des genoux de la Vierge, et le haut de son crâne à celui des cuisses de la géante.

– Je ne suis pas sûr que tu puisses lancer les cendres vers le haut, fit remarquer Señor Eduardo avec tact.

– Vas-y franco, intima Lupe à son frère. Prends-en une poignée et balance-la.

Mais la première poignée de cendres ne monta pas plus haut que la poitrine colossale de la Vierge Monstre. Naturellement, une grande partie retomba sur les visages levés de Juan Diego et de Señor Eduardo. Le missionnaire se mit à tousser et à éternuer. Juan Diego avait des cendres plein les yeux.

– Pas très efficace, admit-il.

– C'est l'intention qui compte, dit Edward Bonshaw, d'une voix étranglée.

– Balance la boîte entière, jette-la-lui à la figure ! cria Lupe.

– Qu'est-ce qu'elle dit ? Une prière ? demanda l'Américain à Juan Diego, mais celui-ci se concentrait sur sa cible.

Il catapulta la boîte à café, encore aux trois quarts pleine, à la façon des soldats qu'il avait vus dans les films lancer une grenade.

– Pas toute la boîte ! s'écria Señor Eduardo.

– Bien visé, constata Lupe.

La boîte avait frappé la Vierge Marie sur son front altier – Juan Diego était persuadé de l'avoir vue cligner des yeux. Les cendres retombèrent en pluie sur toute la statue. Elles ruisselaient à travers les rayons du soleil matinal, elles bruinaient. Elles tombaient, tombaient sans fin.

– On aurait cru qu'elles ruisselaient du plus haut des cieux, d'une source invisible et pourtant sublime, devait dire plus tard Edward Bonshaw pour décrire le phénomène. Elles coulaient interminablement, comment croire qu'elles auraient pu tenir dans une boîte à café ?

À ce moment de son récit, il marquait toujours un temps avant d'ajouter :

– J'hésite à le dire. Mais à les regarder pleuvoir, je crois que j'ai connu un instant d'éternité. Le temps, le temps vécu… s'est aboli.

Dans les semaines qui suivirent – les mois, corrigea Frère Pepe –, les fidèles qui se pressaient au premier office du matin saluèrent comme un « événement » le phénomène des cendres ruisselant dans les rayons du soleil. Mais ces poussières qui nimbaient l'imposante Vierge Marie d'un halo radieux, quoique bistre, ne furent pas considérées comme une intervention divine par toute l'assistance.

Les deux vénérables prêtres, le Père Alfonso et le Père Octavio, étaient outrés des dégâts causés par les cendres : les dix premières rangées de bancs en étaient couvertes, une couche grise s'était déposée sur la clôture d'autel, poisseuse au toucher. La Vierge Monstre paraissait souillée, plus sombre qu'auparavant, comme voilée de suie. Les scories d'un gris funèbre étaient partout.

– Les enfants ont voulu disperser les cendres de leur mère, tenta d'expliquer Edward Bonshaw.

– Dans l'église, Edward ? s'exclama le Père Alfonso.

– Tout ça pour une dispersion ? reprit le Père Octavio.

Il trébucha sur un objet : la boîte à café vide, qu'il fit rouler involontairement avec le pied dans un bruit métallique. Señor Eduardo la ramassa aussitôt.

– J'ignorais qu'ils avaient l'intention de disperser tout le contenu de la boîte, admit-il.

– Vous voulez dire que cette boîte était pleine ? s'étonna le Père Alfonso.

– Il n'y avait pas que les cendres de notre mère, précisa Juan Diego aux deux prêtres.

417

– Dis-nous tout, ordonna le Père Octavio.

Edward Bonshaw regardait l'intérieur de la boîte vide, médusé, comme s'il lui prêtait des pouvoirs prophétiques.

– Le brave gringo… qu'il repose en paix, commença Lupe. Mon chien, un petit chiot…

Elle s'interrompit un instant, comme si elle attendait que Juan Diego traduise ses premiers mots avant de continuer. À moins que ce ne fût parce qu'elle hésitait à avouer aux deux prêtres où était passé le nez de la Vierge Monstre.

– Vous vous souvenez du hippie américain, le déserteur, celui qui est mort, fit Juan Diego.

– Oui, oui, bien sûr, dit le Père Alfonso. Une âme perdue, un garçon suicidaire.

– Une terrible tragédie, quel gâchis, continua le Père Octavio.

– Comme le petit chien de ma sœur était mort, lui aussi, on l'a mis dans le feu, avec le hippie.

– Oui, ça me revient, nous étions au courant, dit le Père Alfonso.

Le Père Octavio opina du chef, d'un air sombre, avant de s'insurger :

– S'il te plaît, cela suffit. C'est extrêmement déplaisant. Nous n'avons pas oublié, Juan Diego.

Lupe ne soufflait mot, les deux prêtres ne l'auraient pas comprise, de toute façon. Elle se racla la gorge comme si elle allait parler.

– Tais-toi, lui enjoignit Juan Diego, mais trop tard.

Lupe pointa un index vers le visage mutilé de la Vierge géante, et, de l'autre, elle effleura le bout de son petit nez.

Le Père Alfonso et le Père Octavio mirent quelques secondes à comprendre. La Vierge Monstre n'avait toujours pas de nez ; l'enfant de la décharge au parler hermétique leur indiquait que son propre nez était intact. Il y avait eu un feu au basurero, un bûcher infernal de corps humains et canins.

– Le nez de la Vierge Marie ? Dans ce brasier infernal ? s'offusqua le Père Alfonso.

Lupe acquiesça avec une telle vigueur qu'elle semblait prête à cracher ses dents ou faire jaillir ses yeux de leurs orbites.

– Mère miséricordieuse… commença le Père Octavio.

En tombant, la boîte à café produisit un bruit métallique qui les fit sursauter. Il est peu probable qu'Edward Bonshaw l'ait laissée échapper intentionnellement, d'ailleurs il la récupéra aussitôt. Il avait sans doute relâché la pression de ses mains, à la pensée que la révélation de son amour pour Flor, qui le conduisait tout droit à rompre ses vœux, risquait de choquer davantage les deux prêtres que la combustion du nez d'une statue inanimée.

Pour avoir intercepté le regard noir de la Vierge Monstre vers le décolleté de sa mère, et perçu que l'icône pouvait parfois lancer des regards accusateurs et méprisants, Juan Diego aurait mis en doute toute supposition que l'imposante statue (ou son nez perdu) était « inanimée ». Le nez de la Vierge Monstre n'avait-il pas fait un bruit d'expectoration, et une flamme bleue ne s'était-elle pas échappée du bûcher funéraire ? Ne l'avait-il pas vue cligner des yeux quand la boîte à café avait heurté son front ?

Et au moment où Edward Bonshaw avait maladroitement laissé tomber puis ramassé la boîte à café, le bruit métallique résonnant dans l'église n'avait-il pas provoqué un éclair de haine implacable dans les yeux omniscients de la redoutable Vierge Marie ?

Juan Diego n'était certes pas un adorateur de Marie, mais il était trop avisé pour ne pas témoigner une certaine révérence à la géante souillée.

– Lo siento, Mère, dit-il tout bas à la Vierge Monstre, en pointant du doigt son front. Désolé, je ne voulais pas vous frapper avec la boîte.

– Les cendres ont une odeur bizarre, j'aimerais bien savoir ce qu'il y avait d'autre dans cette boîte, dit le Père Alfonso.

– Des déchets, je suppose, mais voici le patron de la décharge, on va pouvoir le lui demander, ajouta le Père Octavio.

Rivera marchait à grandes enjambées dans l'allée centrale vers la statue colossale. Il semblait avoir des affaires personnelles à régler avec la Vierge Monstre. Quand il était allé le chercher, il était clair que Pepe avait interrompu Rivera au beau milieu d'une activité… « Un petit projet, que je finalisais »… Il ne s'était pas étendu sur le sujet.

Qui sait comment Pepe lui avait annoncé la dispersion ? Il avait dû quitter Guerrero toutes affaires cessantes, car il portait encore son tablier de travail. Celui-ci, pourvu de nombreuses poches, était aussi long et moche qu'une jupe de rombière. Une poche était dédiée aux ciseaux – il y en avait de plusieurs tailles –, une autre aux feuilles de papier de verre, du plus gros au plus fin, une troisième logeait le tube de colle et le chiffon dont il se servait pour nettoyer l'embout du tube. Les autres étaient destinées à divers usages connus de lui seul. Les poches étaient ce qu'il préférait, disait-il, sur son tablier de travail en cuir. Quand il était enfant, Juan Diego se figurait qu'il dissimulait bien des secrets.

– Je ne sais pas ce qu'on attend, toi, peut-être, dit-il à El Jefe. Parce que la Vierge géante, ça m'étonnerait qu'elle fasse quelque chose, ajouta-t-il en la regardant.

Au moment où Frère Pepe et Rivera étaient arrivés, les fidèles commençaient à s'agglutiner dans l'église, bien avant le début de la messe. Juan Diego allait se souvenir, plus tard, que Lupe avait regardé le patron de la décharge avec beaucoup plus d'attention que d'habitude. Quant au Jefe, il avait l'air plus méfiant à son égard que d'ordinaire.

Sa main gauche était enfoncée profondément dans une poche secrète de son tablier de travail. Il passa les doigts de sa main droite sur la couche de cendre accumulée sur la clôture d'autel.

– Les cendres ont une drôle d'odeur, pas très forte, cependant, dit le Père Alfonso.

– Il y a quelque chose de collant dans les cendres, une substance bizarre, ajouta le Père Octavio.

Rivera sentit ses doigts, puis il les essuya sur son tablier.

– Tu en as, des choses, dans tes poches… Jefe, remarqua Lupe.

Juan Diego ne traduisit pas, il était vexé que Rivera n'ait pas réagi à sa vanne sur la géante, à savoir qu'il ne fallait pas compter sur elle pour faire quoi que ce soit.

– Vous devriez moucher les cierges, Pepe, dit le patron de la décharge en pointant le doigt vers sa Vierge Marie adorée, puis il s'adressa aux deux vieux prêtres : Elle est hautement inflammable.

– Inflammable ! s'écria le Père Alfonso.

Rivera refit l'inventaire du contenu de la boîte à café, tel que les enfants l'avaient appris du Dr Vargas : une étude scientifique, basée sur des analyses chimiques.

– Peinture, térébenthine, ou un autre diluant. De l'essence, assurément, énuméra-t-il aux deux prêtres. Et probablement des produits de traitement ou de teinture du bois.

– On ne risque pas de tacher la Sainte Mère, j'espère ! s'inquiéta le Père Octavio.

– Laissez-moi la nettoyer. Si je peux avoir un petit moment seul avec elle, par exemple demain, avant le premier office du matin. Ou le mieux serait après les vêpres, ce soir. Il faut éviter de mélanger de l'eau avec toutes ces substances, ajouta Rivera.

On aurait cru entendre un alchimiste reconnu et incontesté plutôt qu'un banal patron de décharge.

Dressé sur la pointe des pieds, Frère Pepe mouchait les cierges avec un long éteignoir doré. Les cendres avaient déjà éteint ceux qui se trouvaient à proximité immédiate de la Vierge Marie.

– Tu as mal à la main, Jefe… à l'endroit où tu t'es coupé ? demanda Lupe à Rivera.

L'homme était indéchiffrable, même par une télépathe.

Ce que Lupe avait lu dans ses pensées devait aller bien au-delà de la coupure qui pissait le sang, se dit plus tard Juan Diego. Elle avait dû percer le secret du « petit projet » que Pepe avait interrompu et que Rivera était en train de « finaliser »… Que faisait donc le patron de la décharge quand il s'était tailladé le pouce et l'index de la main gauche ? Mais Lupe ne révéla pas ce qu'elle savait, ni si elle le savait, et d'ailleurs Rivera, à l'instar des poches de son tablier de travail, dissimulait bien des secrets.

– Lupe veut savoir si tu as mal à la main, Jefe, là où tu t'es coupé, traduisit Juan Diego.

– Il me faut juste deux points de suture, dit Rivera, la main toujours plongée dans la poche de son tablier.

Frère Pepe avait pensé que Rivera ne devait pas conduire ; il l'avait amené dans sa vieille Volkswagen depuis la cabane de Guerrero, et il avait insisté pour déposer sans tarder le patron de la décharge chez le Dr Vargas. Mais les points de suture pouvaient attendre, Rivera tenait à voir d'abord les résultats de la dispersion.

– Les résultats ! répéta le Père Alfonso, après que Pepe lui eut rapporté les propos du médecin.

– Les résultats ! J'assimilerais ça à une forme de vandalisme, déclara le Père Octavio, jetant un regard sévère à Juan Diego et à Lupe.

– Moi aussi, il faut que je voie Vargas, allons-y tout de suite, dit Lupe à son frère.

Les enfants ne regardaient même pas la Vierge Monstre. Ils n'attendaient pas la moindre réaction de sa part. Mais Rivera leva les yeux vers le visage sans nez de la Vierge Marie, comme si, nonobstant sa mine assombrie, il attendait d'elle un signe, ou ce qui pouvait s'apparenter à des instructions.

– Allez, viens, Jefe. Tu as mal, ça saigne encore.

Lupe lui prit sa main droite indemne. Le patron de la décharge n'était pas habitué à une telle marque d'affection de la part de la petite fille, toujours portée à le remettre à sa place. Il la laissa le mener dans l'allée centrale de l'église.

– On fera en sorte de vous laisser seul ce soir avant la fermeture, annonça le Père Alfonso au patron de la décharge.

– Tu fermeras derrière lui, je présume, dit le Père Octavio à Pepe, qui venait de remettre le long éteignoir doré à sa place consacrée et se hâtait d'emboîter le pas à Rivera et aux enfants.

– Si, si ! lança-t-il aux deux prêtres.

Edward Bonshaw était resté sur place, la boîte à café dans les mains. Le moment n'était pas venu de se confesser, d'avouer ce qu'il ne pouvait plus garder, au Père Alfonso et au Père Octavio : un office allait commencer et la boîte avait perdu son couvercle, qui avait disparu. Il aurait très bien pu partir en fumée, comme le nez de la Vierge Marie, pensait-il. Mais, en l'occurrence, le couvercle de la très profane boîte à café – que Lupe avait été la dernière à toucher – s'était volatilisé sans émettre la moindre flamme bleue.

Les enfants et le patron de la décharge avaient quitté l'église avec Frère Pepe, laissant Edward Bonshaw et les deux vieux prêtres face à la Vierge sans nez et aux incertitudes de leur avenir. Pepe s'y retrouvait-il mieux que quiconque ? Il savait qu'un processus de reconversion n'est jamais une mince affaire.

27

Nez pour nez

Le vol de nuit de Manille à Laoag était plein d'enfants qui pleuraient. Il ne durait pas plus d'une heure et quart, mais le vacarme ambiant le faisait paraître plus long.

– C'est le week-end ? demanda Juan Diego à Dorothy, qui lui répondit que non, on était jeudi. Ils ont école, demain ! s'insurgea-t-il, déconcerté. Ces enfants ne vont donc pas en classe ?

Il savait d'avance que Dorothy allait hausser les épaules.

Ce geste nonchalant, dérisoire, suffisait à le déconnecter du présent. Même les pleurs des enfants ne parvenaient pas à l'y ancrer… Pourquoi se laissait-il si facilement, et si souvent, gagner par le passé ?

Les bêtabloquants en étaient-ils seuls responsables, ou bien son séjour aux Philippines était-il de nature immatérielle ou éphémère ?

Dorothy parlait de sa tendance à être plus volubile quand des enfants babillaient autour d'elle.

– Je préfère m'écouter moi-même plutôt que ces mômes, tu comprends…

Mais Juan Diego peinait à la suivre car son monologue décousu était couvert par la conversation qui avait eu lieu quarante ans auparavant, cette discussion avec le Dr Vargas à Cruz Roja, le jour où celui-ci avait recousu le pouce et l'index gauches de Rivera.

– Tu n'aimes pas les enfants ? s'était-il borné à lui demander.

Après quoi il ne lui avait plus adressé la parole de tout le vol, concentré sur les propos qu'échangeaient Vargas, Rivera et Lupe pendant que le médecin effectuait les sutures, ce matin-là, à l'Hôpital de la Croix-Rouge.

– Ça ne me gêne pas que les gens aient des enfants, je veux dire, les autres. S'ils veulent en avoir, ça les regarde, déclara Dorothy.

Et sans respecter la chronologie, elle se mit à évoquer l'histoire du lieu où ils se rendaient, sans doute pour que Juan Diego en connaisse les grandes lignes. Mais il n'en capta que très peu de chose, tout à la conversation à la Croix-Rouge, qu'il aurait dû écouter plus attentivement à l'époque.

– Seigneur, Jefe, vous vous êtes battu à l'épée ? demandait Vargas au patron de la décharge.

– Non, avec un burin, j'ai d'abord essayé celui en biseau. Il a un bord de coupe qui fait un angle oblique, mais ça ne marchait pas.

– Alors tu en as pris un autre, lança Lupe au Jefe.

Juan Diego traduisit.

– Oui, c'est ce que j'ai fait. Le problème, c'était l'objet sur lequel je travaillais. Il ne tient pas à plat. Il est difficile à caler parce qu'il n'a pas vraiment d'assise.

– On a du mal à le stabiliser d'une main pendant qu'on coupe ou qu'on retire des copeaux de l'autre, expliqua Lupe.

Juan Diego traduisit également cette précision.

– Tout à fait, l'objet est difficile à stabiliser, convint Rivera.

– C'est quoi, cet objet, Jefe ? demanda Juan Diego.

– Disons que ça ressemble à une poignée de porte, à un loquet, un truc comme ça.

– Pas une mince affaire, continua Lupe, aussitôt traduite par Juan Diego.

– Vous vous êtes salement coupé, Jefe, lui dit Vargas. Vous devriez peut-être vous en tenir au travail sur le basurero.

À ce moment-là, tout le monde avait éclaté de rire. Juan Diego avait encore ce rire dans les oreilles, tandis que Dorothy continuait son topo. Elle parlait de la côte nord-ouest de Luçon. Laoag était un port de commerce et un centre de pêche aux Xe et XIe siècles.

– On voit bien l'influence de la Chine. Et puis les Espagnols sont arrivés, avec toute leur bondieuserie et leurs Jésus-Marie-Joseph, tes vieux copains.

Les Espagnols avaient conquis les Philippines au XVIe siècle, et y étaient restés plus de trois cents ans.

Mais Juan Diego n'écoutait pas. Un autre échange occupait tout son esprit, un moment où il aurait dû, ou pu, voir venir les choses… Un moment où il aurait pu changer leur cours.

En regardant Vargas recoudre Rivera, Lupe s'était approchée au point de toucher les points de suture. Le docteur lui fit remarquer qu'il risquait de coudre son petit visage curieux sur la main du Jefe. C'est alors qu'elle lui posa la question qui la taraudait :

– Est-ce que les lions peuvent attraper la rage ? Commençons par ça... lui dit-elle.

Juan Diego traduisit pour Vargas, qui n'était pas homme à admettre des lacunes dans son omniscience.

– Un chien est contagieux quand le virus atteint ses glandes salivaires, soit environ une semaine, voire moins, avant qu'il n'en meure.

– Lupe parlait des lions, lui rappela Juan Diego.

– Chez les hommes, la période d'incubation dure généralement de trois à sept semaines, mais j'ai vu des patients développer la maladie en dix jours, continuait Vargas, quand Lupe l'interrompit :

– Supposons qu'un chien enragé morde un lion... Vous savez, comme un chien des toits, ou un perro del basurero. Est-ce que le lion attrape la rage ? Qu'est-ce qui lui arrive, en fait ?

– Il y a forcément des études là-dessus. Il faudra que je me renseigne, soupira Vargas. Les gens qui se font bouffer par un lion s'inquiètent rarement de savoir s'il était enragé en plus. C'est le cadet de leurs soucis.

Le haussement d'épaules de Lupe se passait de traduction.

Le Dr Vargas avait entrepris de panser les deux doigts blessés de Rivera.

– Ça doit rester propre et sec, Jefe.

Mais Rivera dévisageait Lupe, qui ne soutint pas son regard. Elle gardait son secret pour elle. Il le voyait bien.

Quant à Juan Diego, il était impatient de retourner à Cinco Señores, où La Maravilla était probablement en train d'installer les tentes et de calmer les animaux. À l'époque, il jugeait avoir mieux à faire que découvrir ce qui la turlupinait. Comme tout garçon de quatorze ans, Juan Diego s'imaginait en héros, il nourrissait l'ambition de marcher au ciel, ambition dont Lupe l'extralucide n'ignorait rien.

Ils parvinrent à se caser tous les quatre dans la Coccinelle de Pepe. Celui-ci déposa les enfants à Cinco Señores avant de reconduire à sa bicoque Rivera, qui souhaitait faire une sieste avant que la douleur ne se réveille.

Dans la voiture, Pepe annonça à Juan Diego et à Lupe qu'ils seraient accueillis à bras ouverts aux Enfants perdus.

– On vous a gardé votre chambre, vous pouvez y revenir quand vous voulez, leur dit-il.

Mais Sœur Gloria avait rapporté à la boutique la poupée affriolante de Guadalupe. Les Enfants perdus ne seraient plus jamais comme avant, pensait Juan Diego. À quoi bon quitter un orphelinat, si c'est pour y revenir ? Quand on part, c'est pour toujours. Qui n'avance pas recule.

Quand ils s'arrêtèrent devant le cirque, Rivera était en pleurs. Ce n'était pas la douleur qui revenait, les enfants le savaient : le patron de la décharge était trop ému pour parler.

– Tu nous verrais bien revenir à Guerrero, hein, Jefe ? On le sait parfaitement, lança Lupe. Dis à Rivera que sa maison sera toujours la nôtre, si un jour on doit revenir chez nous. Dis-lui qu'il nous manque aussi.

Juan Diego traduisit scrupuleusement les propos de sa sœur à Rivera, qui pleurait de plus belle sur le siège passager de la voiture, ses larges épaules secouées par des sanglots.

Étrange comme à cet âge-là, à treize ou quatorze ans, on tient l'amour des autres pour acquis. Et comme on se sent seul, absolument seul, même quand on vous réclame. Les deux enfants n'étaient pas abandonnés au Circo de La Maravilla, et pourtant ils avaient cessé de se confier l'un à l'autre, sans trouver de nouveaux confidents.

– Bonne chance pour le projet sur lequel tu travailles ! lança Juan Diego à Rivera quand celui-ci quitta Cinco Señores pour rejoindre Guerrero.

– Pas une mince affaire, répéta Lupe, comme pour elle-même.

Pepe était déjà reparti et seul Juan Diego aurait pu entendre la réflexion de sa sœur, mais il ne l'écoutait pas vraiment. Il pensait à sa propre affaire, pas mince, elle non plus. Pour ce qui était de prouver qu'on avait des couilles, seul le grand chapiteau – la marche céleste à vingt-cinq mètres de haut, sans filet de protection – constituait le véritable test. C'est ce que Dolores lui avait dit et il la croyait sur parole. Soledad l'avait formé, elle lui avait appris la marche céleste dans la tente d'entraînement des petites acrobates, mais Dolores lui avait dit que ça ne prouvait rien…

Il se rappelait avoir rêvé de marche céleste avant même d'en connaître l'existence, à l'époque où il vivait avec Lupe dans la bicoque de Rivera à Guerrero. Et quand il lui avait demandé ce qu'elle pensait de ce rêve où il marchait la tête en bas, elle était restée aussi énigmatique que d'habitude. Il s'était borné à lui dire :

– Il vient toujours un moment dans la vie où on doit lâcher les mains, les deux mains.

– C'est un rêve d'avenir, un rêve de mort, avait-elle répondu.

Dolores avait évoqué à sa manière ce moment crucial où l'on doit lâcher prise.

– Je ne sais jamais dans quelles mains je me trouve, à ce moment-là. Peut-être ces Vierges miraculeuses ont-elles des mains magiques… Ce sont peut-être elles qui me tiennent. N'y pense pas, toi. Quand tu es là-haut, tu ne dois penser qu'à une chose : tes pieds… À la façon de progresser d'un échelon à l'autre. Dans la vie, il y a toujours un moment où l'on doit décider où est sa place. Et là, on ne peut compter que sur soi : on marche tous dans les airs. Tu sais, les grandes décisions, il faut peut-être les prendre sans filet. Dans la vie, il arrive toujours un moment où il faut lâcher prise.

Oui, c'est ce que la Merveille en personne lui avait dit.

Après la tournée, les équipes du cirque faisaient la grasse matinée. Enfin, tout était relatif… Juan Diego aurait bien voulu en profiter pour prendre une longueur d'avance, mais avec les chiens, il fallait la jouer fine. Il essaya de se glisser hors de la tente le plus discrètement possible, sachant que s'il en réveillait un, celui-ci voudrait l'accompagner.

Il se leva de si bonne heure que seule Pastora l'entendit. Elle patrouillait déjà et ne comprit pas pourquoi Juan Diego refusait de l'emmener. C'est sans doute elle qui réveilla Lupe après le départ de son frère.

Il n'y avait personne dans l'allée des tentes. Juan Diego cherchait Dolores, qui se levait tôt pour faire son jogging. Dernièrement, peut-être avait-elle couru trop vite, ou trop longtemps, toujours est-il qu'elle en avait vomi. Il admirait ses longues jambes, certes, mais il était hostile à ces marathons démentiels. Les infirmes et la course, dira-t-on… Ce n'est pas parce qu'on aime courir qu'il faut s'en rendre malade.

Mais Dolores prenait son entraînement à cœur. Elle courait et buvait beaucoup d'eau, persuadée que cela l'aidait à éviter les crampes. Quand on est la tête en bas sur les échelons de corde à vingt-cinq

427

mètres au-dessus du sol, rien de pire qu'une crampe dans la jambe porteuse, dont le pied vous retient à l'échelle.

Juan Diego se donnait du courage à la pensée qu'aucune des petites acrobates n'était prête à remplacer Dolores dans le rôle de la Merveille. Il savait qu'après elle, il était le meilleur marcheur céleste de La Maravilla, à trois mètres de hauteur du moins.

Sous le chapiteau, c'était une autre histoire. Les voltigeurs montaient sur la plateforme supérieure par une simple corde dont les nœuds étaient espacés de manière à convenir aux mains et aux pieds de tous – à Dolores comme aux voltigeurs argentins à la sexualité insatiable.

Pour Juan Diego, ces nœuds ne posaient pas de problème particulier. Il avait une bonne prise de main, n'étant pas plus lourd que Dolores, et n'avait pas de mal à attraper le nœud au-dessus de lui, son pied valide bien posé sur celui du dessous. Il grimpait, se hissait à la force des bras, comme à l'entraînement, mais il regardait toujours vers le haut, jamais vers le bas. Au-dessus de lui, l'échelle de corde horizontale était suspendue tout en haut du chapiteau, et, à chaque poussée sur ses bras, il la voyait se rapprocher. Mais à ce rythme, grimper jusqu'à vingt-cinq mètres prenait du temps.

– Tu as un autre avenir ! entendit-il Lupe crier, une fois de plus.

Pas question de regarder vers le bas, il continua son ascension. Il était presque arrivé, il avait déjà dépassé la plateforme des voltigeurs. Il aurait pu attraper les trapèzes, mais pour cela il aurait fallu qu'il lâche la corde à nœuds, chose impossible pour lui, même d'une seule main.

Il avait aussi dépassé les projecteurs, sans presque s'en apercevoir parce qu'ils étaient éteints. Il savait qu'ils étaient placés là, orientés vers le haut pour inonder de lumière le marcheur céleste, et avec lui les barreaux de l'échelle de corde.

– Ne regarde pas en bas. Jamais vers le bas.

C'était la voix de Dolores. Elle devait être rentrée de son jogging, et vomissait tout ce qu'elle savait. Il ne regarda pas vers le bas mais s'arrêta un instant en l'entendant. Les muscles des bras le brûlaient, cependant il se sentait fort. Et il ne lui restait qu'une courte distance à parcourir.

– Un autre avenir ! Un autre avenir ! Un autre avenir ! criait Lupe tandis que Dolores vomissait en bas.

Elles étaient son seul public.

– Tu n'aurais pas dû t'arrêter, parvint à articuler Dolores entre deux hoquets. Tu dois passer de la corde à nœuds à l'échelle sans y penser ; ce qu'il faut, c'est lâcher la corde avant d'attraper l'échelle.

Cela signifiait qu'il devrait lâcher prise deux fois.

Personne ne le lui avait dit. Ni Soledad ni Dolores ne l'auraient cru prêt à grimper jusque là-haut. Il se rendit compte qu'il était incapable de lâcher la corde, même une seule fois, même d'une seule main. Immobile, pétrifié, il la sentait osciller toute seule.

– Redescends ! lui cria Dolores. Il n'y a pas beaucoup de gens qui ont le courage de faire ça. Je suis sûre que tu en auras pour faire des tas d'autres choses.

– Tu as un autre avenir, répéta Lupe, d'une voix adoucie.

Juan Diego redescendit sans regarder une seule fois vers le bas. Quand ses pieds touchèrent le sol, il constata avec étonnement qu'il était seul avec Lupe sous le vaste chapiteau.

– Où est passée Dolores ?

Lupe avait proféré des horreurs à son encontre : « Que le dompteur la mette en cloque ! » Or il venait bel et bien de le faire. « C'est ce qui peut lui arriver de mieux ! » avait-elle ajouté. Mais à présent, elle regrettait ces mauvaises paroles. Dolores avait eu ses premières règles quelque temps auparavant. Les lions l'ignoraient peut-être. Pas Ignacio. Si Dolores courait tous les jours à s'en rendre malade, c'était pour avorter, mais ces courses effrénées n'y avaient pas suffi. Elle était bel et bien enceinte et c'est pour cette raison qu'elle vomissait tous les matins.

Quand Lupe l'apprit à Juan Diego, il lui demanda si Dolores lui en avait parlé. Mais il n'en était rien. Elle l'avait lu dans ses pensées.

Dolores s'était cependant confiée à elle avant de partir, une fois sûre que Juan Diego redescendait la corde à nœuds.

– Je vais te dire ce que je n'ai pas le cran de faire… Comme tu es une mademoiselle je-sais-tout, tu es sûrement déjà au courant. Je n'ai pas le courage d'affronter le reste de ma vie.

Puis elle s'était glissée hors du chapiteau, pour ne plus jamais y revenir.

Le Dr Vargas fut la dernière personne à la voir à Oaxaca, aux Urgences de la Croix-Rouge. Elle était morte d'une infection péritonéale, due à un avortement saboté à Guadalajara. « Ce salopard de dompteur connaît un charlatan, il lui envoie ses acrobates quand il les a engrossées », dit Vargas. Ce jour-là, l'infection était trop avancée pour qu'il puisse la sauver.

« Meurs en couches, chatte de singe ! » avait asséné Lupe à la Merveille. D'une certaine façon, c'est bien ce qui lui était arrivé. Elle avait quatorze ans, l'âge de Juan Diego. La Maravilla avait perdu sa Merveille.

L'enchaînement des événements, la trame de nos vies, ce qui nous mène sur le chemin, vers les buts que nous nous sommes fixés, ce que nous ne voyons pas arriver et ce que nous faisons... autant de mystères, autant d'angles morts. Autant d'évidences, aussi.

Vargas était un bon praticien, un homme intelligent. Au premier coup d'œil, il avait tout compris : l'avortement à Guadalajara – il en avait vu d'autres du même acabit –, le charlatan, un pote d'Ignacio qui avait bâclé le travail, l'adolescente tout juste pubère...

Toutefois, même Vargas n'avait pas la science infuse. Sa vie durant, il allait se demander s'il y avait des cas de rage chez les lions. Pendant des années, il enverrait à Juan Diego les comptes rendus des recherches en cours. Et pourtant quand Lupe lui avait posé la question, quand elle cherchait des réponses à ses propres interrogations, il avait été incapable de lui fournir la moindre information.

Il avait l'esprit scientifique, il spéculait, c'était dans sa nature. Au fond, bien après la mort de Lupe, ce n'était pas tant la question de la rage chez les lions qui le passionnait, mais pourquoi elle taraudait à ce point la fillette.

Señor Eduardo et Flor étaient morts du sida et Lupe avait quitté ce monde depuis longtemps quand Vargas fit état d'« études » déconcertantes publiées en Tanzanie. Des recherches menées sur des lions du Serengeti soulevaient des points « significatifs » qu'il signalait à Juan Diego.

Chez les lions, la rage aurait été transmise par des chiens domestiques. Elle se serait propagée par l'intermédiaire des hyènes jusqu'aux grands fauves. Le virus pouvait déclencher la maladie ou rester « silencieux ». Il y avait eu des épidémies de rage chez les lions en 1976 et 1981, mais aucune n'avait provoqué de symptômes particuliers, on les avait qualifiées d'« épidémies silencieuses ». Selon l'étude, la présence d'un parasite, comparable à celui de la malaria, aurait été déterminante pour provoquer ou non ces symptômes. Ainsi, un lion porteur sain et asymptomatique pouvait être contagieux et transmettre la maladie, et un autre, infecté par le même virus, pouvait développer la maladie et en mourir.

«Tout dépend de la réaction du système immunitaire au parasite», avait écrit Vargas à Juan Diego. Il y avait eu des épidémies de rage mortelles dans le Serengeti. Elles s'étaient produites durant les périodes de sécheresse qui avaient décimé les troupeaux de buffles du Cap. Les carcasses étaient infestées de tiques, elles-mêmes porteuses du parasite.

Lupe n'aurait eu que faire de ces études, disait Vargas. Ce qu'elle voulait savoir, c'était si Hombre pouvait attraper la rage et en présenter les symptômes. Mais pourquoi? Il se le demandait encore. À quoi bon, désormais? songeait Juan Diego. Il était trop tard pour se poser la question.

Il était relativement rare qu'un lion soit contaminé par le virus de la rage, même dans le Serengeti ; mais quelle idée folle avait traversé la tête de Lupe, avant qu'elle ne change d'avis et passe à une autre, tout aussi folle ?

Que Hombre ait attrapé la rage ou non, quelle importance ? Qu'un chien enragé morde Hombre, à moins que celui-ci n'ait tué et dévoré un chien enragé, soit. Que Hombre attrape le virus puis qu'il morde Ignacio, admettons… Mais tout cela mène à quoi ?

«Cette histoire a pour origine les pensées des lionnes», avait expliqué Juan Diego à Vargas une bonne centaine de fois.

Lupe lisait dans la pensée des lions, elle savait que Hombre ne s'en prendrait jamais à Ignacio. Et que les filles de La Maravilla ne seraient jamais en sécurité tant que le dompteur serait en vie. Elle le savait parce qu'elle lisait dans les pensées d'Ignacio.

Inutile de dire que cette logique fantaisiste n'était pas à la hauteur des études scientifiques que le Dr Vargas trouvait convaincantes.

– Tu prétends que Lupe savait, d'une manière ou d'une autre, que les lionnes tueraient Ignacio, mais seulement si celui-ci tuait Hombre, c'est bien ça ?

Vargas demeurait incrédule.

– C'est ce que je l'ai entendue dire, répétait Juan Diego. D'après Lupe, les lionnes *allaient* tuer Ignacio. Elle savait qu'elles détestaient le dompteur. Elle disait qu'elles étaient encore plus connes que les petites bêcheuses, parce qu'elles étaient jalouses d'Ignacio, car elles croyaient que Hombre l'aimait plus qu'elles ! Ignacio n'avait rien à craindre du lion, c'était des lionnes qu'il aurait dû se méfier.

– Lupe savait tout ça ? Comment pouvait-elle le savoir ? s'enquit le Dr Vargas à plusieurs reprises.

Ce qui ne l'empêcha pas de poursuivre ses recherches sur la rage chez les grands félins, un champ d'investigation qui n'attirait pas les foules.

Le jour où Juan Diego avait déclaré forfait dans la dernière étape de sa marche céleste devait rester dans les mémoires comme « le Jour du Nez ». Il n'apparaîtrait jamais sous le vocable « Día de la Nariz » dans un calendrier liturgique, on n'en ferait pas une fête nationale ni une fête patronale. On finirait par l'oublier – même dans les traditions régionales – mais, pendant un temps, on y verrait un « grand événement mineur ».

Lupe et Juan Diego étaient seuls dans l'allée des tentes. Il était encore tôt, le premier office n'avait pas encore commencé à l'église, et au Circo de La Maravilla tout le monde dormait.

Tout le monde, enfin presque. Dans la tente des chiens, on s'agitait beaucoup. Manifestement, Estrella et ses protégés étaient réveillés. Les deux enfants se précipitèrent pour voir ce qui se passait. Fait inhabituel, la Coccinelle de Frère Pepe était garée dans l'allée. La petite voiture était vide, mais Pepe avait laissé le moteur en marche. Les enfants entendaient Perro Mestizo, le bâtard, aboyer à s'exploser la cervelle. Derrière le rabat ouvert de la tente, Alemania grondait. Elle tenait Edward Bonshaw en respect.

– Les voilà ! s'écria Pepe en apercevant les enfants.

– Oh oh, fit Lupe.

Évidemment, elle savait ce que le jésuite avait en tête.

– Vous avez vu Rivera ? demanda Frère Pepe à Juan Diego.

– Pas depuis la dernière fois, avec vous.

– Il devait assister au premier office de la matinée, dit Lupe.

Elle attendit que son frère traduise avant de continuer. Dans la mesure où elle savait tout ce que pensaient Pepe et Señor Eduardo, elle les devança en annonçant la nouvelle à Juan Diego.

– La Vierge Monstre a un nouveau nez. Ou alors il lui est poussé le nez de quelqu'un d'autre. Ça fait débat, tu t'en doutes.

– Comment ça?

– Débat sur le miracle. Il y a deux écoles. On a dispersé les cendres de son ancien nez. Et voilà qu'elle en a un nouveau. Soit c'est un miracle, soit un simple bricolage. Comme tu peux l'imaginer, le Père Alfonso et le Père Octavio ne tiennent pas à entendre le mot « milagro » mis à toutes les sauces.

Bien sûr, Señor Eduardo avait entendu et compris ce terme.

– Lupe dit que c'est un miracle? demanda-t-il à Juan Diego.

– Elle dit que c'est une théorie, mais qu'il y en a une autre.

– Et qu'est-ce qu'elle pense du changement de couleur de la Vierge? demanda Frère Pepe. Rivera a nettoyé les cendres qui la recouvraient, mais son visage est beaucoup plus foncé qu'avant.

– Le Père Alfonso et le Père Octavio disent que ce n'est plus notre Marie, celle à la peau blanche comme neige, annonça Lupe. Ils pensent que la Vierge Monstre ressemble davantage à Guadalupe, qu'elle est devenue une géante au teint mat.

Dès que Juan Diego eut traduit les propos de sa sœur, Edward Bonshaw se lança dans une diatribe enthousiaste, tempérée par les grognements d'Alemania.

– N'affirmons-nous pas depuis toujours – je veux dire *nous*, *l'Église* – que, dans un sens, la Vierge Marie et Notre Dame de Guadalupe sont une seule et même entité? Dans ces conditions, qu'importe la couleur de sa peau?

– C'est une théorie, fit remarquer Lupe à Juan Diego. La couleur de la Vierge Monstre est aussi matière à débat.

– Rivera a demandé qu'on le laisse seul avec la statue, rappela Frère Pepe aux enfants. Vous, les niños, n'imaginez tout de même pas qu'il soit intervenu?

Comme on peut aisément l'imaginer, la question de savoir si Rivera était ou non intervenu avait déjà fait débat.

– El Jefe a dit que l'objet sur lequel il travaillait n'avait pas d'assise plane et qu'il était difficile de le stabiliser. Il n'y avait pas de base, en fait, nota Lupe. C'était sûrement un nez, conclut-elle.

« Pas une mince affaire », avait dit Lupe de l'objet sur lequel travaillait le patron de la décharge. Mais elle ne révéla jamais si elle savait alors

que Rivera avait sculpté un nouveau nez pour la Vierge Monstre.
D'ailleurs, bien avant qu'ils ne reviennent à l'église de la Compagnie
de Jésus, avec Frère Pepe et Señor Eduardo dans la Volkswagen, Lupe
et Juan Diego avaient assez vécu avec lui pour savoir que l'homme
avait ses secrets.

Entre Cinco Señores et le centre de Oaxaca, ils furent pris dans les
encombrements de l'heure de pointe, si bien qu'ils parvinrent à l'église
après la messe. Quelques-uns des admirateurs du nouveau nez étaient
encore là, regardant béatement la Vierge Monstre à la peau désormais
brune. En nettoyant la statue, Rivera avait réussi à éliminer les traces
de produits chimiques provenant de l'agression des cendres. Quant aux
vêtements de la Vierge géante, ils n'avaient pas foncé, ou du moins
pas autant que son teint.

Rivera avait assisté à l'office religieux, mais il se tenait en retrait
des gogos aux yeux levés vers le nez. Il était agenouillé en silence
sur un prie-Dieu, à distance de la première rangée. Son tempérament
impassible lui faisait un rempart contre les insinuations des deux
vieux prêtres.

Interrogé sur la coloration de la Vierge Marie, Rivera l'avait attribuée
« à la peinture et la térébenthine, au diluant ou au vernis à bois » – non
sans signaler les effets pernicieux de l'essence, qu'il utilisait cou-
ramment pour allumer les feux.

Quant au nouveau nez, la statue n'en était pas pourvue quand il avait
terminé son travail de nettoyage, affirmait-il. Pepe avait déclaré ne pas
l'avoir vu davantage en fermant l'église à clé pour la nuit.

Lupe souriait à la Vierge Monstre. Avec sa peau brunie, elle était
sans conteste plus « indigène ». Elle aimait aussi son nouveau nez.

– Il est moins parfait, plus humain.

Le Père Alfonso et le Père Octavio, qui n'avaient pas l'habitude de
voir Lupe sourire, demandèrent à Juan Diego de traduire ses paroles.

– On dirait un nez de boxeur ! s'indigna le Père Alfonso en réponse
à l'assertion de Lupe.

– C'est vrai, un nez cassé, confirma le Père Octavio, les yeux fixés
sur Lupe.

L'aspect « moins parfait, plus humain » lui paraissait complètement
déplacé.

Les deux prêtres avaient demandé au Dr Vargas de venir leur donner un avis scientifique. Ce n'est pas qu'ils aimaient ou croyaient en la science, Frère Pepe en était bien conscient, mais Vargas n'était pas du genre à employer le mot « milagro » à tort et à travers. Il ne faisait même pas partie de son vocabulaire. Or, sans ignorer pour autant qu'ils prenaient un risque en requérant l'avis de Vargas, le Père Alfonso et le Père Octavio étaient bien décidés à minimiser l'interprétation miraculeuse de la coloration et du nouveau nez de la Vierge Monstre.

La foi d'Edward Bonshaw venait d'être ébranlée ; ses vœux étaient rompus, et sa résolution proverbiale « contre vents et marées » l'avait abandonné. Il avait donc tout lieu de réclamer une reconnaissance généreuse de cette Vierge dont la physionomie nouvelle ne minorait en rien l'importance.

Quant à Frère Pepe, il avait toujours été du côté du changement, de la tolérance, surtout de la tolérance. Sa pratique de l'anglais s'était beaucoup améliorée au contact de Juan Diego et de l'Américain. Mais dans son enthousiasme à accepter la peau brunie et le nouveau nez de la Vierge, il déclara que cette métamorphose était un bien pour un mal.

Pepe n'avait sans doute pas soupçonné l'ambiguïté de son propos et le Père Alfonso comme le Père Octavio peinèrent à saisir ce qu'une Vierge Marie à l'allure indigène et au nez de boxeur pouvait avoir de « bien ».

– Tu veux dire qu'il y a du pour et du contre dans cette métamorphose, Pepe ? dit Señor Eduardo pour essayer de concilier tout le monde.

Mais son intervention ne fut pas mieux perçue par les deux prêtres, qui ne voyaient que du « contre » dans la transformation de la statue de la Vierge.

– Cette Marie est ce qu'elle est, affirma Lupe. Elle en a déjà fait plus que je n'aurais cru. Elle a fait quelque chose, c'est déjà ça. Qu'importe d'où vient son nez ? Pourquoi en faire un miracle, et d'un autre côté pourquoi pas ? Et d'ailleurs pourquoi toujours tout interpréter ? Comment savoir quelle tête avait la vraie Vierge Marie ? Quelle était la couleur de sa peau, la forme de son nez ? continua-t-elle sur sa lancée.

Juan Diego traduisit intégralement sa tirade.

Les nasolâtres eux-mêmes avaient détourné les yeux de la Vierge Monstre et regardaient maintenant la gamine au parler cabalistique.

Le patron de la décharge avait cessé de prier et la regardait, lui aussi. C'est alors qu'ils s'aperçurent que Vargas était là depuis le début, et se tenait à distance de la statue monumentale. Il avait observé le nez de la Vierge avec des jumelles et prié la nouvelle femme de ménage de lui apporter une échelle.

– J'aimerais bien vous citer un vers de Shakespeare, déclara Edward Bonshaw, plus que jamais professoral. C'était un passage de *Roméo et Juliette* qu'il aimait beaucoup : « Qu'y a-t-il dans un nom ? » déclama-t-il d'une voix forte. (Naturellement, il changea dans la citation le mot *rose* en *nase* :) « Ce que nous appelons un nase embaumerait autant sous un autre nom. »

Les deux prêtres étaient restés bouche bée en entendant Juan Diego traduire les paroles enflammées de sa sœur, mais Shakespeare ne leur fit ni chaud ni froid. Shakespeare, ils connaissaient. Un auteur très profane.

– C'est une question de matériau, Vargas. Son visage et son nouveau nez sont-ils faits de la même matière ? demanda le Père Alfonso au médecin, qui poursuivait son examen minutieux à l'aide de ses jumelles haute précision.

– Y a-t-il une suture, une fissure où le nez aurait pu être fixé sur son visage ? ajouta le Père Octavio.

La robuste tâcheronne, qui avait en effet l'air d'une femme de ménage, tirait une longue échelle dans l'allée centrale de l'église. Esperanza n'aurait jamais eu la force de porter toute seule une échelle pareille. Vargas l'aida à la positionner contre la géante.

– Je préfère oublier comment la Vierge Monstre réagit aux échelles, dit Lupe à Juan Diego.

– Moi aussi, lui répondit-il.

Les enfants ne savaient pas de quelle matière était fait l'ancien nez de la Vierge Monstre. Ils penchaient pour du bois, du bois peint.

Des années plus tard, quand Frère Pepe décrivit, dans un courrier à Juan Diego, la restauration intérieure de l'église de la Compagnie de Jésus, il évoqua la « nouvelle pierre calcaire » : « Tu le savais, toi, que la pierre calcaire produit de la chaux quand elle brûle ? » Juan Diego ne le savait pas, et se demandait par ailleurs si la statue de la Vierge Monstre, désormais en calcaire, avait fait partie de la restauration. Cela impliquait-il que l'ancienne était d'une autre pierre ?

Et tandis que Vargas gravissait les échelons pour voir de plus près le visage impénétrable – les yeux de la Vierge aux traits indigènes n'ayant pas jusque-là donné le moindre signe de vie –, Lupe lisait dans les pensées de Juan Diego.

– Oui, moi aussi, je crois bien que c'est du bois, pas de la pierre. D'un autre côté, si Rivera a pris un couteau à bois pour travailler la *pierre*, il ne faut pas s'étonner qu'il se soit coupé. Je ne l'ai jamais vu se blesser comme ça, et toi ?

– Moi non plus.

Juan Diego pensait que les deux nez étaient en bois, mais que Vargas allait leur servir un diagnostic scientifique sans se compromettre sur la composition du nouvel appendice, miraculeux ou non.

Les deux prêtres observaient Vargas avec attention, alors même que celui-ci se trouvait tout en haut de l'échelle. Il était difficile de voir ce qu'il faisait.

– Qu'est-ce que je vois ? Un couteau ? Vous n'êtes pas en train de lui taillader le visage, j'espère ! s'écria le Père Alfonso.

– C'est un couteau suisse, intervint Edward Bonshaw. J'en avais un, mais…

Le Père Octavio l'interrompit :

– N'allez pas lui faire une saignée, Vargas !

Lupe et Juan Diego ne s'intéressaient aucunement au couteau suisse. Ils fixaient les yeux impénétrables de la Vierge Marie.

– Je dois dire que c'est du travail de pro, lança Vargas du haut de l'échelle branlante. En matière de chirurgie, il y a loin de l'amateurisme au sublime.

– Vous êtes en train de nous dire qu'on a ici quelque chose qui relève du sublime, mais que c'est tout de même de la chirurgie ? s'enquit le Père Alfonso.

– On observe une légère marque sur le bord d'une narine, comme une tache de naissance. Vous ne pouvez pas la voir d'en bas.

La tache de naissance supposée pourrait très bien être une tache de sang, pensa Juan Diego.

– En effet, dit Lupe. Ça pourrait être du sang. El Jefe a dû saigner beaucoup.

– La Vierge Marie a une tache de naissance ? s'exclama le Père Octavio, d'un ton indigné.

437

– Ce n'est pas une imperfection, dit Vargas, et ça m'intrigue prodigieusement.

– Et les matériaux, Vargas, le visage, le nouveau nez ? rappela le Père Octavio au praticien.

– Oh, cette dame est beaucoup plus proche de la terre que des cieux ! Vargas s'amusait aux dépens des deux prêtres, lesquels s'en rendaient compte : Elle fleure plus le basurero qu'une suave odeur de sainteté.

– Tenez-vous-en à des considérations scientifiques, Vargas, protesta le Père Alfonso.

– Les amateurs de poésie pourront toujours lire du Shakespeare, renchérit le Père Octavio en lançant un regard noir à l'homme perroquet, qui se sentit dispensé de citer d'autres vers de *Roméo et Juliette*.

Rivera en avait terminé avec ses *Je vous salue, Marie*. Il s'était relevé. Que le nouveau nez soit son œuvre ou pas, il n'en dirait mot. Son pansement était propre et sec.

Il allait prendre congé, laissant Vargas en haut de son échelle et les deux prêtres en butte à ses sarcasmes, mais Lupe tenait à ce que tout le monde soit présent pour écouter ce qu'elle avait à dire. Ce n'est que plus tard que Juan Diego comprit pourquoi.

Le dernier des crétins nasolâtres avait quitté l'église. Sans doute espéraient-ils tous un miracle, mais ils en savaient assez sur le monde réel pour se rendre compte qu'ils avaient peu de chances d'entendre le mot « milagro » sortir de la bouche d'un médecin perché sur une échelle, qui plus est muni d'une paire de jumelles et d'un couteau suisse.

– Un nez pour un nez, moi ça me va. Traduis tout ce que je vais dire, dit Lupe à Juan Diego, puis elle regarda les deux prêtres droit dans les yeux. Quand je mourrai, n'incinérez pas mon corps. Balancez-moi tout votre pataquès, vos formules magiques à la noix. Vous pouvez brûler mes vêtements, mes affaires. Si un chien vient à mourir, oui, vous pouvez le brûler avec. Mais pas moi. Donnez-moi tout ce qu'elle voudrait me donner, dit-elle en montrant du doigt la Vierge Monstre au nez de boxeur. Et puis mettez une pincée, seulement une pincée, de cendres à ses pieds. Sans la lancer. Comme l'homme perroquet a dit la première fois, peut-être pas *toutes* les cendres, et uniquement à ses *pieds* !

À mesure qu'il traduisait, mot pour mot, Juan Diego voyait les deux prêtres captivés par les paroles de Lupe.

– Faites attention au petit Jésus, continua Lupe. Ne lui mettez pas de cendres dans les yeux.

Elle avait même une pensée pour la petite statue du Christ agonisant, recroquevillé sur sa croix, saignant aux pieds massifs de la Vierge Marie.

Juan Diego n'avait pas besoin d'être extralucide pour lire dans les pensées de Frère Pepe. Lupe était-elle en pleine crise mystique ?

C'est le type de réflexion qui peut nous assaillir dans un édifice voué à la spiritualité comme l'église de la Compagnie de Jésus. Dans un tel lieu, en présence de la statue gigantesque de la Vierge Marie, il est légitime d'avoir des pensées mystiques, ou au contraire carrément païennes. Une harangue comme celle de Lupe nous incite à songer à tout ce qui nous sépare en matière de foi et de croyances. Dans la bouche de Lupe, nous n'entendons que ce que nous imaginons de ses convictions ou de ses sentiments religieux, et nous ne pouvons nous empêcher de les juger à l'aune des nôtres.

Vargas, l'athée, le médecin qui avait apporté ses jumelles et son couteau suisse pour décrire l'anatomie d'un miracle, ou pour ausculter un nez qui n'avait rien de miraculeux, aurait considéré que, pour une gamine de treize ans, Lupe avait atteint un degré d'élévation spirituelle « carrément impressionnant ».

Rivera, quant à lui, savait qu'elle était *à part*. Pour tout dire, ce très superstitieux adorateur de Marie avait peur d'elle. Mais comment savoir ce qu'il pensait en réalité ? El Jefe était sans doute soulagé de constater que les convictions religieuses de Lupe n'étaient plus aussi subversives, et qu'elle avait changé de registre.

Quant aux deux vieux prêtres, ils se félicitaient, ainsi que le personnel des Enfants perdus, d'avoir ainsi instillé la foi chez une enfant aussi rebelle qu'incompréhensible.

Le bon Frère Pepe avait dû prier pour que renaisse un espoir de salut pour elle. Peut-être n'était-elle pas aussi *perdue* qu'il l'avait cru au début. Pour peu qu'elle soit traduite, sa pensée avait peut-être un sens, du moins sur le plan de la foi chrétienne. Il la considérait comme convertie.

Pas de crémation… Señor Eduardo n'en demandait pas plus. C'était un pas dans la bonne direction.

Et c'est ce qu'ils avaient dû tous penser. D'ailleurs, même Juan

Diego, qui connaissait sa sœur mieux que personne, ne perçut pas ce qu'il aurait dû pourtant entendre.

Pourquoi une enfant de treize ans parlait-elle de mourir ? Pourquoi énonçait-elle ici ses dernières volontés ? Lupe savait lire dans les pensées des autres, même des lions, même des lionnes. Pourquoi aucune des personnes présentes n'avait-elle été capable de lire dans les siennes ?

28

La convergence

Cette fois, Juan Diego était tellement immergé dans le passé – ou tellement éloigné de l'instant présent – que ni le bruit de la sortie du train d'atterrissage, ni le choc au moment où l'avion se posa sur la piste ne le ramenèrent d'emblée à la conversation de Dorothy.

– Marcos est originaire d'ici, disait-elle.

– Qui ça ?

– Marcos. Tu te souviens de Mrs Marcos, non ? Imelda, la femme au million de chaussures. Elle est toujours membre de la Chambre des représentants, ici, dans cette province.

– Elle doit avoir plus de quatre-vingts ans, aujourd'hui.

– Ouais. Elle est sacrément vieille, en tout cas.

Ils avaient une heure de route devant eux. Dorothy l'avait prévenu qu'ils devraient encore rouler dans la nuit et entrevoir, çà et là, quelques touches d'exotisme. Des maisons au toit de chaume, des églises de style espagnol, des chiens, ou seulement l'éclat de leurs yeux dans les phares. Et, au diapason de l'obscurité qui enveloppait la voiture – l'hôtelier avait réservé pour eux le chauffeur et la limousine –, Dorothy décrivit la souffrance atroce des prisonniers de guerre américains au Nord-Vietnam. Elle semblait connaître parfaitement les détails des séances de torture perpétrées au «Hilton de Hanoï», comme on appelait la prison Joa Lo de la capitale nord-vietnamienne. Les supplices les plus atroces étaient infligés aux pilotes d'avions de combat abattus et capturés.

Encore de la politique, de la politique surannée, songeait Juan Diego dans le noir. Ce n'est pas qu'il s'en désintéressait, mais, en tant qu'écrivain, il se méfiait des gens qui présumaient de ses opinions. Et cela lui arrivait tout le temps.

Pour quelle autre raison Dorothy l'aurait-elle amené à cet endroit ?

Il était là parce qu'il était américain, parce qu'elle considérait qu'il fallait qu'il voie où ces «jeunes gens avec la peur au ventre» venaient profiter de leurs permissions, angoissés à l'idée des tortures qu'ils allaient subir s'ils étaient capturés par les Nord-Vietnamiens.

Dorothy lui rappelait ces journalistes qui souhaitaient que Juan Diego, en tant qu'écrivain, assume davantage son statut de Mexicano-Américain. Il était certes d'origine mexicaine, mais était-ce une raison pour se projeter comme tel dans son œuvre? Ou pour justifier le fait d'être mexicano-américain? Ses critiques ne lui suggéraient-ils pas constamment les sujets qu'il devait traiter?

«Ne deviens pas comme ces Mexicains qui détestent le Mexique, ni comme ces Mexicains qui reviennent sans cesse au pays, faute de savoir couper le cordon», avait dit Frère Pepe en prenant Juan Diego dans ses bras. «Et puis quoi encore? s'était exclamée Flor en jetant à Pepe un regard méprisant. Vous en avez beaucoup comme ça? La liste est longue?»

Flor n'avait jamais compris l'aspect *littéraire* de la question. Pourquoi le public aurait-il des attentes sur ce qu'un écrivain mexicano-américain devait ou ne devait pas écrire? Au nom de quoi lui aurait-il été interdit de *ne pas* parler de son vécu de chicano?

Accepter d'être catalogué «Mexicano-Américain», pensait Juan Diego, engage du même coup à fournir la prestation attendue.

Et d'ailleurs, comparé à ce qui lui était arrivé au Mexique, comparé à son enfance et son adolescence à Oaxaca, rien de ce qu'il avait vécu depuis son installation aux États-Unis n'offrait matière à un roman.

Oui, il était en compagnie de sa jeune maîtresse sexy, mais les opinions politiques de celle-ci, ou plutôt celles qu'elle lui prêtait, la poussaient à lui expliquer l'importance de l'endroit où ils se trouvaient. Elle ne comprenait pas. Juan Diego n'avait aucunement besoin de se rendre au nord-ouest de Luçon, ni même de voir les lieux, pour se représenter ces «jeunes de dix-neuf ans avec la peur au ventre».

Peut-être était-ce le faisceau des phares d'une voiture qui les croisait, mais un trait de lumière éclaira les yeux sombres de Dorothy. Pendant une seconde ou deux, ils prirent une teinte ambrée, celle des yeux de fauves, et aussitôt Juan Diego fut happé par son passé.

C'était comme s'il n'avait jamais quitté Oaxaca. Dans les ténèbres et l'haleine des chiens qui baignaient la tente, aucun autre avenir ne l'attendait à La Maravilla que celui d'interprète de sa sœur. Juan Diego n'avait pas assez de cran pour devenir marcheur céleste. Le Cirque de la Merveille n'avait rien à faire d'un «marcheur au plafond». À quatorze ans, en pleine déprime, se cramponner à l'idée d'un avenir de rechange est comme essayer de voir dans l'obscurité. «Dans la vie, avait dit Dolores, il y a toujours un moment où l'on doit décider où est sa place.»

Dans la tente des chiens, l'aube n'était pas levée et l'obscurité était totale. Quand Juan Diego ne dormait pas, il s'efforçait d'identifier les respirations autour de lui. S'il n'entendait pas Estrella ronfler, il se disait qu'elle était morte ou qu'elle était allée dormir ailleurs.

C'était Alemania qui avait le sommeil le plus profond et le souffle le plus régulier. Sa vie diurne de policière devait beaucoup la fatiguer.

Baby était particulièrement agité, ses petites pattes moulinaient comme s'il courait, ou creusait la terre. Il aboyait à l'approche d'une proie imaginaire.

Au grand dam de Lupe, Perro Mestizo était toujours cantonné au rôle du mauvais garçon. À en juger par sa propension aux flatulences, il était en effet la brebis galeuse de la tente, sauf quand l'homme perroquet lui faisait concurrence.

Quant à Pastora, elle était comme Juan Diego, anxieuse et insomniaque. Quand elle était éveillée, elle haletait et faisait les cent pas ; dans son sommeil, elle gémissait comme si le bonheur était pour elle aussi aléatoire qu'une bonne nuit de repos.

– Couché, Pastora, lui intima Juan Diego le plus bas possible, car il ne voulait pas réveiller les autres chiens.

Ce matin-là, il avait facilement identifié leurs respirations. Il avait toujours du mal à distinguer celle de Lupe ; elle dormait si paisiblement qu'elle semblait à peine respirer. Il tendait l'oreille quand sa main effleura quelque chose sous son oreiller. Il dut tâtonner pour trouver sa lampe de poche avant de découvrir de quoi il s'agissait.

Le couvercle égaré de la sacro-sainte boîte qui avait contenu les cendres était tout à fait ordinaire, hormis son odeur. Les cendres contenaient davantage de produits chimiques que de restes d'Esperanza, du brave gringo et de Blanc Sale. Et si l'ancien nez de la Vierge Marie avait un pouvoir magique, il n'avait pas d'effluve spécifique.

Ça sentait plus le basurero sur ce couvercle que quoi que ce soit de céleste. Et pourtant Lupe l'avait conservé, et elle l'avait glissé sous l'oreiller de Juan Diego.

Sous son oreiller, il trouva aussi, rassemblées par un cordon, les clés des ouvertures par lesquelles on passait la nourriture aux fauves. Il y avait deux clés, une pour la cage de Hombre et une autre pour celle des lionnes.

La femme du chef d'orchestre adorait tresser des cordons. Elle en avait fait un pour le sifflet de son mari, quand il dirigeait l'orchestre du cirque, et un autre pour Lupe. Les fils étaient rouge foncé et blanc. Lupe l'attachait autour de son cou quand elle allait donner leur repas aux lions.

– Lupe ? chuchota Juan Diego, encore plus doucement que lorsqu'il avait intimé à Pastora de se coucher.

Personne ne l'entendit, pas même un des chiens.

– Lupe ! répéta-t-il, à voix haute cette fois.

Il dirigea le faisceau de la lampe vers son lit de camp : personne.

«Je suis là où je suis toujours», disait-elle d'ordinaire. Pas cette fois.

Ce matin-là, au moment où l'aube pointait à l'horizon, Juan Diego trouva Lupe dans la cage de Hombre.

Même quand on avait retiré le plateau, le sas, au bas de la cage, n'était pas assez grand pour permettre au lion d'y glisser la tête. «Pas de danger», avait déclaré Edward Bonshaw à Juan Diego quand il était venu la voir nourrir les lions et s'assurer de la taille de l'ouverture.

La nuit de leur arrivée à Mexico, Lupe avait dit à son frère :

– Moi je peux passer par le sas. Je peux très bien me glisser à travers l'ouverture.

– Si je comprends bien, tu as déjà essayé ?

– Pourquoi j'aurais essayé ?

– Je ne sais pas. Je te le demande…

Lupe n'avait pas répondu, ni cette nuit-là, ni depuis. Juan Diego savait qu'elle ne se trompait jamais sur le passé. Mais quand il s'agissait de l'avenir, ça dépendait. Les gens qui lisent dans les pensées ne sont pas devins pour autant, et Lupe se figurait sans doute avoir eu la vision de son avenir. Était-ce plutôt son propre avenir qu'elle croyait avoir vu, ou celui de Juan Diego qu'elle tentait de changer ? S'imaginait-elle avoir eu la vision de ce que serait leur destin s'ils restaient au cirque, si les choses demeuraient inchangées à La Maravilla ?

Lupe avait toujours été isolée, comme si le fait d'être une adolescente de treize ans n'était pas en soi un facteur d'exclusion ! Personne ne savait à quoi elle croyait, et cela devait être un fardeau écrasant à son âge. Ce qu'elle savait, elle, c'est que ses seins n'allaient pas grossir, et qu'elle n'aurait jamais ses règles.

Plus généralement, Lupe avait eu la vision de lendemains qui lui faisaient peur, et elle avait voulu saisir l'occasion de les changer, de façon dramatique. Sa décision modifierait l'avenir de son frère, bien au-delà de ce qu'elle avait anticipé : Juan Diego allait vivre le reste de sa vie dans le monde de l'imaginaire, et ce qui était arrivé à Lupe, et à Dolores, serait le début de la fin de La Maravilla.

À Oaxaca, bien après que le Jour du Nez eut fait long feu, beaucoup parlaient encore de la terrible dissolution – de la fin retentissante – du Cirque de la Merveille. Bien sûr, le geste de Lupe y fut pour quelque chose, mais qu'importe. Son geste était terrible. Frère Pepe, qui connaissait bien et aimait les orphelins, dirait plus tard que seule une gamine de treize ans extrêmement perturbée pouvait avoir imaginé une telle abomination. Oui, mais les adultes ne sont-ils pas désarmés face à ce qu'imaginent les enfants de treize ans ?

Lupe devait avoir déverrouillé la veille le sas d'alimentation de la cage, ce qui lui avait permis de laisser les clés attachées à leur cordon sous l'oreiller de Juan Diego.

Peut-être Hombre était-il nerveux de voir Lupe venir lui donner à manger avant le jour, contrairement à ses habitudes. Circonstance aggravante, après avoir retiré le sas, elle n'avait pas mis sa ration sur le plateau.

Sur la suite, on se perd en conjectures. Ignacio présumait que Lupe avait apporté la viande à Hombre en se glissant elle-même à l'intérieur de la cage. Juan Diego conjecturait plutôt qu'elle avait fait semblant de manger le repas du lion, ou qu'elle avait fait mine de le lui retirer. Comme elle l'avait expliqué à Señor Eduardo, les lions sont obnubilés par la viande au-delà de ce qu'on se figure.

Dès leur première rencontre, Lupe n'avait-elle pas appelé Hombre «le dernier chien» ? *Le dernier*, avait-elle répété. *El último perro,* comme si Hombre était le roi des chiens des toits, le roi des bouffe-tout – le dernier bouffe-tout.

«Ça va aller, avait-elle maintes fois dit à Hombre. C'est pas ta faute, tout ça.»

Ce n'était pas l'impression qu'il donnait.

Le lion était assis dans un coin de la cage, l'air coupable. Il se tenait le plus loin possible de l'endroit où Lupe était roulée en boule, dans l'angle opposé, près du sas. Juan Diego ne distinguait pas le visage de sa sœur. Sur le moment, il en fut soulagé, mais plus tard il regretta de ne pas avoir vu son expression. Ça lui aurait épargné de l'imaginer pour le restant de ses jours.

Hombre avait tué Lupe d'un seul coup de dents.

– Une morsure terrible au niveau de la nuque, conclut le Dr Vargas après l'avoir examinée.

Il n'y avait pas d'autre blessure sur son corps, même pas une marque de griffes. De rares traces de sang étaient visibles dans la zone de la morsure, et pas une goutte ailleurs dans la cage. Ignacio présuma plus tard que Hombre devait avoir léché le sang ; ce qui ne l'avait pas empêché de finir sa viande.

Du sang, la cage en fut tout éclaboussée après qu'Ignacio eut tué le lion – deux coups de feu dans sa grosse tête – à l'endroit où il s'était réfugié. Son air contrit n'avait pas sauvé le fauve triste et désorienté. Juan Diego avait couru avec sa patte folle jusqu'à la tente du dompteur, et celui-ci s'était précipité sur la scène de crime, revolver à la main.

Ignacio avait abattu Mañana parce que le cheval s'était cassé la jambe. Pour Juan Diego, rien ne justifiait qu'il fasse subir le même sort à Hombre. Car Lupe avait raison : ce qui était arrivé n'était pas de la faute du lion. Ignacio l'avait abattu par lâcheté : après le massacre de Lupe, la cage du crime devenait territoire inconnu et il n'osait pas y entrer. Et puis le macho était plein de préjugés sur les animaux «mangeurs d'homme» : selon lui, lorsqu'un humain était victime des crocs d'un lion, c'était toujours de la faute de l'animal.

Même si Lupe s'était parfois méprise, elle avait très justement prévu tout ce qui allait se passer si le lion la tuait. Elle savait qu'Ignacio abattrait ensuite Hombre ; et elle devait aussi en avoir anticipé les conséquences.

Juan Diego mesura le lendemain matin la prescience de sa sœur, une prescience surhumaine, sinon divine.

Le jour de la mort de Lupe, le Circo de La Maravilla fut envahi par ces gens qu'Ignacio appelait « les autorités ». Dans la mesure où le dompteur s'était toujours considéré comme l'autorité supérieure, il avait du mal à tolérer celle des autres : de la police et des officiels.

Il répondit sèchement à Juan Diego quand celui-ci annonça que Lupe avait donné à manger aux lionnes avant d'aller voir Hombre : elle savait que si elle ne s'en chargeait pas comme à son habitude, personne d'autre ne le ferait à sa place.

Juan Diego était passé les voir, après la mort de Lupe et de Hombre. La veille, Lupe avait aussi déverrouillé l'ouverture de leur cage. Elle avait dû les nourrir, puis elle avait retiré le plateau et l'avait laissé devant le sas, comme elle avait fait avec celui de Hombre. D'ailleurs, les lionnes avaient l'air repues. Allongées au fond de leur cage, las Señoritas avaient toisé Juan Diego de leur regard impénétrable.

Ignacio se fichait pas mal que Lupe ait nourri les lionnes avant de mourir. Et pourtant, ça changeait tout. Absolument tout. Ça signifiait que personne d'autre ne devait leur donner à manger le jour où Lupe et Hombre avaient été tués.

Juan Diego avait voulu rendre les clés des sas à Ignacio, mais celui-ci ne les avait pas prises.

– Garde-les, j'ai les miennes, lui avait-il dit.

Naturellement, Frère Pepe et Edward Bonshaw avaient interdit à Juan Diego de passer une nuit de plus dans la tente des chiens savants. Ils l'avaient aidé à ranger ses affaires et à rassembler les rares effets de Lupe.

Durant son déménagement précipité de La Maravilla aux Enfants perdus, Juan Diego avait égaré le couvercle de la boîte à café, mais cette nuit-là il dormit dans son ancienne chambre, le cordon de Lupe autour du cou, avec contre sa peau les clés des deux cages. Dans l'obscurité, il les serra entre le pouce et l'index avant de s'endormir. À côté, dans le petit lit où dormait autrefois Lupe, l'homme perroquet veillait sur lui, du moins quand il n'était pas en train de ronfler.

Les garçons se rêvent en héros. Ce ne fut pas le cas de Juan Diego après la mort de Lupe. Il savait que sa sœur avait voulu le sauver. Il savait aussi qu'il n'avait pas réussi à la sauver. Le destin l'avait marqué au plus profond de son être. Malgré ses quatorze ans, il en avait pleinement conscience.

Le lendemain matin, il fut réveillé par le chant des enfants : les maternelles répétaient la prière alternée de Sœur Gloria :

– Ahora y siempre, psalmodiaient les enfants. Maintenant et à jamais…

Non pas ça, pas jusqu'à la fin de ma vie ! se dit Juan Diego. Il était éveillé, mais il gardait les yeux fermés. Il ne voulait pas les ouvrir sur son ancienne chambre des Enfants perdus. Il ne voulait pas voir le petit lit à présent occupé par l'homme perroquet.

Ce matin-là, le Dr Vargas examinait le corps de Lupe à la requête du Père Alfonso et du Père Octavio. Ils avaient l'intention de venir à la Croix-Rouge avec une des religieuses de l'orphelinat. On se demandait en effet comment vêtir la petite défunte et si, compte tenu de la morsure du lion, le cercueil devait rester ouvert. Frère Pepe ayant décrété que la vue du corps de Lupe était au-dessus de ses forces, les deux vieux prêtres avaient proposé cette rencontre à Vargas.

Ce même matin, pour autant qu'on pouvait le savoir à La Maravilla, Dolores avait purement et simplement disparu. On ne parlait que de ça au cirque, tant on jugeait incroyable que personne ne l'ait vue en ville : une jolie fille comme elle, avec ses longues jambes, ça ne disparaissait pas par l'opération du Saint-Esprit.

Ignacio était sans doute le seul à savoir qu'elle se trouvait à Guadalajara. Peut-être l'avortement bâclé avait-il déjà eu lieu et l'infection péritonéale n'en était-elle qu'à ses prémices. Peut-être Dolores s'imaginait-elle qu'elle allait guérir et qu'elle ne tarderait pas à revenir à Oaxaca.

Ce matin-là, aux Enfants perdus, Edward Bonshaw avait l'esprit très occupé. Il avait une lourde confession à faire au Père Alfonso et au Père Octavio, une confession comme ils n'avaient pas l'habitude d'en entendre. Et il savait qu'il avait besoin du secours de l'Église puisque, non content d'avoir rompu ses vœux, voilà qu'il se découvrait homosexuel, amoureux d'un travesti.

Un couple pareil, adopter un orphelin ? Comment autoriser Edward Bonshaw et Flor à devenir les tuteurs de Juan Diego ? Bonshaw avait certes besoin de l'aide de l'Église, mais il avait surtout besoin qu'elle fasse une entorse à ses principes, une sacrée entorse, à vrai dire.

Ce matin-là, à La Maravilla, Ignacio savait qu'il devrait donner à manger aux lionnes lui-même, faute de pouvoir en persuader quelqu'un d'autre. Soledad ne lui adressait plus la parole, et il avait réussi à terroriser les petites acrobates.

«C'est des lionnes qu'il devrait se méfier», avait prédit Lupe.

Ce matin-là, le lendemain du jour où il avait abattu Hombre, le dompteur dut commettre une erreur en allant les nourrir.

«Elles ne peuvent pas m'avoir, je sais ce qu'elles pensent. Ça saute aux yeux quand on les voit. Je n'ai pas besoin d'extralucide pour las Señoritas», avait-il déclaré. Or il faut croire que lire dans les pensées des lionnes était moins facile qu'il ne le croyait.

D'après les études menées dans le Serengeti, comme Vargas le confierait plus tard à Juan Diego, ce sont majoritairement les femelles qui tuent. Elles chassent en meute : quand elles traquent un troupeau de gnous ou de zèbres, elles l'encerclent et lui interdisent toutes les issues avant d'attaquer.

Lorsque Juan Diego et Lupe avaient rencontré Hombre pour la première fois, Flor avait murmuré à Edward Bonshaw :

– Tu crois que tu as vu le roi des animaux dans sa cage, mais tu te trompes. C'est maintenant que tu vas faire sa connaissance. Le roi des animaux, c'est Ignacio.

– Le roi des porcs ! avait corrigé Lupe.

Dans les études sur les lions du Serengeti, et toutes les autres sur les grands fauves, le seul détail qu'Ignacio aurait compris avait trait à ce qui se passe dans la savane une fois que les lionnes ont tué leur proie. C'est là que les mâles affirment leur domination : ils se taillent la part du lion avant d'autoriser les femelles à profiter du festin. Le roi des porcs n'y aurait rien trouvé à redire, Juan Diego en était convaincu.

Ce matin-là, personne ne fut témoin de ce qui se passa quand Ignacio alla nourrir les lionnes, mais celles-ci savent être patientes. Attendre leur heure. Las Señoritas auraient la leur. Ce matin-là marquerait la fin de La Maravilla.

Ce furent Paco et Gras Bidon qui découvrirent le corps du dompteur tandis qu'ils se dirigeaient vers les douches extérieures sur leurs jambes torses. Ils durent se demander comment les lionnes avaient pu tuer Ignacio alors que son corps mutilé se trouvait à l'extérieur de leur cage. Mais pour qui connaît leur comportement, la chose s'explique très bien, et le Dr Vargas, qui se chargea d'examiner le corps d'Ignacio, n'eut pas de mal à reconstituer l'enchaînement des événements.

En tant qu'écrivain, quand Juan Diego évoquait l'intrigue d'un roman, il aimait présenter la stratégie collective des lionnes comme trame de base. Dans ses interviews, il commençait toujours par dire que personne n'ayant vu ce qui était arrivé au dompteur, il ne se lassait pas de reconstituer la séquence d'événements plausible : il fallait voir là, en partie du moins, l'origine de sa vocation littéraire. Si l'on ajoutait ce qui était arrivé à Ignacio et ce que Lupe aurait pu penser, on comprenait facilement les ressorts de l'imagination du lecteur-de-la-décharge.

Ignacio met la viande dans le plateau de la cage aux lionnes, comme d'habitude. Il glisse le plateau dans le sas, comme d'habitude. Et puis quelque chose d'inhabituel se passe…

Vargas ne put s'empêcher de décrire le nombre incroyable de coups de griffes qui avaient lacéré les bras d'Ignacio, ses épaules, sa nuque. Une lionne avait dû l'attraper la première, après quoi les autres l'avaient coincé entre leurs griffes. Elles avaient dû l'écraser contre les barreaux de la cage.

Vargas souligna que le dompteur n'avait plus de nez, plus d'oreilles, de joues, de menton. Il n'avait plus de doigts – les lionnes ne lui avaient laissé qu'un pouce. Ce qui l'avait tué, c'était une morsure asphyxiante à la gorge, une morsure «pas belle à voir».

– Une vraie boucherie, précisa-t-il.

Les lionnes pouvaient étrangler un gnou ou un zèbre d'une simple morsure à la gorge, mais les barreaux de leur cage étaient trop serrés. La lionne qui avait, selon toute probabilité, tué Ignacio ne pouvait pas passer la tête entre les barreaux… Elle ne pouvait pas ouvrir la mâchoire assez largement pour avoir une bonne prise sur la gorge du dompteur, ce qui expliquait que sa morsure n'ait pas été belle à voir.

Après les événements, les «autorités» allaient mener une enquête sur les dysfonctionnements de La Maravilla. C'est toujours le cas après un accident mortel au cirque : les experts débarquent et disent que rien n'est fait comme il faut. Ils déclarèrent qu'Ignacio ne donnait pas aux lions la quantité de viande adéquate, ni le nombre de repas nécessaire.

Quelle importance. Juan Diego ne se rappelait pas ce que les experts entendaient par la quantité adéquate et le nombre de repas nécessaire.

L'erreur de La Maravilla, c'était Ignacio lui-même. Le dompteur était une erreur fatale ! Nul besoin d'experts pour le savoir.

Avant de mourir, songeait Juan Diego, ce qu'Ignacio avait vu, c'était les yeux ambrés qui convergeaient vers lui, les regards, sans tendresse aucune, de ses Señoritas, les yeux impitoyables de ses dernières jouvencelles.

Il y a toujours un épilogue, après la disparition d'un cirque. Où vont les artistes quand un cirque meurt ? La Merveille elle-même, nous l'avons vu, avait la première tiré sa révérence. Mais à La Maravilla, nous avons vu aussi qu'il n'y avait personne pour reprendre son numéro. Juan Diego en savait quelque chose, la marche céleste n'est pas faite pour tout le monde.

Estrella finit par trouver des âmes charitables pour adopter ses chiens, sauf Bâtard, qu'elle dut garder avec elle. Lupe l'avait maintes fois répété, Perro Mestizo avait toujours eu le mauvais rôle.

Aucun autre cirque n'embaucha l'homme pyjama, son orgueil l'avait précédé. Pendant un temps, le week-end, il se produisit au Zócalo devant les touristes.

Le Dr Vargas devait regretter que la faculté de médecine ait déménagé. La nouvelle, située en face de l'hôpital public, se trouvait maintenant très loin du centre-ville, et donc éloignée de la morgue et de l'Hôpital de la Croix-Rouge ainsi que de l'ancienne faculté où il enseignait.

C'est dans l'amphithéâtre de celle-ci qu'il avait vu l'homme pyjama pour la dernière fois. Le corps du contorsionniste sortait du formol, on l'avait étendu sur une civière de tôle ondulée, ses fluides s'écoulaient le long de la rigole médiane dans un seau, par un trou situé au niveau de sa tête. Étiré, à jamais déroulé, l'homme pyjama n'était plus qu'un sujet d'anatomie anonyme pour les carabins, mais Vargas l'avait reconnu.

« On ne voit pas de vide, d'absence, comme sur le visage d'un cadavre, avait-il écrit à Juan Diego après son départ pour l'Iowa. Les rêves humains ont disparu, mais pas la douleur. Les traces d'orgueil demeurent. Tu te souviens du soin minutieux qu'il apportait à la taille de sa barbe et de sa moustache ? Il devait passer sa vie devant son miroir, en admiration devant son image, prêt à tout faire pour l'améliorer. »

Sic transit gloria mundi, comme aimaient le répéter le Père Alfonso et le Père Octavio, avec solennité.

« Toute gloire ici-bas est éphémère », ne manquait jamais de rappeler Sœur Gloria aux orphelins des Enfants perdus.

Les voltigeurs argentins étaient trop habiles et trop heureux ensemble pour ne pas trouver du travail dans un autre cirque. Récemment – tout ce qui s'était passé après 2001, après l'entrée dans le XXIe siècle, était « récent » pour Juan Diego –, Pepe avait croisé quelqu'un qui lui en avait donné des nouvelles : ils voltigeaient dans un petit cirque, là-haut dans les montagnes, à une heure de route de Mexico.

Après la liquidation de La Maravilla, Paco et Gras Bidon étaient retournés à Mexico, leur ville natale, et Gras Bidon y était resté. Il avait exercé diverses activités, Juan Diego avait oublié lesquelles, et d'ailleurs il ne savait même pas s'il était encore en vie. Il avait du mal à l'imaginer autrement que dans la peau d'un clown, et d'un nain bien sûr.

Paco, lui, était mort. À l'instar de Flor, il avait du mal à quitter Oaxaca bien longtemps. Comme elle, il aimait traîner dans les endroits qu'il avait toujours fréquentés, notamment La China, le bar gay sur Bustamante, qui prendrait plus tard le nom de Chinampa. Il avait aussi ses habitudes à La Coronita, le lieu de rencontre des travestis qui avait fermé pendant un temps autour des années 1990, après le décès de son propriétaire. Comme Edward Bonshaw et Flor, le patron de La Coronita et Paco étaient tous deux morts du sida.

Soledad, qui appelait Juan Diego « La Merveille au masculin », allait survivre de longues années à La Maravilla. Vargas suivait de près ses problèmes d'articulations, mais cela mis à part, elle restait solide et en bonne santé. Elle avait terminé sa carrière comme attrapeuse, rôle rarement tenu par des femmes chez les acrobates. Elle avait de la force dans les bras, et une prise de main qui lui permettait de faire valser des hommes dans les airs.

À la fermeture des Enfants perdus, elle adopta deux orphelins, garçon et fille, et désigna Vargas parmi leurs référents.

Pepe disait qu'elle faisait une excellente mère, ce qui n'étonnait personne. C'était une femme exceptionnelle. Elle pouvait être distante, mais Juan Diego l'avait toujours admirée.

Il y avait eu un bref scandale, après que ses enfants adoptifs, devenus grands, avaient quitté la maison. Elle s'était mise en ménage avec un sale type. Ni Pepe ni Vargas n'avaient précisé quel genre de sale type au juste, mais Juan Diego avait cru comprendre qu'il s'agissait d'un homme violent.

Il était étonné qu'après Ignacio, Soledad ait eu la patience de supporter un tel personnage. Elle n'avait pas le profil d'une femme battue.

En tout état de cause, elle n'avait pas eu à le supporter très longtemps. Un matin, en rentrant du marché, elle l'avait trouvé mort, la tête sur les bras, à la table de la cuisine. Là où il était assis quand elle était partie un peu plus tôt.

«Arrêt cardiaque, sans doute, quelque chose comme ça», avait écrit Pepe, sans en dire davantage.

Naturellement, Vargas fut appelé pour examiner le corps.

– C'était peut-être quelqu'un de l'extérieur, fit-il remarquer, quelqu'un qui avait un compte à régler. Il fallait qu'il ait des mains puissantes.

Le sale type avait été étranglé assis à la table de la cuisine.

Le docteur mit Soledad hors de cause ; jamais elle n'aurait pu étrangler son compagnon.

– Elle a les mains très abîmées, témoigna-t-il. Elle n'aurait pas la force de presser un citron !

Pour preuve, il désignait les analgésiques qu'il lui prescrivait contre les douleurs articulaires, notamment au niveau des doigts.

– Ils sont en triste état et la font beaucoup souffrir.

Ce dernier point ne faisait aucun doute pour Juan Diego. Mais quand il se remémorait les regards qu'elle lançait parfois au dompteur, il était convaincu d'y distinguer comme une lueur, rien qui rappelle la couleur ambrée de ceux des fauves, mais l'expression d'une lionne aux intentions indéchiffrables.

29

Aller simple

– Les combats de coqs sont autorisés ici. Ils ont beaucoup de succès, professa Dorothy. Les coqs sont déjantés, ils ne dorment pas de la nuit, ils se préparent mentalement pour leur prochain combat.

Soit, se dit Juan Diego, ça expliquerait pourquoi ce coq maboul avait chanté en pleine nuit du Nouvel An à l'Encantador, mais pas sa liquidation en plein cocorico. À croire qu'il avait suffi que Miriam souhaite la mort du gallinacé importun pour lui couper le sifflet.

Au moins, il était prévenu. Il entendrait chanter les coqs toute la nuit dans leur auberge à proximité de Vigan. Il était curieux de voir si Dorothy y ferait quelque chose.

«Mais tuez-le, ce coq!» avait dit Miriam d'une voix sourde et rauque, cette nuit-là à l'Encantador. Un peu plus tard, quand le troisième cocorico avait été stoppé à mi-course, elle avait ajouté: «Voilà une bonne chose de faite. Il ne nous annoncera plus l'aube en plein milieu de la nuit; fini, les porteurs de fausses nouvelles!»

– Et comme les coqs chantent toute la nuit, les chiens n'arrêtent pas d'aboyer, annonça Dorothy.

– L'endroit idéal pour se reposer, quoi, conclut Juan Diego.

L'auberge était composée d'un ensemble de bâtiments, tous assez anciens. L'influence espagnole y était manifeste; peut-être s'agissait-il d'une ancienne mission, pensait Juan Diego, et de fait, il y avait une église au milieu de la demi-douzaine de dépendances.

Elle avait nom El Escondrijo, «La Cachette». En arrivant après dix heures du soir, il était difficile d'apprécier la nature des lieux. Les autres clients étaient allés se coucher. Le restaurant se trouvait à l'extérieur, protégé par un toit de paille, mais ouvert sur le côté et exposé aux éléments. Dorothy lui avait cependant garanti qu'il n'y avait pas de moustiques.

– Qu'est-ce qui en est venu à bout ? lui demanda Juan Diego.

– Les chauves-souris, peut-être, ou alors les fantômes, répondit-elle d'un ton désabusé.

Car les chauves-souris étaient actives toute la nuit, elles aussi. Elles ne chantaient pas, elles n'aboyaient pas, elles tuaient en silence. Quant aux fantômes, Juan Diego y était quelque peu habitué, du moins le croyait-il.

La chambre des amants improbables donnait sur la mer. La brise s'était levée. Ils n'étaient pas à Vigan, ni dans une autre ville. Les lumières qu'ils apercevaient étaient celles de Vigan, et deux ou trois cargos étaient ancrés au large. Ils distinguaient nettement leurs feux de mouillage et, quand le vent portait, ils entendaient par bouffées les radios de bord.

– Il y a une piscine. Elle est aussi petite qu'un bassin pour enfants. Attention à ne pas y tomber, la nuit elle n'est pas éclairée.

Les chambres n'étaient pas climatisées, mais Dorothy affirma que les nuits étaient assez fraîches, d'autant plus qu'il y avait un ventilateur au plafond. Celui-ci cliquetait en tournant, mais entre les coqs qui chantaient et les chiens qui aboyaient, on n'en était plus à ça près. La Cachette n'avait rien d'un palace balnéaire.

– La plage jouxte le village de pêcheurs et l'école élémentaire, mais on n'entend les voix des enfants qu'à distance. Les gosses, il vaut mieux les entendre de loin, déclara Dorothy au moment où ils se mettaient au lit. Les chiens du village se sont approprié la plage, mais tu ne risques rien si tu marches sur le sable mouillé – il faut rester au bord de l'eau.

Quelle était la clientèle, à l'Escondrijo ? Le nom évoquait un repaire de proscrits ou de révolutionnaires, plutôt qu'un havre pour touristes. Juan Diego allait s'endormir quand le portable de Dorothy se mit à vibrer avec un bourdonnement sonore sur la table de nuit.

– Toi, maman ! Quelle surprise ! dit Dorothy d'un ton ironique dans le noir.

Il y eut une longue pause, égayée par les cocoricos et les aboiements, avant que Dorothy ne marmonne deux *Mm mm*. Il entendit aussi deux « d'accord », puis : « Non, c'est pas vrai… c'est une blague ? » Et ces *dorothysmes* familiers furent suivis d'un commentaire final qui n'avait rien d'aimable : « Mes rêves à moi, vaut mieux pas que je te les raconte, crois-moi, maman. »

Juan Diego, à présent bien éveillé, songeait à cette mère et à sa fille. Il se remémorait le moment où ils avaient fait connaissance et se rendait compte à quel point il était devenu dépendant d'elles.

– Rendors-toi, chéri, murmura Dorothy.

Elle prononçait le mot « chéri » exactement comme Miriam. Et la main de la jeune femme se glissa sous les draps où elle trouva infailliblement son sexe qu'elle serra, sans qu'il puisse interpréter ce geste.

D'accord, voulait dire Juan Diego, mais les mots ne vinrent pas. Le sommeil le prit, comme s'il obéissait à Dorothy.

« Quand je mourrai, n'incinérez pas mon corps. Balancez-moi tout votre pataquès, vos formules magiques à la noix », avait dit Lupe en regardant droit dans les yeux le Père Alfonso et le Père Octavio. Voilà ce que Juan Diego entendait dans son sommeil, la voix de Lupe formulant ses dernières volontés.

Il n'entendit pas les coqs chanter ni les chiens aboyer. Il n'entendit pas les deux chats qui s'étripaient ou forniquaient – l'un n'empêchant pas l'autre – sur le toit de paille de la douche extérieure. Il n'entendit pas Dorothy se lever au milieu de la nuit, non pour faire pipi mais pour ouvrir la porte de la douche, où elle alluma la lumière.

– Foutez-moi le camp, allez crever ! lança-t-elle aux chats, qui cessèrent de miauler aussitôt.

Elle parla plus gentiment au fantôme qui s'était glissé tout habillé sous cette douche qui ne coulait pas.

– Oh pardon, je ne disais pas ça pour vous, je m'adressais aux chats…

Mais il avait disparu.

Juan Diego n'avait pas entendu les excuses de Dorothy au malheureux combattant tout juste évanoui dans le noir. Il faisait partie des hôtes de l'auberge. Le jeune homme au visage émacié et à la peau grisâtre était vêtu d'une tenue de prisonnier : c'était un de ces pilotes captifs torturés par le Vietminh. Et en voyant son expression hantée, ravagée de remords, elle avait déduit qu'il comptait parmi ceux qui avaient parlé sous la torture. Peut-être la douleur avait-elle eu raison de lui. Peut-être avait-il signé des aveux arrachés de force. Certains jeunes Américains avaient même enregistré sous la contrainte des proclamations à la gloire du régime communiste.

Ce n'était pas leur faute, ils n'avaient rien à se reprocher... C'est ce qu'elle aurait voulu leur dire à l'Escondrijo, mais ils disparaissaient dès qu'on essayait de communiquer avec eux.

– Je voudrais seulement qu'ils sachent qu'ils sont pardonnés, quoi qu'ils aient fait, ou qu'ils aient été forcés à faire, expliquerait-elle à Juan Diego. Mais ces jeunes fantômes ont leur propre notion du temps. Ils ne nous écoutent pas, ils n'essaient pas de rentrer en communication avec nous.

Elle devait également lui apprendre que les prisonniers américains morts au Nord-Vietnam ne portaient pas tous la tenue de bagnard grise ; les plus jeunes portaient leur treillis.

– Je ne sais pas s'ils ont le choix, j'en ai vu qui portaient des vêtements de sport, des chemises hawaïennes, des conneries comme ça. Va savoir à quelles règles obéissent les tenues des fantômes.

Juan Diego espérait bien ne pas avoir à croiser les spectres en chemise hawaïenne, et lors de leur première nuit dans la vieille auberge les apparitions de la clientèle en permission lui furent épargnées. Ses propres fantômes, querelleurs, accompagnaient ses rêves, des rêves pleins de bruit et de fureur. Comment aurait-il entendu Dorothy engueuler les chats et s'excuser auprès du fantôme ?

Lupe avait demandé des « formules magiques à la noix », elle allait être servie. Frère Pepe avait eu beau faire pour convaincre les deux prêtres de se cantonner à un service très simple, il n'avait pas eu gain de cause. La mort des innocents, c'était le pain bénit de l'Église. Pas question de lésiner. Lupe aurait droit au grand cérémonial, autant dire au grand tralala.

Le Père Alfonso et le Père Octavio avaient tenu à ce que le cercueil soit présenté ouvert. Lupe y reposait en robe blanche, un foulard immaculé à son cou cachant les marques de morsure et les ecchymoses. Les vapeurs d'encens étaient si profuses qu'elles noyaient dans une brume âcre le visage insolite de la Vierge Marie au nez cassé. Ces fumerolles inquiétaient Rivera : il craignait que Lupe ne soit consumée dans les flammes infernales du basurero, comme elle l'avait jadis souhaité.

– Ne t'en fais pas… On brûlera quelque chose plus tard, comme elle l'a dit, murmura Juan Diego au Jefe.

– J'ouvre l'œil, je vais bien finir par trouver un cadavre de petit chien… lui répondit le patron de la décharge.

Tous deux étaient déconcertés par la présence des Hijas del Calvario – les « Filles du Calvaire », ces nonnes « pleureuses professionnelles », comme disait Pepe, dont on avait loué les services pour la circonstance. Ce qui ne s'imposait guère dans la mesure où Sœur Gloria était déjà là pour diriger la prière apprise par les enfants de la maternelle :

– ¡ Madre ! Ahora y siempre, ânonnaient-ils sous sa férule. Mère ! Maintenant et à jamais, tu seras mon guide.

Et pourtant, malgré cette prière répétitive, les pleurs sur commande des Filles du Calvaire, la fumée d'encens qui enveloppait son impressionnante silhouette, la Vierge à la peau brune et au nez de boxeur ne manifesta pas la moindre réaction. Pour autant que Juan Diego pût la voir dans les volutes ascendantes de la fumée sacrée.

Le Dr Vargas assista à l'office. Il tenait à l'œil la statue de la Vierge lunatique, et évita de se mêler à la procession des foules larmoyantes, qui se pressaient vers le chœur de l'église pour jeter un coup d'œil à la fille au lion dans son cercueil ouvert. « La fille au lion », c'était l'épithète qu'on avait donnée à Lupe, à Oaxaca et dans ses environs.

Vargas était venu avec Alejandra, qui semblait avoir pris plus de place dans sa vie qu'une cavalière occasionnelle et qui aimait bien Lupe. Il ne souhaita pas se recueillir avec elle devant le cercueil ouvert.

Juan Diego et Rivera ne purent s'empêcher d'écouter d'une oreille leur conversation.

– Tu ne veux pas aller la voir ? demandait Alejandra.

– Je sais à quoi elle ressemble, je l'ai vue.

Juan Diego et le patron de la décharge renoncèrent eux aussi à aller voir Lupe, toute de blanc vêtue dans son cercueil ouvert. Ils préféraient garder l'image de Lupe vivante, qu'ils avaient toujours eue devant les yeux. Ils restèrent donc assis sur leur banc à côté de Vargas, ressassant dans leur tête tout ce à quoi un gosse et un patron de décharge publique pouvaient logiquement penser en la circonstance : que brûler ? Quelles cendres disperser aux pieds de la Vierge Monstre ? « Seulement une pincée, leur avait enjoint Lupe… Peut-être pas toutes les cendres, et uniquement à ses pieds ! »

Les touristes et les badauds venus contempler la fille au lion n'eurent pas la délicatesse d'attendre la fin de l'office ; ils étaient déçus de ne pas avoir vu trace des morsures. Pas question de laisser ouvert le cercueil d'Ignacio, vu l'état de la dépouille.

Le cantique de sortie était un *Ave Maria*, hélas chanté par une chorale d'enfants, qui monnayait ses services à l'instar des Filles du Calvaire. Un mauvais choix : des sales gosses en uniforme, issus d'un conservatoire huppé. Dès que la procession se mit en marche, les parents les mitraillèrent avec leurs appareils photo.

Il y eut alors un grand couac, la chorale «Je vous salue Marie» fut couverte par les cuivres et les tambours de l'orchestre du cirque. Le Père Alfonso et le Père Octavio avaient bien spécifié que l'orchestre de La Maravilla demeurerait à l'extérieur de l'église, mais il était difficile de rester sourd à sa version très spéciale de *The Streets of Laredo*. L'interprétation sépulcrale était assez fracassante pour que Lupe elle-même puisse l'entendre.

L'*Ave Maria* des voix enfantines n'avait aucune chance contre le tintamarre des cuivres et des percussions de l'orchestre. *The Streets of Laredo* résonnait jusqu'au Zócalo. Les consœurs de Flor à l'hôtel Somega lui dirent l'avoir entendue calle Zaragoza, autant dire au diable.

– J'espère que le rituel de la pincée de cendres sera plus simple, dit Frère Pepe à Juan Diego, tandis qu'ils quittaient la basilique.

Lupe avait demandé le «pataquès» impie, le parfait galimatias à la mode catholique : son vœu était exaucé.

– Oui, plus *spirituel*, sans doute, avait glissé Edward Bonshaw.

Pour Edward, dont le dictionnaire de poche ne donnait que le sens figuré du mot *calvaire*, les Hijas del Calvario étaient les «Filles d'une longue et douloureuse épreuve». Étant donné les vies des orphelins recueillis aux Enfants perdus et les circonstances tragiques de la mort de Lupe, sa méprise se défendait.

Et on pouvait aussi compatir avec Flor. Sa patience envers l'homme de l'Iowa commençait à s'étioler. Pour le dire simplement, elle avait attendu qu'Edward Bonshaw cesse de tourner autour du pot. Et au moment où celui-ci avait pris les Filles du Calvaire pour des religieuses vouées à une longue et douloureuse épreuve, elle avait levé les yeux au ciel. Quand allait-il enfin avoir les couilles de confesser aux deux prêtres son amour pour elle ? Et d'ailleurs, le ferait-il un jour ?

– L'important, c'est la tolérance, n'est-ce pas ? renchérissait Edward tandis qu'ils se dirigeaient vers la sortie de l'église.

Ils passèrent devant le portrait de saint Ignace, qui les ignora car il implorait le ciel de lui montrer sa voie. L'homme pyjama se rafraîchissait la figure dans le bénitier ; Soledad et les jeunes acrobates baissèrent la tête quand elles virent Juan Diego.

Paco et Gras Bidon étaient devant l'église, où le bombardement de l'orchestre défonçait les tympans.

– ¡ Qué triste ! cria Gras Bidon.

– Sí, sí, frère de Lupe. Quel chagrin, quel chagrin ! répéta Paco en prenant Juan Diego dans ses bras.

Ce n'était pas au milieu du vacarme funèbre de *The Streets of Laredo* que Señor Eduardo aurait pu confesser son amour pour Flor au Père Alfonso et au Père Octavio, à supposer qu'il trouve un jour le cran d'avouer des sentiments aussi scandaleux.

Comme Dolores l'avait dit à Juan Diego le jour où elle l'avait convaincu de descendre du haut du chapiteau : «Je suis sûre que tu auras le courage de faire des tas d'autres choses.» Mais quand ? Et lesquelles ? se demandait-il, tandis que l'orchestre redoublait d'ardeur : la complainte funèbre du cow-boy semblait ne jamais devoir s'arrêter.

The Streets of Laredo enflait au carrefour de Valerio Trujano et de Flores Magón, où l'air et les murs semblaient vibrer. Rivera avait dû penser que personne n'allait l'entendre et qu'il pouvait crier tout son soûl. Il se trompait : les cuivres et les percussions ne suffirent pas à couvrir son apostrophe tonitruante.

Le patron de la décharge s'était tourné vers la porte de l'église. Dans sa colère, il avait montré le poing à la Vierge Monstre.

– On reviendra, tu vas en bouffer des cendres ! avait-il proféré.

– Vous parlez d'une pincée, je suppose, lui dit Frère Pepe d'un ton de conspirateur.

– Ah oui, la fameuse pincée, intervint le Dr Vargas. Prévenez-moi le jour J, je tiens à être là.

– Il y a des choses à brûler, des décisions à prendre, marmonna le patron de la décharge.

– On ne veut pas envoyer trop de cendres, juste ce qu'il faut cette fois, ajouta Juan Diego.

– Et uniquement aux pieds de la Vierge, leur rappela l'homme perroquet.

– Sí, sí, mais ça prend du temps, les avertit El Jefe.

Pas toujours, dans les rêves. Parfois les rêves accélèrent le cours des choses, ils resserrent la marche du temps.

Dans la vraie vie, Dolores attendit plusieurs jours avant de se présenter à l'Hôpital de la Croix-Rouge pour dévoiler à Vargas l'infection péritonéale qui la tuerait.

Dans son rêve, Juan Diego sautait cet épisode.

Dans la vraie vie, El Hombre Papagayo allait mettre plusieurs jours, lui aussi, pour trouver les couilles de se confesser au Père Alfonso et au Père Octavio. Et Juan Diego pour découvrir qu'il avait celles de faire quantité d'autres choses, ce que Dolores lui avait assuré quand il s'était dégonflé à vingt-cinq mètres au-dessus du sol.

Dans son rêve, Juan Diego ne s'attarderait pas sur le temps qu'il leur avait fallu, à l'un comme à l'autre, pour rassembler ce courage.

Et dans la vraie vie, Frère Pepe passa deux jours pleins à débusquer les articles de loi concernant le tutorat légal, notamment dans le cas d'espèce des orphelins, le rôle que l'Église pouvait jouer, et avait en effet joué, pour désigner ou recommander les tuteurs. Il fit preuve d'une belle habileté pour élaborer toute une casuistique sur la jurisprudence.

Que le Père Alfonso et le Père Octavio aient eu pour habitude de déclarer urbi et orbi : « Notre Église est fondée sur des règles », rien là que de banal ; du reste, ils ne s'étaient jamais démarqués de ce discours officiel. En revanche, Pepe découvrit qu'*en pratique* ils avaient très souvent fait des entorses aux règles. Certains orphelins n'étaient pas adoptables strictement parlant, les tuteurs envisagés pas toujours irréprochables.

La minutie avec laquelle il avait blindé le dossier épineux de Juan Diego pour démontrer qu'Edward Bonshaw et Flor seraient en l'occurrence les tuteurs idoines, les finesses de juriste, le rêve en faisait l'économie, on le comprendra aisément.

Dernier point capital : dans la vraie vie, Rivera et Juan Diego allaient avoir eux aussi besoin de quelques jours pour mettre au point le protocole d'incinération ; les composants du combustible à brûler sur le basurero, mais aussi la durée précise de la combustion et la quantité de cendres à prélever. Cette fois, ils les recueilleraient dans un récipient plus petit qu'une boîte à café : ils choisirent une tasse, celle dans laquelle Lupe prenait son chocolat le matin et qu'elle avait laissée à la bicoque.

Il y avait un second volet non négligeable aux dernières volontés de Lupe : la dispersion. Mais l'obtention de ces cendres cruciales fut elle aussi absente du rêve de Juan Diego.

Non seulement les rêves accélèrent le cours des choses, mais ils sont aussi très sélectifs.

Durant sa première nuit à l'Escondrijo, Juan Diego se leva pour aller aux toilettes. Il n'en garda aucun souvenir car il était encore en plein rêve. Il s'assit sur le siège pour pisser parce que ça faisait moins de bruit et qu'il ne voulait pas réveiller Dorothy. Mais il avait une autre raison de pisser dans cette position : il avait vu son téléphone portable sur la tablette, à côté de lui.

Dans son rêve, il avait sans doute oublié que la salle de bains était le seul endroit où il pouvait le recharger ; en effet, il n'y avait qu'une autre prise près de la table de nuit, et Dorothy l'avait devancé : elle était plutôt futée, en matière de technologie.

Pas lui. Il n'avait toujours pas compris comment fonctionnait un cellulaire, pas plus qu'il n'était parvenu à se familiariser avec les options disponibles, ou indisponibles, ces maudites options que tout le monde repérait si facilement et manipulait avec une fascination passionnée. Pour sa part, il n'y voyait rien de palpitant. À Iowa City, il ne s'était trouvé aucune jeune personne pour lui apprendre à se servir de son mystérieux téléphone, déjà passablement démodé.

Pas moyen de mettre la main sur la photo prise par le jeune Chinois dans le métro de Kowloon ; il avait beau dormir à moitié, être en plein rêve et de surcroît en train de pisser assis, la chose l'agaçait prodigieusement.

Le train arrivait en gare, le jeune homme était pressé. Il les avait pris au vol tous les trois, Juan Diego, Miriam et Dorothy. Lui et son amie avaient eu l'air de trouver la photo décevante, elle était floue, peut-être. Mais le train était là. Miriam lui avait repris le téléphone des mains, et Dorothy, encore plus prompte, l'avait chipé à sa mère. Quand elle l'avait rendu à Juan Diego, il n'était plus en mode appareil photo.

«Nous ne sommes pas photogéniques», avait dit Miriam au couple chinois, qui semblait troublé par l'incident. Sans doute prenait-il d'habitude des photos de meilleure qualité.

Et voilà que, sur le siège des toilettes à l'Escondrijo, Juan Diego découvrait par hasard, et parce qu'il était à moitié endormi et en train de rêver, qu'il y avait une façon commode de retrouver la photo prise à la gare souterraine de Kowloon. Il avait involontairement effleuré un bouton sur le côté de l'appareil et aussitôt l'écran avait affiché l'icône «appareil photo». Il aurait pu prendre un cliché de ses genoux nus, mais il avait aperçu l'option «Mes photos». Et c'est ainsi qu'il était tombé sur celle de Kowloon.

Le matin venu, il croirait avoir rêvé. L'image entrevue sur le siège des toilettes ne pouvait pas exister, tout bien considéré.

Car la photo le montrait seul sur le quai de la gare de Kowloon. Miriam lui avait dit qu'elle et Dorothy n'étaient pas très photogéniques. Elle avait ajouté qu'elles détestaient se voir en photo. Tiens donc ! Et pour cause : elles n'y apparaissaient même pas ! Pas étonnant non plus que les jeunes Chinois aient été si troublés à la vue du cliché.

Mais à ce moment-là, Juan Diego n'était pas vraiment éveillé ; il était plongé dans le rêve et le souvenir les plus marquants de sa vie : l'épisode de la pincée de cendres. D'ailleurs il n'aurait pas pu comprendre pourquoi Miriam et Dorothy n'étaient pas visibles sur l'instantané volé de la gare de Kowloon.

Après avoir tiré la chasse d'eau en faisant le moins de bruit possible, Juan Diego passa sans le voir devant le fantôme anxieux, posté sous le pommeau de la douche extérieure. Ce n'était pas le soldat que Dorothy avait vu un peu plus tôt. Celui-ci était vêtu de son treillis de combat, il avait l'air très jeune, encore imberbe.

Dans la fraction de seconde qui avait précédé la dissipation du jeune fantôme, à jamais disparu au combat, Juan Diego était revenu dans la chambre. Il ne se souviendrait pas de s'être vu seul sur le quai de la gare de Kowloon. Le fait de *savoir* qu'il n'y était pas seul suffisait à le persuader qu'il avait probablement rêvé d'avoir fait ce voyage sans Miriam et Dorothy.

Au moment où il se recouchait à côté de Dorothy – au moins avait-il le sentiment qu'elle était bel et bien là –, le mot «voyage» lui inspira une association d'idées. Où avait-il mis le billet de métro pour Kowloon ? Il était certain de l'avoir conservé, pour une raison ou pour une autre. Il avait écrit quelque chose au dos avec le stylo qu'il portait toujours sur lui. Le titre d'un prochain roman, peut-être ? *Aller simple…* ?

Oui, c'était bien ça ! Mais ses pensées, comme ses rêves, étaient tellement décousues qu'il avait du mal à se concentrer. Dorothy lui avait peut-être administré une double dose de bêtabloquants. Ce serait une nuit sans sexe, une de celles censées lui permettre de rattraper la posologie. S'il en était ainsi, s'il avait pris une double dose de Lopressor, qu'importait qu'il ait vu ou non le jeune spectre dans la douche extérieure ?

Aller simple – ce titre semblait être celui d'un roman qu'il avait déjà écrit, pensait-il en replongeant au plus profond du rêve de sa vie. Car le mot « simple » pouvait certes signifier « unique », mais il pouvait aussi vouloir dire « primaire ».

Puis, aussi brusquement qu'il s'était levé et recouché, Juan Diego cessa de penser. De nouveau, le passé reprenait possession de lui.

30

Une pincée de cendres

Le rituel de la « pincée de cendres », que Lupe avait mentionné dans ses dernières volontés, n'avait guère été empreint de spiritualité au départ. Outre ses démarches auprès des autorités mexicaines, Frère Pepe avait consulté un avocat américain spécialiste des questions d'immigration. La mention de tuteurs légaux n'était pas seule en jeu. Edward Bonshaw allait devoir « parrainer » Flor pour lui assurer une « résidence permanente », disait Pepe le plus discrètement possible, de façon à n'être entendu que par les seuls intéressés.

Naturellement, Flor réagit quand Pepe mentionna qu'elle avait un casier judiciaire. Ce qui impliquait une nouvelle transgression des règles.

– Je n'ai pas de crime à mon passif ! protesta-t-elle.

Elle avait seulement été arrêtée une ou deux fois par les forces de l'ordre de Oaxaca. Selon les rapports de police, il y avait eu deux passages à tabac à l'hôtel Somega. Flor reconnaissait qu'elle avait effectivement cassé la gueule à Garza (« Cette fripouille de mac l'avait bien cherché ! ») et un autre jour elle avait envoyé au tapis César, le larbin de Garza. Ces règlements de comptes n'avaient rien de délictueux à ses yeux. Quant à ce qui lui était arrivé à Houston, l'avocat américain affirma à Pepe qu'on n'en trouvait nulle part la trace. Ce qu'on l'avait contrainte à faire sur la carte postale que Señor Eduardo conserverait à jamais au plus secret de son cœur ne constituait pas un délit, au Texas du moins.

Avant de procéder à la nouvelle cérémonie dans l'église des jésuites, il fallut porter une attention toute profane à la composition des cendres.

– Qu'est-ce qui a été brûlé, exactement, si je peux me permettre ? demanda le Père Alfonso au patron de la décharge.

– Nous espérons qu'il n'y a pas de substances étrangères, cette fois, renchérit le Père Octavio.

– Les vêtements de Lupe, le cordon qu'elle portait autour du cou, deux clés, plus deux ou trois bricoles trouvées à Guerrero, énuméra Juan Diego.

– Des objets provenant du cirque ? s'enquit le Père Alfonso.

– Vous savez, on les a incinérés sur le basurero... Alors forcément, il y a le tout-venant, répondit El Jefe, prudent.

– Oui, oui, nous savons, répondit vivement le Père Octavio. Mais ces cendres sont essentiellement composées d'objets qu'elle possédait au cirque, n'est-ce pas ?

– En grande partie, marmonna Rivera.

Il évitait de mentionner le repaire des chiots, où Lupe avait trouvé Blanc Sale, tout près de la bicoque. Il y avait ramassé un autre chiot mort, qu'il avait incinéré avec le reste.

Vargas et Alejandra assistèrent la cérémonie, comme ils l'avaient demandé. La journée avait mal commencé pour le médecin ; l'infection mortelle de Dolores l'avait obligé à faire, auprès de certains services publics, des démarches dont il se serait volontiers passé.

Le Père Alfonso et le Père Octavio avaient choisi l'heure de la sieste, mais nombre de sans-domicile fixe, poivrots et hippies, qui erraient habituellement dans le Zócalo, venaient volontiers dormir dans les églises. Les bancs du fond étaient donc occupés par ces indésirables ; c'est pourquoi les deux prêtres avaient souhaité que la « cérémonie » se passe en toute discrétion. Car même si l'aspersion ne montait pas plus haut que les pieds de la Vierge Marie, la requête de Lupe était peu orthodoxe. Le Père Alfonso et le Père Octavio ne voulaient surtout pas donner au public l'idée que n'importe qui pouvait verser ne serait-ce qu'une pincée de cendres dans leur église.

« Faites bien attention au petit Jésus. Ne lui mettez pas de cendres dans les yeux », avait dit Lupe.

Juan Diego, serrant respectueusement dans ses mains la tasse de sa sœur, s'approcha de l'imperturbable Vierge Monstre.

– Je crois bien que les cendres vous ont blessée, je veux dire... la dernière fois, commença-t-il d'un ton circonspect.

Pas facile de s'adresser à une présence aussi gigantesque.

– Je ne cherche pas à vous leurrer, poursuivit-il. Ces cendres-là ne sont pas celles de Lupe : elles viennent de ses vêtements, de quelques objets qu'elle aimait. J'espère que vous n'en prendrez pas ombrage.

Sur quoi il en dissémina une pincée sur le piédestal à trois degrés de la Vierge Monstre avec ses anges pétrifiés au milieu des nuages. Impossible d'en envoyer sur les pieds de la Vierge Marie sans en mettre dans les yeux des anges, mais Lupe n'avait rien précisé à leur sujet.

Juan Diego poursuivit l'opération, en prenant bien garde d'éviter le visage agonisant du Christ recroquevillé sur sa croix. La petite tasse était presque vide.

– Puis-je dire quelques mots ? intervint soudain Frère Pepe.

– Bien sûr, Pepe, dit le Père Alfonso.

– Je t'en prie, renchérit le Père Octavio.

Pepe se mit à genoux devant la géante. Ce fut à elle qu'il s'adressa.

– L'un d'entre nous, notre cher Eduardo, a quelque chose à vous demander, Mère, dit-il. N'est-ce pas, Eduardo ? poursuivit-il en se tournant vers l'homme de l'Iowa.

Edward Bonshaw avait plus de couilles que Flor ne l'avait cru jusque-là :

– Pardon de vous décevoir, dit-il à la Vierge Monstre, toujours aussi impavide, mais j'ai abjuré mes vœux… Je suis amoureux. D'elle.

Il jeta un regard vers Flor. Incliné devant les grands pieds de la Vierge Marie, il poursuivit d'une voix tremblante, cette fois à l'intention des deux prêtres :

– Je suis triste de vous décevoir, vous aussi. Je vous en prie, libérez-nous, je vous en prie, aidez-nous. Je veux emmener Juan Diego avec moi. Son sort me tient tant à cœur. Puis, se tournant d'un air implorant vers la Vierge géante : Je prendrai soin de lui du mieux que je pourrai, j'en fais le serment.

– Je t'aime, lui dit Flor.

Edward se mit à pleurer. Ses épaules secouées de sanglots soulevaient la chemise hawaïenne avec sa jungle aux perroquets bariolés.

– J'ai fait des choses pas très catholiques dans ma vie, dit soudain Flor à la Vierge Marie. J'ai pas souvent eu l'occasion de rencontrer ce que vous appelez des gens respectables. Je vous en prie, aidez-nous, poursuivit-elle en s'adressant aux deux prêtres.

– Je veux un autre avenir ! s'écria Juan Diego, tourné vers la Vierge Monstre.

Mais il n'avait plus de cendres à répandre aux pieds de l'imperturbable géante. Il se tourna alors vers les deux prêtres.

– Laissez-moi partir avec eux, s'il vous plaît. Vivre ici, j'ai essayé, laissez-moi tenter ma chance dans l'Iowa.

– C'est une honte, Edward ! lança le Père Alfonso.

– Que… que vous puissiez élever un enfant, vous deux, allons donc ! bredouilla le Père Octavio.

– Vous n'êtes pas un vrai couple ! tonna le Père Alfonso à l'adresse de Señor Eduardo.

– Vous n'êtes même pas une vraie femme ! s'indigna le Père Octavio, en foudroyant Flor du regard.

– Il faut être uni par les liens du mariage pour prétendre…

– Ce garçon ne peut pas…

Mais le Dr Vargas leur coupa la parole :

– Qu'est-ce qu'il peut espérer ici ? Quel avenir l'attend à Oaxaca, une fois qu'il aura quitté Les Enfants perdus ? Je viens de voir la star de La Maravilla, la Merveille elle-même ! Il s'échauffait : Si Dolores n'a pas eu la moindre chance de s'en sortir, comment en aurait-il une, lui qui a grandi sur la décharge publique ? Lui permettre de partir avec eux (il désignait Flor et l'homme perroquet), c'est lui donner sa chance ! finit-il par hurler.

Discrète, l'aspersion des cendres aux pieds de la Vierge ? Pas autant que les deux prêtres l'avaient espéré. L'éclat de Vargas tira les SDF de leur torpeur. Aux derniers rangs de l'église, ils avaient tous levé la tête, hormis un hippie endormi sous son banc, et dont les pauvres sandales éraflées dépassaient dans l'allée centrale.

– On ne vous demande pas votre avis scientifique, Vargas, persifla le Père Alfonso.

– Et soyez aimable de parler moins fort, renchérit le Père Octavio.

– Moins fort ? s'écria Vargas. Et si c'était Alejandra et moi, qui voulions adopter Juan Diego ?

Le Père Alfonso le coupa aussitôt :

– Vous n'êtes pas mariés, Vargas.

– Encore vos grands principes ! Ils sont à des années-lumière de ce que les gens vivent au quotidien.

– Ceci est notre Église, ce sont nos principes, notre doctrine, Vargas, dit calmement le Père Alfonso.

470

– Nous sommes une Église et cette Église a des règles, proclama derechef le Père Octavio.

Pepe entendait ce couplet au moins pour la centième fois.

– C'est vrai, c'est nous qui établissons les règles, fit-il remarquer, mais est-ce si difficile de les transgresser ? La charité n'est-elle pas au cœur de notre doctrine, elle aussi ?

– Vous faites à tout bout de champ des faveurs aux autorités… vous ne croyez pas qu'elles vous en doivent un peu, en retour ? renchérit Vargas. Ces deux-là, pour ce garçon, c'est la chance de sa vie.

Le Père Octavio décida subitement de faire sortir les SDF de l'église. Il n'arrivait pas à se concentrer. Seul le Père Alfonso écoutait les propos de Vargas. Celui-ci s'interrompit, tant il lui paraissait vain de poursuivre son plaidoyer. Jamais les deux prêtres n'allaient se laisser convaincre.

Juan Diego, pour sa part, avait renoncé à leur demander quoi que ce soit.

– Je vous en prie, faites quelque chose, implora-t-il la Vierge géante en désespoir de cause. On dit que vous êtes quelqu'un d'important, mais vous ne faites rien ! Que vous ne puissiez pas m'aider, soit, mais au moins essayez de faire quelque chose !

Il n'acheva pas sa phrase. Le cœur n'y était plus. Le peu de foi qui lui restait s'était évaporé.

Il détourna les yeux de la Vierge Monstre, il ne voulait plus la regarder. De son côté, Flor avait déjà tourné le dos à la géante ; le culte marial, très peu pour elle. Edward Bonshaw avait également cessé de la regarder, même si ses mains s'attardaient sur le piédestal, juste sous les pieds de la Vierge.

Les sans-abri avaient quitté l'église en ordre dispersé. Le Père Octavio revenait vers le petit groupe morose. Le Père Alfonso et Frère Pepe ne firent qu'échanger un regard. Vargas ne s'était guère intéressé à la Vierge Marie, cette fois, réservant son attention aux deux prêtres. Quant à Alejandra, elle était dans son monde : à savoir celui d'une jeune femme célibataire vivant avec un jeune médecin épris de solitude.

Plus personne ne demandait quoi que ce soit à la Vierge géante. Quelqu'un pourtant n'avait pas dit un mot, quelqu'un continuait à la regarder, et c'était Rivera. Il ne l'avait pas quittée des yeux depuis le début de la cérémonie.

471

– Regardez-la, dit-il à l'assistance. Vous ne voyez pas ? Approchez-vous d'elle. Son visage est si loin.

Tous regardèrent ce qu'il montrait du doigt, mais ils durent s'approcher pour distinguer les yeux de la Vierge.

La première larme tomba sur le dos de la main d'Edward Bonshaw. Elle tomba de si haut qu'elle fit grand bruit en s'écrasant.

– Vous ne voyez pas ? s'écria le patron de la décharge. Elle pleure Voyez ses yeux ! Voyez ses larmes !

Pepe était maintenant au pied de la statue. Il observait attentivement le nez cassé de la Vierge quand une larme grosse comme un grêlon atterrit pile entre ses yeux. D'autres tombaient sur les paumes ouvertes de l'homme perroquet. Flor refusait de tendre les mains, mais elle était assez près de Señor Eduardo pour sentir les impacts et elle distinguait le visage au nez cassé qui ruisselait de larmes.

Vargas et Alejandra avaient une autre interprétation de cette cataracte. Alejandra tendit la main non sans hésitation, elle sentit l'odeur d'une larme dans sa paume avant de l'essuyer sur sa hanche. Vargas alla même jusqu'à en goûter la saveur tout en scrutant le plafond de l'église, bien au-dessus de la Vierge Monstre. Il voulait vérifier que le toit ne présentait pas de fuite.

– Il ne pleut pas dehors, Vargas, lui fit remarquer Pepe.

– Sait-on jamais.

– Quand les gens meurent, ceux dont le souvenir vous accompagne, ceux qui ont changé votre vie, ils ne vous quittent jamais pour de bon.

– Je le sais, Pepe. Moi aussi, je vis avec des fantômes.

Les deux prêtres furent les derniers à s'approcher de la statue. L'aspersion était déjà bien trop peu orthodoxe à leur gré – les choses auxquelles tenait Lupe ainsi réduites en poussière –, et maintenant survenait un autre chambardement, les larmes démesurées d'une Marie qui n'était pas si impavide en fin de compte. Le Père Alfonso toucha une des larmes que lui tendait Juan Diego, brillante, scintillante comme du cristal au creux de sa paume.

– Oui, je vois, dit-il, avec toute la solennité dont il était capable.

– Je ne crois pas que ce soit une fuite d'eau. Il n'y a pas de gouttière au plafond, si je ne me trompe ? demanda Vargas, d'un air faussement innocent.

– C'est exact, il n'y a pas de gouttière, Vargas, confirma sèchement le Père Octavio.

– C'est un miracle, alors ? s'enquit Edward Bonshaw, le visage lui aussi couvert de larmes, les siennes. Un milagro, n'est-ce pas ce que vous dites ?

– Non, non. Je ne veux pas entendre le mot « milagro », s'il vous plaît, s'insurgea le Père Alfonso.

– Il est bien trop tôt pour prononcer ce mot, ces affaires-là prennent beaucoup de temps. L'événement présent n'a pas fait l'objet d'une enquête – la série d'événements, devrais-je dire, exposa le Père Octavio d'un ton pénétré, comme s'il se parlait à lui-même ou repassait dans sa tête son rapport préliminaire à l'évêque.

– Pour commencer, il va falloir prévenir l'évêque… avança le Père Alfonso, avant que le Père Octavio ne lui coupe la parole :

– Oui, oui, bien sûr. Mais ce n'est que le début d'un long processus qui prendra peut-être des années.

– Nous suivrons la procédure, dans ces cas-là…

Le Père Alfonso s'interrompit. Il regardait la tasse de Lupe, que Juan Diego tenait dans ses petites mains.

– Si l'aspersion est finie, Juan Diego, j'aimerais bien que tu me confies cette tasse, pour le dossier.

Il n'avait pas fallu moins de deux cents ans pour que l'Église reconnaisse Marie en Notre Dame de Guadalupe, songea Juan Diego. En 1754, le pape Benoît XIV avait consacré Guadalupe patronne de ce qu'on appelait à l'époque la Nouvelle-Espagne. Mais il se garda d'en faire mention. Au moment où il tendait la tasse au Père Alfonso, ce fut l'homme perroquet qui mit les pieds dans le plat :

– Vous voulez dire deux cents ans ? Vous n'allez pas nous refaire le coup du pape Benoît XIV ? Il s'était quand même écoulé deux cents ans quand il a bien voulu convenir que votre Guadalupe était la Vierge Marie. C'est ce genre de procédure que vous vous proposez de suivre… ?

– Dans ces conditions, tous ceux qui parmi nous ont vu pleurer la Vierge seront morts, n'est-ce pas ? demanda Juan Diego aux deux prêtres. Pas de témoin ! insista-t-il.

Dolores ne s'était pas trompée, après tout : il avait en effet le courage nécessaire pour faire des tas d'autres choses.

– Mais nous croyons aux miracles ! dit Frère Pepe en prenant les deux prêtres à témoin.

– Pas à celui-ci, Pepe, intervint Vargas. L'Église et ses règles, nous y revoilà. Votre Église, elle n'est pas fondée sur des miracles, elle est fondée sur vos règles.

– Je sais ce que j'ai vu, dit Rivera aux deux prêtres. Vous n'avez rien fait, vous. C'est elle qui a fait quelque chose. Il pointait le doigt vers le visage trempé de larmes de la Vierge Monstre : Je ne viens pas ici pour vous, insista-t-il. Je viens pour elle.

– C'est pas vos Vierges en-veux-tu-en-voilà qui foutent la merde, dit Flor au Père Alfonso. C'est vous, avec vos principes – tout ce que vous voulez nous imposer. Allez, ils en ont rien à faire, poursuivit-elle en se tournant vers Señor Eduardo. Ils lèveront pas le petit doigt pour nous, toi tu les déçois et moi je ne suis qu'une femme perdue à leurs yeux.

– On dirait que la grande a arrêté de pleurer, ses larmes se tarissent, observa le Dr Vargas.

– Vous n'auriez qu'un mot à dire, lança Juan Diego aux deux prêtres.

– Je t'avais bien dit qu'il a des couilles, le gosse, hein ? commenta Flor à l'intention de Señor Eduardo.

– Oui, les larmes ont l'air taries, constata le Père Alfonso, soulagé.

– Je n'en vois plus de nouvelles, confirma le Père Octavio, plein d'espoir.

– Ces trois-là ! s'écria soudain Frère Pepe.

Spectacle étonnant, il entoura de ses bras les deux improbables amoureux et le garçon infirme, comme s'il rassemblait son troupeau.

– Vous pouvez, vous pourriez les aider à résoudre leur situation désespérée. J'ai fait le nécessaire pour évaluer les démarches à effectuer, et comment les effectuer. La solution est entre vos mains. Do ut des – est-ce que cette expression est correcte ? demanda-t-il à Edward Bonshaw qui, il le savait, aimait faire étalage de sa maîtrise du latin.

– Do ut des, répéta l'homme perroquet. Échange de bons procédés, traduisit-il au Père Alfonso. Donnant-donnant, en quelque sorte, résuma-t-il en se tournant cette fois vers le Père Octavio.

– Nous savons ce que ça signifie, Edward, observa le Père Alfonso, d'un ton agacé.

– Ces trois-là vont partir dans l'Iowa, avec votre aide, insista Pepe. En retour de quoi, vous, je veux dire *nous, nous l'Église*, nous allons nous occuper de cette affaire de miracle, si c'en est un, à étouffer.

– Qui vous parle d'étouffer quoi que ce soit, Pepe ? lui rétorqua le Père Alfonso.

– Il est trop tôt pour prononcer le mot « milagro ». Il faut attendre la suite des événements, c'est tout ! l'admonesta le Père Octavio.

– Aidez-nous seulement à partir dans l'Iowa, dit Juan Diego. La reconnaissance, ça nous gêne pas de l'attendre pendant deux cents ans s'il le faut.

– Ça paraît un marché équitable, intervint Señor Eduardo. De fait, Juan Diego, Guadalupe a attendu deux cent vingt-trois ans pour être officiellement « reconnue ».

– Ils pourront bien attendre tout le temps qu'ils voudront pour admettre qu'un milagro est un milagro, trancha Rivera.

Les larmes avaient cessé de couler, il allait prendre congé.

– Pas besoin du tampon de l'Église pour valider le miracle, on sait ce qu'on a vu ! dit le patron de la décharge en se tournant vers l'enfant de la décharge. Bien sûr que Père Alfonso et Père Octavio vont t'aider, pas la peine de lire dans leurs pensées pour le comprendre. Lupe le savait que ces deux-là (il désignait Bonshaw et Flor) seraient partie prenante dans ton avenir, et les deux autres (les prêtres), elle le savait bien, ta sœur, que tu aurais aussi besoin d'eux pour partir d'ici !

El Jefe fit une halte devant le bénitier, comme s'il y regardait à deux fois avant d'y plonger les doigts. Finalement, il s'en dispensa ; les larmes de la Vierge Monstre lui avaient suffi.

– T'as intérêt à venir me dire au revoir avant de décamper dans l'Iowa ! lança-t-il à Juan Diego.

Il était clair qu'il avait dit tout ce qu'il avait à dire.

– Passez au cabinet demain ou après-demain, Jefe, je vous retirerai vos points de suture ! lui cria Vargas.

Juan Diego savait que le patron de la décharge avait raison. Il savait que les deux prêtres allaient s'exécuter, et il savait aussi que Lupe n'en avait jamais douté. Un simple coup d'œil vers le Père Alfonso et le Père Octavio acheva de le convaincre qu'ils n'en doutaient pas eux-mêmes.

– C'est quoi, cette expression latine à la noix ? demanda Flor à Señor Eduardo.

– Do ut des, répéta l'homme de l'Iowa, tout bas pour ne pas retourner le couteau dans la plaie.

Maintenant, c'était au tour de Frère Pepe de pleurer. Ses larmes n'avaient rien de miraculeux, certes, mais elles étaient intarissables.

– Tu vas me manquer, mon cher lecteur. Tu me manques déjà ! ajouta-t-il entre deux sanglots.

Les chats ne réveillèrent pas Juan Diego. Ce fut Dorothy qui le tira du sommeil. Elle le pilonnait comme un marteau-piqueur. Avec sa poitrine opulente qui ballottait à quelques centimètres de son visage, ses hanches qui allaient et venaient à une cadence impressionnante, elle lui coupait le souffle au sens propre.

– Tu me manqueras aussi ! avait-il crié tandis que son rêve se dissipait.

Avant qu'il ait compris ce qui lui arrivait, il éjaculait. Il ne se souvenait pas que Dorothy lui eût glissé un préservatif un peu plus tôt, et elle jouissait, elle aussi. Un vrai tremblement de terre.

Si des chats étaient demeurés sur le toit de paille de la douche extérieure, les cris de Dorothy les avaient sûrement fait déguerpir. Tout comme ils avaient fait taire, ne serait-ce qu'un instant, les coqs de combat. Les chiens qui avaient aboyé toute la nuit recommencèrent de plus belle. Il n'y avait pas le téléphone dans les chambres de La Cachette. Heureusement, parce qu'il se serait sûrement trouvé un « gon » pour se plaindre à la direction. Quant aux fantômes des soldats américains morts au Vietnam et en permission de très longue durée à l'Escondrijo, les hurlements de Dorothy avaient dû rendre un battement ou deux à leur cœur à jamais arrêté.

C'est une fois dans la salle de bains que Juan Diego découvrit le flacon de Viagra ouvert. Les comprimés étaient répandus sur la tablette à côté de son portable. Ça ne lui rappelait rien, mais il avait dû en prendre un entier, plutôt qu'un demi, soit qu'il l'ait décidé entre veille et sommeil, soit que Dorothy lui ait administré la dose de 100 mg pendant qu'il dormait profondément et rêvait de la pincée de cendres aux pieds de la Vierge. Qu'importe. Il l'avait bel et bien pris.

Qu'est-ce qui le saisit le plus ? Le fantôme du soldat tombé au combat ou sa chemise hawaïenne ? Plus étrange encore : cet entêtement avec lequel la victime d'une guerre achevée depuis si longtemps cherchait en vain son reflet dans le miroir de la salle de bains. Certains fantômes peuvent se voir dans les miroirs, d'autres non. Ces gens-là sont difficiles à classer ! Et l'irruption de Juan Diego dans la glace fit aussitôt s'évanouir le spectre.

Le revenant sans reflet rappela à Juan Diego la photo prise par le jeune Chinois à la gare de Kowloon. Pourquoi Miriam et Dorothy n'étaient-elles pas visibles ? Comment disait Consuelo ? « La dame qui surgit comme par enchantement. »

Mais comment Miriam et Dorothy pouvaient-elles disparaître d'une photo ? se demandait-il. Était-il possible que son portable n'ait pas saisi leur image ?

Cette pensée, cette association d'idées, l'inquiétait bien davantage que le fantôme ou sa chemise hawaïenne. Quand Dorothy le trouva pétrifié dans la salle de bains, les yeux fixés sur le miroir, elle devina ce qui s'était passé.

– Toi, tu en as vu un.

Elle lui posa un baiser furtif sur la nuque, se glissa derrière lui, et se dirigea nue vers la douche extérieure.

– Oui, se borna à répondre Juan Diego, qui n'avait pas quitté le miroir des yeux.

Il avait senti le baiser sur son cou, il avait senti son corps lui effleurer le dos. Mais il n'avait pas vu son reflet dans le miroir, à l'instar du revenant en chemise hawaïenne. Sauf que, contrairement au jeune GI, Dorothy n'avait pas cherché à se regarder dedans. Elle était passée telle une ombre derrière lui et il n'avait même pas remarqué qu'elle était nue avant de la voir entrer dans la douche.

Pendant quelques instants, il la regarda se laver les cheveux. Qu'une femme si désirable ait choisi de devenir sa maîtresse lui paraissait plus vraisemblable à tout prendre s'il s'agissait d'un spectre – ou d'une entité extérieure à ce monde –, même si leur relation amoureuse était de nature irréelle, illusoire.

« Qui es-tu ? » lui avait-il demandé au Nido, mais elle dormait, ou faisait semblant, à moins qu'il n'ait seulement imaginé lui avoir posé la question.

Cette question, il n'avait pas l'intention de la lui reposer. Envisager que Dorothy et Miriam ne soient pas humaines le soulageait. Son monde imaginaire lui avait apporté bien plus de satisfactions que le monde réel.

– Tu viens prendre une douche avec moi ? proposa Dorothy. Ça serait sympa. On n'aura que les chats et les chiens pour nous mater. Ou les fantômes, mais c'est bien le cadet de leurs soucis.

– Oui, pourquoi pas ?

Il s'inspectait toujours dans la glace lorsqu'un petit gecko sortit de derrière le miroir et le regarda de ses yeux fixes et brillants. L'animal l'avait sûrement vu, mais, pour en être sûr, Juan Diego haussa les épaules et fit pivoter sa tête de droite à gauche. Le lézard fila aussitôt se cacher derrière le miroir.

– J'arrive ! lança Juan Diego à Dorothy.

Une douche avec Dorothy lui semblait tentante, et Dorothy elle-même plus encore. Quant au gecko, il l'avait bien vu. Juan Diego en conclut qu'il était encore vivant, ou tout au moins visible. Pour l'instant, il n'avait rien d'un fantôme.

– J'arrive tout de suite ! répéta-t-il.

– Paroles, paroles, lui répondit Dorothy.

Elle aimait enduire sa bite de shampooing et se frotter contre lui sous le jet de la douche. Pourquoi n'avait-il jamais eu de petites amies comme elle ? Même lorsqu'il était plus jeune, sa conversation devait être trop littéraire, trop sérieuse pour attirer les filles qui aimaient faire la fête.

– Il ne faut pas que les fantômes te tracassent, je me doutais bien que tu allais en voir. Ils n'attendent rien de toi, ils sont juste tristes, et on n'y peut rien. Tu es américain. Ce qu'ils ont vécu fait partie de toi, ou tu fais partie de ce qu'ils ont vécu, quelque chose comme ça.

Mais dans quelle mesure ces soldats faisaient-ils partie de lui ? Les gens, même les fantômes, si tant est que Dorothy en fût un, voulaient à toute force qu'il fasse partie de ceci ou de cela !

On n'arrache pas la charogne de la gueule des charognards. Les pepenadores seront toujours des étrangers, où qu'ils aillent. De quoi Juan Diego faisait-il partie ? Il portait en lui une sorte d'exterritorialité universelle, qui lui appartenait en propre, et pas seulement en tant qu'écrivain. Son nom lui-même était un pseudonyme : il ne s'appelait pas Rivera, mais Guerrero. L'avocat américain chargé du dossier d'immigration avait refusé qu'il porte le nom du Jefe. Non point tant parce que ce dernier n'était «probablement pas» son père, mais surtout parce qu'il était bien vivant. Cela aurait fait mauvais effet qu'un gosse adopté porte son nom.

Pepe avait dû justifier cette contrainte légale au patron de la décharge. Juan Diego aurait eu du mal à expliquer au Jefe que le «garçon adopté» devait porter un autre nom que le sien.

– Pourquoi pas Guerrero ? avait suggéré Rivera, en s'adressant à Pepe directement, évitant ainsi de croiser le regard de Juan Diego.

– Tu es d'accord pour que je m'appelle «Guerrero», Jefe ? lui avait alors demandé celui-ci.

– Bien sûr, avait répondu Rivera, s'autorisant cette fois un bref regard en coin vers lui. Même un gosse de la décharge doit savoir d'où il vient.

– Jamais je n'oublierai d'où je viens, Jefe.

Neuf individus avaient été témoins d'un miracle dans l'église de la Compañía de Jesús à Oaxaca : une statue qui pleurait, et pas n'importe laquelle, une statue de la Vierge Marie. Mais le miracle n'avait jamais été reconnu comme tel. Et six des neuf témoins étaient aujourd'hui décédés. À la mort des trois survivants – Vargas, Alejandra et Juan Diego –, le miracle lui-même tomberait dans l'oubli.

Si Lupe avait encore été de ce monde, elle aurait dit à Juan Diego que cette statue en pleurs n'était pas le miracle de sa vie. «C'est nous, le miracle», lui avait-elle confié. Et n'était-ce pas une évidence dans son cas ? N'était-elle pas le plus extraordinaire des miracles ? Tout ce qu'elle savait, ce qu'elle avait risqué – comment, par sa seule volonté, elle avait construit son avenir à lui ! Tous ces mystères, c'était cela dont Juan Diego faisait partie. À côté, les autres événements de sa vie faisaient bien pâle figure.

Dorothy parlait, elle n'arrêtait pas de parler.

– Tout de même ces fantômes, l'interrompit Juan Diego, l'air de rien, j'imagine qu'il y a moyen de les distinguer des autres clients ?

– Évidemment, à leur façon de disparaître quand on les regarde !

Au cours du petit déjeuner, ils découvrirent que l'Escondrijo était presque désert. Les quelques clients qui s'installaient aux tables dressées à l'extérieur du restaurant ne disparaissaient pas quand on les regardait, mais ils lui parurent vieux, épuisés. Il est vrai que quand Juan Diego s'était attardé devant son reflet dans le miroir de la salle de bains, il lui avait semblé avoir pris un léger coup de vieux lui-même.

Dorothy voulut ensuite lui montrer la petite chapelle située dans une des dépendances de l'auberge. Son architecture lui rappellerait le style espagnol des monuments de Oaxaca. Ah, ces Espagnols, où n'étaient-ils pas allés! songea-t-il.

L'intérieur de la chapelle était dépouillé, sans ornements particuliers. L'autel ressemblait à une table de bistrot, une petite table pour deux. Il y avait un Christ en croix, qui ne semblait pas trop souffrir, et une Vierge Marie grandeur nature. On les aurait bien vus causer ensemble. Mais ces personnages familiers, cette mère et son fils, n'étaient pas les présences les plus insignes du lieu; ce ne furent ni Marie ni Jésus qui attirèrent l'attention de Juan Diego.

Deux soldats fantômes, assis sur le banc du premier rang, avaient capté son regard. Ils se tenaient par la main et l'un avait posé la tête sur l'épaule de l'autre. Ils étaient un peu plus que des compagnons d'armes, même s'ils portaient leur treillis de combat. Pourtant, ce qui surprit le plus Juan Diego ne fut pas que ces militaires morts depuis des lustres aient eu une histoire d'amour. Quand il était entré avec Dorothy dans la chapelle, les deux fantômes ne les avaient pas remarqués. Non seulement ils ne disparaissaient pas, mais ils continuaient à fixer Marie et Jésus d'un air suppliant, comme s'ils se croyaient seuls et à l'abri des regards.

Pour Juan Diego, des morts ou des fantômes auraient dû avoir une tout autre attitude, surtout dans une église. Que venaient-ils encore chercher? Ne connaissaient-ils pas les réponses, désormais?

Mais les deux revenants avaient l'air aussi désorientés que n'importe quels amants tourmentés interrogeant Marie et Jésus. Ces deux soldats-là, ces deux morts, ne savaient rien de rien, c'était manifeste. Guère mieux informés que n'importe quel vivant, ils cherchaient encore des réponses.

– Assez de spectres, j'en ai ma dose, dit Juan Diego à Dorothy, suffisamment fort pour que les deux ex-compagnons d'armes disparaissent aussitôt.

Juan Diego et Dorothy restèrent à La Cachette toute la journée du vendredi et la nuit suivante. Ils quittèrent Vigan le samedi et prirent un autre vol de nuit de Laoag à Manille. Une fois encore, exception faite des lueurs anecdotiques d'un bateau de pêche, ils survolèrent les ténèbres de la baie de Manille.

31

Adrénaline

Encore une arrivée de nuit, encore un hôtel, pensait Juan Diego ; il connaissait le hall de réception de l'Ascott, à Makati City, puisque c'était là que Miriam lui avait conseillé de descendre à son retour à Manille. Étrange, de prendre une chambre avec Dorothy là où il avait imaginé l'entrée théâtrale de Miriam.

Il se souvenait de la distance, assez longue, entre la réception et les ascenseurs.

– Je suis un peu surprise que ma mère ne soit pas... commença Dorothy.

Elle regardait autour d'elle quand Miriam surgit comme par enchantement. Juan Diego ne fut pas étonné de voir que les agents de sécurité de l'hôtel la suivaient des yeux, des ascenseurs à la réception.

– Toi ici, maman ! lança Dorothy, laconique.

Miriam l'ignora et s'adressa directement à Juan Diego :

– Mon pauvre ami, j'imagine que tu en as plein le dos des fantômes de Dorothy ! Ces jeunes gens avec la peur au ventre, ce n'est pas la tasse de thé de tout le monde.

– Tu viens réclamer ton tour, maman ?

– Ne sois pas vulgaire, Dorothy, il n'y a pas que le sexe dans la vie, comme tu sembles le penser.

– Tu veux rire ?

– L'heure est venue, et nous sommes à Manille, Dorothy.

– Je sais bien qu'il est l'heure, et je sais où nous sommes.

– Plus question de sexe, Dorothy, ça suffit.

– Pas pour tout le monde, peut-être...

Miriam, une fois de plus, l'ignora superbement.

483

– Chéri, tu as l'air fatigué, ça me chagrine de te voir dans cet état, dit-elle à Juan Diego.

Celui-ci regarda Dorothy s'éloigner. Elle avait une allure vulgaire mais irrésistible ; au bas des ascenseurs, les agents de sécurité la regardèrent approcher, mais pas du tout comme ils avaient contemplé Miriam.

– Ça va, Dorothy, bon Dieu ! souffla cette dernière quand elle s'aperçut que sa fille avait pris la mouche.

Seul Juan Diego l'entendit.

– Non mais franchement ! lança-t-elle à sa fille, qui ne l'entendit pas car les portes de l'ascenseur venaient de se refermer.

L'Ascott avait surclassé Juan Diego. On lui avait octroyé une suite avec cuisine, dans les derniers étages de l'hôtel. Il n'avait que faire d'une cuisine.

– Après l'Escondrijo, qui est de plain-pied et aussi déprimant que possible, j'ai pensé que tu méritais une belle chambre avec vue, lui annonça Miriam.

Vue de haut et de nuit, Makati City – quartier d'affaires et centre névralgique de la finance – ressemblait à s'y méprendre à tous les ensembles de gratte-ciel du monde : des immeubles de bureaux éteints ou éclairés par-ci par-là à divers degrés d'intensité, contrastant avec les débauches de lumières des hôtels et des immeubles d'habitation. Juan Diego ne voulait pas avoir l'air insensible aux attentions de Miriam, mais ce paysage urbain était d'une étonnante banalité, sans aucun caractère local.

Elle l'emmena dîner à proximité de l'hôtel, à l'Ayala Center. On n'aurait su dire si c'était un centre commercial aménagé dans un ancien aéroport international, ou l'inverse. Il y régnait une atmosphère chic et trépidante. Ce fut sans doute le côté anonyme du restaurant, ou l'ambiance « voyageur de commerce » de l'Ascott, qui incita Juan Diego à confier à Miriam une histoire très personnelle, celle des malheurs du brave gringo. Après avoir décrit son incinération au basurero, il ânonna chaque couplet de *The Streets of Laredo* d'une voix monocorde et sinistre. Contrairement à l'Américain, il chantait très mal. Après les jours passés auprès de Dorothy, il devait se figurer que Miriam avait une meilleure écoute que sa fille.

« Ça vous ferait pleurer, vous aussi, si votre sœur avait été tuée par un lion ! » avait dit Miriam aux enfants de l'Encantador. Et puis Pedro s'était endormi, comme ensorcelé, la tête contre sa poitrine.

Juan Diego décida de l'étourdir de paroles et de ne pas lui en laisser placer une... Ainsi, elle ne parviendrait peut-être pas à l'envoûter lui-même.

Il lui conta par le menu les circonstances dans lesquelles Lupe et lui s'étaient liés d'amitié avec l'infortuné hippie, puis il lui avoua qu'il ignorait son nom de famille. Il était venu aux Philippines pour se rendre au Cimetière et Mémorial américain de Manille alors même qu'il n'avait aucun espoir de retrouver la tombe du père du gringo, parmi les onze concessions.

– Pourtant, une promesse est une promesse. Je lui ai donné ma parole d'aller me recueillir à sa place sur la tombe de son père. Je crois comprendre qu'il n'est pas facile de se repérer dans ce cimetière mais n'importe, il faut au moins que j'aille sur les lieux.

– Pas demain, chéri, demain nous sommes dimanche, et pas n'importe lequel.

Et dire qu'il avait eu l'intention de lui clouer le bec ! Comme il l'avait constaté si souvent avec Miriam et Dorothy, elles avaient toujours l'information qui lui manquait.

Le lendemain avait lieu la procession annuelle du Nazaréen noir.

– L'objet en question est arrivé du Mexique, il a fait la route d'Acapulco à Manille à bord d'un galion espagnol au début du xviie siècle ; il me semble que ce sont des moines augustiniens qui l'ont apporté ici, expliqua Miriam.

– Un Nazaréen noir ?

– Pas de race noire. C'est une statue grandeur nature du Christ en train de monter au Calvaire en portant sa croix. Elle était peut-être sculptée dans un bois foncé, mais elle n'était pas vraiment noire au départ. Elle a brûlé dans un incendie.

– Elle a été carbonisée, tu veux dire...

– Elle a brûlé au moins trois fois. La première dans l'incendie du galion qui la transportait. Elle est arrivée carbonisée, c'est vrai, mais il y a eu deux autres incendies plus tard à Manille ; l'église Quiapo a été détruite par le feu d'abord au xixe siècle, et puis dans les années 1920. Et en plus il y a eu deux tremblements de terre, un au xviie siècle et l'autre au xixe. L'Église exploite au maximum le fait que le Nazaréen noir ait survécu à trois incendies et deux séismes, sans oublier qu'il a aussi résisté à la libération de Manille en 1945, marquée par un des plus importants bombardements de la Seconde Guerre mondiale dans la zone Pacifique, soit dit en passant. Une statue survivante, tu parles d'un miracle ! Les statues ne meurent pas, si je ne me trompe. Ce bout de bois a brûlé plusieurs fois si bien qu'il a noirci, point barre ! En plus, il s'est pris une balle, assez récemment, dans les années 1990. Comme si le Christ n'avait pas assez souffert sur le chemin du Calvaire, le Nazaréen noir, lui, a « survécu » à six catastrophes, naturelles et moins naturelles. Tu peux me croire, Juan Diego, demain, c'est vraiment pas le jour pour quitter l'hôtel. Manille est un bordel incroyable quand cette procession dingue a lieu.

– Il y a des milliers de pèlerins ?

– Des millions ! Ils sont encore très nombreux à croire que s'ils touchent le Nazaréen noir, ils seront guéris de tous leurs maux. Chaque année, il y a un tas de blessés. Les plus fanatiques, ce sont les Hijos del Señor Nazareno, les Fils du Seigneur Nazaréen… Tellement dévots qu'ils s'identifient à la Passion. Ils veulent revivre les souffrances du Christ, ces abrutis.

La façon dont Miriam haussa les épaules fit frissonner Juan Diego.

– Va savoir ce que recherchent les vrais croyants comme eux ? conclut-elle.

– Dans ce cas, j'irai peut-être au cimetière lundi, proposa Juan Diego.

– Lundi, ce sera encore le bazar. Il leur faut un jour plein pour nettoyer les rues, et avec tous ces blessés les hôpitaux sont débordés. Vas-y plutôt mardi, mardi après-midi. Le matin, c'est pour les forcenés, ceux qui veulent tout faire le plus tôt possible, à l'ouverture des portes… Le matin, il vaut mieux pas.

– D'accord.

À écouter Miriam, il était aussi fatigué que s'il avait suivi la procession du Nazaréen noir, chahuté, langue pendante. Et pourtant il doutait qu'elle lui ait dit la vérité. Le ton de sa voix était toujours aussi péremptoire, mais cette fois, ce qu'elle avait affirmé lui semblait exagéré, voire mensonger. Manille lui paraissait démesurée. Comment une procession religieuse qui se déroulait à Quiapo pouvait-elle avoir des répercussions jusqu'au quartier de Makati ?

Il avait bu trop de San Miguel et mangé des plats insolites. Il se sentait barbouillé, avec quelques raisons de l'être. Fallait-il incriminer les lumpias de canard pékinois ? Quelle idée de mettre du canard dans les rouleaux de printemps ! Encore ignorait-il que le lechon kawali était de la panse de porc frite, jusqu'à ce que Miriam l'en informe. Drôle de goût, la saucisse servie avec de la mayonnaise bagoon. À base de poisson fermenté, à en croire Miriam. Tout ce qu'il fallait pour lui provoquer une indigestion ou des brûlures d'estomac, il en était convaincu.

Pourtant, ce n'était peut-être pas la cuisine locale, ou l'abus de bière, qui lui donnait la nausée, mais plutôt la fureur religieuse des pèlerins du Nazaréen noir. La statue carbonisée du Christ en croix venait du Mexique ! Forcément ! Et c'est ce qui le turlupinait tandis qu'ils passaient d'un escalier mécanique à un autre dans le vaste Ayala Center, puis prenaient l'ascenseur vers les hauteurs de l'Ascott.

Une fois de plus, Juan Diego remarqua à peine qu'il ne boitait pratiquement plus aux côtés de Miriam, comme auprès de Dorothy. Clark French l'avait bombardé de textos. La pauvre Leslie avait averti Clark que son ancien professeur était «tombé dans les griffes d'une chasseresse d'auteurs».

Elle ajoutait qu'il s'était laissé séduire par une «groupie d'écrivains» et que cette Dorothy était animée d'intentions sataniques. Le mot «satanique» avait le don de faire démarrer Clark au quart de tour.

Comme Juan Diego avait éteint son portable avant le vol de Laoag à Manille et n'avait pensé à le rallumer qu'en quittant le restaurant avec Miriam, les textos s'y étaient accumulés. À ce stade, l'imagination de Clark French avait pris un tour à la fois alarmiste et protecteur.

«Est-ce que vous allez bien ?» Ainsi commençait son plus récent message. «Et si D. (il continuait à la réduire à son initiale) était bel et bien une créature satanique ? Miriam, quand je l'ai rencontrée, m'a fait l'effet d'en être une !»

Juan Diego s'aperçut qu'il avait également raté un texto de Bienvenido. Si Clark French avait pris toutes les dispositions nécessaires pour faciliter le séjour de Juan Diego à Manille, le chauffeur devait savoir qu'il était de retour en ville et qu'il avait changé d'hôtel. Il ne contredisait pas les mises en garde de Miriam à propos de la procession du dimanche, mais n'était pas aussi catégorique :

«Il est préférable de rester tranquillement chez vous demain, en raison des foules qui vont affluer à la procession du Nazaréen noir. Mieux vaut éviter de se trouver sur son parcours, en tout cas. Je viendrai vous chercher lundi pour la conférence avec Mr French et pour le dîner qui suivra.»

Avant de répondre à la question «satanique» qui passionnait tant son ancien étudiant, Juan Diego lui envoya le texto suivant: «QUELLE conférence avec toi lundi, Clark – QUEL dîner?»

Clark l'appela aussitôt pour le mettre au courant. Il y avait un théâtre à Makati, tout près de l'hôtel de Juan Diego, «petit mais sympathique», précisa Clark. Les lundis soir, quand il faisait relâche, la troupe accueillait des conférences ou des causeries avec des auteurs. Une librairie locale fournissait des exemplaires de leurs œuvres pour les dédicaces et Clark venait souvent y animer les débats. Un dîner avait lieu ensuite avec les organisateurs. «Il n'y a jamais grand monde, assura Clark, mais ça vous permettra de rencontrer vos lecteurs philippins.»

De tous les écrivains que connaissait Juan Diego, Clark French était le seul à se comporter en publicitaire. Et en bon publicitaire, il n'annonçait la présence des médias qu'en dernier ressort. Il y aurait bien un journaliste ou deux, à la fois à la conférence et au dîner, mais il promettait de prévenir son ancien professeur s'il y avait lieu de se méfier d'eux. Clark, tu ferais mieux de rester chez toi et d'écrire! songea Juan Diego.

– Et vos amies seront là aussi, lui apprit soudain Clark.

– Quelles amies?

– Miriam et sa fille. J'ai lu la liste des invités où elles figurent comme «Miriam et sa fille, amies de l'auteur». Je croyais que vous étiez au courant.

Juan Diego jeta un coup d'œil circulaire. Miriam était dans la salle de bains, elle se préparait sans doute pour la nuit. Il se dirigea vers la cuisine et se mit à chuchoter dans le combiné.

– La fille de Miriam, c'est Dorothy, Clark, celle que tu appelles D. J'ai couché avec Dorothy avant de coucher avec Miriam, rappela-t-il à son ancien étudiant. J'ai couché avec Dorothy avant qu'elle rencontre Leslie.

– Vous m'aviez pourtant dit que vous ne les connaissiez pas très bien.

– C'est vrai, elles demeurent un mystère pour moi, mais ton amie Leslie a ses problèmes, elle aussi. Elle est jalouse, un point c'est tout.

– Je ne nie pas que la pauvre Leslie a des problèmes…

– Un de ses fils a été piétiné par un buffle d'eau, il a ensuite été piqué par une méduse rose qui se déplaçait verticalement, murmura Juan Diego au téléphone. L'autre a été piqué par des bestioles en forme de capotes pour enfant de trois ans.

– Des capotes urticantes, ne m'en parlez pas !

– Pas des vraies, Clark, des bestioles qui en ont la forme.

– Pourquoi parlez-vous à voix basse ?

– Je suis avec Miriam, chuchota Juan Diego qui boitillait dans la cuisine, un œil sur la porte de la salle de bains.

– Je vous laisse, répondit Clark sur le même ton. Je crois que mardi serait un bon jour pour aller au Cimetière américain…

– Oui, dans l'après-midi.

– J'ai réservé Bienvenido pour le matin aussi. J'ai pensé que vous aimeriez visiter le Sanctuaire national de Notre Dame de Guadalupe, celui de Manille, j'entends. Il n'y a que deux bâtiments, une vieille église et un monastère, rien à voir avec ce que vous avez à Mexico. Ils sont en plein milieu de Guadalupe Viejo, un quartier pauvre, une sorte de bidonville sur une colline au-dessus de la Pasig.

– Guadalupe Viejo, un quartier pauvre, répéta Juan Diego.

– Vous semblez fatigué. On verra ça plus tard, coupa Clark.

– Guadalupe, sí… commença Juan Diego.

La porte de la salle de bains s'ouvrit, Miriam revenait dans la chambre, une simple serviette autour des reins. Elle fermait les rideaux.

– C'est « oui » pour Guadalupe Viejo ? Vous êtes d'accord ?

– Oui, Clark, je suis d'accord.

Pour un ancien gosse de la décharge, Guadalupe Viejo n'évoquait pas un bidonville, mais plutôt une destination finale. Bien plus que la pieuse promesse faite au brave gringo, l'existence du Sanctuaire national de Notre Dame de Guadalupe à Manille lui semblait la raison essentielle de sa venue. Davantage que le Cimetière et Mémorial américain de Manille, Guadalupe Viejo figurait son *terminus*, pour parler sans ambages comme Dorothy. Et si l'on admettait qu'il fût lui-même marqué par le destin, il était logique de trouver Guadalupe Viejo au bout de son voyage.

– Tu trembles, chéri. Tu as pris froid ? demanda Miriam.

– Non, je viens de parler à Clark French. On doit se rencontrer tous les deux à une causerie littéraire. Il me dit que vous serez là, Dorothy et toi.

– Nous n'assistons pas souvent à ce genre d'événement, répondit Miriam en souriant.

Elle avait étalé la serviette par terre, de son côté du lit, et s'était déjà glissée sous les couvertures.

– J'ai sorti tes comprimés, dit-elle incidemment. Tu ne m'as pas précisé si c'est un soir Lopressor ou un soir Viagra, ajouta-t-elle de son air insouciant.

Juan Diego faisait en sorte d'alterner les deux médicaments : il choisissait ainsi les soirs où il voulait être stimulé et se résignait, les autres soirs, à se sentir amorphe. Il n'ignorait pas que sauter une dose de bêtabloquants – et provoquer une poussée d'adrénaline en retour – était risqué. Mais il avait oublié à quel moment il avait pris l'habitude d'alterner régulièrement les deux comprimés, comme Miriam l'avait suggéré.

Il était frappé par les similitudes entre Miriam et Dorothy, qui n'avaient rien à voir avec leur physique ou leur comportement sexuel. Ces deux femmes avaient exactement la même façon de le manipuler – sans parler du fait que lorsqu'il était avec l'une, il avait tendance à oublier l'autre. Oubli qui n'excluait en rien l'obsession qu'elles lui inspiraient toutes deux.

Quant à son comportement personnel, pensait-il, avec ces femmes comme avec ses médicaments, il méritait largement le qualificatif de puéril. Puéril comme leur revirement à lui et à Lupe, à l'égard des Vierges : ils avaient préféré Guadalupe à la Vierge Monstre, jusqu'au moment où Guadalupe les avait déçus. Sur quoi, la Vierge Marie avait fait un coup d'éclat avec son nez de rechange, puis ses larmes pour le moins explicites.

Contrairement à l'Escondrijo, l'Ascott n'hébergeait pas de fantômes, sauf Miriam si elle en était un. En revanche, ici une multitude de prises électriques permettaient à Juan Diego de recharger son portable. Cela ne l'empêcha pas d'en choisir une près du lavabo, histoire d'avoir un peu d'intimité. Il espérait en effet que, fantôme ou pas, Miriam se serait endormie avant qu'il sorte de la salle de bains.

« Plus question de sexe, Dorothy, ça suffit », avait-elle dit – comme souvent – et plus récemment : « Il n'y a pas que le sexe dans la vie, comme tu sembles le penser. »

Le lendemain était donc un dimanche. Juan Diego devait rentrer aux États-Unis le mercredi suivant. Non seulement il avait eu tout son soûl de relations sexuelles, mais il se disait aussi qu'il avait eu sa dose de ces deux créatures mystérieuses. Le meilleur moyen de se débarrasser de son obsession était de ne plus coucher avec elles. Il coupa un Lopressor en deux, qu'il ajouta à la dose normale.

Bienvenido lui avait conseillé de rester tranquillement chez lui tout le dimanche ; eh bien, il allait rester tranquille : il laisserait passer cette journée dans un état d'inertie totale. Car outre les foules ou la folie mystique de la procession du Nazaréen noir qu'il voulait ainsi esquiver, il espérait que Miriam et Dorothy allaient disparaître « comme par enchantement ». Il aspirait à recouvrer son sentiment familier de déficience.

Juan Diego faisait un effort pour revenir à un état normal, outre qu'il essayait – mieux vaut tard que jamais – de respecter la posologie de son traitement. Il pensait souvent au Dr Rosemary Stein, et pas toujours en sa qualité de médecin.

« Chère Dr Rosemary », commença-t-il à taper, de nouveau assis sur le siège des toilettes avec son portable si abscons dans les mains. Il aurait voulu lui dire qu'il avait pris des libertés avec son traitement de Lopressor, lui parler de ces circonstances imprévisibles, de ces deux femmes intéressantes (sinon intéressées). Et puis il voulait lui assurer qu'il n'était pas seul, qu'il n'était pas malheureux ; il voulait enfin lui promettre qu'il allait arrêter de faire l'imbécile avec les doses de bêtabloquants... Mais écrire ne serait-ce que « Chère Dr Rosemary » lui prenait un temps fou. Cette saleté de portable était une offense à n'importe quel écrivain ! Il n'avait jamais su sur quelle touche appuyer pour mettre une lettre en majuscule.

C'est alors qu'une solution plus simple lui vint à l'esprit : il lui suffisait d'envoyer à Rosemary la photo qui le représentait avec Miriam et Dorothy dans la gare de Kowloon. Ainsi, le message serait à la fois plus court et plus amusant. « J'ai rencontré ces deux femmes pour lesquelles j'ai un peu négligé mon traitement de Lopressor. N'aie crainte ! Me voici redevenu sage, sur le droit chemin de l'abstinence. Affectueusement… »

Ce serait la façon la plus simple d'avouer la chose au Dr Rosemary, en somme. Et le ton n'était pas celui de quelqu'un qui s'apitoie sur son sort. Aucune trace de nostalgie pour avoir laissé passer sa chance le soir où, dans la voiture, sur Dubuque Street, Rosemary lui avait pris le visage entre ses mains en disant : « J'aurais dû te demander en mariage. » Le pauvre Pete était au volant. Rosemary avait tenté de se rattraper : « Je voulais dire que j'aurais *pu* te demander… »

Il était certes préférable pour l'un comme pour l'autre de ne pas revenir sur ce qui s'était passé ce soir-là. À présent, comment allait-il lui envoyer cette photo, prise dans la gare de Kowloon ? Il ne savait même pas comment la retrouver dans cette vacherie d'appareil, et moins encore comment joindre une photo à un texto. Sur le clavier exaspérant du petit téléphone, il avait du mal à trouver la commande « Supprimer ». Rageur, il effaça, lettre par lettre, son message à Rosemary.

Clark French saurait dénicher la photo de Kowloon et pourrait lui montrer comment la joindre au message. Il sait tout faire, Clark French, sauf en ce qui concerne la pauvre Leslie, pensa Juan Diego en boitillant vers le lit.

Aucun chien n'aboyait, aucun coq ne chantait, mais, tout comme le soir du Nouvel An à l'Encantador, Juan Diego ne discernait pas la respiration de Miriam.

Elle était endormie, couchée sur le côté gauche, et lui tournait le dos. Il se dit qu'il pourrait s'allonger contre elle et l'entourer de son bras ; il voulait sentir si son cœur battait.

Le Dr Rosemary Stein aurait pu lui apprendre que le pouls est bien plus perceptible en d'autres points du corps. Naturellement, Juan Diego passa la main sur la poitrine de Miriam et ne sentit pas battre son cœur.

Tandis qu'il la palpait à l'aveuglette, ses pieds touchèrent ceux de Miriam. Si c'était une femme de chair et non un spectre, elle devait l'avoir senti. Quoi qu'il en soit, Juan Diego essayait courageusement d'approfondir sa connaissance du monde des esprits.

Un garçon né à Oaxaca ne pouvait être étranger à ce monde-là. Sa ville était pleine de Saintes Vierges. Même ce lieu dédié aux fêtes de Noël, la boutique de bondieuseries de la calle Independencia bourrée d'affriolantes répliques des fameuses Vierges locales, avait un petit côté sacré. En outre, Juan Diego était passé par Les Enfants perdus : les religieuses et les deux vieux prêtres de l'église de la Compagnie de Jésus lui avaient révélé un peu du monde spirituel. Même Rivera, le patron de la décharge, était un croyant fervent, adonné au culte marial. Juan Diego n'avait pas peur de Miriam et de Dorothy, quelle que fût leur essence. Comme le disait El Jefe : « Pas besoin du tampon de l'Église pour valider le miracle, on sait ce qu'on a vu ! »

Qu'importait au fond la nature de Miriam. Les deux femmes étaient-elles des anges de la mort venus le chercher ? Il lui en fallait plus pour l'impressionner. Elles ne seraient ni son premier ni son seul miracle. Lupe l'avait dit : « C'est nous, le miracle. » C'était à cela que Juan Diego croyait, ou plutôt qu'il voulait croire, sincèrement, tout en continuant à caresser Miriam... dont la soudaine et ample inspiration le fit sursauter.

– C'est une nuit Lopressor, je présume, lui dit-elle d'une voix sourde et rauque.

Il essaya de lui répondre de façon détachée :

– Comment le sais-tu ?

– Tes mains et tes pieds, chéri. Ils sont déjà froids.

C'était vrai. Les bêtabloquants réduisent en effet la circulation du sang dans les extrémités. Juan Diego ne se réveilla pas avant midi, ce dimanche-là ; il avait les mains et les pieds glacés. Il ne fut pas surpris de constater que Miriam était partie sans un mot.

Les femmes savent quand les hommes ne les désirent plus : qu'elles soient fantômes ou sorcières, déesses ou démones, anges de la mort, Vierges ou femmes ordinaires, elles pressentent toujours qu'on ne veut plus d'elles.

Juan Diego se sentait tellement diminué ; la journée de dimanche était passée très vite, et ne lui resterait pas en mémoire. Ce demi-comprimé supplémentaire de Lopressor avait été superflu. Le soir, il jeta l'autre moitié dans les toilettes et tira la chasse d'eau. Il ne prit ensuite que la dose prescrite. Il allait se rendormir jusqu'au lundi midi. Si quelque chose se passa ce week-end-là, il n'en sut rien.

Les étudiants en littérature de l'université de l'Iowa avaient qualifié Clark French de « bon samaritain », d'intello coincé, et il faut bien dire qu'il avait eu fort à faire avec Leslie pendant que Juan Diego dormait.

« Je crois que la pauvre Leslie se préoccupe surtout de votre bien-être. » Ainsi commençait son premier texto. D'autres suivaient, la plupart concernant la conférence publique. « Ne vous inquiétez pas, je ne vais pas vous demander qui est le véritable auteur des œuvres de Shakespeare, et nous contournerons au mieux la question de la fiction autobiographique ! »

Mais la pauvre Leslie réapparaissait dans d'autres messages. « Leslie dit qu'elle n'est PAS jalouse. Elle ne veut plus entendre parler de D. Je suis sûr qu'elle appréhende sincèrement les envoûtements que D. peut exercer sur vous. Werner a dit à sa mère que D. a incité le buffle à le charger et à le piétiner. Elle lui aurait fourré une chenille dans les naseaux ! »

L'un des deux ment, conclut Juan Diego. Il croyait Dorothy capable d'enfoncer une chenille dans la narine d'un buffle. Cela dit, le jeune Werner en était sans doute tout aussi capable.

« Une chenille vert et jaune, avec du marron autour des yeux ? » demanda-t-il à Clark en réponse à son texto. « Effectivement », répondit son ancien élève. Le gamin avait dû la regarder de près, cette chenille !

« C'est vraiment de la sorcellerie ! écrivit-il. Je ne couche plus avec Dorothy ni avec sa mère. »

« La pauvre Leslie assistera à notre conférence ce soir. D. y sera-t-elle aussi ? Avec sa MÈRE ? Leslie s'étonne que D. ait une mère, en vie qui plus est. »

« Oui. Dorothy et sa mère seront là. »

Ce fut le dernier texto que Juan Diego retourna à Clark. Il ressentit quelque plaisir à le taper. Il observa que, une fois l'adrénaline bloquée, il était moins stressant de faire des choses futiles.

Ce qui expliquerait que les retraités se satisfont du jardinage, du golf et d'autres conneries de ce genre… Comme envoyer des textos en tapant avec un doigt une lettre après l'autre ? se demandait Juan Diego. Est-ce que les futilités sont plus supportables quand on se sent diminué ?

Les journaux télévisés ainsi que le quotidien distribué dans sa chambre d'hôtel ne parlaient que de la procession du Nazaréen noir à Manille. Il n'y était question que de la vie locale. À tellement survoler la journée du dimanche, il n'avait pas remarqué qu'il avait plu sans discontinuer : une mousson de nord-est, annonçait le journal. Malgré le mauvais temps, environ 1,7 million de catholiques philippins (pieds nus, pour la plupart) avaient suivi la procession, encadrés par 3 500 policiers. Les années précédentes, on avait déploré de nombreux blessés. Trois pèlerins étaient tombés ou avaient sauté du pont Quezon, selon les garde-côtes. Ces derniers avaient aussi rapporté qu'ils avaient dépêché plusieurs équipes de patrouille sur la rivière Pasig, « non seulement pour assurer la sécurité des pèlerins, mais aussi pour empêcher que des éléments incontrôlés ne viennent bouleverser le scénario habituel ».

Quel scénario ? se demanda Juan Diego.

La procession se dispersait toujours à l'église de Quiapo, où s'accomplissait le *pahalik*, rituel consistant à poser ses lèvres sur le Nazaréen noir. L'église était pleine à craquer car les gens faisaient la queue dans l'espoir d'embrasser la statue.

À présent, c'était un médecin qui était à l'écran ; il évoquait les « blessures sans gravité » de 560 pèlerins durant la procession de cette année. On trouvait toutes sortes de lacérations. « Les blessures typiques de ce genre de rassemblement, séquelles de flagellations, pieds écorchés… » Le médecin était jeune, il avait l'air à cran. Et les douleurs abdominales ? lui demandait-on. « Manque d'hygiène alimentaire », répondait-il. Et les entorses ? « Les mouvements de foule, encore une fois, la bousculade, les chutes… » constatait-il en soupirant. Et les maux de tête ? « La déshydratation ! Les gens ne boivent pas assez d'eau ! » ajoutait-il avec un air de dédain. Et les centaines de pèlerins traités pour des étourdissements ou des difficultés respiratoires ? « C'est parce qu'ils n'ont pas l'habitude de marcher si longtemps ! » Il levait alors les bras au ciel et Juan Diego avait l'impression de voir le Dr Vargas. Le jeune médecin semblait sur le point de lâcher : « Leur pathologie majeure, c'est la religion ! »

Et l'incidence des douleurs lombaires ? « Elles peuvent avoir différentes causes, mais elles sont aggravées par les chocs dans les mouvements de foule. » Le médecin avait fermé les yeux. Et l'hypertension ? « Là aussi, les causes sont très diverses… » Il avait toujours les yeux fermés. « … Liées à une très longue marche. » Sa voix se perdait quand tout à coup il ouvrit les yeux et balança à la caméra : « Je vais vous dire qui fait son profit de la procession du Nazaréen noir. Les charognards ! »

Le mot ne pouvait que piquer au vif un ancien gosse de la décharge.

Pour Juan Diego, il n'évoquait pas seulement les pepenadores du basurero, professionnels de la récupération des ordures ménagères comme il l'avait été lui-même, il lui inspirait une pensée bienveillante pour les chiens et les mouettes. Or le jeune médecin réservait son mépris à la procession elle-même. En affirmant qu'elle constituait une aubaine pour les « charognards », il voulait dire qu'elle profitait aux pauvres, ceux qui passaient derrière les pèlerins pour récupérer les bouteilles et les boîtes en plastique.

Ah oui ! Les pauvres, songea Juan Diego. Il y avait assurément un lien historique entre l'Église catholique et les pauvres. Il était souvent en bisbille avec Clark French sur ce chapitre.

Bien sûr que l'Église était « sincère » dans son amour des pauvres, comme le soutenait Clark. Juan Diego ne le niait pas. Pourquoi l'Église n'aimerait-elle pas les pauvres ? Mais quid du contrôle des naissances ? C'était « l'agenda social » de l'Église catholique qui le mettait hors de lui. Les positions du clergé sur l'avortement, sur la contraception, soumettaient les femmes à l'esclavage des naissances non souhaitées, et appauvrissaient les pauvres puisque c'étaient eux qui faisaient le plus d'enfants.

Juan Diego et Clark French avaient eu nombre de différends à ce propos. S'ils parvenaient à éviter le sujet lors de la conférence du soir ou du dîner qui devait suivre, comment en faire l'économie quand ils se retrouveraient dans une église le lendemain matin ? Comment ne pas en parler dans l'église Notre-Dame de Guadalupe à Manille ? Comment éviter une controverse qui leur était à ce point familière ?

La perspective de cette discussion lui rappela qu'il aurait besoin d'adrénaline. Ce n'était pas seulement pour le sexe que son absence d'élan vital se faisait sentir depuis qu'il prenait des bêtabloquants. Ses premières approches de l'histoire du catholicisme, il les avait eues dans les pages roussies de livres sauvés des brasiers de la décharge. Ancien pensionnaire des Enfants perdus, il était convaincu de faire la différence entre les vrais mystères de la religion et les préceptes religieux élaborés par les hommes.

S'il se rendait à Notre-Dame de Guadalupe le lendemain avec Clark, mieux valait sauter le Lopressor du soir. Une bonne décharge d'adrénaline ne serait pas du luxe pour visiter Guadalupe Viejo avec Clark French. Sans compter qu'il y aurait d'abord le double supplice de la conférence et du dîner. Prendre ou ne pas prendre ses bêtabloquants, telle était la question.

Le texto de Clark French tomba à pic pour répondre à ses tergiversations : « Finalement, je vais commencer par vous demander quel est l'auteur des œuvres de Shakespeare, car je sais que nous sommes d'accord sur ce point. Cela mettra en arrière-plan l'expérience personnelle comme unique base valable de l'écriture romanesque, sur laquelle nous sommes également en phase. Quant à ceux qui estiment que Shakespeare était quelqu'un d'autre, ils sous-estiment l'imagination, ou surestiment l'expérience personnelle, qui pour eux représente le fondement de la fiction autobiographique, qu'en pensez-vous ? »

Pauvre Clark, éternel adolescent systématiquement plongé dans la théorie, toujours à chercher la bagarre.

Il me faut de l'adrénaline, beaucoup d'adrénaline.

Une fois de plus, Juan Diego allait sauter la prise des bêtabloquants.

32

Par-delà la baie de Manille

Ce que Juan Diego appréciait dans les causeries de Clark French, c'était son penchant à monopoliser la parole. L'inconvénient, c'était qu'il devenait lassant, à la longue. Il était si pontifiant. Et quand il était d'accord avec vous, ça en devenait carrément gênant.

Ils avaient lu récemment l'essai de James Shapiro, *Contested Will : Who wrote Shakespeare ?* (*Le Testament contesté : qui est l'auteur des œuvres de Shakespeare ?*) Pour eux comme pour l'universitaire américain, le Shakespeare de Stratford était bien le seul et unique auteur de ses œuvres... Ses pièces n'avaient pas été écrites par plusieurs auteurs, ni par quelqu'un d'autre.

Pourquoi Clark n'avait-il pas entamé la conférence par l'assertion qui conclut le livre : « Je trouve indigne la thèse selon laquelle Shakespeare de Stratford n'avait pas l'expérience nécessaire pour écrire ses pièces. Indigne parce qu'elle dévalorise ce qui le rend exceptionnel : son imagination » ?

Curieusement, son introduction fut une attaque en règle contre Mark Twain. La lecture contrainte de *La Vie sur le Mississippi*, durant son parcours scolaire, avait causé « une blessure quasi mortelle à son imaginaire ». L'autobiographie de Twain avait failli compromettre à jamais ses ambitions littéraires. *Les Aventures de Tom Sawyer* et *Les Aventures de Huckleberry Finn* auraient pu se résumer à un seul et même roman – « voire une nouvelle », raillait-il.

Dans la salle, le public ne comprenait pas l'objet de cette diatribe. D'autant qu'il n'avait pas encore été question de « l'autre » écrivain présent, à savoir Juan Diego. Mais, à la différence des auditeurs, ce dernier anticipait déjà la suite : le rapport entre Twain et Shakespeare restait à établir.

Mark Twain, coupable désigné, croyait que Shakespeare ne pouvait en aucun cas avoir écrit les pièces qui lui sont attribuées. Il considérait ses propres romans comme de « simples autobiographies ». Selon Shapiro, Twain était persuadé qu'une « grande œuvre romanesque, y compris la sienne, ne pouvait être qu'autobiographique ».

Cependant, au lieu d'établir le lien avec le débat sur Shakespeare et ses œuvres, qui était son propos, Clark s'obstinait à disserter sur le manque d'imagination de Mark Twain.

– Les auteurs sans imagination, qui ne savent rapporter que ce qu'ils ont vécu, sont incapables de concevoir que d'autres puissent avoir de l'imagination !

Juan Diego n'aurait pas détesté disparaître. Il essaya de ramener son ancien étudiant à la question centrale :

– Mais qui est l'auteur des œuvres de Shakespeare, Clark ?

– Shakespeare lui-même !

– Eh bien, le chapitre est clos.

Les murmures, les petits rires discrets parurent étonner Clark, comme s'il avait oublié qu'il y avait un public dans la salle.

Avant de le laisser poursuivre sa philippique contre le camp des crapules hérétiques pour qui les pièces de Shakespeare avaient été écrites par quelqu'un d'autre, Juan Diego essaya de commenter deux passages de l'excellent essai de Shapiro. Notamment : « Il n'y avait pas de mémorialistes au temps de Shakespeare », et : « De son vivant, et pendant plus d'un siècle et demi après sa mort, personne n'a lu ses œuvres comme autobiographiques. »

– Heureux Shakespeare ! s'écria Clark French.

Un bras fluet se leva au milieu du public stupéfait : celui d'une femme, presque trop petite pour être vue de la scène, d'une beauté frappante, encadrée qu'elle était pourtant par Miriam et Dorothy. Même de loin, les bracelets luxueux et voyants à ses poignets menus trahissaient la fortune de son ex-époux.

– Pensez-vous que le livre de Mr Shapiro est une pierre dans le jardin de Henry James ?

C'était la pauvre Leslie, sans aucun doute.

– Henry James ! s'écria Clark, comme si le grand romancier américain faisait lui aussi partie des bourreaux potentiels de son imagination juvénile.

La pauvre Leslie, si gracile, sembla se ratatiner encore davantage sur son siège. Juan Diego fut-il seul à s'apercevoir, ou Clark le remarqua-t-il aussi, que Leslie et Dorothy se tenaient par la main ? Alors comme ça, Leslie ne voulait plus entendre parler de D. !

« Déchiffrer la position de Henry James à propos de la paternité de l'œuvre de Shakespeare n'est pas ce qu'il y a de plus aisé, écrit Shapiro. Contrairement à Twain, James ne souhaitait pas aborder la question en public, ou directement. » Il y a pire comme critique, se dit Juan Diego, au demeurant d'accord avec la sévère description, par Shapiro, du style de James, « exaspérant par son excès d'ellipses et d'approximations ».

– Et, vous, pensez-vous que Shapiro discrédite Freud ? demanda Clark à sa fervente étudiante, qui semblait à présent terrorisée ; elle paraissait trop minuscule pour s'exprimer.

Juan Diego aurait juré que le long bras de Miriam enlaçait les épaules tremblantes de la pauvre Leslie.

« L'autoanalyse a permis à Freud de faire une psychocritique de Shakespeare par extrapolation », avait écrit Shapiro.

Selon Clark, il n'y avait guère que Freud pour imaginer le désir de la mère, et la jalousie envers le père... et pour conclure, par l'auto-analyse, qu'il s'agissait « d'une contingence très fréquente dans la petite enfance ».

Ah, ces contingences très fréquentes dans la petite enfance ! Juan Diego espérait qu'il allait radier Freud de la discussion. Il ne voulait surtout pas l'entendre évoquer la théorie freudienne de l'envie du pénis.

– Pas ça, Clark ! lança une voix retentissante dans le public.

Ce n'était plus, cette fois, le timbre fluet de Leslie mais celui du Dr Josefa Quintana, maîtresse femme s'il en est, qui l'empêchait ainsi de faire mention de son point de vue sur Freud – la saga des dommages faits à la littérature et à l'imagination du jeune Clark, si fragile à l'époque de sa formation.

Après un démarrage aussi pesant, la conférence avait-elle des chances de décoller de façon spontanée ? Il fallait s'estimer heureux que le public n'ait pas déjà quitté la salle, exception faite du départ précipité de Leslie, qui n'était pas passé inaperçu. La causerie prit un tour plus cohérent par la suite, ce qui était en soi un succès relatif. Il y eut quelques allusions aux romans de Juan Diego... Et, véritable exploit, la question de son appartenance à la tradition «mexicano-américaine» de la littérature fut abordée sans autres références à Freud, James ou Twain.

La pauvre Leslie n'était pas partie seule. Mère et fille ou pas – les avis étaient partagés –, les deux femmes qui l'escortaient étaient assurément fort habiles. À leur façon de l'accompagner dans l'allée centrale du théâtre puis vers la sortie, on voyait bien qu'elles avaient l'habitude de prendre les choses en main. De fait, cette façon résolue de s'emparer de ce joli bout de femme aurait pu inquiéter les membres du public les plus observateurs, s'ils y avaient fait attention. Elles tenaient si fermement la pauvre Leslie qu'on pouvait se demander si elles la consolaient ou la kidnappaient. Ce n'était pas clair.

Ou étaient-elles allées ? Mais pourquoi Juan Diego s'en souciait-il ? N'avait-il pas espéré les voir disparaître ?

Que faut-il penser quand vos anges de la mort disparaissent et que vos fantasmes personnels cessent de vous hanter ?

Le dîner qui suivit la conférence se tint dans le labyrinthe de l'Ayala Center. Pour un étranger, il était difficile de discerner les invités les uns des autres. Juan Diego reconnut ses lecteurs, qui avaient manifesté une connaissance approfondie de ses romans, mais les convives que Clark lui avait désignés comme «protecteurs des arts et des lettres» restaient distants ; impossible de savoir s'ils s'intéressaient à lui.

Il faut se garder de généraliser sur ces fameux «protecteurs des arts et des lettres». Ceux qui ont l'air d'avoir tout lu n'ont rien lu. Ceux qui semblent un peu perdus ne prennent pas la parole volontiers, ou alors pour faire une remarque anodine sur la salade ou le plan de table... Ne vous y fiez pas, ces gens-là ont lu l'intégralité de votre œuvre, voire le contenu de bibliothèques entières.

– Faites attention aux «protecteurs des arts et des lettres», murmura Clark à l'oreille de Juan Diego. Ils sont souvent imprévisibles.

Clark tapait sur les nerfs de Juan Diego. Il était capable d'agacer n'importe qui. Il y avait entre eux nombre de prétextes à fâcherie, mais c'était quand ils étaient d'accord qu'il l'irritait le plus.

Pour être honnête, Clark l'avait préparé à rencontrer la presse – «un critique ou deux» – au cours du dîner ; il lui avait promis de lui indiquer «ceux dont il devait se méfier». Mais il était loin de connaître tous les journalistes présents.

L'un de ces chroniqueurs, un inconnu, demanda à Juan Diego si le demi qu'il portait à sa bouche était le premier ou le second de la soirée.

– Vous voulez savoir combien de bières il a prises ? Savez-vous combien de *romans* il a écrits ? lança Clark d'un ton acerbe au pisse-copie à la chemise blanche débordant sur son pantalon, qui avait connu des jours meilleurs.

L'allure débraillée, le laisser-aller, la chemise tachée – et celui qui la portait... Il était clair que le jeune homme menait une vie de perdition.

– Vous aimez la San Miguel ? insista le journaliste, ignorant superbement la réflexion de Clark et montrant à Juan Diego l'étiquette de la bouteille.

– Citez-moi deux titres de romans de l'auteur, je ne vous en demande que deux, lui enjoignit Clark. Dites-moi si vous avez lu au moins un seul de ses romans !

Juan Diego n'aurait jamais voulu adopter le comportement de son ancien élève, mais celui-ci remontait dans son estime à chaque seconde qui passait. Du coup, il se remémorait ce qu'il aimait le plus chez lui, malgré tous ses travers.

– Oui, j'aime bien la San Miguel, répondit-il, tenant son verre à bout de bras, comme s'il portait un toast au jeune ignorant. Et je crois bien que celle-ci est la deuxième que je bois.

– Vous n'avez pas à lui répondre, c'est un abruti, il ne connaît rien à rien, lui fit remarquer Clark.

Dire que Clark French était un chic type appelait une nuance : c'était un chic type, sauf pour les journalistes ignares.

L'individu qui n'avait pas lu un seul livre était d'ailleurs reparti aussi vite qu'il était venu.

– Je ne le connais pas, murmura Clark ; il avait l'air désappointé. Mais je la connais, elle, ajouta-t-il en désignant une femme entre deux âges qui louchait vers eux à l'autre bout de la table.

Elle avait attendu que le jeune plumitif s'éclipse.

– C'est un monstre d'hypocrisie... imaginez un hamster venimeux, glissa Clark à l'oreille de Juan Diego, qui le gratifia d'un sourire entendu.

– Une de ces personnes dont je dois me méfier, je suppose. Je me sens en sécurité avec toi, Clark, ajouta-t-il à brûle-pourpoint.

Cette réflexion était spontanée et sincère, mais c'est en la formulant qu'il comprit qu'il ne s'était jamais senti en sécurité ! Pour les gosses nés sur une décharge publique, la sensation de sécurité n'est jamais acquise ; et pour les enfants de la balle la présence d'un filet n'est jamais garantie.

De son côté, Clark fut ému au point de mettre son bras musclé sur les frêles épaules de son ancien professeur.

– Je ne pense pas que vous ayez besoin de ma protection pour ce qui la concerne, chuchota-t-il dans l'oreille de Juan Diego. Elle ne s'intéresse qu'aux potins.

Il parlait de la journaliste qui s'était levée et s'approchait d'eux... le «hamster venimeux». Voulait-il dire que son cerveau tournait en rond comme un hamster dans sa roue ? Mais qu'avait-elle donc de venimeux ?

– Les questions qu'elle va vous poser relèvent du copier-coller : ce sera tout ce qu'elle a trouvé sur Internet, les questions qu'on vous a déjà posées, aussi stupides soient-elles, poursuivit Clark, toujours à voix basse. Elle n'aura pas lu un seul de vos romans, mais elle aura lu tout ce qu'on a écrit sur vous. Vous voyez le genre...

– Tout à fait, Clark, merci beaucoup, répondit Juan Diego avec un large sourire.

Par bonheur, Josefa était là. Elle fit en sorte d'éloigner un moment son mari. Juan Diego ne s'était pas rendu compte qu'il se tenait dans la queue du buffet jusqu'au moment où il se retrouva devant.

– Je vous conseille le poisson, lui dit la journaliste.

Elle s'était insérée dans la file à côté de lui, sans doute à la façon des hamsters venimeux.

– On dirait de la sauce au fromage, sur le poisson.

Il se servit de vermicelles coréens avec des légumes, et de bœuf à la vietnamienne.

– C'est la première fois que je vois quelqu'un manger du bœuf mutilé.

Elle voulait dire «émincé» sans doute, mais Juan Diego s'abstint de tout commentaire. Les Vietnamiens mutilaient peut-être le bétail, après tout.

– La petite femme, assez jolie, à la conférence tout à l'heure, dit-elle tout en se servant une tranche de poisson, elle est partie très tôt...

– Oui, je vois à qui vous faites allusion, Leslie je-ne-sais-quoi. Je ne la connais pas.

– Leslie je-ne-sais-quoi m'a demandé de vous dire quelque chose, lui glissa la femme entre deux âges, sur le ton de la confidence, un ton pas vraiment maternel.

Juan Diego attendit un moment. Il ne voulait pas avoir l'air trop intéressé. Et il cherchait des yeux Clark et Josefa. Il n'aurait pas été fâché que Clark la bouscule… fût-ce un peu.

– Leslie m'a demandé de vous dire que la femme qui accompagne Dorothy ne peut pas être sa mère. Elle n'a pas l'âge d'être sa mère, et d'ailleurs elles ne se ressemblent pas.

– Vous connaissez Miriam et Dorothy ?

La femme était mal fagotée. Elle portait une blouse paysanne, le genre qu'arboraient les hippies américaines à Oaxaca, ces femmes sans soutien-gorge avec des fleurs dans les cheveux.

– Bah non, je ne les connais pas. J'ai juste vu à quel point elles étaient aux petits soins pour Leslie. J'ai vu aussi qu'elles sont parties avec elle. Pour ce que ça vaut, j'ai pensé qu'en effet la plus âgée des deux n'avait pas l'air d'être la mère de l'autre. Et c'est vrai aussi qu'elles ne se ressemblaient pas, enfin, c'est mon point de vue…

– Je les ai vues, moi aussi.

Juan Diego n'en dit pas plus. Il lui était difficile d'imaginer en quels termes Miriam et Dorothy étaient *avec* Leslie. Et plus difficile encore d'imaginer pourquoi la pauvre Leslie se trouvait en leur compagnie.

Clark avait dû se rendre aux toilettes, Juan Diego ne le voyait nulle part. Mais venait maintenant à sa rencontre une personne qui allait peut-être, de façon pour le moins improbable, le tirer de ce mauvais pas. Elle était assez mal nippée pour faire elle aussi partie de la presse locale, mais dans son regard empressé il discernait le reflet d'une complicité inexprimée, comme si la lecture de son œuvre avait changé sa vie. Elle avait des histoires à partager : il l'avait sauvée ; elle avait envisagé le suicide, elle avait été enceinte à seize ans, ou encore elle avait perdu un enfant… quand elle était tombée sur un de ses romans ! Eh bien c'était ça, l'étincelle de complicité qui brillait dans ses yeux, le message implicite vos-bouquins-m'ont-sauvé-la-vie. Juan Diego adorait ces lecteurs inconditionnels. Tout ce qu'ils avaient aimé dans ses romans semblait scintiller dans leurs yeux.

La journaliste avait vu débouler l'ardente lectrice. Se connaissaient-elles, au moins de vue ? Juan Diego n'aurait pu l'affirmer. Elles avaient grosso modo le même âge.

– J'aime Mark Twain, moi ! cracha-t-elle à Juan Diego en guise de pique finale, puis elle s'éclipsa.

Était-ce là tout son *venin* ?

– Allez en parler à Clark ! lui lança-t-il, mais elle était déjà trop loin pour l'entendre.

– Bon débarras ! s'exclama la lectrice passionnée. Elle n'a rien lu, annonça-t-elle à Juan Diego. Moi, je suis votre plus grande admiratrice.

Grande, elle l'était, et forte : au moins quatre-vingts kilos. Elle portait un jean déchiré aux genoux et un T-shirt noir avec une tête de tigre féroce entre les seins. Un T-shirt militant, pour la protection des espèces en voie de disparition. Juan Diego était à des années-lumière de ces préoccupations : il était loin de se douter que les tigres avaient besoin d'être protégés.

– Tiens, vous avez pris du bœuf, vous aussi ! s'écria sa nouvelle plus grande admiratrice en enveloppant ses chétives épaules d'un bras aussi puissant que celui de Clark. Je vais vous dire quelque chose, lui dit-elle en l'accompagnant à sa table. Vous savez, l'épisode des chasseurs de canards ? Quand ce crétin oublie de retirer sa capote, rentre chez lui et pisse devant sa femme ? J'adore ce passage !

– Il n'a pas plu à tout le monde, objecta Juan Diego.

Un ou deux articles lui revenaient en tête.

– C'est bien Shakespeare qui a écrit les pièces de Shakespeare, dites-moi ? lui demanda-t-elle en le menant fermement vers une chaise.

– Je le crois, répondit Juan Diego avec prudence.

Il cherchait toujours du regard Clark et Josefa. Il adorait ses lectrices inconditionnelles, mais parfois, trop c'est trop !

C'est Josefa qui le repéra et l'entraîna à la table où Clark et elle l'attendaient.

– La protectrice des tigres est critique littéraire elle aussi, lui annonça Clark, une de celles qui lisent effectivement les romans.

– J'ai aperçu Miriam et Dorothy pendant la conférence, dit Juan Diego. Votre amie Leslie était avec elles.

– Ah, j'ai vu Miriam avec quelqu'un que je ne connaissais pas, dit Josefa.

506

– Sa fille, Dorothy, indiqua Juan Diego.

– D., précisa Clark.

Manifestement, Clark et Josefa appelaient Dorothy par son initiale.

– Elle n'a pas l'air d'être sa fille, fit remarquer le Dr Quintana, elle n'a pas sa beauté.

– Leslie me déçoit beaucoup, déclara Clark.

Josefa resta silencieuse.

– Elle te déçoit beaucoup… se borna à dire Juan Diego.

Que faisait donc Leslie je-ne-sais-quoi en compagnie de Dorothy et Miriam, elle qui n'avait rien à faire avec elles ? Sauf si elles l'avaient ensorcelée.

Ce mardi matin à Manille, 11 janvier 2011, les nouvelles du pays d'adoption de Juan Diego n'étaient pas bonnes. Le samedi précédent, une parlementaire démocrate de l'Arizona, Gabrielle Giffords, avait pris une balle dans la tête : elle avait une chance de s'en sortir, avec des dommages irréversibles au cerveau. Six personnes étaient mortes dans la fusillade, dont une fillette de neuf ans.

Le tireur était un jeune homme de vingt-deux ans. Il avait utilisé un pistolet semi-automatique Glock doté d'un chargeur grande capacité de trente cartouches. Ses propos cités étaient illogiques et incohérents. Encore un anarchiste détraqué ?

Je suis ici très loin, aux Philippines, songeait Juan Diego, mais dans mon pays d'adoption, les haines partisanes au sein de l'ordre public ne sont jamais très loin.

En parcourant les informations locales – il lisait le journal de Manille en prenant son petit déjeuner à l'Ascott –, il put constater que la « bonne » journaliste, sa lectrice inconditionnelle, avait été plutôt sympathique avec lui. Le portrait de Juan Diego Guerrero et l'évocation de son œuvre littéraire étaient bien documentés et élogieux. La journaliste armoire à glace, qu'il avait surnommée « la protectrice des tigres », était une fine lectrice et avait fait preuve de fair-play. La photo de l'article, en revanche, avait sans nul doute été choisie par un abruti de rédacteur en chef, l'ange gardien des tigres en péril n'y était pour rien.

Sur la photo, assis à sa table devant son plat de bœuf mutilé et sa bière, Juan Diego avait les yeux fermés. Il ne donnait pas l'impression de dormir mais d'être plongé dans un début de coma éthylique. La légende disait : IL AIME LA BIÈRE SAN MIGUEL.

La colère qui monta en lui à la vue de ce cliché aurait dû lui mettre la puce à l'oreille : l'adrénaline était dans les starting-blocks, mais il n'y fit pas attention. Et s'il sentait les symptômes d'une légère indigestion – peut-être de nouveau ses brûlures d'estomac –, pas de quoi en faire un plat. À l'étranger, on ingurgite souvent des aliments que l'estomac n'apprécie pas. Ce qu'il avait pris au petit déjeuner ou le bœuf à la vietnamienne de la veille pouvaient en être la cause, se disait-il en parcourant le hall de réception vers les ascenseurs, où il tomba nez à nez avec Clark, qui l'attendait.

– Ah, je suis heureux de voir que vos yeux sont bien ouverts ce matin ! lui dit celui-ci d'un ton badin.

À l'évidence, il avait vu la photo dans le journal. Il avait l'art de plomber la conversation.

De fait, ni l'un ni l'autre ne savait trop que dire de plus dans l'ascenseur de l'Ascott. Bienvenido les attendait dans la voiture devant l'entrée de l'hôtel, où Juan Diego tendit en toute confiance la main à l'un des chiens renifleurs. Clark French, qui s'était préalablement documenté, commença son cours d'histoire sur la route de Guadalupe Viejo.

Le district de Guadalupe à Makati formait un véritable quartier et avait été nommé ainsi en référence à la sainte patronne des premiers colons espagnols.

– Vos vieux amis, et les miens, de la Compagnie de Jésus, déclara Clark à son ancien professeur.

– Ah, ces jésuites, ils sont partout !

Ce n'était qu'une petite phrase de rien du tout, mais Juan Diego fut surpris par la difficulté qu'il avait à parler et respirer à la fois. Il se rendait compte que sa respiration n'était pas naturelle. Il sentait une gêne au niveau de l'abdomen, une sorte d'oppression. C'était sans doute le bœuf – assurément mutilé, pensa-t-il. Le sang lui affluait au visage, il commença à transpirer. Même s'il détestait la climatisation en voiture, il allait prier Bienvenido de la remonter un peu, mais il s'en abstint ; sa respiration devenait soudain si difficile qu'il doutait de pouvoir articuler quoi que ce soit.

– Durant la Seconde Guerre mondiale, poursuivait Clark, le quartier de Guadalupe a été très durement touché…

– Des hommes, des femmes, des enfants ont été massacrés par les soldats japonais, intervint Bienvenido.

Bien sûr, Juan Diego voyait très bien où tout cela conduisait : c'est à Notre Dame de Guadalupe qu'il revient de *protéger* tout le monde ! Il savait comment les anti-avortement, les soi-disant « pro-vie », s'étaient approprié Guadalupe. « Du ventre de la mère à la tombe », entonnaient invariablement de nombreux prélats.

Que disaient les passages de la Bible qu'ils citaient en permanence ? On voyait des crétins brandir des panneaux dans les zones d'en-but des stades de football : LIVRE DE JÉRÉMIE 1,5. Il voulait questionner Clark, qui devait connaître le passage par cœur : « Avant de te former dans le ventre de ta mère, je te connaissais, et avant que tu naisses, je t'avais consacré », quelque chose comme ça. Juan Diego voulait parler, mais les mots ne sortaient pas, il s'efforçait de respirer normalement. Il transpirait maintenant abondamment, ses vêtements lui collaient à la peau. Il savait qu'il n'irait pas au-delà de : « Avant de te former dans le ventre de ta mère… » Au mot « ventre », il allait vomir, à coup sûr.

C'était peut-être la voiture qui le rendait malade… Le mal des transports ? se demandait-il. Pourtant Bienvenido conduisait prudemment dans les rues étroites du quartier pauvre, sur la colline dominant la Pasig. Dans la cour poussiéreuse de la vieille église, un panneau indiquait : ATTENTION AUX CHIENS.

– À tous les chiens ? haleta Juan Diego.

Mais Bienvenido était occupé à garer la voiture et Clark à disserter. Personne ne l'entendit.

À l'entrée du monastère, aux pieds d'un Christ en croix, un buisson était parsemé d'étoiles clinquantes ; on aurait dit un arbre de Noël du plus mauvais goût.

« On subit ces décos merdiques à longueur d'année ! » entendit-il Dorothy proclamer, ou il imagina qu'elle aurait pu le proclamer si elle avait été présente dans la cour de l'église Notre-Dame de Guadalupe. Mais bien sûr Dorothy n'était pas là… seulement sa voix. Entendait-il des voix ? Mais ce qu'il percevait par-dessus tout, et qu'il n'avait pas remarqué auparavant, c'était son cœur, qui battait à tout rompre.

La statue toute de bleu vêtue de Santa Maria de Guadalupe, à demi cachée par les palmiers qui ombrageaient les murs noirs de suie du monastère, avait une expression de calme indéchiffrable, surprenante pour quelqu'un qui avait vécu une histoire aussi funeste. Clark, bien sûr, poursuivait sa narration historique d'un ton professoral, à l'unisson du martèlement puissant du cœur de Juan Diego.

Le monastère était fermé, mais Clark conduisit son ancien professeur dans l'église, dont le nom officiel était, précisa-t-il, Nuestra Señora de Gracia.

Encore une Notre Dame, assez de «Notre Dame»! pensa Juan Diego, mais il s'abstint une nouvelle fois de parler, essayant de ménager son souffle.

La statue de Notre Dame de Guadalupe avait été apportée d'Espagne en 1604. Et c'est en 1629 que l'église et le monastère avaient été achevés. Soixante mille Chinois avaient pris les armes en 1639, continuait Clark, sans qu'on en connaisse la raison. Mais quand les Espagnols avaient porté la statue sur le champ de bataille, des négociations de paix s'étaient engagées comme par miracle et il n'y avait eu aucune effusion de sang. Comme par miracle – qui a parlé de miracle? se demanda Juan Diego.

Il y avait eu d'autres épisodes dramatiques, bien sûr: en 1763, les troupes britanniques avaient pris possession de l'église et du monastère, puis les avaient brûlés et détruits. La statue de Guadalupe avait été sauvée des flammes par un «fonctionnaire» catholique irlandais. Un fonctionnaire, mais encore?

Bienvenido les attendait dans la voiture. Clark et Juan Diego étaient seuls dans l'église, à part deux personnes qui semblaient pleurer un défunt. Elles étaient agenouillées au premier rang, devant l'autel sobre et délicat, et la statue fort peu imposante de Guadalupe: deux femmes vêtues de noir des pieds à la tête. Clark continua son discours à voix basse, par respect pour le défunt.

Les tremblements de terre avaient quasiment rasé Manille en 1850. La voûte de l'église s'était effondrée durant les secousses. En 1882, le monastère avait été transformé en orphelinat pour les enfants des victimes du choléra. En 1898, Pío del Pilar, un général révolutionnaire philippin, avait occupé l'église et le monastère avec ses partisans. Il en avait été repoussé par les Américains en 1899, mais y avait mis le feu en s'enfuyant: le mobilier, les documents et les livres avaient été perdus à jamais.

Bon Dieu, Clark, tu ne vois donc pas dans quel état je suis? hurlait

Juan Diego dans sa tête. Il était conscient que quelque chose n'allait pas, mais Clark ne le regardait pas et poursuivait son récit :

En 1935, le pape Pie XI avait déclaré Notre Dame de Guadalupe «sainte patronne des Philippines». En 1941, les bombardiers américains n'avaient pas raté leur cible : les soldats japonais qui se terraient dans les ruines de l'église de Guadalupe. En 1995 avait été entreprise la restauration de l'autel et de la sacristie.

Clark avait achevé sa narration. Les deux femmes en noir n'avaient pas bougé ; tête baissée, elles étaient aussi immobiles que des statues.

Juan Diego essayait toujours de respirer, mais la douleur de plus en plus vive l'obligeait à retenir sa respiration, inspirer profondément, puis de nouveau bloquer l'air dans ses poumons. Clark French, absorbé par sa propre rhétorique, n'avait toujours pas remarqué la détresse de son ancien professeur.

Juan Diego songea qu'il ne pourrait pas énoncer la citation complète du Livre de Jérémie 1,5. Il lui restait trop peu de souffle. Il décida de ne dire que la dernière partie, il articula à grand-peine :

– «Avant que tu naisses, je t'avais consacré.»

– Je préfère «je t'avais sanctifié» à «je t'avais consacré», même si les deux expressions sont correctes, fit remarquer Clark à son ancien professeur, avant de tourner les yeux vers lui.

Il rattrapa Juan Diego sous les bras, à l'instant où celui-ci s'effondrait.

Dans l'agitation qui s'ensuivit, ni Clark ni Juan Diego ne remarquèrent que les deux femmes en noir avaient légèrement tourné la tête vers eux. Elles levèrent leur voile, juste assez pour pouvoir observer les allées et venues dans le fond de l'église. Clark courut chercher Bienvenido et les deux hommes transportèrent Juan Diego du banc où Clark l'avait allongé jusqu'à la voiture. Dans l'urgence, personne n'avait reconnu Miriam et Dorothy dans ces deux femmes agenouillées au premier rang de l'église mal éclairée.

Écrivain, Juan Diego était attentif à la chronologie. Chez lui, le choix du début ou de la fin de l'histoire était toujours délibéré. Mais avait-il conscience qu'il était en train de mourir ? Il devait s'être rendu compte que la difficulté à respirer et la douleur que cela lui occasionnait ne pouvaient guère provenir du bœuf à la vietnamienne. Mais ce que disaient Clark et Bienvenido lui paraissait particulièrement inconsistant. Bienvenido proférait son mépris pour les «hôpitaux d'état crasseux» et bien sûr Clark souhaitait conduire Juan Diego dans celui où travaillait sa femme, où tout le monde connaîtrait le Dr Josefa Quintana, et où il recevrait les meilleurs soins possibles.

« Un heureux hasard » semblait dire son ancien étudiant à Bienvenido, qui venait de lui annoncer que l'hôpital catholique le plus proche de l'église était à San Juan, une banlieue de la métropole à seulement vingt minutes de voiture. Par un « heureux hasard » en effet, il s'agissait du Centre médical Cardinal Santos, où travaillait Josefa.

Pour Juan Diego, les vingt minutes en voiture passèrent comme dans un rêve flou ; rien de concret n'avait de prise sur lui. Et en particulier le Greenhills Shopping Center, voisin de l'hôpital, pas plus que le Wack Wack Golf & Country Club (quel nom bizarre !), jouxtant lui aussi le centre médical.

Juan Diego ne réagit pas non plus à la présence du crucifix dans la salle des urgences du Cardinal Santos, et cela inquiéta d'autant plus Clark. Juan Diego ne semblait pas remarquer les religieuses qui faisaient leurs rondes régulières. À l'hôpital Cardinal Santos, il y avait toujours un prêtre ou deux sur place le matin, donnant la communion aux patients qui le désiraient.

« Mister va se baigner ! » Il croyait entendre Consuelo, mais la petite fille aux nattes ne se trouvait pas parmi les visages à l'envers qu'il voyait autour de lui. Pas de Philippins parmi ceux qui le regardaient, et il n'était pas en train de nager. Il marchait sans boiter, enfin. Mais il marchait la tête en bas, il était le marcheur céleste, à vingt-cinq mètres au-dessus du sol – il avait franchi les deux premiers échelons de corde, ceux qui lui faisaient le plus peur. Puis les deux suivants, et deux autres… Encore une fois, le passé l'enserrait – comme les visages à l'envers de ces spectateurs attentifs.

Dolores était là. Elle lui disait : « Quand tu marches là-haut pour les Vierges, elles te laissent avancer sans te retenir. » Mais la marche céleste n'était pas si compliquée que cela pour le lecteur-de-la-décharge. Les premiers livres qu'il avait lus, il les avait arrachés aux feux infernaux du basurero. Il s'était brûlé les mains en sauvant ces ouvrages des flammes. Que représentaient seize échelons à vingt-cinq mètres au-dessus du sol pour Juan Diego ? N'était-ce pas cela, la vie qu'il aurait pu avoir, s'il avait été assez courageux pour la saisir ? Mais à quatorze ans, comment imaginer l'avenir qui nous attend ?

«C'est nous, le miracle», avait tenté de lui dire Lupe. «Tu as un autre avenir!» avait-elle prédit, avec pertinence. Et de fait, quelle était leur espérance de vie, à sa petite sœur et à lui, même s'il était devenu marcheur céleste?

Il ne reste plus que dix échelons à franchir, pensa-t-il. Il les avait énumérés en silence. Bien sûr, personne dans la salle des urgences du Cardinal Santos ne savait qu'il comptait.

L'infirmière des Urgences savait en revanche qu'elle était en train de le perdre. Elle avait appelé le cardiologue. Clark avait insisté pour que sa femme soit prévenue. Naturellement, il lui avait envoyé des textos.

– Le Dr Quintana doit venir, n'est-ce pas? lui demanda l'infirmière.

Non qu'elle jugeât sa présence indispensable, mais au moins ça occupait l'esprit de Clark.

– Oui, oui, elle arrive, marmonna-t-il.

Il envoyait texto sur texto à Josefa quand il fut soudain agacé de voir que la vieille religieuse qui avait fait l'admission aux Urgences tournait en rond autour d'eux. Et maintenant elle faisait le signe de croix et ses lèvres bougeaient indistinctement. Que faisait-elle? se demanda-t-il. Était-elle en train de prier? Même les prières de la religieuse l'énervaient.

– Il faudrait peut-être appeler un prêtre… tenta la vieille nonne.

Clark l'arrêta aussitôt:

– Non! Pas de prêtre! Je ne crois pas qu'il veuille un prêtre.

– Non, j'en suis sûre… Il n'en voudrait pas.

Qui venait de parler? Il avait nettement entendu une voix de femme, un ton très autoritaire. Une voix qu'il avait déjà entendue, mais quand, et où?

Quand Clark leva les yeux de son portable, Juan Diego avait compté deux nouveaux échelons de corde dans sa tête, puis deux autres, et encore deux autres. Il n'en restait plus que quatre, quatre seulement!

Clark n'avait vu personne aux côtés de son ancien professeur dans la salle des urgences, personne à part l'infirmière et la vieille religieuse. Il se tenait maintenant à une distance respectable du lit où Juan Diego luttait contre la mort. Mais deux femmes – entièrement vêtues de noir, la tête recouverte d'un long châle – passèrent dans le couloir; elles semblaient glisser plutôt que marcher et Clark ne les aperçut qu'un bref instant, deux silhouettes. Il avait distinctement entendu Miriam dire « Non, j'en suis sûre… Il n'en voudrait pas ». Mais il ne parvenait pas à faire le rapprochement entre la voix qu'il avait entendue et la femme qui avait embroché le gecko à l'Encantador.

Même s'il avait eu le temps de les voir, aurait-il reconnu en elles la mère et la fille ? C'est fort peu probable. À leur tenue et leur attitude, elles pouvaient passer pour deux religieuses issues d'un ordre aux habits noirs. Quant à Miriam et Dorothy, elles venaient de disparaître, comme à leur habitude.

– Je vais chercher Josefa, annonça Clark en désespoir de cause.

L'infirmière dut sans doute être soulagée d'en être débarrassée, il ne servait strictement à rien ici.

– Pas de prêtre ! répéta Clark, presque hors de lui, à la vieille religieuse.

Celle-ci ne répondit pas. Elle avait vu toutes sortes de morts, le processus lui était familier, et elle avait aussi vu les désespoirs, les affolements de dernière minute comme celui de Clark qui les accompagnaient.

L'infirmière savait quand un cœur était au bout du rouleau. Aucun cardiologue n'aurait réussi à faire redémarrer celui-ci, elle le savait, mais ça ne l'empêcha pas d'aller chercher de l'aide.

Juan Diego semblait s'être perdu dans son compte. Combien restait-il d'échelons ? Deux ou quatre ? Il hésitait à avancer vers le suivant. Les vrais marcheurs célestes devaient progresser sans hésiter, mais Juan Diego s'interrompit. Il avait pris conscience qu'il ne marchait pas vraiment dans les airs, qu'il ne faisait que l'imaginer.

C'était son plus grand talent : l'imagination. Juan Diego comprit à ce moment qu'il était en train de mourir, et que la mort, elle, n'avait rien d'imaginaire. Et il comprit que c'était exactement cela que les gens faisaient quand ils mouraient, ce qu'ils souhaitaient quand ils s'éteignaient. Et c'était ce qu'il attendait, lui, Juan Diego : pas nécessairement la vie éternelle, pas une soi-disant vie après la mort, mais celle qu'il aurait aimé vivre, la vie de héros qu'il avait imaginée.

C'est donc cela la mort – rien de plus que cela, se dit-il. Cela le réconforta en pensant à celle de Lupe. La mort ne le prenait même pas par surprise. « Ni siquiera una sorpresa », comme la vieille religieuse l'avait entendu murmurer.

À présent, il n'y avait plus la moindre chance de quitter la Lituanie. La lumière avait disparu. Ne restaient que les ténèbres absolues. C'était ce qu'avait dit Dorothy dans l'avion, au-dessus de la baie, à l'approche de Manille de nuit ; les ténèbres absolues. « Sauf de temps en temps, quand on survole un bateau… les ténèbres, c'est la baie de Manille », avait-elle précisé. Pas cette fois, Juan Diego le savait, pas ces ténèbres-là. Il n'y avait pas de lumière, même pas celle d'un bateau, ces ténèbres étaient bien plus profondes que celles de la baie de Manille.

De sa main ridée, la vieille religieuse saisit le crucifix qu'elle portait à son cou, le serra dans sa paume et le porta contre son cœur. Personne – et moins que tout autre Juan Diego, qui venait de mourir – ne l'entendit prononcer la phrase « Sic transit gloria mundi ». Au demeurant, qui eût mis en doute la parole d'une nonne si vénérable ? Elle avait raison ; Clark French, s'il eût été là, n'y aurait rien ajouté. Les accidents, pour la plupart, ne vous prennent pas par surprise.

Remerciements à :

Julia Arvin ; Martin Bell ; David Calicchio ; Nina Cochran ; Emily Copeland ; Nicole Dancel ; Rick Dancel ; Daiva Daugirdiené ; John DiBlasio ; Minnie Domingo ; Rodrigo Fresán ; Gail Godwin ; Dave Gould ; Ron Hansen ; Everett Irving ; Janet Irving ; Stephanie Irving ; Bronwen Jervis ; Karina Juárez ; Delia Louzán ; Mary Ellen Mark ; José Antonio Martínez ; Anna von Planta ; Benjamin Alire Sáenz ; Marty Schwartz ; Nick Spengler ; Jack Stapleton ; Abraham Verghese ; Ana Isabel Villaseñor.

Table

Du même auteur

AUX MÊMES ÉDITIONS

Le Monde selon Garp
roman, 1980
et « Points », n° P5

L'Hôtel New Hampshire
roman, 1982
et « Points », n° P98

Un mariage poids moyen
roman, 1984
et « Points », n° P121

L'Œuvre de Dieu, la Part du Diable
roman, 1986
et « Points », n° P123

L'Épopée du buveur d'eau
roman, 1988
et « Points », n° P122

Une prière pour Owen
roman, 1989
et « Points », n° P124

Liberté pour les ours !
roman, 1991
et « Points », n° P99

Les Rêves des autres
nouvelles, 1993
et « Points », n° P54

Un enfant de la balle
roman, 1995
et « Points », n° P319

La Petite Amie imaginaire
récit, 1996
et « Points », n° P411

Une veuve de papier
roman, 1999
et « Points », n° P763

L'Œuvre de Dieu, la Part du Diable
scénario, 2000
et « Points », n° P709

La Quatrième Main
roman, 2002
et « Points », n° P1095

Mon cinéma
récit, 2003

Je te retrouverai
roman, 2006
et « Points », n° P1754

Dernière Nuit à Twisted River
roman, 2011
et « Points », n° P2824

À moi seul bien des personnages
roman, 2012
et « Points », n° P2824

et

Le Bruit de quelqu'un
qui essaie de ne pas faire de bruit
(illustré par Tajana Hauptmann)
Album jeunesse, 2005

RÉALISATION : PAO ÉDITIONS DU SEUIL
IMPRESSION : CPI FRANCE
DÉPÔT LÉGAL : MAI 2016. N° 129978 (134055)
Imprimé en France